고등
국어
HIGH SCHOOL

실전기출

문제은행

2B
2학기기말

비상 | 박안수

# 이 책의 구성 및 특징

## 교과서 확인학습

- 교과서 핵심내용 해설 및 확인 문제
- 교과서 지문의 핵심내용 파악, 어휘 및 구문 풀이
- O,X 문제 및 서답형 문제 학습

## 객관식 기본문제

- 기초단계 기출문제 제시 및 풀이능력 체크
- 각 단원의 핵심문제 제시
- 교과서 기반의 기본적인 학습능력 제공

## 객관식 심화문제

- 중상급 난이도 기출문제 제시 및 오답풀이
- 전국 고등학교 중요 기출문제 엄선 및 풀이
- 변별력 있는 문제 중심으로 기출유형 분석
- 교과서 밖 연계지문 활용 고난도 문제풀이

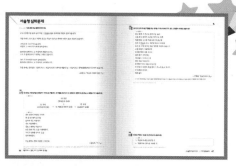

## 서술형 심화문제

- 서술형 기출문제 제시 및 풀이능력 향상
- 배점 높은 서술형 문제의 적중도를 높임

## 단원별 종합평가

- 단원별 학습 후 모의시험을 통한 수준평가
- 각 단원의 최종 점검 및 학습 마무리

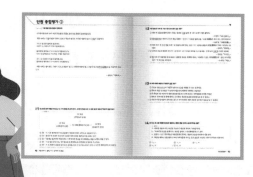

# 《Contents

**7**

# 우리의 말과 글을
# 따라서

# 세종어제훈민정음 世宗御製訓民正音

□ : 종성에 음가 없는 'ㅇ'을 받쳐 적은 동국정운식 한자음

世·솅宗종御·엉製·졩訓·훈民민正·졍音흠

임금이 몸소 지은 글　　백성을 가르치는 바른 소리

나·랏 :말ᄊᆞ·미 中듕國·귁·에 달·아 文문字·ᄍᆞ·와·로 서르 ᄉᆞᄆᆞᆺ·디 아·니ᄒᆞᆯ·ᄊᆡ ·이런 젼·ᄎᆞ·로 어·린 百·빅姓·셩·

　　말ᄊᆞ+이(주격조사)　　　비교 부사격 조사　　　　　　8종성법(기본형은 ᄉᆞᄆᆞᆺ다)　　　　까닭으로　어리석은

이 니르·고·져 ·홇 ·배이·셔·도 ᄆᆞ·ᄎᆞᆷ:내 제 ·ᄠᅳ·들 시·러 펴·디 :몯홇 ·노·미 하·니·라 ·내 ·이·ᄅᆞᆯ 爲·윙ᄒᆞ·야 :어엿·

두음법칙이 적용되지 않음　　 ᄠᅳ+을(목적격 조사)　　구개음화가 일어나지 않음　　많다　　　가엾게, 불쌍히　　　　　'ㅸ'의 사용

비 너·겨 ·새·로 ·스·믈여·듧 字·ᄍᆞ·를 ᄆᆡᇰ·ᄀᆞ노·니 :사름:마·다 :ᄒᆡ·ᅇᅧ :수·ᄫᅵ 니·겨 ·날·로 ·ᄡᅮ·메 便뼌安한·킈 ᄒᆞ·

　　　　　　　　　　　　　　　　어두자음군 사용　　　　씀에, 사용함에

고·져 ᄒᆞᇙ ᄯᆞᄅᆞ·미니·라

－《월인석보》(권1)에서, 세조(世祖) 5년(1459년) －

---

**[현대어 풀이]**

　우리나라의 말이 중국과 달라 한자와 서로 통하지 아니하여서, 이런 까닭으로 어리석은 백성이 말하고자 하는 바가 있어도 마침
　　　자주정신　　　　　　　　　　　　　　　　　　　　　　　　애민 · 창조정신

내 제 뜻을 능히 펴지 못하는 사람이 많다. 내가 이것을 가엾게 생각하여 새로 스물여덟 글자를 만드니, 모든 사람으로 하여금 쉽게
　　　　　　　　　　　　　　　　　　　　　　　　　　　　　　　　실용정신

익혀서 날마다 쓰는 데 편안하게 하고자 할 따름이다.

---

# 소학언해(小學諺解)

의미의 축소(몸 전체)안면

孔·공子·ᄌᆞ│ 曾증子·ᄌᆞᄃᆞ·려 닐·러 ᄀᆞᆯᄋᆞ·샤·ᄃᆡ 몸·이며 얼굴·이며 머·리털·이·며 ·ᄉᆞᆯ·흔 父·부母:모·쎄 받ᄌᆞ·온

　주격 조사 'ㅣ'　　　　　닐어)닐러　　　끊어적기　　접속 조사 '과'　　　　　　　　　　객체 높임법

거·시·라 敢:감·히 헐·워 샹히·오·디 아·니 :홈·이 :효·도·이 비·르·소미·오 ·몸·을 셰·워 道:도·를 行ᄒᆡᆼ·ᄒᆞ·야 일·홈·

　　　　　　　　　　　　　　　　　　　모음 조화 파괴, 명사형 어미 '-옴/-움'의 혼란　　　　　　　　　　　　끊어적기

을 後:후世·셰·예 :베퍼 ·뻐 父·부母:모를 :현·뎌케 :홈·이 :효·도·이 ᄆᆞ·ᄎᆞᆷ·이니·라

　　　　　이로써, '以(이)'를 직역한 표현　　 현뎌 → 현져 → 현저-

－『소학언해(小學諺解)』 권 제2, 선조(宣祖) 20년(1587년) －

---

**[현대어 풀이]**

　공자께서 증자에게 일러 말씀하시기를, 몸과 형체와 머리털과 살은 부모께 받은 것이라, 감히 헐게 하여 상하게 하지 아니함이

효도의 시작이고, 입신(출세)하여 도를 행하여 이름을 후세에 날려 이로써 부모를 드러나게 함이 효도의 끝이니라.

## 〈세종어제훈민정음〉에 나타난 한글 창제 정신

| 내용 | 창제 정신 |
|---|---|
| 우리말이 중국의 것과 다르다. | 자주 정신 |
| 백성들이 말하고자 하는 바를 제대로 전달하지 못하여 이를 불쌍히 여기고, 글자를 새로 만듦. | 애민 정신, 창조 정신 |
| 사람들로 하여금 쉽게 쓰게 하고자 함. | 실용 정신 |

## 〈세종어제훈민정음〉을 바탕으로 한 중세 국어와 현대 국어의 비교

| 구분 | 중세 국어 | 현대 국어 | 변화 내용 |
|---|---|---|---|
| 표기 | 世·솅宗종 | 세종 | 한자음을 동국정운식으로 표기함. |
| | ·이런 | 이런 | 성조가 사라짐. |
| | ·뿌·메 | 사용함에 | 표기에서 주로 이어적기를 사용함. |
| | 성조(방점) | 존재하지 않음. | 중세 국어에서는 글자의 왼쪽에 점을 찍어 소리의 높낮이를 표시했으나, 임진왜란 이후 소멸됨. |
| 음운 | :수·비 | 쉬이 | 현재 사용하지 않는 자음자(ㆁ, ㅿ, ㆆ, ㅸ)가 쓰임. |
| | ·쁘·들 | 뜻을 | 어두 자음군이 사라지고 된소리로 바뀜. |
| | 펴·디 | 펴지 | 구개음화의 영향으로 '-디'가 '-지'로 바뀜. |
| | 스·믈 | 스물 | 원순 모음화의 영향으로 '스믈'이 '스물'로 바뀜. |
| 문법 | 듕·귁·에 | 중국과 | 중세 국어에는 비교나 기준을 나타내는 부사격 조사 '에'가 있었음. |
| | ·홇 ·배 | 하는 바가 | 주격 조사로 'ㅣ'가 사용됨. |

## 중세 국어와 현대 국어의 어휘 변화

| 중세 국어 | 뜻 | | 현대 국어 | 뜻 | | 변화 유형 |
|---|---|---|---|---|---|---|
| 어·린 | 어리석은 | | 어린 | 나이가 적은 | | 의미 변동 |
| 놈 | 사람 | → | 놈 | '남자'의 낮춤말 | | 의미 축소 |
| :어엿·비 | 가엽게, 불쌍히 | | 어여삐 | 예쁘게 | | 의미 변동 |

| 갈래 | 서문(序文), 번역문 | 성격 | 교시적, 설명적 |
|------|------------------|------|---------------|
| 제재 | 훈민정음 | | |
| 주제 | 훈민정음의 창제 정신과 취지 | | |
| 특징 | •《훈민정음》의 서문을 한글로 풀이한 것으로,《월인석보》(1459) 제 1 권에 실려 있다.<br>•세종 대왕이 훈민정음을 창제하게 된 배경과 자주, 애민, 창조, 실용의 창제 정신이 잘 나타나 있다. | | |

**확인학습**

01 중세 국어에서는 음가 없는 'ㅇ'을 사용하였다.　　　　　　　　　O☐ ×☐

02 중세 국어에서는 어두에 둘 이상의 자음을 사용하였다.　　　　　O☐ ×☐

03 중세 국어에서는 주격 조사로 '이'와 '가'를 사용하였다.　　　　　O☐ ×☐

04 중세 국어에서는 소리 나는 대로 적는 것을 원칙으로 하고 있다.　O☐ ×☐

05 중세 국어에서는 소리의 높낮이를 통하여 단어의 뜻을 분별할 수 있다.　O☐ ×☐

06 중세 국어에서는 띄어쓰기를 하지 않았다.　　　　　　　　　　O☐ ×☐

07 중세국어의 'ㆁ, ㆆ, ㅸ' 등의 자음은 현대 국어에서는 사용하고 있지 않다.　O☐ ×☐

08 중세 국어는 현대 국어와 달리 두음 법칙이 적용되지 않았다.　　O☐ ×☐

09 중세 국어는 현대 국어와 달리 소리 나는 대로 표기하는 부분이 있다.　O☐ ×☐

10 중세 국어에서는 입술소리 'ㅁ, ㅂ, ㅃ, ㅍ' 다음에서 평순 모음 'ㅡ'가 사용되었으나 현대 국어에서는 평순 모음 'ㅡ'가 원순 모음 'ㅜ'로 바뀌었다.　　　　　　　　　　　　　　　　　　O☐ ×☐

11 방점은 점의 개수로 소리의 높낮이를 알 수 있다.　　　　　　　O☐ ×☐

12 방점이 없으면 소리를 낼 수 없다.　　　　　　　　　　　　　　O☐ ×☐

# 객관식 기본문제

[01~02] 다음 글을 읽고 물음에 답하시오.

世솅宗종御엉製졩訓훈民민正졍音흠

㉠나·랏:말쓰·미 中듕國·귁·에 ㉡달·아 文문字·쫑·와로 서르 ᄉᆞᄆᆞᆺ·디 아·니ᄒᆞᆯ·씨 ·이런 젼·ᄎᆞ·로 어·린 ㉢百·빅姓·셩·이 니르·고·져 ·ᄒᆞᇙ·배 이·셔·도 ᄆᆞᄎᆞᆷ:내제 ㉤·ᄠᅳ·들 시·러 펴·디 :몯ᄒᆞᇙ ·노·미 하·니·라 ·내 ·이·를 爲·윙·ᄒᆞ·야:어엿·비 너·겨 ·새·로 ·스·믈여·듫 字·쫑·를 밍·ᄀᆞ노·니 :사ᄅᆞᆷ:마·다 :ᄒᆡ·ᅇᅧ :수·비 니·겨 ·날·로 ·ᄡᅮ·메 便뼌安ᅙᅡᆫ·킈 ᄒᆞ·고·져 ᄒᆞᇙ ᄯᆞᄅᆞ·미니·라

**01** 윗글의 ㉠~㉤을 통해 알 수 있는 중세국어의 특징으로 적절한 것은?

① ㉠ : 부사격 조사를 표기할 때 'ㅅ'을 사용하여 표기하였다.
② ㉡ : 용언 뒤에 모음으로 시작하는 어미가 이어질 때 이어 적기하여 표기하였다.
③ ㉢ : 한자어를 표기할 때 형식적으로 종성 'ㅇ'을 사용하여 초성, 중성, 종성을 모두 표기하였다.
④ ㉣ : 주격 조사를 쓸 때 모음 뒤에서는 주격 조사를 쓰지 않고 생략하였다.
⑤ ㉤ : 초성을 쓸 때 합용 병서를 단어의 첫머리에 써서 어두 자음군을 표기하였다.

**02** 〈보기〉는 윗글을 바탕으로 학생들이 중세국어와 현대국의 차이점을 탐구한 자료 중 일부이다. 탐구자료 ㉠~㉢에 들어갈 적절한 예시만을 짝지은 것은?

┤ 보기 ├

| 탐구 영역 | 탐구 자료 | 탐구 내용 |
|---|---|---|
| 음운의 측면 | ㉠ | 가연 : 중세국어 시기에는 두음 법칙이 없었다고 볼 수 있군. |
| 어휘의 측면 | ㉡ | 나연 : 국어가 변화하면서 어떤 어휘는 없어지기도 하고, 어떤 어휘는 그 의미가 바뀌기도 하는군. |
| 문법과 문법 요소 측면 | ㉢ | 다연 : '가'가 쓰일 자리에 다른 형태가 쓰인 것을 보니 현대국어와 달리 중세국어 시기에는 주격조사 '가'가 없었구나. |

| | ㉠ | ㉡ | ㉢ |
|---|---|---|---|
| ① | 서르 | 어엿브다 | :몯ᄒᆞᇙ ·노·미 하·니·라 |
| ② | 니르고져 | 어리다 | ᄒᆞᇙ ·배 이·셔·도 |
| ③ | 날로 | 젼ᄎᆞ | 나·랏 :말쓰·미 |
| ④ | 너겨 | 놈 | ·스·믈여·듫 字·쫑·를 |
| ⑤ | 사ᄅᆞᆷ마다 | 나라 | 百·빅姓·셩·이 니르·고·져 |

[03~08] 다음 글을 읽고 물음에 답하시오.

世솅宗종御엉製졩訓훈民민正졍音흠

㉠나·랏:말ᄊ·미 ㉡中듕國·귁·에 달아 文문字·ᄍ·와로 서르 ᄉᆞᄆᆞᆺ·디 아·니홀·ᄊᆡ ·이런 젼·ᄎᆞ·로 어·린 百·ᄇᆡᆨ姓·셩·이 니르·고·져 ·홇 ㉢배 이·셔·도 ᄆᆞ·ᄎᆞᆷ:내제 ·ᄠᅳ·들 시·러 펴·디 :몯홇 ·노·미 @하·니·라 ·내 ·이·ᄅᆞᆯ ㉣爲·윙·ᄒᆞ·야:어엿·비 너·겨 ·새·로 ㉤·스·믈여·듧 字·ᄍᆞ·ᄅᆞᆯ 밍·ᄀᆞ노·니 :사ᄅᆞᆷ:마·다 :ᄒᆡ·ᅇᅧ :수·ᄫᅵ 니·겨 ·날·로 ·ᄡᅮ·메 便뼌安한·킈 ᄒᆞ·고·져 홇 ᄯᆞᄅᆞ·미니·라

— 「훈민정음」 언해, 1459년 —

**[현대어 풀이]**

우리나라 말이 중국과 달라 한자와는 서로 통하지 아니하여서 이런 까닭으로 어리석은 백성이 말하고자 하는 바가 있어도 마침내 제 뜻을 펴지 못하는 사람이 많다. 내가 이것을 가엾게 여겨 새로 스물여덟 자를 만드니, 모든 사람으로 하여금 쉽게 익혀서 날마다 쓰는 데에 편하게 하고자 할 따름이다.

**03** 윗글을 읽고 중세 국어의 특징을 설명한 것으로 적절하지 <u>않은</u> 것은?

① 현대 국어와 달리 띄어쓰기를 하지 않았다.
② 현대 국어에서는 소실된 음운을 사용하고 있다.
③ 체언과 조사를 적을 때 그 체언의 원형을 밝혀 적었다.
④ 초성에 둘 이상의 자음이 오는 어두 자음군이 존재했다.
⑤ 비교의 의미를 드러내는 부사격 조사가 현대 국어와는 다른 형태로 존재했다.

**04** 윗글을 읽고 국어의 변천에 대해 탐구한 내용으로 적절하지 <u>않은</u> 것은?

① 중세 국어는 현대 국어와 달리 구개음화가 일어나지 않았다.
② 중세 국어는 현대 국어와 달리 두음법칙이 적용되지 않았다.
③ 중세 국어는 현대 국어와 달리 방점을 찍어 성조를 표시하였다.
④ 중세 국어의 ‘ㆍ’(아래 아)는 현대 국어에서 더 이상 음운으로 사용되지 않는다.
⑤ 중세 국어는 현대 국어와 달리 단어의 첫머리에서 둘 이상의 자음이 쓰일 수 없었다.

**05** ㉠~㉤에 대해 탐구한 내용으로 적절하지 <u>않은</u> 것은?

① ㉠의 ‘ㅅ’은 현대 국어 관형격 조사에 해당하겠군.
② ㉡의 ‘에’는 부사격 조사의 기능을 하고 있군.
③ ㉢의 ‘ㅣ’는 주격조사로, 현대 국어와 다른 형태가 사용되었군.
④ ㉣의 ‘ᄒᆞ야’를 보니 모음조화가 제대로 지켜지지 않았음을 알 수 있군.
⑤ ㉤을 보니 원순모음화가 일어나지 않았음을 알 수 있군.

**06** 아래의 밑줄 친 조사 중에서 윗글의 ⓒ'배'에 쓰인 조사와 같은 역할을 하는 조사가 쓰인 것은?

① 이번 월드컵은 우리나라<u>에서</u> 우승을 차지하였다.
② 긴 겨울이 지나자 강물이 녹아 얼음<u>이</u> 되었다.
③ 피서지에서 예약한 방이 깨끗하지<u>가</u> 않았다.
④ 그가 우리를 도와줄 적임자<u>가</u> 아닐까?
⑤ 지금의 야자가 미래의 성공<u>이</u> 될 것이다.

**07** 윗글에 사용된 단어에 대한 설명으로 적절하지 <u>않은</u> 것은?

① '말씀'은 '일반적인 말'을 의미했지만, 오늘날 남의 말을 높여 이르는 말이나 자기 말을 낮추어 이르는 말을 가리킨다는 점에서 의미 확대의 예이다.
② '사뭇다, 견츠'는 오늘날 사용하지 않는 단어이기 때문에 어휘 소멸의 예이다.
③ '어리다'는 '어리석다'를 의미했는데, 오늘날 '나이가 적다'를 가리킨다는 점에서 의미 이동의 예이다.
④ '놈'은 '일반 사람'을 의미했지만 오늘날 '남자, 사람'을 낮잡아 이르는 말로 쓰여 의미 축소의 예이다.
⑤ '어엿브다'는 '가엽다'를 의미했지만, 오늘날 '예쁘다'를 가리킨다는 점에서 의미 이동의 예이다.

**08** 현대어 풀이를 참고할 때, 윗글의 'Ⓐ노·미'와 표기의 측면에서 가장 이질적인 것은?

① 말싼·미           ② 쁘·들           ③ 어엿·비
④ 니·겨           ⑤ 쌴·미 니·라

**09** 〈보기〉의 ㉠, ㉡, ㉢의 사례를 순서대로 바르게 짝지은 것은?

┤ 보기 ├

• 'ㅇ룰 입시울쏘리 아래 니어 쓰면 ㉠입시울 가배야본 소리 두외ᄂᆞ니라
[현대어 풀이] ㅇ을 순음 아래 이어 쓰면 순경음이 된다.

• ·와 ─와 ㅗ와 ㅜ와 ㅛ와 ㅠ는 ㉡첫소리 아래 브텨 쓰고 ㅣ와 ㅏ와 ㅓ와 ㅑ와 ㅕ와란 ㉢올ᄒᆞᆫ녀긔 브텨 쓰라.
[현대어 풀이] ·와 ─와 ㅗ와 ㅜ와 ㅛ와 ㅠ는 첫소리 아래 붙여 쓰고 ㅣ와 ㅏ와 ㅓ와 ㅑ와 ㅕ는 오른쪽에 붙여 쓰라.

|  | ㉠ | ㉡ | ㉢ |
|---|---|---|---|
| ① | 文문字쫑 | 나랏 | 펴디 |
| ② | 百빅姓셩이 | ᄒᆞ고져 | 니겨 |
| ③ | 딩ᄀᆞ노니 | 이런 | 달아 |
| ④ | 히여 | ᄆᆞᄎᆞᆷ내 | 시러 |
| ⑤ | 수비 | 몯ᄒᆞᆶ | 하니라 |

[10~13] 다음 글을 읽고 물음에 답하시오.

世솅宗종御엉製졩訓훈民민正졍音흠

나·랏@:말쓰·미 中듕國·귁·에 달·아 文문字·쭝·와로 서르 스뭇·디 아·니홀·씨 ·이런 젼·ᄎ·로 ⓑ어·린 百·빅姓·셩·이 니르·고·져 ·홇 ·배 이·셔·도 ᄆᆞ·ᄎᆞᆷ:내 제 ·ᄠᅳ·들 시·러 펴·디 :몯홇 ⓒ·노·미 하·니·라 ·내 ·이·를 爲·윙·ᄒᆞ·야ⓓ:어엿·비 너·겨 ·새·로 ·스·믈여·듧 字·쭝·를 ᄆᆡᇰᄀᆞ노·니 ⓔ:사·ᄅᆞᆷ:마·다 :ᄒᆡ·ᅧ :수·비 니·겨 ·날·로 ·ᄡᅮ·메 便뼌安한·킈 ᄒᆞ·고·져 홇 ᄯᆞᄅᆞ·미니·라

– 「훈민정음(訓民正音)」 언해본에서 –

[현대어 풀이]

우리나라 말이 중국과 달라 한자와는 서로 통하지 아니하여서 이런 까닭으로 어리석은 백성이 말하고자 하는 바가 있어도 마침내 제 뜻을 펴지 못하는 사람이 많다. 내가 이것을 가엾게 여겨 새로 스물여덟 자를 만드니, 모든 사람으로 하여금 쉽게 익혀서 날마다 쓰는 데에 편하게 하고자 할 따름이다.

**10** 윗글의 @~ⓔ 중, 〈보기〉의 설명과 관련 없는 것은?

┤ 보기 ├

언어는 시간의 흐름에 따라 신생, 성장, 소멸한다. 마찬가지로 단어의 의미도 시간의 흐름에 따라 변화하는데, 의미 영역이 확대되기도 하고(의미 확대), 반대로 축소되기도 하며(의미 축소), 전혀 다른 의미로 변화하기도 한다.(의미 이동).

① @ : 말씀  ② ⓑ : 어리다  ③ ⓒ : 놈
④ ⓓ : 어엿브다  ⑤ ⓔ : 사름

**11** 윗글을 통해 알 수 있는 중세국어의 특징으로 알맞지 않은 것은?

① 동국정운식 표기법을 사용하고 있다.
② 성조(聲調)를 통해 단어의 뜻을 구별할 수 있다.
③ 음운 측면에서 '스뭇·디'처럼 어휘가 사라진 것도 있다.
④ 중세국어 표기법은 실제 발음을 충실히 반영하고 있다.
⑤ 표기 측면에서 이어적기를 하고 띄어쓰기를 하지 않는다.

**12** 윗글에 대한 설명으로 알맞지 않은 것은?

① 'ㆍ, ㅸ, ㆆ'이 사용되고 있다.
② 훈민정음의 창제 동기가 나타난다.
③ 어두자음군과 합용병서가 나타난다.
④ 평성은 방점이 한 개이며 높은 소리이다.
⑤ 훈민정음은 자음 17자, 모음 11자로 되어 있다.

**13** 윗글을 통해 알 수 있는 중세국어의 특징에 해당하는 사례로 적절하지 <u>않은</u> 것은?

| 중세국어 특징 | 사례 |
|---|---|
| ① 구개음화가 사용되지 않음 | 펴·디 |
| ② 비교부사격 조사 '에'가 사용됨 | 中듕國·귁·에 |
| ③ 두음법칙이 사용되지 않음 | 니르·고·져, 니·겨 |
| ④ 주격조사 'ㅣ'가 사용됨 | ·내, 제 |
| ⑤ 모음조화가 잘 지켜짐 | 爲·윙·ᄒᆞ·야 |

[14~16] 다음 글을 읽고 물음에 답하시오.

(가) 世솅宗종御엉製졩訓훈民민正졍音ᅙᅳᆷ

나·랏:말ᄊᆞ·미 中듕國·귁·에 달·아 文문字·ᄍᆞ·와·로 서르 ᄉᆞᄆᆞᆺ·디 아·니ᄒᆞᆯ·ᄊᆡ·이런 젼·ᄎᆞ·로 어·린 百·빅姓·셩·이 니르·고·져·ᄒᆞᇙ·배이·셔·도 ᄆᆞᄎᆞᆷ:내제·ᄠᅳ·들시·러펴·디:몯ᄒᆞᇙ·노·미하·니·라·내·이·ᄅᆞᆯ爲·윙·ᄒᆞ·야:어엿·비너·겨·새·로·스·믈여·듧字·ᄍᆞ·ᄅᆞᆯᄆᆡᇰ·ᄀᆞ노·니:사ᄅᆞᆷ:마·다:ᄒᆡ·ᅇᅧ:수·ᄫᅵ니·겨·날·로·ᄡᅮ·메便뼌安한·킈ᄒᆞ·고·져ᄒᆞᇙᄯᆞᄅᆞ·미니·라

– 「월인석보」, 세조 5년(1459년) –

[현대어 풀이]

우리나라 말이 중국과 달라 한자와는 서로 통하지 아니하여서 이런 까닭으로 어리석은 백성이 말하고자 하는 바가 있어도 마침내 제 뜻을 펴지 못하는 사람이 많다. 내가 이것을 가엾게 여겨 새로 스물여덟 자를 만드니, 모든 사람으로 하여금 쉽게 익혀서 날마다 쓰는 데에 편하게 하고자 할 따름이다.

(나) 孔·공子·ᄌᆞ·ㅣ 曾증子·ᄌᆞᄃᆞ·려 닐·러 ⊙ᄀᆞᆯ·ᄋᆞ·샤·ᄃᆡ 몸·이·며 얼굴·이·며 머·리털·이·며 ·술·흔 ⓒ父·부母:모·ᄭᅴ 받ᄌᆞ·온 거·시·라 敢:감·히 헐·워 샹히·오·디 아·니:홈·이 :효·도·ᄋᆡ 비·르소·미·오 ·몸·을 셰·워 道:도·를 行ᅘᆡᇰ·ᄒᆞ·야 일·홈·을 後:후世·셰·예 :베퍼 ·뻐 父·부母:모ᄅᆞᆯ :현·뎌케 :홈·이 :효·도·ᄋᆡ ᄆᆞ·ᄎᆞᆷ·이니·라

– 「소학언해」, 권 제2, 선조 20년(1587년) –

[현대어 풀이]

공자께서 증자에게 일러 말씀하시기를, 몸과 형체와 머리털과 살은 부모께 받은 것이라. 감히 헐게 하여 상하게 하지 아니함이 효도의 시작이고, 입신(출세)하여 도를 행하여 이름을 후세에 날려 이로써 부모를 드러나게 함이 효도의 끝이니라.

**14** (가)와 (나)에 대한 설명으로 가장 적절한 것은?

① (가)의 '듕귁에 달아'에서 현대와는 다른 주격 조사의 실현을 볼 수 있다.
② (나)의 '일홈'은 현대에 '명예'로 의미 이동이 일어났다.
③ (가)는 (나)와 달리 명사형 전성어미 '-옴/-움'을 사용하였다.
④ (나)는 (가)와 달리 한자어를 현실음에 맞게 표기하였다.
⑤ (가)의 '말ᄊᆞ미', (나)의 '뻐'에서 현대와는 달리 어두자음군의 모습을 볼 수 있다.

**15** ⊙과 ⓒ에 대한 설명으로 적절하지 <u>않은</u> 것은?

① ⊙에서 높임의 대상은 '공ᄌᆞ'이다.
② ⓒ에서 높임의 대상은 '부모'이다.
③ ⊙은 현대 국어와 유사하게 선어말어미를 이용하여 주체 높임을 실현하고 있다.
④ ⓒ은 현대 국어와 유사하게 선어말어미를 이용하여 객체 높임을 실현하고 있다.
⑤ ⓒ은 현대 국어와 유사하게 '쯰'와 같은 부사격 조사를 이용하여 객체 높임을 실현하고 있다.

**16** 〈보기〉를 참고했을 때 주격 조사가 'ㅣ'로 실현된 예로 가장 적절한 것은?

┤ 보기 ├

현대 국어에서는 주격 조사로 '이', '가'가 쓰이는 반면, 중세 국어에서는 주격 조사가 음운론적 환경에 따라 '이', 'ㅣ'의 형태로 실현되었다. 조사가 쓰이는 환경 및 조사의 형태를 정리하면 다음과 같다.

| 쓰이는 환경 | 체언의 끝소리가 자음일 때 | 체언의 끝소리가 모음일 때 |
|---|---|---|
| 주격 조사의 형태 | 이 | ㅣ |

① 훓 배 이셔도
② 나랏 말ᄊᆞ미
③ 어린 빅셩이
④ 부모를 현더케 홈이
⑤ 효도ᅵ 무춤이니라

**17** 〈보기〉의 설명을 참고했을 때, ⊙~ⓒ에 들어갈 목적격 조사가 모두 올바르게 짝지어진 것은?

┤ 보기 ├

모음조화란 한 단어 내에서 같은 성질을 가진 모음들이 어울리는 현상이다. 국어의 모음조화는 양성 모음을 양성 모음끼리, 음성 모음은 음성 모음끼리 어울리는 현상이라고 하는데, 이러한 모음조화는 중세국어 시기에 더 철저하게 지켜졌다(다만, 중세 후기부터는 혼란스러운 모습을 보인다.). 양성모음은 'ㆍ, ㅏ, ㅗ', 음성모음은 'ㅡ, ㅓ, ㅜ'이다. 중세 국어에서 목적격 조사는 '올, 을, 롤, 를'이 있다. 이들 중 어떤 것이 선택되는가는 체언이 자음으로 끝나느냐 모음으로 끝나느냐와 함께 체언과의 모음조화에 따라서 결정되었다. 예를 들면 아래와 같다.

| 중세국어 | 현대국어 | 중세국어 | 현대국어 |
|---|---|---|---|
| 도+롤 | 도를 | ᄠᅳᆮ+⊙ | 뜻을 |
| 몸+ⓒ | 몸을 | 공자+ⓒ | 공자를 |

|  | ⊙ | ⓒ | ⓒ |
|---|---|---|---|
| ① | 올 | 을 | 롤 |
| ② | 올 | 을 | 를 |
| ③ | 을 | 을 | 롤 |
| ④ | 울 | 올 | 롤 |
| ⑤ | 를 | 올 | 를 |

# 객관식 심화문제

**01** 〈보기〉에 대한 설명으로 적절하지 <u>않은</u> 것은?

> ┤ 보기 ├
> 불·휘기·픈남·ᄀᆞᆫ·ᄇᆞᄅ·매아·니:뮐·ᄊᆡ곶:됴·코여·름·하ᄂᆞ·니:ᄉᆡ·미기·픈·므·른·ᄀᆞᄆᆞ·래아·니그·츨·ᄊᆡ:내·히
> 이·러바·ᄅᆞ·래·가ᄂᆞ·니
>
> **[현대어 풀이]**
> 뿌리 깊은 나무는 바람에 움직이지 아니하므로, 꽃 좋고 열매 많습니다. 샘이 깊은 물은 가뭄에 그치지 아니하므로, 내(川)가 이루어져 바다에 갑니다.

① 띄어쓰기를 전혀 하지 않았다.
② '됴코'는 '둏+고'의 음운변동을 반영한 표기이다.
③ '하ᄂᆞ니'의 기본형 '하다'는 현대 국어로 '많다'라는 뜻이었다.
④ 글자 옆에 있는 방점은 중세 국어에 성조가 있었음을 알려 준다.
⑤ 음절 말에서 소리 나는 8개의 자음만 표기하는 8종성법이 잘 지켜졌다.

[02~07] 다음 글을 읽고, 물음에 답하시오.

**(가)** 世·솅宗종御·엉製·졩訓·훈民민正·졍音흠
　나·랏 :말ᄊᆞ·미 中듕國·귁·에 달·아 文문字·ᄍᆞ·와·로 서르 ᄉᆞᄆᆞᆺ·디 아니홀·ᄊᆡ ·이런 젼·ᄎᆞ·로 ㉠어·린 百·빅姓·셩·이 니르·고·져 ·훓 ·배 이·셔·도 ᄆᆞᄎᆞᆷ:내 제 ·ᄠ·들 시·러 펴·디 :몯홇 ·노·미 하·니·라 ·내 ·이·ᄅᆞᆯ 爲·윙·ᄒᆞ·야 ㉢:어엿·비 너·겨 ·새·로 ·스·믈여·듧 字·ᄍᆞ·ᄅᆞᆯ 밍·ᄀᆞ노·니 :사ᄅᆞᆷ:마·다 :ᄒᆡ·ᅇᅧ :수·ᄫᅵ 니·겨 ·날·로 ·ᄡᅮ·메 便뼌安한·킈ᄒᆞ·고·져 홇 ᄯᆞᄅᆞ·미니·라

**(나)** 孔·콩子·ᄌᆞ·ㅣ 曾증子·ᄌᆞᄃᆞ·려 닐·러 ᄀᆞᆯ·ᄋᆞ·샤·ᄃᆡ ·몸이며 ㉣얼·굴·이며 머·리털·이·며 ·ᄉᆞᆯ·흔 父·부母:모·쒸 받ᄌᆞ·온 거·시·라 敢:감·히 헐·워 샹히·오·디 아·니·홈·이 :효·도·ㅣ 비·르·소미·오 ·몸·을 셰·워 道:도·를 行ᅘᅵᆼ·ᄒᆞ·야 ㉤일:홈·을 後:후世·셰·예 :베퍼 ·ᄡᅥ 父·부母:모·ᄅᆞᆯ :현·뎌케 ·홈·이 :효·도·ㅣ ᄆᆞᄎᆞᆷ·이니·라

**(다)** 밤 ᄀᆞᆺ던 긔운이 흐ㅣ 되야 ᄎᆞᄎᆞ 커 가며 큰 징반만 ᄒᆞ여 븕웃븕웃 ⓐ번듯번듯 쒸놀며 젹식이 왼 바다희 ᄭᅵ치며 몬져 븕은 긔운이 ᄎᆞᄎᆞ 가시며 흐ㅣ 흔들며 쒸놀기 더욱 ᄌᆞ로 ᄒᆞ며 항 ᄀᆞᆺ고 독 ⓑᄀᆞᆺᄒᆞᆫ 것이 좌우로 쒸놀며 황홀이 번득여 냥목이 어즐ᄒᆞ며 븕은 긔운이 명낭ᄒᆞ야 쳣 홍식을 헤앗고 텬듕의 징반 ᄀᆞᆺᄒᆞᆫ 것이 수레박회 ᄀᆞᆺᄒᆞᆫ야 믈 속으로셔 치미러 밧치ᄃᆞ시 올나 븟흐며 항독 ᄀᆞᆺᄒᆞᆫ 긔운이 스러디고 처엄 ⓒ븕어 것츨 빗쵀던 ⓓ거슨 모혀 소혀텨로 드리워 믈 속의 ⓔ풍덩 ᄲᅡ디는듯 시브더라 일식이 됴요ᄒᆞ며 믈결의 븕은 긔운이 ᄎᆞᄎᆞ 가시며 일광이 청낭하니 만고 텬하의 그런 장관은 되두할 ᄃᆡ 업슬 듯ᄒᆞ더라

**02** (가)를 탐구한 내용으로 적절하지 <u>않은</u> 것은?

① '나랏'의 'ㅅ'은 현대 국어의 '의'에 해당하는 관형격 조사로 쓰였군.
② '中듕國·귁·에'의 '에'는 장소를 나타내는 부사격 조사로 쓰였군.
③ '文문字·ᄍᆞ'은 중국 원음에 나타내는 부사격 조사로 쓰였군.
④ '펴디'에서는 구개음화가 확인되지 않는군.
⑤ '便뼌安한·킈'를 보니 오늘날에는 없는 자음이 쓰였음을 알 수 있군.

**03** 〈보기〉의 ⓐ~ⓔ 중, (가)의 현대어 풀이로 적절하지 <u>않은</u> 것은?

> ┤ 보기 ├
>
> 　우리나라의 말이 중국과 달라 한자와 서로 ⓐ<u>통하지</u> 아니하여서 이런 ⓑ<u>까닭으로</u> 어리석은 백성이 ⓒ<u>말하고자</u> 하는 바가 있어도 마침내 제 뜻을 펴지 못하는 사람이 많다. 내가 이것을 가엾게 생각하여 새로 스물여덟 글자를 만드니, 모든 사람으로 하여금 ⓓ<u>쉽 없이</u> 익혀서 날마다 ⓔ<u>쓰는 데</u> 편안하게 하고자 할 따름이다.

① ⓐ　　　　② ⓑ　　　　③ ⓒ　　　　④ ⓓ　　　　⑤ ⓔ

**04** ㉠~㉤의 의미의 변화 양상을 적절하게 연결한 것은?

| 의미의 축소 | 의미의 이동 |
|---|---|
| ① ㉠, ㉡ | ㉢, ㉤ |
| ② ㉠, ㉢ | ㉡, ㉣ |
| ③ ㉡, ㉣ | ㉠, ㉢ |
| ④ ㉡, ㉤ | ㉢, ㉣ |
| ⑤ ㉢, ㉤ | ㉠, ㉣ |

**05** (가)~(다)를 비교한 내용으로 적절하지 <u>않은</u> 것은?

① (가)에서는 각자 병서가 쓰였으나 (나), (다)에서는 쓰이지 않고 있다.
② (가)는 연철 표기(이어적기)가 보편적이고, (나), (다)는 분철 표기(끊어적기)가 확대되었다.
③ (가)에서는 'ㄹㆍ'형 활용형이 나타나고 있으나, (나)에서는 'ㄹㆍ'형 활용형이 'ㄹㄹ'형으로 나타나고 있다.
④ (가)_ (나)와 달리 (다)에는 하나의 음소를 두 개의 음소로 쪼개어 표기하는 방식이 나타나고 있다.
⑤ (가), (나)에서는 명사형 어미 '-옴/움-'이 규칙적으로 쓰이고 있으나 (다)시기에는 '-옴/움-'의 불규칙한 사용이 나타나고 있다.

**06** (다)의 밑줄 친 단어 중, 모음조화가 지켜지지 <u>않은</u> 것은?

① ⓐ　　　　② ⓑ　　　　③ ⓒ　　　　④ ⓓ　　　　⑤ ⓔ

**07** (다)가 쓰인 시기의 국어의 특징이 <u>아닌</u> 것은?

① '쉬놀기'에서는 명사형 어미 '-기'가 쓰였음을 알 수 있다.
② '것츨'에서는 중철 표기(거듭적기)가 나타난 것을 알 수 있다.
③ '물속으러셔'에서는 원순모음화가 일어나지 않았음을 알 수 있다.
④ 방점이 안 나타나는 것으로 보아 성조가 소실되었음을 알 수 있다.
⑤ 'ᄀᆞ츨'의 'ㅅ'을 보니 받침 표기에 'ㅅ'이 들어오면서 8종성 체계가 정착되었음을 알 수 있다.

**[08~11] 다음 글을 읽고, 물음에 답하시오.**

**(가)**
불·휘기·픈남·ᄀᆞᆫ·ᄇᆞᄅ·매아·니:뮐·씨곳:됴·코여·름·하ᄂᆞ·니
:시·미기·픈·므·른·ᄀᆞᄆᆞ·래아·니그·츨·씨:내·히이·러바·ᄅᆞᆯ·래·가ᄂᆞ·니

― 「용비어천가(龍飛御天歌)」, 세종(世宗) 29년(1447년) ―

**(나)** 世·솅宗종御·엉製·졩訓·훈民민正·졍音흠
나·랏:말ᄊᆞ·미中듕國·귁ⓐ·에달·아文문字·ᄍᆞ·와로서르ᄉᆞᄆᆞᆺ·디아·니ᄒᆞᆯ·씨·이런젼·ᄎᆞ·로어·린百·빅姓·셩·이니르·고·져·홇·배이·셔·도ᄆᆞ·ᄎᆞᆷ:내제·ᄠᅳ·들시·러펴·디:몯ᄒᆞᇙ·노·미하니·라·내·이·ᄅᆞᆯ爲·윙·ᄒᆞ·야:어엿·비너·겨·새·로·스·믈여·듧字·ᄍᆞ·ᄅᆞᆯ밍·ᄀᆞ노·니:사ᄅᆞᆷ:마·다:ᄒᆡ·ᅇᅧ:수·ᄫᅵ니·겨·날·로·ᄡᅳ·메便뼌安한·킈ᄒᆞ·고·져ᄒᆞᇙᄯᆞᄅ·미니·라

― 「월인석보(月印釋譜)」, 세조(世祖) 5년(1459년) ―

**(다)** 소학언해(小學諺解)
孔·공子·ᄌᆞ·ᅵ曾증子·ᄌᆞᄃᆞ·려널·러골ᄋᆞ·샤·ᄃᆡ·몸·이며얼굴·이며머·리털·이·며·ᄉᆞᆯ·흔父·부母:모·씌받ᄌᆞ·온거·시·라敢:감·히헐·워샹히·오·디아·니:홈·이·효·도·ᄋᆡ비르·소미·오·몸·을셰·워道:도·를行힝·ᄒᆞ·야일:홈·을後:후世:셰·예·베퍼·써父·부母:모·를:현·뎌케:홈·이·효·도·ᄋᆡ무·ᄎᆞᆷ·이니·라

― 「소학언해(小學諺解)」 권 제2, 선조 20년(1587년) ―

**08** (가)와 (나)를 통해 알 수 있는 중세국어의 특징과 그에 해당하는 예를 정리한 것이다. 적절하지 <u>않은</u> 것은?

| | 중세국어의 특징 | 예 |
|---|---|---|
| A | 성조를 표시하는 방점이 있었다. | 불·휘 |
| B | 현대국어에서는 없는 음운이 존재했다. | :말ᄊᆞ·미 |
| C | 소리나는 대로 적는 이어적기가 쓰였다. | ᄇᆞᄅ·매 |
| D | 현대국어에 비해 모음조화가 잘 지켜졌다. | ·ᄀᆞᄆᆞ·래 |
| E | 초성에 둘 이상의 음운이 올 수 있었다. | ·홇·배이·셔·도 |

① A          ② B          ③ C          ④ D          ⑤ E

**09** 다음은 (다)의 중세국어와 현대국어의 차이점을 정리한 것이다. 적절하지 <u>않은</u> 것은?

|   | (다) | 현대국어 | 차이점 |
|---|------|----------|--------|
| A | 孔·공子·직 | 공자가/공자께서 | 중세국어에 사용되던 주격 조사 'ㅣ'가 현대국어에서는 '가', '께서'로 바뀌었다. |
| B | 닐·러 | 일러 | 중세국어에서는 두음 법칙이 사용되었으나 현대 국어에는 적용되지 않았다. |
| C | 머·리털·이·며 | 머리털과 | 중세국어의 접속조사 '이며'가 현대국어에서의 '과'로 바뀌었다. |
| D | 받ㅈ·온 | 받은 | 중세국어의 객체높임 선어말어미 '-ㅈ-'이 현대국어에서는 사라졌다. |
| E | 아·니:홈 | 아니함 | 중세국어의 명사형어미 '-옴'이 현대국어에서는 '-(으)ㅁ'으로 바뀌었다. |

① A          ② B          ③ C          ④ D          ⑤ E

**10** (나)와 (다)는 약 130년의 시간 차이가 있는 국어자료이다. 둘을 비교하여 추측할 수 있는 국어의 변화양상으로 적절한 것은?

① (나)시기에 나타나던 어두자음군이 (다)시기에는 된소리로 변하였군.
② (나)시기에 혼란이 있었던 모음조화 현상이 (다)시기에는 잘 지켜지기 시작했군.
③ (나)시기에는 끊어적기가 보편적이었으나 (다)시기에는 이어적기와 끊어적기의 혼란이 생겼군.
④ (나)시기에는 고유어가 대부분이었으나 (다)시기에는 한자어의 쓰임이 증가했음을 알 수 있군.
⑤ (나)시기에는 한자어를 초성, 중성, 종성을 모두 적는 『동국정운(東國正韻)』식으로 표기하다가 (다)시기에는 한자어를 현실음에 맞게 표기하였군.

**11** 밑줄 친 것 중 @와 문법적 기능이 동일한 것은?

① 그가 가지고 있는 장갑은 내가 잃어버린 것<u>과</u> 똑같다.
② 희진이는 이번 방학<u>에</u> 캐나다로 떠날 계획이다.
③ 나는 친구<u>와</u> 함께 점심을 먹고 있었다.
④ 동생<u>이</u> 밥을 먹으라고 나를 불렀다.
⑤ 진수가 운동장<u>에서</u> 뛰고 있다.

**12** 〈보기〉를 바탕으로 훈민정음의 초성자와 중성자에 대해 탐구한 내용으로 가장 적절한 것은?

┤ 보기 ├

　　훈민정음 28자는 상형의 원리에 따라 기본자를 만든 다음 이를 기초하여 나머지 글자를 만들었다. 초성자는 기본자에 가획을 하여 만들었으며, 가획의 원리에서 벗어난 글자인 이체자가 있었다. 중성자는 기본자를 합성하여 만들었는데, 기본자 'ㆍ'와 나머지 기본자 하나를 합성하여 초출자를 만들고 이러한 초출자에 'ㆍ'를 다시 합성하여 재출자를 만들었다. 초성의 기본자는 'ㄱ, ㄴ, ㅁ, ㅅ, ㅇ'의 다섯이고, 중성의 기본자는 'ㆍ, ㅡ, ㅣ'이다.

| 초성 | | | | | |
| --- | --- | --- | --- | --- | --- |
| 기본자 | ㄱ | ㄴ | ㅁ | ㅅ | ㅇ |
| 가획자 | ㅋ | ㄷㅌ | ⓐ | ㅈㅊ | ⓑ |
| 이체자 | ㆁ | ⓒ | | ㅿ | |

| 중성 | |
| --- | --- |
| 기본자 | ㆍ, ㅡ, ㅣ |
| 초출자 | ⓓ |
| 재출자 | ⓔ |

① 'ㅱ'과 'ㅸ'은 'ㅁ'에 가획을 한 것이므로 ⓐ에 해당하겠군.
② 'ㆆ'과 'ㆀ'은 'ㅇ'에 가획을 한 것이므로 ⓑ에 해당하겠군.
③ 'ㄹ'은 가획의 원리에서 벗어난 이체자이므로 ⓒ에 해당하겠군.
④ 'ㅢ'는 기본자 'ㅡ'와 'ㅣ'이 합성한 것으로 ⓓ에 해당하겠군.
⑤ 'ㅘ'는 초출자 'ㅗ'와 'ㅏ'이 합성한 것으로 ⓔ에 해당하겠군.

[13~17] 다음 글을 읽고, 물음에 답하시오.

**(가)**

불·휘 기·픈 남·ᄀᆞᆫ ·ᄇᆞᄅᆞ·매 아·니 ㉠:뮐·ᄊᆡ 곶 :됴·코 여·름·하ᄂᆞ·니
:ᄉᆡ·미 기·픈·므·른 ·ᄀᆞᄆᆞ·래 아·니 그·츨·ᄊᆡ :내·히 이·러 ㉡바·ᄅᆞ·래·가ᄂᆞ·니
　　　　　　　　　　　　　　　　　　　　　　　－ 「용비어천가(龍飛御天歌)」, 세종(世宗) 29년(1447년) －

**[현대어 풀이]**
　뿌리 깊은 나무는 바람에 움직이지 아니하므로, 꽃 좋고 열매 많습니다. 샘이 깊은 물은 가뭄에 그치지 아니하므로, 내(川)가 이루어져 바다에 갑니다.

(나) 世·솅宗죵御·엉製·졩訓·훈民민正·정音흠

나·랏 :말쌋·미 中듕國·귁·에 달·아 文문字·쫑·와·로 서르 ᄉᆞᄆᆞᆺ·디 아·니ᄒᆞᆯ·ᄊᆡ ·이런 젼·ᄎᆞ·로 어·린 百·빅姓·셩·이 니·르·고·져 ·홇 ·배 이·셔·도 ᄆᆞ·ᄎᆞᆷ:내 제 ·ᄠ·들 시·러 펴·디 :몯ᄒᆞᇙ ·노·미 하·니·라 ·내 ·이·ᄅᆞᆯ 爲·윙·ᄒᆞ·야 :어엿·비 너·겨 ·새·로 ·스·믈여·듧 字·쫑·ᄅᆞᆯ 밍·ᄀᆞ노·니 :사름:마·다 :ᄒᆡ·ᅇᅧ :수·비 니·겨 ·날·로 ⓒ·ᄡᅮ·메 便뼌安한·킈 ᄒᆞ·고·져 ᄒᆞᇙ ᄯᆞᄅᆞ·미니·라

– 「월인석보(月印釋譜)」, 세조(世祖) 5년(1459년) –

[현대어 풀이]

우리나라 말이 중국과 달라 문자와 서로 통하지 아니하여 이런 까닭으로 어리석은 백성이 말하고자 하는 바가 있어도 마침내 제 뜻을 능히 펴지 못하는 사람이 많다. 내가 이것을 위하여 가엾게 여겨 새로 스물여덟 자를 만드니, 모든 사람들로 하여금 쉽게 익혀서 날마다 쓰는 데 편하게 하고자 할 따름이다.

(다) 孔·공子·ᄌᆞ·ㅣ 曾증子·ᄌᆞᄃᆞ·려 닐·러 ᄀᆞᆯᄋᆞ·샤·ᄃᆡ· 몸·이며 얼굴·이며 머·리털·이·며 ·술·혼 父·부母:모·씌 받즈·온 거·시·라 敢:감·히 헐·워 샹히·오·디 아·니·홈·이 ·효·도·의 비·르·소미·오 ·몸·을 셰·워 道:도·를 行ᄒᆡᆼ·ᄒᆞ·야 ⓐ일·홈·을 後:후世:셰·예 :베퍼 ·ᄡᅥ 父·부母:모·ᄅᆞᆯ :현·뎌케 :홈·이 ⓜ·효·도·의 ᄆᆞ·ᄎᆞᆷ·이니·라

– 「소학언해(小學諺解)」 권 제2, 선조 20년(1587년) –

[현대어 풀이]

공자께서 증자에게 일러 말씀하시기를, 몸과 형체와 머리털과 살은 부모께 받은 것이라. 감히 헐게 하여 상하게 하지 아니함이 효도의 시작이고, 입신(출세)하여 도를 행하여 이름을 후세에 날려 부모를 드러나게 함이 효도의 끝이니라.

**13** (가)~(다)에 대한 설명으로 가장 적절한 것은?

① (가)와 달리, (나)와 (다)는 동일한 한자음 표기 방식을 사용하고 있다.

② (가)와 달리, (나)와 (다)는 동일한 종성(받침) 표기 방식을 사용하고 있다.

③ (가)~(다) 모두 한자의 음과 뜻을 빌린 '차자(借字)' 표기 방식을 사용하고 있다.

④ (가)~(다) 모두 현대 국어와 달리 소리의 장단(長短)과 고저(高低)를 표시하는 기호를 사용하였다.

⑤ (가)~(다) 모두 글자를 표기할 때 현대 국어와 달리 형태소의 원형을 밝혀 적는 방식을 사용하고 있다.

**14** (가)에 대한 설명으로 가장 적절한 것은?

① '남ᄀᆞᆫ'과 '불휘'를 통해, '이어 적기' 표기 방식을 사용했음을 알 수 있다.

② '기픈'과 '그츨씨'를 통해, '종성부용초성'의 받침 표기 방식을 확인할 수 있다.

③ 'ᄇᆞᄅᆞ매'와 'ᄀᆞᄆᆞ래'를 통해, 'ᆞ'의 음운 변천 과정이 '음절' 위치에 따라 달라졌음을 알 수 있다.

④ '여름'과 '내'를 통해, 현대 국어와 '형태'는 동일하지만 '뜻'이 다른 어휘가 있음을 확인할 수 있다.

⑤ 'ᄒᆞᄂᆞ니'와 '가ᄂᆞ니'를 통해, 현대어 풀이를 고려하여 '상대 높임' 표현이 생략되어 있음을 알 수 있다.

**15** 다음은 (나)에 사용된 어휘들을 통해 중세 국어의 특징을 정리한 것이다. 어휘와 중세 국어 특징의 연결이 가장 적절한 것은?

| | 어휘 | | 중세 국어의 특징 |
|---|---|---|---|
| A | 달·아 | → | 중세 국어 시기에는 '끊어 적기(분철)' 표기 방식을 주로 사용하였다. |
| B | 어·린 | → | 중세-근대-현대 국어로 이동하면서 단어의 의미가 축소되기도 하였다. |
| C | 쁘·들 | → | 종성 표기로는 '8종성법'이 원칙이었다. |
| D | 수·비 | → | 훈민정음 초성 17자 중 근대-현대 국어에는 사라진 음운이 있었다. |
| E | 便뼌安한·킈 | → | 한자음을 중국 발음에 가깝게 표기하기 위한 방법을 사용하였다. |

① A　　　　② B　　　　③ C　　　　④ D　　　　⑤ E

**16** (다)는 16세기 후반의 문헌 자료이다. (다)의 어휘들을 15세기의 표기 형태로 고친다고 할 때, 잘못 고친 것은?

<u>소학언해</u>　　　　　<u>15세기</u>

① 孔·공子·지　　→　　孔·공子·징

② 닐·러　　　　→　　닐·어

③ 받즈·온　　　→　　받즈·본

④ 비·르소미·오　→　　비·르수미·오

⑤ ·몸·을　　　　→　　·모·믈

**17** ㉠~㉤ 중 〈보기〉의 ⓐ, ⓑ에 해당하는 사례끼리 바르게 연결된 것은?

> ── 보기 ──
>
> 　국어의 모음들은 같은 종류의 모음끼리 어울리는 경향이 있다. 양성 모음인 'ㆍ, ㅏ, ㅗ'는 양성 모음끼리, 음성 모음인 'ㅓ, ㅜ, ㅣ' 등은 음성 모음끼리 어울리는 현상을 모음 조화라고 한다. 모음 조화는 중세 국어 시기에는 ⓐ비교적 엄격하게 지켜졌다. 그러나 중세 국어 시기에도 ⓑ모음 조화를 깨뜨리는 형태들이 나타나기 시작했다.

　　　　　　　　ⓐ　　　　　　　　　　ⓑ

① ㉠, ㉡　　　　　　　　㉣, ㉤

② ㉡, ㉢　　　　　　　　㉠, ㉤

③ ㉡, ㉢, ㉤　　　　　　㉣

④ ㉢, ㉣, ㉤　　　　　　㉠

⑤ ㉠, ㉡, ㉢, ㉤　　　　㉣

[18~25] 다음 글을 읽고, 물음에 답하시오.

(가) 世솅宗종御엉製졩訓훈民민正정音흠

나·랏:말〮〮미中듕國·귁·에달·아文문字·쭝·와·로서르〮〮〮〮스〮〮〮못·디아·니〮홀·씨·이런젼·〮로·어·린百·빅姓·셩·이니르·고·져·〮홀·배이·셔·도〮〮〮〮·내제·〮〮들시·러퍼·디:몯〮〮노·미하·니·라·내·이·를爲·윙·〮야:어엿·비너·겨·새·로·스·믈여·듧字·쭝·를밍·〮노·니:사〮〮:마·다·히·〮〮:수·비니·겨·날·로·〮메便뼌安한·킈〮〮〮·고·져홇〮〮〮미니·라

– 「월일석보」 (권1)에서, 세조(世祖) 5년(1459년) –

(나) [현대어 풀이]

우리나라 말이 중국과 달라 한자와 서로 통하지 아니하여서, 이런 까닭으로 어리석은 백성이 말하고자 하는 바가 있어도 마침내 제 뜻을 능히 펴지 못하는 사람이 많도다. 내가 이것을 가엾게 생각하여 새로 스물여덟 글자를 만드니, 모든 사람으로 하여금 쉽게 익혀서 날마다 쓰는 데 편안하게 하고자 할 따름이다.

(다) 워니 아바님〮 샹빅

자내 샹해 날〮려 닐오〮 둘히 머리 셰도록 사다가 홈〮 죽쟈 〮시더니 엇디〮야 나〮 두고 자내 몬져 가시〮.

〈하략〉

– 「이응태 묘 출토 편지」에서(1586년) –

**18** (가)를 읽고 이해한 내용으로 적절하지 <u>않은</u> 것을 〈보기〉에서 있는 대로 고른 것은?

┤ 보기 ├

㉠ 평등사상을 전제로 한다.
㉡ 우리말은 중국의 말과 다르다.
㉢ 훈민정음의 문자의 수는 28자이다.
㉣ 훈민정음의 창제 원리를 밝히고 있다.
㉤ 당시 문자 생활에 어려움을 겪는 이가 많았다.
㉥ 백성의 어려움을 살피는 통치자의 태도가 드러나 있다.
㉦ 중국과의 소통에 도움을 주기 위해 새로운 문자를 만들었다.

① ㉠, ㉡, ㉤  ② ㉠, ㉢, ㉥  ③ ㉠, ㉣, ㉦  ④ ㉡, ㉢, ㉣  ⑤ ㉡, ㉥, ㉦

**19** (가)와 (다)의 표기상의 특징으로 적절하지 <u>않은</u> 것 <u>두 개</u>는?

① (가)는 (다)와 달리 방점을 사용하였다.
② (가)와 (다) 둘 다 어두자음군이 사용되었다.
③ (가)와 달리 (다)는 두음법칙이 적용되지 않았다.
④ (가)와 (다) 둘 다 오늘날에는 쓰이지 않는 음운이 사용되었다.
⑤ (가)와 (다) 둘 다 종성에서 음가가 없는 'ㅇ'을 형식적으로 표기하였다.

**20** (가)와 (나)의 자료를 활용하여 중세 국어와 현대 국어를 비교한 결과로 적절하지 <u>않은</u> 것을 있는 대로 고른 것은?

| 비교 자료 | | | | 비교 결과 |
|---|---|---|---|---|
| | 중세 국어<br>(가) | 현대 국어<br>(나) | | |
| ㉠ | 나랏 | 나라의 | → | (가)에서 사잇소리 'ㅅ'은 (나)에서 관형격조사 '의'로 나타난다. |
| ㉡ | 뜨들 | 뜻을 | → | (가)에서는 이어 적기가, (나)에서는 끊어 적기가 나타난다. |
| ㉢ | 펴디 | 펴지 | → | 'ㅣ'모음 앞에 있던 'ㄷ'은 (가)와 달리 (나)에서 구개음인 'ㅈ'이 되었다. |
| ㉣ | 爲윙ㅎ야 | 위하여 | → | (가)에는 (나)와 달리 특정 모음끼리 좋아하여 어울리는 현상이 나타나 있다. |
| ㉤ | 하니라 | 많다 | → | (가)에서 '하다'는 '행동이나 작용을 이루다'와 '많다'의 두 가지 의미를 모두 지녔으나, (나)에서는 하나의 의미만 남았다. |
| ㉥ | 배, 내 | 바가, 내가 | → | (가)에는 주격조사가 사용되지 않았으나 (나)에는 주격조사 '가'가 사용되었다. |

① ㉠, ㉡        ② ㉡, ㉢        ③ ㉢, ㉣        ④ ㉣, ㉤        ⑤ ㉤, ㉥

**21** '중세 국어'의 특징으로 틀린 것은?

① 10세기~16세기 국어를 가리켜 말한다.
② 어휘가 지금과는 다른 양상으로 쓰였다.
③ 지금은 사용하지 않는 음운들이 쓰였다.
④ 훈민정음 창제기~임진왜란까지의 국어이다.
⑤ 문법도 현대 국어와는 다르게 쓰인 점이 많다.

**22** 중세 국어의 표기 원리(이어적기)가 반영되지 <u>않은</u> 것은?

① 나랏말ㅆ미
② 뜨들
③ 딩ㄱ노니
④ 뿌메
⑤ ㅆ르미니라

**23** 중세 국어 자료에서는 '나 ·랏 :말 ᄊ ·미'와 같은 부호들이 보인다. 이 부호에 대한 설명으로 틀린 것은?

① '방점'이라고 불렀다.
② 점은 '없거나, 1개, 2개'를 붙였다.
③ 근대 국어 시기를 거치면서 사라졌다.
④ 성조(소리의 높낮이)를 표기했던 부호이다.
⑤ 동국정운식 표기를 반영하기 위한 것으로 한자에만 찍었다.

**24** 윗글의 어휘를 설명한 것으로 잘못된 것은?

① 中듕國귁에 달아 : '에'를 현대어로 옮기면 '보다'가 된다.
② 文문字ᄍᆞᆼ, 爲윙ᄒᆞ야 : 한자어의 받침이 빈 자리에 'ㅇ'을 넣어 주었다.
③ 노미 하니라 : '하다'는 '많다'는 의미로 쓰였다.
④ 젼ᄎ : '까닭'이란 뜻이었다.
⑤ ᄠᅳᆮ들, ᄡᅮ메 : 첫소리에도 겹자음이 쓰였다.

**25** '니르고져 홇배 이셔도'에 대한 설명으로 틀린 것은?

① '이르고자 할 바가 있어도'의 의미이다.
② '니르고져'는 현대 국어에서 '이르고저'로 바뀌므로 두음법칙이 적용되었다고 볼 수 있다.
③ '배'는 '바'에 주격조사 'ㅣ'가 결합된 형태다
④ 중세 국어에서는 아직 주격 조사 '가'가 등장하지 않았음을 추측할 수 있다.
⑤ '이셔도'에서는 주체 높임 선어말 어미 '-시-'가 쓰였음을 알 수 있다.

**(가)**

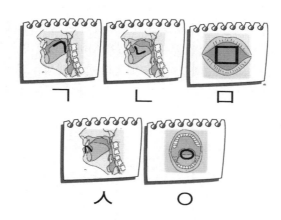

ㄱ  ㄴ  ㅁ

ㅅ  ㅇ

**(나)**

ㄱ → ㅋ

ㄴ → ㄷ → ㅌ ( ㄷ → ㄹ )

ㅁ → ㅂ → ㅍ

ㅅ → ㅈ → ㅊ ( ㅅ → ㅿ )

ㅇ → ㆆ → ㅎ ( ㅇ → ㆁ (옛이응))

**(다)** "훈민정음 해례본"에서는 초성 17자에 속하지 않는 자음자들을 만들어 쓰는 방법으로 '병서'와 '연서'를 설명하고 있다. 병서는 'ㄲ, ㄸ, ㅃ, ㅴ' 등처럼 둘 이상의 같거나 다른 자음을 가로로 나란히 쓰는 방법으로, 'ㄲ, ㄸ, ㅃ'같이 쓰인 것을 '각자병서', 'ㅳ, ㅄ, ㅴ' 같이 쓰인 것을 '합용병서'라고 한다. 연서는 'ㄱ, ㅸ, ㆄ' 등처럼 두 개의 자음을 세로로 이어 쓰는 방법이다.

**(라)**

| | |
|---|---|
| · | 하늘의 둥근 모양을 본뜸. |
| ― | 땅의 평평한 모양을 본뜸. |
| ㅣ | 사람이 서 있는 모양을 본뜸. |

**(마)**

| 초출자 | • ㅗ, ㅏ, ㅜ, ㅓ <br> • ' · '를 '一', 'ㅣ'에 결합하여 만듦. |
|---|---|
| 재출자 | • ㅛ, ㅑ, ㅠ, ㅕ <br> • 초출자에 다시 ' · '를 결합하여 만듦. |

**(바)** "훈민정음 해례본"에는 중성 11자 외에도 둘이나 세 글자를 합하여서 만든 'ㅘ, ㅝ, ㆇ, ㆈ, ㅣ, ㅢ, ㅚ, ㅐ, ㅟ, ㅔ, ㆉ, ㅒ, ㆌ, ㅖ, ㅙ, ㅞ' 등의 모음자가 더 설명되어 있다. 이 모음자들은 '합용'의 원리에 의해 만들어진 것이다.

**26** 윗글을 바탕으로 한글의 제자 원리에 대해 이해한 것으로 적절하지 **않은** 것은?

① (가)와 (라)를 통해 자음과 모음의 기본자는 모두 '상형(象形)'의 원리에 의해 만들어졌음을 알 수 있다.
② (나)는 (가)의 기본자에서 획을 더해 거센 소리를 표현한 자음의 이원적(二元的) 구성을 보여준다.
③ (나)의 'ㄹ, ㅿ, ㆁ(옛이응)'은 소리의 세기와 무관하며 획을 더하지 않고 만들었으므로 '이체자'라고 부른다.
④ (마)는 (라)의 기본자에서 단모음의 합성 과정과 이중모음의 합성 과정을 보여준다.
⑤ 윗글을 통해 한글은 자음과 모음의 형태만으로도 발음을 짐작할 수 있는 조직적인 문자임을 알 수 있다.

**27** 윗글과 〈보기〉를 읽고 이해한 것으로 가장 적절한 것은?

┤ 보기 ├

　　휴대전화기에서 위의 자판으로 '통닭과 빵'을 표기하기 위해서는 다음과 같이 숫자 키패드를 누르는 과정이 필요하다.

　　ⓐ 통 : 6번 → 6번 → 2번 → 3번 → 0번
　　ⓑ 닭 : 6번 → 1번 → 2번 → 5번 → 5번 → 4번
　　ⓒ 과 : 4번 → 2번 → 3번 → 1번 → 2번
　　ⓓ 빵 : 7번 → 7번 → 7번 → 1번 → 2번 → 0번

① ⓐ~ⓓ 모두 가획의 원리가 적용되었다.
② ⓐ는 연서의 방법으로 자음을 표현하였다.
③ ⓑ의 종성은 각자병서의 방법으로 자음을 표기하였다.
④ ⓒ는 합용의 원리가 적용되었다.
⑤ ⓓ의 초성은 합용병서의 방법으로 자음을 표기하였다.

(가) ㉠나·랏:말ᄊᆞ·미中듕國·귁·에달·아文문字·ᄍᆞ·와·로서르ᄉᆞᄆᆞᆺ·디아·니ᄒᆞᆯ·ᄊᆡ·이런젼·ᄎᆞ·로어·린百·ᄇᆡᆨ姓·셩·이니르·고·져 ㉡·홇·배이·셔·도ᄆᆞ·ᄎᆞᆷ:내제 ㉮ ·시·러펴·디:몯ᄒᆞᇙ·노·미하·니·라·내·이·ᄅᆞᆯ爲·윙·ᄒᆞ·야:어엿·비너·겨·새·로·스·믈여·듧字·ᄍᆞ·ᄅᆞᆯ밍·ᄀᆞ노·니:사ᄅᆞᆷ:마·다:ᄒᆡ·ᅇᅧ:수·비니·겨·날·로·ᄡᅮ·메便뼌安ᅙᅡᆫ·킈ᄒᆞ·고·져ᄒᆞᇙᄯᆞᄅᆞ·미니·라

(나) 乃냉終즁ㄱ 소리ᄂᆞᆫ 다시 첫소리ᄅᆞᆯ ㉢쓰ᄂᆞ니라
　　 ㅇᄅᆞᆯ 입시울쏘리 아래 니ᅀᅥ쓰면 입시울가ᄇᆡ야ᄫᆞᆫ소리 ᄃᆞ외ᄂᆞ·니·라.
　　 첫소리ᄅᆞᆯ 어울워 ᄡᅮ·디면 글ᄫᅡ쓰라 냉終즁ㄱ 소리도 ᄒᆞᆫ가지라

　　　　　　　　　　　　　　　　　　　　　　　　 – 「훈민정음」 언해 –

(다) 불휘 기픈 ㉣남ᄀᆞᆫ ᄇᆞᄅᆞ·매 아니 뮐·ᄊᆡ
　　 곶 됴·코 여름·하ᄂᆞ·니
　　 :ᄉᆡ·미 기·픈 ㉯ ᄀᆞ·ᄆᆞ·래 아·니 그·츨·ᄊᆡ
　　 :내·히 이·러 바·ᄅᆞ·래 가ᄂᆞ·니

　　　　　　　　　　　　　　　　　　　　　 – 「용비어천가」, 〈제2장〉 –

**28** (가), (나)에 나타난 중세국어의 음운에 대해 설명한 것으로 적절하지 <u>않은</u> 것은?

① 초성에 둘 이상의 자음이 오는 어두자음군이 있었다.
② 지금은 쓰이지 않는 자음 'ㅿ'과 'ㅸ'이 존재하였다.
③ 평성, 거성, 상성, 입성을 방점의 개수로 구분하였다.
④ 종성에서 'ㄷ'과 'ㅅ'이 다르게 발음되었다.
⑤ 종성에 음가가 없는 ㅇ이 있었다.

**29** 〈보기〉와 어휘의 변화의 양상이 같은 것끼리 짝지어진 것은?

┌─ 보기 ┐
ㄱ. '젼·ᄎᆞ'는 원래 까닭이나 이유를 뜻하는 말이었으나 지금은 사라진 단어이다.
ㄴ. 'ᄉᆞ랑ᄒᆞ다'는 원래 '생각하다'와 '사랑하다'의 의미로 쓰였으나 지금에 와서는 '사랑하다'의 의미로 쓰인다.
ㄷ. '싁싁ᄒᆞ다'는 원래 '엄하다'의 뜻이었으나 지금은 '용감하다'의 의미로 쓰인다.

|  | ㄱ | ㄴ | ㄷ |
|---|---|---|---|
| ① | 말ᄊᆞᆷ | 불휘 | 어리다 |
| ② | 불휘 | 어리다 | 놈 |
| ③ | 하다 | 놈 | 어엿브다 |
| ④ | ᄉᆞᄆᆞᆺ다 | 하다 | 어엿브다 |
| ⑤ | ᄉᆞᄆᆞᆺ다 | 말ᄊᆞᆷ | 어엿브다 |

**30** ㉠~㉤에 나타난 중세 국어의 문법적 특징을 설명한 것으로 적절하지 <u>않은</u> 것은?

① ㉠ : 무정 명사에 결합되는 관형격 조사 'ㅅ'이 쓰였다.
② ㉡ : 모음으로 끝나는 체언 뒤에 주격 조사가 생략되었다.
③ ㉢ : 명사형 어미 '-움'이 쓰였다.
④ ㉣ : 현재 시제를 나타내는 선어말어미 '-ᄂ-'가 쓰였다.
⑤ ㉤ : 조사와 결합할 때 'ㄱ'이 덧붙는 체언이 쓰였다.

**31** 〈보기〉의 밑줄 친 부분의 사례로 적절하지 <u>않은</u> 것은?

┤ 보기 ├

　국어에서 어휘는 시대에 따라 형태 변화를 겪어왔는데 그 원인은 크게 두 가지로 볼 수 있다. 하나는 <u>음운의 변천에 따른 어형 변화</u>로 'ㆍ'와 같은 음운의 소멸이나 된소리되기, 구개음화, 단모음화, 원순모음화 등의 음운 현상으로 인해 어형이 바뀌는 것이다. 또 하나는 형태소 자체의 변화에 의한 것이다.

|  | 중세국어 | 현대국어 |
|---|---|---|
| ① | 스믈 | 스물 |
| ② | 니서쓰면 | 이어쓰면 |
| ③ | 기픈 | 깊은 |
| ④ | ᄇᆞ룸 | 바람 |
| ⑤ | 됴코 | 좋고 |

**32** 방점을 고려하지 않을 때, 〈보기〉의 설명에 따라 ㉮, ㉯에 들어갈 말을 바르게 고른 것은?

┤ 보기 ├

　모음조화는 양성모음은 양성모음끼리, 음성모음은 음성모음끼리 결합하는 현상을 말한다. 중세국어 시기는 모음조화가 비교적 잘 지켜져 목적격조사는 '울/를/을/를', 단독의 보조사에 '은/ᄂᆞᆫ/은/는'이 있었다. 예를 들어
　㉮ : 'ᄠᅳᆮ' + '목적격 조사'가 결합한 형태
　㉯ : '믈' + '단독의 보조사'가 결합한 상태
에서 중세국어의 모음조화현상을 확인할 수 있다.

|  | ㉮ | ㉯ |
|---|---|---|
| ① | ᄠᅳ들 | 므른 |
| ② | ᄠᅳ를 | 믈는 |
| ③ | ᄠᅳ들 | 믈은 |
| ④ | ᄠᅳᆯ롤 | 믈는 |
| ⑤ | ᄠᅳ들 | 므른 |

**(가)** 世·솅宗종御·엉製·졩訓·훈民민正·졍音흠

( ⒜ )文문字·쯩·와·로서르스뭇·디아·니홀·씨·이런젼·ᄎ·로어·린百·빅姓·셩·이니르·고·져·홇⒜·배이·셔·도모·
ᄎ:내제·ᄠ·들시·러⒝·펴·디:몯홇·노·미하·니·라·내·이·ᄅᆞᆯ爲·윙·ᄒᆞ·야:어엿·비너·겨·새·로·스·믈여·듧字·쯩·ᄅᆞᆯ밍·ᄀᆞ노·
니:사름:마·다:ᄒᆡ·ᅇᅧ:수·ᄫᅵ니·겨·날·로·ᄡᅮ·메便뼌安한·킈ᄒᆞ·고·져홇ᄯᆞᄅᆞ·미니·라

– 「훈민정음(訓民正音)」 언해본에서 –

**[현대어 풀이]**

우리나라의 말이 중국과 달라 한자와는 서로 통하지 아니하여서 이런 까닭으로 어리석은 백성이 말하고자 하는 바가 있어도 마침내 제 뜻을 펴지 못하는 사람이 많다. 내가 이것을 가엾게 생각하여 새로 스물여덟 글자를 만드니, 모든 사람으로 하여금 ( ⒝ ) 편안하게 하고자 할 따름이다.

**(나)** 용비어천가(龍飛御天歌)

불·휘 기·픈 남·ᄀᆞᆫ ᄇᆞᄅᆞ·매 아·니 :뮐·ᄊᆡ
곶 :됴·코 여·름 ·하ᄂᆞ·니
:ᄉᆡ·미기·픈 ·므·른 ·ᄀᆞᄆᆞ·래 아·니 그·츨·ᄊᆡ
:내·히 이·러 바·ᄅᆞ·래 ·가ᄂᆞ·니

**[현대어 풀이]**

뿌리가 깊은 나무는 바람에 흔들리지 아니하므로
꽃이 좋고 열매가 많습니다.
샘이 깊은 물은 가뭄에도 끊이지 아니하므로
내가 이루어져 바다로 흘러갑니다.

**(다)** 월인석보(月印釋譜)

俱夷(구이) ·ᄯᅩ :묻ᄌᆞ·ᄫᅡ샤·ᄃᆡ
"부텻·긔 받ᄌᆞ·ᄫᅡ 므·슴·호려 ·ᄒᆞ·시ᄂᆞ·니"
善慧(선혜) 對答(대답)·ᄒᆞ샤·ᄃᆡ
"一切(일체) 種種(종종) 智慧(지혜)·를 일·워 衆生(중생)·ᄋᆞᆯ 濟渡(제도)·코져 ·ᄒᆞ노·라"
俱夷(구이) 너·기샤·ᄃᆡ '·이 男子(남자)ㅣ 精誠(정성)·이 至極(지극)홀·ᄊᆡ :보·ᄇᆡ·ᄅᆞᆯ 아·니 앗·기놋·다' ·ᄒᆞ·야 니르·샤·ᄃᆡ
"·내 ·이 고·ᄌᆞᆯ 나·소리·니 願(원)ᄒᆞ·ᄃᆞᆫ ·내 生生(생생)·애 그딋 가·시 ᄃᆞ외·아지·라"

**[현대어 풀이]**

구이가 또 여쭈시길
"부처님께 바쳐 무엇하려 하시는고?"
선혜가 대답하시기를
"모든 갖가지 깨달음을 이루어 중생을 제도하고자 한다."
구이가 생각하되 '이 남자가 정성이 지극해서 보배를 아끼지 않는구나.' 하여 말씀하시기를
"내가 이 꽃을 드리겠으니, 원컨대 나의 모든 생애에 그대의 아내가 되고 싶다."

**33** (가)~(다)의 공통점이 <u>아닌</u> 것은?

① 소리 나는 대로 적었다.
② 주격 조사로서 '가'가 없었다.
③ 현재는 사라진 음운들이 있었다.
④ 글자 오른쪽에 방점이 찍혀 있었다.
⑤ 모음조화가 현대국어에 비해 잘 지켜졌다.

**34** ⓐ에 쓰인 주격 조사와 가장 가까운 주격조사를 사용한 것은?

① ·빅姓·셩·이  ② ·노·미  ③ :시미
④ 俱夷(구이)  ⑤ 男子(남자) ㅣ

**35** ⓑ는 현대 국어와 차이가 있는 표기이다. 이와 가장 유사한 것은?

① :됴·코  ② 그·츨·씨  ③ 너·기샤·딕
④ 니르·샤·딕  ⑤ 드외·아지·라

**36** 다음 중 이어적기 표기가 <u>아닌</u> 것은?

① 뿌·메  ② 브르·매  ③ ·므·른
④ :보·빅·ㄹ  ⑤ 고·즐

**37** 다음 중 Ⓐ에 들어갈 내용으로 적절한 것은?

① 나·랏:믈쏘·미中듕國·귁·에 달·아
② 나·랏:말쏘·미中듕國·귁·에 달·아
③ 나·라:말쏘·미中듕國·귁·에 달·라
④ 나·라:믈쏘·미中듕國·귁·에 달·아
⑤ 나·랏:믈쏘·미中듕國·귁·에 달·라

**38** 〈보기〉의 ⓐ, ⓑ에 따른 표기의 예로 적절하게 짝지은 것은?

┌─ 보기 ┐

ⓐ – 초성 글자를 합하여 사용할 때는 나란히 써라.

ⓑ – ㅇ을 순음 아래 이어 쓰면 순경음이 된다.

|  | ⓐ | ⓑ |
|---|---|---|
| ① | :수·비 | :히·여 |
| ② | 딩·ᄀ노·니 | ·훓·배 |
| ③ | ·ᄠ·들 | 받ᄌᆞ방 |
| ④ | 便뼌安한·킈 | :보·비·ᇙ |
| ⑤ | ·빅姓·셩·이 | 므·른 |

**39** 〈보기〉는 중세국어 이후의 근대국어 자료이다. 중세국어와 비교할 때 차이점으로 적절하지 않은 것은?

┌─ 보기 ┐

**신정심상소학(新訂尋常小學)**

비둘기가 부엉이의 移居(이거)ᄒ랴는 貌樣(모양)을 보고 어듸 갈 터이뇨 무르니 부엉이 對쏩(대답)ᄒ
야 갈오듸 이 地方(지방) 사름은 내 우름 쇼릭를 미워ᄒᄂ는 故(고)로 나는 다른 地方(지방)으로 올무랴 ᄒ
노라 ᄒ니 비둘기 우서 갈오듸 ᄌ네 우는 쇼릭를 곳치지 안코 居處(거처)만 옴기면 如舊(여구)히 ᄯᅩ 미
워흠을 免(면)치 못ᄒ리라 ᄒ얏소 이 이익기는 춤 滋味[재미]잇습ᄂ이다

**[현대어 풀이]**

비둘기가 부엉이가 이사하려는 모습을 보고 "어디 갈 작정이냐?"라고 물으니 부엉이가 대답하여 말하기를 "이 지방 사람은 내
울음소리를 미워하는 까닭에 나는 다른 지방으로 옮기려 한다."라고 하니 비둘기가 웃으며 말하기를 "자네가 우는 소리를 고치지
않고 거처만 옮기면 여전히 미움 받기를 피하지 못할 것이다."라고 하였다. 이 이야기는 참 재미있습니다.

① 끊어적기가 쓰인다.

② 방점을 표시하지 않는다.

③ 주격 조사로서 '가'가 쓰인다.

④ 이어적기가 완전히 사라졌다.

⑤ 구개음화가 일어난 표기가 쓰인다.

[40~44] 다음 글을 읽고, 물음에 답하시오.

(가) 과거에는 '십의 열 배가 되는 수, 또는 그런 수의.'라는 뜻을 '온'이라는 소리로 나타내도록 약속되어 있었으나 후에 그러한 뜻을 '백(百)' 이라는 소리로 나타내도록 약속을 바꾸었기 때문에, 우리는 '백'은 알지만 '온'은 알지 못하는 상황이 된 것이다.

(나) 世·솅宗종御·엉製·졩訓·훈民민正·졍音·흠
나·랏:말싸·미中듕國·귁·에달·아文문字·쫑·와·로서르스뭇·디아·니홀·씨·이런젼·ᄎᆞ·로어·린百·뵉姓·셩·이니르·고·져·홇·배이·셔·도ᄆᆞ·ᄎᆞᆷ:내제·ᄠᅳ·들시·러펴·디:몯홇·노·미하·니·라·내·이·ᄅᆞᆯ爲·윙·ᄒᆞ·야:어엿·비너·겨·새·로·스·믈여·듧字·쫑·ᄅᆞᆯ밍·ᄀᆞ노·니:사ᄅᆞᆷ:마·다:히·ᅄᅧ:수·비니·겨·날·로·ᄡ·메便뼌安한·킈ᄒᆞ·고·져홇ᄯᆞᄅᆞ·미니·라

– 「훈민정음(訓民正音)」 언해본에서 –

(다) 누구던지상탈수잇습니다
부인네쎄서만히써보내십시요
재미잇는조선옛날이약이를모집합니다
사람은어렷슬째부터 조흔교훈과조흔가르침중에서 조흔생각을갓게되고 조흔마음을기쁘게되고 쏘그런속에서커가야 조흔사람 조흔일군이되는것임으로 세계어느나라에던지 어린사람에게들려주는 조흔이약이가만히잇서서 그나라아이들이 그조흔이약이를듯고자라서 튼튼하고마음착하고 [하략]

– 1922년 잡지 표기 –

〈현대어 풀이〉
누구든지 상 탈 수 있습니다.
부인네께서 많이 써 보내십시오.
재미있는 조선 옛날이야기를 모집합니다.
사람은 어렸을 때부터 좋은 교훈과 좋은 가르침 중에서 좋은 생각을 갖게 되고 좋은 마음을 기쁘게 되고 또 그런 속에서 커가야 좋은 사람 좋은 일꾼이 되는 것이므로 세계 어느 나라에든지 어린 사람에게 들려주는 좋은 이야기가 많이 있어서 그 나라 아이들이 그 좋은 이야기를 듣고 자라서 튼튼하고 마음 착하고 [하략]

**40** (가)에 나타난 언어의 특성을 가장 잘 설명한 것은?

① 언어는 하나의 사회적 약속이지만 시간의 흐름에 따라 신생, 성장, 사멸하는 변화를 겪을 수 있다.
② 언어는 언어의 지식과 규칙을 바탕으로 무한한 수의 새로운 단어와 문장을 만들 수 있다.
③ 언어는 같은 부류의 사물들에서 공통적인 속성을 뽑아내는 추상화의 과정을 통해 개념을 형성한다.
④ 언어는 인간이 의사소통을 하는 데 쓰이는 기호이며, 일정한 말소리와 의미의 자의적 결합으로 이루어진다.
⑤ 언어는 외부 세계를 있는 그대로 반영하는 것이 아니라 연속적으로 이루어져 있는 세계를 불연속적인 것으로 분절하여 표현한다.

**41** (나)에 대한 설명으로 적절하지 <u>않은</u> 것은?

① 지금은 사용하지 않는 음운이 사용되었다.

② 글자의 왼쪽에 점을 찍어 성조를 표시하였다.

③ 오늘날에는 사용하지 않는 어휘가 나타나 있다.

④ 오늘날과 같이 구개음화, 두음법칙이 잘 지켜졌다.

⑤ 오늘날과 달리 첫소리에 서로 다른 자음을 나란히 쓰기도 하였다.

**42** (나)의 밑줄 친 부분에서 '문법과 문법적 요소'에 대한 설명으로 적절한 것은?

① '나·랏:말쏘·미'가 '우리나라의 말이'로 해석되는 것을 보니, '랏'에는 끊어 읽기 부호를 사용한 것이다.

② '中듕國·귁·에'는 '중국과 함께'라는 뜻의 공통 부사격 조사를 사용하였다.

③ '아·니 홀·씨'가 '아니하여'로 풀이되는 것으로 보아, '-ㄹ써'는 오늘날과 달리 감탄형 어미로 쓰였다.

④ '빅姓·셩·이'에서 볼 수 있듯이, 자음으로 끝난 체언 뒤에서 주격조사 '이'가 사용되었음을 알 수 있다.

⑤ '홇·배'가 '하는 바가'로 해석되는 것을 볼 때, 모음으로 끝난 체언 뒤에서 주격 조사가 생략되었음을 알 수 있다.

**43** 아래 설명을 참고하였을 때, 다음 중 모음 조화가 지켜지지 <u>않은</u> 것은?

> 모음 조화란 한 단어 안에서, 혹은 어간과 어미, 체언과 조사의 연결에서 양성 모음은 양성 모음끼리, 음성 모음은 음성 모음끼리 어울리는 현상이다.

① 말·쏨　　② 서르　　③ ᄆ·ᄎᆞᆷ:내　　④ 너·겨　　⑤ ᄒ·고·져

**44** (나)와 (다)를 비교한 것으로 적절하지 <u>않은</u> 것은?

① (나)는 방점이 있고 (다)에서는 방점이 사라졌다.

② (나)는 (다)와 같이 각자병서, 합용병서가 쓰였다.

③ (나)는 (다)와 달리 순경음이 사용되지 않았다.

④ (나)는 띄어쓰기를 하지 않았고, (다)는 부분적으로 띄어쓰기를 하였다.

⑤ (나)는 한글과 한자가 섞인 표기를, (다)는 한글 위주의 표기를 사용하였다.

# 서술형 심화문제

[01~06] **다음 글을 읽고, 물음에 답하시오.**

**(가)** 世솅宗종御ᅌᅥᆼ製졩訓훈民민正졍音ᅙᅳᆷ

나·랏:말ᄊᆞ·미中듀ᇰ國·귁·에달·아文문字·ᄍᆞᆼ·와·로서르ᄉᆞᄆᆞᆺ·디아니ᄒᆞᆯ·ᄊᆡ·이런젼·ᄎᆞ·로어·린百·ᄇᆡᆨ姓·셩·이니르·고·져·ᄒᆞᇙ·배이·셔·도ᄆᆞ·ᄎᆞᆷ:내제·ᄠᅳ·들시·러펴·디:몯ᄒᆞᇙ·Ⓐ<u>노·미</u>하·니·라·내·이·ᄅᆞᆯ爲·윙·ᄒᆞ·야:어엿·비너·겨·새·로·스·믈여·듧字·ᄍᆞᆼ·ᄅᆞᆯᄆᆡᇰ·ᄀᆞ노·니:사ᄅᆞᆷ:마·다:ᄒᆡ·ᅇᅧ:수·ᄫᅵ니·겨·날·로·ᄡᅮ·메便뼌安한·킈ᄒᆞ·고·져ᄒᆞᇙᄯᆞᄅᆞ·미니·라

– 「훈민정음(訓民正音)」 언해본에서 –

## 01 〈보기〉는 훈민정음 창제 원리에 대한 설명이다. 이를 바탕으로 <u>㉠, ㉡에 해당하는 음운</u>을 각각 쓰시오.

**보기**

훈민정음은 상형의 원리에 따라 기본자를 만든 다음 이를 기초하여 나머지 글자를 만들었다. 자음은 ㉠<u>기본자</u>에 가획을 하여 만들었으며, 가획의 원리에서 벗어난 글자인 이체자가 있었다. 모음도 먼저 ㉡<u>기본자</u>를 만든 후, 이 기본자를 합성시켜 초출자와 재출자를 만들었다.

## 02 〈보기〉의 단어에 공통적으로 나타난 중세국어 <u>표기법</u>을 쓰시오.

**보기**

• 말ᄊᆞ미 • ᄠᅳ들 • ᄡᅮ메 • ᄯᆞᄅᆞ미니라

## 03 위에 제시된 '훈민정음'을 읽고, '문법과 문법적 요소'에 관한 중세국어의 특징을 현대국어와 비교하여 서술하시오. (단, 예를 함께 제시하여야 하고, 200자 내외로 서술할 것.)

**04** 현대의 '한글 맞춤법' 원리에 비추어 볼 때, 다음 중세 국어의 표기가 현대 국어와 다른 점을 서술하시오. (세 가지 단어를 보고, 표기의 공통점을 서술하여야 함. 50자 내외로 빈 칸에 쓸 것.)

| 중세 국어 | | 현대 국어 | 표기 방식상 국어의 변화 |
|---|---|---|---|
| ·노·미 | → | 놈이 | |
| ·뿌·메 | → | 씀에 | |
| 뜨르·미니·라 | → | 따름이니라 | |

**05** 아래의 글은 '국어의 역사성'과 관련된 글이다. '국어의 역사성'을 '어휘적 측면'에서 서술하되, '훈민정음'에서 예를 찾아 서술하시오. (100자 내외로 서술하되, 꼭 예를 '훈민정음'에서 찾을 것.)

┤ 참고 ├

　　소리와 뜻 사이에 일정한 약속이 형성되어 있다고 해서 그러한 약속이 항상 유지되는 것은 아니다. 시간이 지남에 따라 그러한 약속이 변화될 수도 있는데 이를 언어의 역사성이라고 한다.

**06** 〈보기〉의 두 사례에서 공통적으로 설명한 문법 원리를 쓰고, 그 내용을 설명하시오.

┤ 보기 ├

- '스믈여듧 字쭝롤'의 목적격 조사 '롤'은 음운 환경에 따라 '올/롤'이나 '을/를' 중에서 선택해 썼다.
- '爲윙ᄒ야'의 연결 어미 '-야'는 음운 환경에 따라 '-야/-여' 중에서 선택해 썼다.
  (양성모음, 음성모음, ㅏㅓㅗㅜ · ㅡ를 모두 사용하여 설명할 것)

[07~10] 다음 글을 읽고, 물음에 답하시오.

나랏 말ᄊᆞ미 中듕國귁에 달아 文문字ᄍᆞ와로 서르 ㉠ᄉᆞᄆᆞᆺ디 아니ᄒᆞᆯᄊᆡ 이런 젼ᄎᆞ로 어린 百ᄇᆡᆨ姓셩이 니르고져 홇 배 이셔도 ᄆᆞᄎᆞᆷ내 제 ᄠᅳ들 시러 펴디 몯ᄒᆞᇙ 노미 하니라 내 이ᄅᆞᆯ 爲윙ᄒᆞ야 어엿비 너겨 새로 ㉡스믈여듧 字ᄍᆞᄅᆞᆯ ㉢밍ᄀᆞ노니 사ᄅᆞᆷ마다 히ᅇᅧ 수비 니겨 날로 ᄡᅮ메 便뼌安ᄒᆞᆫ킈 ᄒᆞ고져 홇 ᄯᆞᄅᆞ미니라.

– 「훈민정음」 언해 –

**07** 윗글에 나타난 훈민정음 창제정신 4가지를 서술하시오.

┌─┤ 작성요령 ├──────────────────────────────
│ ㄱ. 답안은 '훈민정음에는 ~한/는 ○○정신이 나타난다.'의 문장 형태로 서술함.
└────────────────────────────────────────

**08** ㉠에 나타난 표기법을 서술하시오.

┌─┤ 작성요령 ├──────────────────────────────
│ ㄱ. 답안은 '(표기법 명칭)으로 (내용 설명)이다.'의 문장 형태로 서술함.
└────────────────────────────────────────

**09** ㉡이 무엇인지 아래 조건에 맞게 서술하시오.

┌─┤ 작성요령 ├──────────────────────────────
│ ㄱ. 답안은 '초/중/종성은 (제자 원리 또는 방법)에 의해 (글자)를 만들었다.'의 형태로 서술함.
└────────────────────────────────────────

**10** ㉢의 형태소를 분석하여 쓰시오.

┤ 작성요령 ├
ㄱ. 답안작성 예 : 나랏 : 나라-ㅅ/ 말ᄊᆞ미 : 말ᄊᆞᆷ-이

**11** **(1)** 다음은 중세 국어 표기가 현대 국어와 다른 점을 현대의 '한글 맞춤법'의 원리에 비추어 설명한 것이다. ㉠, ㉡에 들어갈 알맞은 말을 쓰시오.

말ᄊᆞ·미         → 말씀이
ᄠᅳ·들              → 뜻을
ᄡᅮ·메              → 씀에
ᄒᆞᆶᄯᆞᄅᆞ·미니·라    → 할 따름이니라
(중세 국어)           (현대 국어)
→ 중세 국어는 이어적기(연철), 즉 (  ㉠  ) 표기하였으나, 현대 국어는 끊어적기(분철), 즉 (  ㉡  )표기하
    였다.

**(2)** 다음 〈보기〉의 ⓐ, ⓑ에 알맞은 말을 쓰시오.

┤ 보기 ├
    언어는 끊임없는 변화를 겪는다. 단어에 결합된 의미도 마찬가지이다. 어휘의 의미는 의미가 확대되거나,
축소되거나 아니면 이동하는 등 여러 가지 방식으로 변화한다.
    '중생(衆生)'이라는 단어는 예전에는 모든 생물 전체를 가리키는 불교 용어였지만, 지금은 인간을 제외한
동물을 가리키는 말로 변했다. 이는 윗글 (나)의 (  ⓐ  ) 어휘들에서도 볼 수 있으며 이들은 모두 어휘의 의
미 영역이 (  ⓑ  )된 예라고 할 수 있다.

┤ 조건 ├
1. ⓐ에 해당하는 예를 2개 찾아 쓸 것.
2. ⓑ'확대, 축소, 이동' 중에서 알맞은 단어를 골라 쓸 것.

[12] 다음 글을 읽고, 물음에 답하시오.

> 셰종엉졩 훈민졍흠
> 나랏말ᄊᆞ미 中듕國귁에 달아
> ㉠ ᄆᆞᄎᆞᆷ내 제 ᄠᅳ들 시러 펴디 몯ᄒᆞᆯ 노미 하니라
> ㉡ 새로 스믈여듧 字쭝ᄅᆞᆯ 밍ᄀᆞ노니
> ㉢ 文문字쭝와로 서르 ᄉᆞᄆᆞᆺ디 아니ᄒᆞᆯ씨 이런 젼ᄎᆞ로
> ㉣ 어린 百ᄇᆡᆨ姓셩이 니르고져 ᄒᆞᇙ배 이셔도
> ㉤ 사ᄅᆞᆷ마다 ᄒᆡ여 수비 니겨 날로 ᄡᅮ메
> ㉥ 내 이ᄅᆞᆯ 爲윙ᄒᆞ야 어엿비 너겨
> 便뼌安한킈 ᄒᆞ고져 ᄒᆞᇙ ᄯᆞᄅᆞ미니라.

– 「훈민정음(訓民正音)」 (언해본) –

**12** ㉠~㉥을 문맥에 맞게 순서를 쓰시오.

[13~14] 다음 글을 읽고, 물음에 답하시오.

> (가) 世·솅宗종御·엉製·졩訓·훈民민正·졍音흠
> 나·랏 :말ᄊᆞ·미 中듕國·귁·에 달·아 文문字·쭝·와·로 서르 ᄉᆞᄆᆞᆺ·디 아·니홀·씨 ·이런 젼·ᄎᆞ·로 어·린 百·ᄇᆡᆨ姓·셩·이 니
> 르·고·져 ·홇 ·배 이·셔·도 ᄆᆞᄎᆞᆷ:내 제 ·ᄠᅳ·들 시·러 펴·디 :몯ᄒᆞᆯ ·노·미 하·니·라 ·내 ·이·ᄅᆞᆯ 爲·윙·ᄒᆞ·야 :어엿·비 너·겨
> ·새·로 ·스·믈여·듧 字·쭝·를 밍·ᄀᆞ노·니 :사ᄅᆞᆷ:마·다 :ᄒᆡ·여 :수·ᄫᅵ 니·겨 ·날·로 ·ᄡᅮ·메 便뼌安한·킈 ᄒᆞ·고·져 ᄒᆞᇙ ᄯᆞᄅᆞ·
> 미니·라

– 「월인석보(月印釋譜)」, 세조(世祖) 5년(1459) –

> (나) 孔·콩子·ᄌᆞ ㅣ 曾증子·ᄌᆞᄃᆞ·려 닐·러 ᄀᆞᄅᆞ·샤·ᄃᆡ ·몸이며 얼굴·이며 머·리털·이·며 ·ᄉᆞᆯ·흔 父·부母·모ᄭᅴ ㉮받ᄌᆞ·온
> 거·시·라 敢:감·히 헐·워 샹히·오·디 아·니:홈·이 :효·도·ᄋᆡ 비르·소미·오 ·몸·을 셰·워 道:도·를 行힝·ᄒᆞ·야 일·홈·을
> 後·후世·셰·예 :베퍼 ·뻐 父·부母·모ᄅᆞᆯ :현·뎌케 :홈·이 :효·도·ᄋᆡ ᄆᆞ·ᄎᆞᆷ·이니·라

– 「소학언해(小學諺解)」, 권 제2, 선조(宣祖) 20년(1587년) –

**13** (가)와 (나)에 나타난 중세 국어의 특징과 변화를 〈보기〉의 표를 통해 정리하였다. ㉠에 들어갈 수 있는 내용을 〈조건〉에 따라 서술하시오.

| 보기 |

|  | (가) 세종어제훈민정음 (1459년) | (나) 소학언해 (1587년) |
|---|---|---|
| 음운 | 1. ㆆ, ㅸ, ㆁ, ㆀ 사용<br>2. 어두 자음군 사용<br>3. 모음조화 철저 | 1. ㆆ, ㅿ, ㅸ 소멸 / ㆁ존속<br>2. 어두 자음군 간혹 사용<br>3. 모음조화의 예외가 나타남. |
| 문법 | 1. '듕귁에'의 '에'가 비교격 조사로 사용됨 | 1. 높임법(-샤-, -끠) 사용 |
| 어휘 | ㉠ | 1. '얼굴'(형체→안면)-의미 축소 |
| 표기 | 1. 방점 사용<br>2. 연철 표기 | 1. 방점 사용<br>2. 분철 표기가 나타나 연철 표기와 혼용 |

| 조건 |

1. (가)에서 역사적으로 어휘의 '의미 변화'가 일어나는 단어를 모두 찾아 쓰고, 그 '의미 변동 양상'을 구체적으로 설명하시오.
2. 답안 작성 예시
   예 '얼굴'은 '형체'에서 '안면'으로 의미가 축소했다.

**14** (나)의 ㉮에 나타난 높임 표현을 학습하기 위해 현대 국어의 문장을 만들고자 한다. 〈조건〉에 맞게 적절한 문장을 쓰시오.

| 조건 |

- 다음 말들 중 4개를 선택하여 한 문장으로 쓸 것.
  (선생님께서, 선생님께, 친구에게, 친구가, 선물을, 주다, 드리다)
- ㉮에 나타난 높임 표현과 같은 종류의 높임 표현으로 쓸 것.
- '-다.'로 끝나는 과거 종결형 문장으로 쓸 것.

# 한국어의 위상과 미래

현대는 세계가 하나의 마을과 같은 지구촌 시대이다. 한 민족이라고 해서 한 나라에서만 살지 않으며, 한 언어라고 해서 한곳에서만 사용하지 않는다. 세계 각지의 외국인들이 한국 사회에 들어와 살고 있고, 우리 민족 역시 전 세계에 고루 퍼져 살고 있다. 세계 곳곳에서 다양한 나라의 사람들이 한국어를 사용하게 된 것이다.

<u>이러한 사회의 변화</u>에 따라 한국어를 배우려는 외국인의 수도 해마다 증가하고 있다. 해외에서 운영 중인 한국어
지구촌 시대의 도래

보급 기관은 4천여 개, 이들 기관의 수강생은 30만여 명에 달하며, 외국인 학습자를 위해 나라 안팎에서 발간한

| 기관별 현황 | 세종 학당 | 130개소 | 37,177명 |
|---|---|---|---|
| | 한글 학교 | 1,918개 | 106,397명 |
| | 한국 학교 | 31개교 | 12,322명 |
| | 한국 교육원 | 17개국 39개원 | 30,000명 |
| 기관 수 | 국외 대학 한국어 강좌 | 845개 | 57,440명 |
| 학생 수 | 초·중등 한국어 과목 수강 | 882개 | 82,886명 |

▲ 전 세계 한국어 교육 기관별 현황(교육부, 2014)

한국어 교재는 3,400권가량인 것으로 조사되었다. 한국어 능력 시험은 2013년, 전 세계 61개국 194개 지역에서 실시되었는데, 응시자 수가 17만 명에 달하였다. 한국어 능력 시험을 보는 외국인이 늘어난다고 해서 한국어 사용자의 수가 늘어나는 것은 아니지만, 그만큼 한국어에 대한 외국인의 관심이 커지고 있음을 알 수 있다. 또한 <u>미국, 일본, 중국, 호주 등 다양한 나라의 고등학교에서 한국어를 제2외국어로 채택하고 있고, 태국은 2018년도부터 대학 입
국가 차원에서 한국어 교육을 중시함

학시험에 한국어를 제2외국어로 추가한다고 발표하였다.</u> 이처럼 한국어에 대한 외국인의 관심과 학습 욕구가 늘어나고 있는 만큼 한국어의 국제적 위상이 높아질 가능성은 크다고 볼 수 있다.

<u>한국어의 높아진 위상을 말할 때 한글의 우수성을 빠뜨릴 수 없다.</u> 한글은 요즘 같은 정보화 사회에 유용하게 사용
한국어의 위상 제고에 기여한 한글의 우수성

될 수 있는 문자이다. 한글은 자음과 모음 24자를 조합하여 <u>다양한 소리를 표기할 수 있고</u>, 알파벳과 달리 자음과 모
한글이 정보화 사회에 유용한 이유 ①

음을 모아쓰기 때문에 컴퓨터나 휴대 전화 같은 <u>디지털 기기에서 한글을 활용하면 정보를 빠르게 검색할 수 있다.</u> 또
한글이 정보화 사회에 유용한 이유 ②

글자와 소리가 일치하는 특성을 지닌 한글은 <u>음성 인식 기술을 활용한 기기에 유용하게 쓰인다.</u> 이러한 한글의 우수
한글이 정보화 사회에 유용한 이유 ③

성은 한국어와 한글의 세계화에 긍정적인 영향을 미치고 있다.

이렇게 국외에서 한국어의 위상이 높아지고 있는 반면에, 국내에서는 어떠한가? 오른쪽의 설문 결과에 나타나듯이 우리나라 사람 대 부분은 자신이 한글과 한국어를 아끼고 사랑하며, 맞춤법과 어법을 잘 알고 있다고 생각한다. 그러나 실제 언어생활에서는 한국어를 잘못 사용할 때가 많다. 사람들 대부분이 습관처럼 어문 규범에 맞지 않는 말을 사용하고 있으면서도 이를 깨닫지 못하고 있는 것이다.

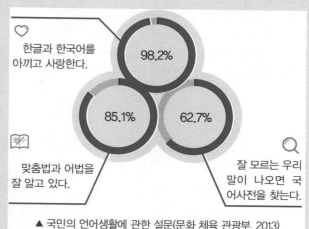

한글과 한국어를 아끼고 사랑한다. 98.2%

맞춤법과 어법을 잘 알고 있다. 85.1%

잘 모르는 우리 말이 나오면 국어사전을 찾는다. 62.7%

▲ 국민의 언어생활에 관한 설문(문화 체육 관광부, 2013)

<어법상 잘못된 표현을 사용하면서도 자각하지 못하는 현실 비판>

또 외국어, 외래어, 한자어를 무분별하게 사용하기도 한다. 외국어나 외래어를 섞어서 쓰면 세련되어 보인다고 생각하는 경향마저 나타나고 있다. 한자어도 마찬가지이다. 우리가 일상생활에서 접하는 민원 문서 같은 공문서와 계약에 사용하는 각종 문서에 한자어가 지나치게 많이 쓰여 사람들이 문서의 내용을 이해하기 어려운 경우가 많다.

<순우리말이 아닌 표현을 남용하는 현실 비판>

외국어, 외래어, 한자어를 지나치게 많이 사용하는 것만이 문제가 아니다. 요즘 텔레비전 방송이나 인터넷 등에서도 한국어 파괴 현상이 빈번하게 일어나고 있다. 특히 청소년이 이러한 매체를 자주 접하다 보면 정체불명의 새말이나 비속어를 아무런 비판 없이 받아들이게 된다. 청소년이 어문 규범에 맞지 않는 말과 글을 사용하는 것은 그 자체로도 문제이지만, 이로써 세대 간의 소통이 단절될 수도 있다는 점에서 또 다른 문제가 된다. 비속어를 함부로 사용하는 것은 자칫하면 언어폭력으로까지 번질 수 있으므로 더욱 심각한 문제이다.

<비속어 사용의 문제>

그러나 오염된 물이나 공기가 시간이 지나면서 스스로 정화되는 것처럼, 언어생활에서도 언어 사용자들이 스스로 자정 작용을 일으킬 수 있다. 최근에는 외국어나 외래어를 지나치게 사용하는 것을 불편해하며 이를 고쳐 쓰려는 움직임이 커지고 있고, 정부에서도 국민이 이해하기 쉽게끔 행정 용어를 순화하려는 노력을 기울이고 있다. 앞으로도 텔레비전이나 인터넷과 같은 매체에서는 매체의 영향력을 고려하여 올바른 언어를 사용해야 하며, 우리는 정체불명의 새말과 비속어의 사용을 줄이고 스스로 언어생활을 바로잡아야 한다.

<우리말 사용자들이 스스로 언어생활을 바로 잡아야 함>

한국어가 그 위상에 걸맞은 역할을 할 수 있도록 우리는 한국어에 자긍심을 가지고 우리의 말과 글을 소중하게 가꾸어 나가야 한다. 한국어의 세계화는 한국어 사용 인구의 증가만을 말하는 것이 아니다. 세계인이 한국어와 한국 문화를 더 잘 이해할 수 있는 여건을 만드는 것, 세계인의 사고와 문화를 효과적으로 표현할 수 있도록 한국어를 다듬어 나가는 것이 바로 한국어의 세계화라고 할 수 있다. 그러기 위해서는 우리 스스로 우리의 의사소통 문화를 성찰하고 올바른 한국어를 사용하도록 노력해야 할 것이다. 한국어의 미래는 그 미래를 만들어 가는 사람들에게 달려 있기 때문이다.

<글쓴이가 생각하는 한국어의 세계화>

◉ 핵심정리
- **무분별(無分別)하게**    세상 물정에 대한 바른 생각이나 판단 없이.
- **공문서(公文書)**    공공 기관이나 단체에서 공식으로 작성한 서류.
- **자정 작용(自淨作用)**    오염된 물이나 땅 따위가 저절로 깨끗해지는 작용.
- **자긍심(自矜心)**    스스로에게 긍지를 가지는 마음.

◉ 핵심정리

| 갈래 | 설명문 | | 성격 | 객관적, 사실적 |
|---|---|---|---|---|
| 제재 | 한국어의 국내외 위상과 한국어의 미래. | | | |
| 주제 | 한국어의 진정한 세계화를 위해 우리의 말과 글을 소중히 가꾸어야 함. | | | |
| 특징 | • 한국어의 세계에서의 위상과 국내에서의 위상을 비교하여 제시함.<br>• 한국어의 진정한 세계화를 위한 바람직한 태도를 촉구함. | | | |

**확인학습**

01 이 글을 보면 외국인들은 한글로 자신의 언어를 표기하고 싶어 한다는 것을 알 수 있다.    O☐ ×☐

02 이 글을 보면 외국인들은 우리나라의 국제적 위상이 높아지면서 한국어에 관심을 갖기 시작하였다는 것을 알 수 있다.    O☐ ×☐

03 이 글을 보면 우리나라 사람들은 스스로 한국어의 맞춤법과 어법을 잘 알고 있다고 생각한다.    O☐ ×☐

04 이와 같은 글은 타당한 근거를 들어 자신의 주장이나 의견을 논리적으로 전개하는 글이다.    O☐ ×☐

05 이와 같은 글은 어떤 대상에 대한 정보나 지식 등을 이해하기 쉽게 설명하는 글이다.    O☐ ×☐

**01** 〈보기〉의 담화를 보고 학생들이 나눈 대화이다. 적절하지 <u>않은</u> 것은?

> ┤ 보기 ├
>
> **철수** : 나 이번에는 우승각임 ㅇㄱㄹㅇ
>
> **영수** : 우승할 확률 1도 없어
>
> **철수** : ㅠㅠ
>
> **영수** : 빼박임

① 지나치게 축약된 어휘를 사용하고 있군.

② 세대 간에 의사소통이 어려워질 수 있겠군.

③ 진지한 대화나 지적인 토론은 이루어지기 어렵겠군.

④ 특정 집단만 이해할 수 있는 새말을 사용하고 있어.

⑤ 시간이 지나면 새로운 언어규범으로 자리 잡게 되겠군.

**02** 담화 관습의 특징으로 가장 적절한 것은?

① 담화의 관습에 따라 지켜야 할 규칙이나 예절이 따로 있지는 않다.

② 목적을 위해서는 담화 관습에 벗어나는 말이나 상대방을 비방하는 것도 필요하다.

③ 담화 관습은 암묵적으로 합의한 내용이므로 비공식적 상황에서는 지키지 않아도 되는 융통성 있는 개념이다.

④ 고정된 것이 아니라 사회·문화적 상황에 따라 계속 변화하면서 우리 생활에 영향을 미친다.

⑤ 글의 유형에 따른 전개 방식이나 구성 등은 담화 관습에는 포함되지 않는 세부적인 내용이다.

**[03~04] 다음 글을 읽고 물음에 답하시오.**

(가) 현대는 세계가 하나의 마을과 같은 지구촌 시대이다. 한 민족이라고 해서 한 나라에서만 살지 않으며, 한 언어라고 해서 한 곳에서만 사용하지 않는다. 세계 각지의 외국인들이 한국 사회에 들어와 살고 있고, 우리 민족 역시 전 세계에 고루 퍼져 살고 있다. 세계 곳곳에서 다양한 나라의 사람들이 한국어를 사용하게 된 것이다.

(나) 이러한 사회의 변화에 따라 한국어를 배우려는 외국인의 수도 해마다 증가하고 있다. 해외에서 운영 중인 한국어 보급 기관은 4천여 개, 이들 기관의 수강생은 30만여 명에 달하며, 외국인 학습자를 위해 나라 안팎에서 발간한 한국어 교재는 3,400권 가량인 것으로 조사되었다. 한국어 능력 시험은 2013년, 전 세계 61개국 194개 지역에서 실시되었는데, 응시자 수가 17만 명에 달하였다. 한국어 능력 시험을 보는 외국인이 늘어난다고 해서 한국어 사용자의 수가 늘어나는 것은 아니지만, 그만큼 한국어에 대한 외국인의 관심이 커지고 있음을 알 수 있다. 또한 미국, 일본, 중국, 호주 등 다양한 나라의 고등학교에서 한국어를 제2외국어로 채택하고 있고, 태국은 2018년부터 대학 입학시험에 한국어를 제2외국어로 추가한다고 발표하였다. 이처럼 한국어에 대한 외국인의 관심과 학습 욕구가 늘어나고 있는 만큼 한국어의 국제적 위상이 높아질 가능성은 크다고 볼 수 있다.

**(다)** 한국어의 높아진 위상을 말할 때 한글의 우수성을 빠뜨릴 수 없다. 한글은 요즘 같은 정보화 사회에 유용하게 사용될 수 있는 문자이다. 한글은 자음과 모음 24자를 조합하여 다양한 소리를 표기할 수 있고, 알파벳과 달리 자음과 모음을 모아쓰기 때문에 컴퓨터나 휴대 전화 같은 디지털 기기에서 한글을 활용하면 정보를 빠르게 검색할 수 있다. 또 글자와 소리가 일치하는 특성을 지닌 한글은 음성 인식 기술을 활용한 기기에 유용하게 쓰인다. 이러한 한글의 우수성은 한국어와 한글의 세계화에 긍정적인 영향을 미치고 있다.

**(라)** 외국어, 외래어, 한자어를 지나치게 많이 사용하는 것만이 문제가 아니다. 요즘 텔레비전 방송이나 인터넷 등에서도 한국어 파괴 현상이 빈번하게 일어나고 있다. 특히 청소년이 이러한 매체를 자주 접하다 보면 정체불명의 새말이나 비속어를 아무런 비판 없이 받아들이게 된다. 청소년이 어문 규범에 맞지 않는 말과 글을 사용하는 것은 그 자체로도 문제이지만, 이로써 세대 간의 소통이 단절될 수도 있다는 점에서 또 다른 문제가 된다. 비속어를 함부로 사용하는 것은 자칫하면 언어폭력으로까지 번질 수 있으므로 더욱 심각한 문제이다.

**(마)** 그러나 오염된 물이나 공기가 시간이 지나면서 스스로 정화되는 것처럼, 언어생활에서도 언어 사용자들이 스스로 자정 작용을 일으킬 수 있다. 최근에는 외국어나 외래어를 지나치게 사용하는 것을 불편해하며 이를 고쳐 쓰려는 움직임이 커지고 있고, 정부에서도 국민이 이해하기 쉽게끔 행정 용어를 순화하려는 노력을 기울이고 있다. 앞으로도 텔레비전이나 인터넷과 같은 매체에서는 매체의 영향력을 고려하여 올바른 언어를 사용해야 하며, 우리는 정체불명의 새말과 비속어의 사용을 줄이고 스스로 언어생활을 바로잡아야 한다.

---

**03** (가)~(마)의 중심내용으로 적절하지 않은 것은?

① (가) : 다양한 나라의 사람들이 한국어를 사용하는 지구촌 시대가 되었다.
② (나) : 한국어의 위상이 세계적으로 높아지고 있다.
③ (다) : 한글은 정보화 시대에 유용하게 사용할 수 있게 되었다.
④ (라) : 매체에서도 한국어 파괴 현상으로 인한 문제점을 볼 수 있다.
⑤ (마) : 매체의 영향력을 고려할 때 외국어나 외래어를 지나치게 사용하는 것은 불편하다.

**04** 윗글을 바탕으로 할 때, 한글이 정보화 사회에 유용한 이유를 〈보기〉에서 고른 것은?

┤ 보기 ├
ㄱ. 한글은 국제적 위상이 높은 언어이다.
ㄴ. 한글은 발음기관을 본떠 만든 독창적 문자이다.
ㄷ. 자음과 모음의 조합으로 다양한 소리를 표기할 수 있다.
ㄹ. 자음과 모음을 모아쓰기 때문에 정보를 빠르게 검색할 수 있다.
ㅁ. 글자와 소리가 일치하므로 음성 인식 기술을 활용한 기기에 적합하다.

① ㄱ, ㄴ, ㄷ    ② ㄱ, ㄷ, ㄹ    ③ ㄴ, ㄷ, ㄹ    ④ ㄴ, ㄹ, ㅁ    ⑤ ㄷ, ㄹ, ㅁ

한국어의 높아진 위상을 말할 때 한글의 우수성을 빠뜨릴 수 없다. 한글은 요즘 같은 정보화 사회에 유용하게 사용될 수 있는 문자이다. 한글은 자음과 모음 24자를 조합하여 다양한 소리를 표기할 수 있고, 알파벳과 달리 자음과 모음을 모아쓰기 때문에 컴퓨터나 휴대 전화 같은 디지털 기기에서 한글을 활용하면 정보를 빠르게 검색할 수 있다. 또 글자와 소리가 일치하는 특성을 지닌 한글은 음성 인식 기술을 활용한 기기에 유용하게 쓰인다. 이러한 한글의 우수성은 한국어와 한글의 세계화에 긍정적인 영향을 미치고 있다.

이렇게 국외에서 한국어의 위상이 높아지고 있는 반면에, 국내에서는 어떠한가? 오른쪽의 설문 결과에 나타나듯이 우리나라 사람 대부분은 자신이 한글과 한국어를 아끼고 사랑하며, 맞춤법과 어법을 잘 알고 있다고 생각한다. 그러나 실제 언어생활에서는 한국어를 잘못 사용할 때가 많다. 사람들 대부분이 습관처럼 어문 규범에 맞지 않는 말을 사용하고 있으면서도 이를 깨닫지 못하고 있는 것이다.

또 외국어, 외래어, 한자어를 무분별하게 사용하기도 한다. 외국어나 외래어를 섞어서 쓰면 세련되어 보인다고 생각하는 경향마저 나타나고 있다. 한자어도 마찬가지이다. 우리가 일상생활에서 접하는 민원 문서 같은 공문서와 계약에 사용하는 각종 문서에 한자어가 지나치게 많이 쓰여 사람들이 문서의 내용을 이해하기 어려운 경우가 많다.

외국어, 외래어, 한자어를 지나치게 많이 사용하는 것만이 문제가 아니다. 요즘 텔레비전 방송이나 인터넷 등에서도 한국어 파괴 현상이 빈번하게 일어나고 있다. 특히 청소년이 이러한 매체를 자주 접하다 보면 정체불명의 새말이나 비속어를 아무런 비판 없이 받아들이게 된다. 청소년이 어문 규범에 맞지 않는 말과 글을 사용하는 것은 그 자체로도 문제이지만, 이로써 세대 간의 소통이 단절될 수도 있다는 점에서 또 다른 문제가 된다. 비속어를 함부로 사용하는 것은 자칫하면 언어폭력으로까지 번질 수 있으므로 더욱 심각한 문제이다.

그러나 오염된 물이나 공기가 시간이 지나면서 스스로 정화되는 것처럼, 언어생활에서도 언어 사용자들이 스스로 자정 작용을 일으킬 수 있다. 최근에는 외국어나 외래어를 지나치게 사용하는 것을 불편해하며 이를 고쳐 쓰려는 움직임이 커지고 있고, 정부에서도 국민이 이해하기 쉽게끔 행정 용어를 순화하려는 노력을 기울이고 있다. 앞으로도 텔레비전이나 인터넷과 같은 매체에서는 매체의 영향력을 고려하여 올바른 언어를 사용해야 하며, 우리는 정체불명의 새말과 비속어의 사용을 줄이고 스스로 언어생활을 바로잡아야 한다.

**05** 위 글을 읽은 독자의 반응으로 적절하지 <u>않은</u> 것 <u>2개</u>는?

① 비속어를 함부로 사용하면 자칫 언어폭력으로 번질 수 있으니 조심해야겠어.

② 한글은 소리와 글자가 일치하기 때문에 음성 인식 기술 활용에 유용하게 쓰이는군.

③ 한글은 알파벳처럼 자음과 모음을 모아쓰기 때문에 디지털 기기에서의 활용도가 높군.

④ 우리나라 사람들은 맞춤법과 어법을 잘 알고 있다고 생각하지만 실제 언어생활에서 잘못 사용하는 경우가 많다고 하네.

⑤ 오염된 물이나 공기가 시간이 지나면서 스스로 정화되는 것처럼 오염된 언어도 스스로 자정될 때까지 그대로 놔두어야 해.

**06** 윗글을 참고로 다음 담화에 드러난 국어 사용 방식을 이해했을 때, 적절하지 <u>않은</u> 것은?

> ┤ 보기 ├
>
> **민성** : 너 우리 동아리 ○○이 알아?
>
> **지호** : 아, 걔~ 1반 핵인싸 아냐?
>
> **민성** : 그렇긴 하지. 근데 저번 동아리 시간에 걔 땜에 갑분싸했잖아, 참 나~
>
> **지호** : 왜? 무슨 일인데?
>
> **민성** : 갑자기 자기가 아는 영화 얘기가 나오니까 막 혼자 떠들면서 TMI로 돌변하더라고!

① 축약된 어휘들을 통해 말을 간결하게 표현할 수는 있다.

② 특정 집단만이 이해할 수 있는 새말을 사용하면 세대간 단절을 일으킨다.

③ 국어 어휘와 표현들이 다채롭고 다양화되면서 훨씬 풍부한 내용들을 담을 수 있다.

④ 이러한 방식을 사용하면 의사소통할 때 오해를 유발할 수 있다.

⑤ 위와 같은 언어로는 진지한 대화나 지적인 토론이 어려워질 수 있다.

**07** 다음 속담에 드러난 담화 관습에 대해 적절하게 설명한 것은?

> ㉠ 살은 쏘고 주워도 말은 하고 못 줍는다.
>
> ㉡ 가루는 칠수록 고와지고 말은 할수록 거칠어진다.
>
> ㉢ 세 살 먹은 아이 말도 귀담아들으랬다.

① ㉠과 ㉢은 상대방의 지위나 나이에 맞게 말하기가 중요함을 강조한 말이다.

② ㉠과 ㉡은 너무 많은 말을 하면 거친 말이 많아짐을 강조한 말이다.

③ ㉠과 ㉢은 경청의 태도가 말하기보다 더욱 중요함을 강조한 말이다.

④ ㉠과 ㉡에서 신중한 말하기 태도를 중요하게 여긴 우리 조상들의 문화를 엿볼 수 있다.

⑤ ㉠은 분명한 의사 표현이 의사소통의 핵심임을 강조한 말이다.

**08** 〈보기〉와 같이 말한 사례로 가장 거리가 먼 것은?

┤ 보기 ├

　　상대방의 마음을 상하게 하거나 불편하게 하는 말을 전달해야 하는 상황일 때, 우리 조상들은 직설적으로 말하지 않고 넌지시 돌려 말하는 방법을 사용하여 상대방의 반응과 깨달음을 간접적으로 이끌어 내고자 하였다.
　　조선 시대에는 이런 일이 있었다. 즉위 초에 경연과 정무를 소홀히 하였던 광해군이 내관 이봉정에게 살이 찐 이유를 묻자 "소신이 선왕(先王)을 모실 때, 선왕께서 공사청(公事廳)에 납시어 나랏일을 열심히 하시었기 때문에 옆에서 모시느라 낮에는 밥 먹을 겨를이 없었고 밤에도 편히 잠을 못 잤습니다. 그런데 지금은 전하께서 공사청에 납시지 않아 소신은 종일 태평하게 쉬고 고달픈 일이 없으니, 어찌 살이 찌지 않겠습니까?"라고 대답하였다고 한다.

① 배가 고프다. → 저녁 먹을 때가 되지 않았나?

② 그 옷이 마음에 들지 않는다. → 다른 옷은 어때?

③ 너랑 영화 보기 싫어. → 그 영화는 다른 친구랑 보기로 했어.

④ 이 음식은 맛이 없어 보인다. → 오늘따라 입맛이 없네요.

⑤ 우리 집이 화려해서 미안하다. → 누추하지만 어서 들어오세요.

**[09~12] 다음 글을 읽고 물음에 답하시오.**

**(가)** 이러한 사회의 변화에 따라 한국어를 배우려는 외국인의 수도 해마다 증가하고 있다. 해외에서 운영 중인 한국어 보급 기관은 4천여 개, 이들 기관의 수강생은 30만여 명에 달하며, 외국인 학습자를 위해 나라 안팎에서 발간한 한국어 교재는 3,400권 가량인 것으로 조사되었다. ㉠한국어 능력 시험은 2013년, 전 세계 61개국 194개 지역에서 실시되었는데, 응시자 수는 17만 명에 달하였다. 한국어 능력 시험을 보는 외국인이 늘어난다고 해서 한국어 사용자의 수가 늘어나는 것은 아니지만, 그만큼 한국어에 대한 외국인의 관심이 커지고 있음을 알 수 있다. 또한 미국, 일본, 중국, 호주 등 다양한 나라의 고등학교에서 한국어를 제2외국어로 채택하고 있고, 태국은 2018년도부터 대학 입학시험에 한국어를 제2외국어로 추가한다고 발표하였다. ㉡이처럼 한국어에 대한 외국인의 관심과 학습 욕구가 늘어나고 있는 만큼 한국어의 국제적 위상이 높아질 가능성은 크다고 볼 수 있다.

**(나)** 한국어의 높아진 위상을 말할 때 한글의 우수성을 빠뜨릴 수 없다. [A]한글은 요즘 같은 정보화 사회에 유용하게 사용될 수 있는 문자이다. 한글은 자음과 모음 24자를 조합하여 다양한 소리를 표기할 수 있고, 알파벳과 달리 자음과 모음을 모아쓰기 때문에 컴퓨터나 휴대 전화 같은 디지털 기기에서 한글을 활용하면 정보를 빠르게 검색할 수 있다. 또 글자와 소리가 일치하는 특성을 지닌 한글은 음성 인식 기술을 활용한 기기에 유용하게 쓰인다. 이러한 한글의 우수성은 한국어와 한글의 세계화에 긍정적인 영향을 미치고 있다.

**(다)** ㉢이렇게 국외에서 한국어의 위상이 높아지고 있는 반면에, 국내에서는 어떠한가? 오른쪽의 설문 결과에 나타나듯이 우리나라 사람 대부분은 자신이 한글과 한국어를 아끼고 사랑하며, 맞춤법과 어법을 잘 알고 있다고 생각한다. 그러나 실제 언어생활에서는 한국어를 잘못 사용할 때가 많다. 사람들 대부분이 습관처럼 어문 규범에 맞지 않는 말을 사용하고 있으면서도 이를 깨닫지 못하고 있는 것이다.

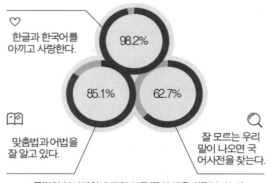

한글과 한국어를
아끼고 사랑한다.    98.2%

맞춤법과어법을    85.1%    62.7%    잘 모르는 우리
잘 알고 있다.                              말이 나오면 국
                                              어사전을 찾는다.

▲ 국민의 언어생활에 관한 설문(문화 체육 관광부, 2013)

또 외국어, 외래어, 한자어를 무분별하게 사용하기도 한다. 외국어나 외래어를 섞어서 쓰면 세련되어 보인다고 생각하는 경향마저 나타나고 있다. 한자어도 마찬가지이다. 우리가 일상생활에서 접하는 민원 문서 같은 공문서와 계약에 사용하는 각종 문서에 한자어가 지나치게 많이 쓰여 사람들이 문서의 내용을 이해하기 어려운 경우가 많다.

**(라)** 외국어, 외래어, 한자어를 지나치게 많이 사용하는 것만이 문제가 아니다. 요즘 텔레비전 방송이나 인터넷 등에서도 한국어 파괴 현상이 빈번하게 일어나고 있다. 특히 청소년이 이러한 매체를 자주 접하다 보면 정체불명의 새말이나 비속어를 아무런 비판 없이 받아들이게 된다. 청소년이 어문 규범에 맞지 않는 말과 글을 사용하는 것은 그 자체로도 문제이지만, 이로써 세대 간의 소통이 단절될 수도 있다는 점에서 또 다른 문제가 된다. 비속어를 함부로 사용하는 것은 자칫하면 언어폭력으로까지 번질 수 있으므로 더욱 심각한 문제이다.

**(마)** 그러나 ⓒ오염된 물이나 공기가 시간이 지나면서 스스로 정화되는 것처럼, 언어생활에서도 언어 사용자들이 스스로 자정 작용을 일으킬 수 있다. 최근에는 외국어나 외래어를 지나치게 사용하는 것을 불편해하며 이를 고쳐 쓰려는 움직임이 커지고 있고, 정부에서도 국민이 이해하기 쉽게끔 행정 용어를 순화하려는 노력을 기울이고 있다. 앞으로도 텔레비전이나 인터넷과 같은 매체에서는 매체의 영향력을 고려하여 올바른 언어를 사용해야 하며, 우리는 정체불명의 새말과 비속어의 사용을 줄이고 스스로 언어생활을 바로잡아야 한다.

한국어가 그 위상에 걸맞은 역할을 할 수 있도록 우리는 한국어에 자긍심을 가지고 우리의 말과 글을 소중하게 가꾸어 나가야 한다. 한국어의 세계화는 한국어 사용 인구의 증가만을 말하는 것이 아니다. 세계인이 한국어와 한국 문화를 더 잘 이해할 수 있는 여건을 만드는 것, 세계인의 사고와 문화를 효과적으로 표현할 수 있도록 한국어를 다듬어 나가는 것이 바로 한국어의 세계화라고 할 수 있다. ⓜ그러기 위해서는 우리 스스로 우리의 의사소통 문화를 성찰하고 올바른 한국어를 사용하도록 노력해야 할 것이다. 한국어의 미래는 그 미래를 만들어가는 사람들에게 달려 있기 때문이다.

**09** ⊙~ⓜ에 대한 이해로 적절하지 않은 것은?

① ⊙ : 구체적인 수치 자료를 근거로 삼아 객관적으로 정보를 제시하여 중심 내용을 뒷받침하고 있다.

② ⓛ : 특정 현상의 현재 상태를 근거로 삼아 합리적으로 그 미래를 전망하고 있다.

③ ⓒ : 국외의 상황과 대비하여 국내 상황으로 화제를 전환하기 위해 질문을 던지는 방식을 활용하고 있다.

④ ⓒ : 유추의 방법을 통해 생태계가 정화되듯이 언어생활도 시간이 흐르면 저절로 개선된다는 사실을 말하고 있다.

⑤ ⓜ : 한국어의 세계화를 위해 우리 스스로의 성찰이 우선되어야 함을 강조하고 올바른 실천을 촉구하고 있다.

**10** (라)를 바탕으로 하여 다음 담화에 드러난 의사소통 문화를 점검한 내용으로 적절하지 <u>않은</u> 것은?

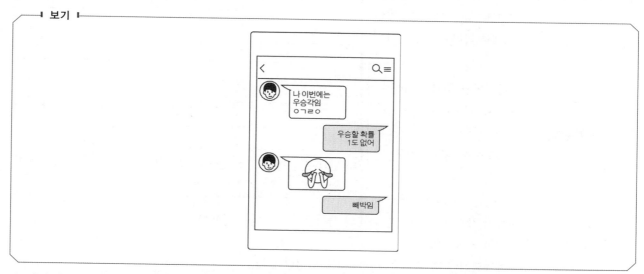

① 지나친 줄임말의 사용으로 의미 전달이 불분명하고 진지한 대화가 어려워질 수 있다.

② 언어 규범이 파괴됨으로써 다른 지역 사람들 사이에서 언어폭력이 발생할 수 있다.

③ 특정 집단만 알 수 있는 말을 사용하고 있어 세대 간의 의사소통이 어려워질 수 있다.

④ 단어의 초성만 활용하여 우리 고유의 어휘와 표현들이 소멸될 수 있다.

⑤ 문자보다 이미지를 위주로 의사소통하여 의사가 정확하게 전달되지 못하고 소통에 장애를 유발할 수 있다.

**11** [A]의 근거로 적절한 것끼리 바르게 묶은 것은?

a. 자모를 조합하여 다양한 소리를 표기할 수 있으므로
b. 제자 원리가 과학적이고 체계적이므로
c. 모아쓰기로 인해 빠른 정보 검색이 가능하므로
d. 문자의 활용성을 극대화할 수 있는 표의 문자이므로
e. 글자와 소리가 일치하여 음성 인식 기술에 유용하므로

① a, c, e  ② a, c, d  ③ a, b, c  ④ b, c, d  ⑤ c, d, e

**12** 다음은 이 글을 쓰며 글쓴이가 작성한 개요의 일부분이다. ⓐ~ⓔ에 들어갈 내용으로 적절하지 <u>않은</u> 것은?

| 처음 | 세계로 나아가는 한국어 | ⓐ_____ |
| --- | --- | --- |
| 가운데 | 한국어의 국제적 위상 | (1) ⓑ_____<br>(2) ⓒ_____ |
| | 한국어의 국내적 위상 | (1) ⓓ_____<br>(2) ⓔ_____<br>(3) 텔레비전 방송이나 인터넷 등에서 한국어 파괴 현상이 빈번하게 일어남. |

① ⓐ : 현대에는 세계 각지에서, 다양한 나라의 사람들이 한국어를 사용함.

② ⓑ : 한국어에 대한 외국인의 관심과 학습 욕구가 늘어남.

③ ⓒ : 한국어가 세계화됨에 따라 한글의 우수성도 인정받게 됨.

④ ⓓ : 실제 언어생활에서 어문 규범에 맞지 않는 한국어를 사용하는 사람들이 많음.

⑤ ⓔ : 외국어, 외래어, 한자어가 무분별하게 사용됨.

# 객관식 심화문제

**01** ㉠~㉤에 해당하는 속담으로 가장 적절한 것은?

┤ 보기 ├

  속담에 담긴 시간에 대한 가치관을 시간조망이라고 한다.

  과거 긍정 속담은 '㉠옛말 그른 데 없다.'와 같이, 과거의 것을 더 좋게 여기는 사고와 더불어 옛것의 소중함을 강조하는 태도를 반영한다. 과거 긍정 시간조망을 가진 사람들은 과거를 감성적으로 여기는 태도를 나타내며, 현재의 생활에 큰 어려움은 없지만 진취적이기보다는 안정적이고 보수적인 성향이 강하다.

  과거 부정 속담은 '㉡제 버릇 개 줄까.', '낙숫물은 떨어지던 데 또 떨어진다'와 같이 주로 나쁜 본성은 어쩔 수 없다거나 타고난 버릇은 고치기가 어렵다는 등의 지울 수 없는 고거에 대한 부정적인 견해를 나타내는 특징을 갖는다. 과거 부정 시간조망은 우울이나 불안, 또는 낮은 자아존중감과 관련이 높고, 기대한 바대로 되지 않는 일을 당연하게 받아들이는 성향과 관계가 높다.

  현재 쾌락 속담은 '㉢아끼다 똥 된다.'와 같이, 뒷날은 생각지 않고 당장의 이익만을 추구하거나 전혀 예견할 수 없는 결과를 놓고 흥정하는 특징을 갖는다. 다시 말해서 즉각적인 만족과 보상, 그리고 자극을 추구하고 유지하는데 많은 노력이 필요하거나 조직화된 사람과 환경을 피하려는 경향이다.

  현재 숙명 속담은 '㉣송충이는 솔잎을 먹어야 산다.'와 같이 지금 일어나고 있는 사건에 가치를 부여하는 태도를 의미한다. 다시 말해서 현재 얻을 수 있는 것이 더 이롭다거나, 별로 만족스럽지 않더라도 상황이나 형편이 허락하는 한에서 지금 일을 해치우는 것이 옳은 것이라는 태도를 의미한다. 현재 숙명 시간조망은 시간이 흐를수록 무슨 일을 하더라도 미래가 달라진다는 보장이 없다는 믿음을 갖게 되는 경향이 있고, 체념과 냉소가 희망과 낙관을 압도하기도 한다. 또한 이런 시간조망을 가진 사람은 과거에 있었던 일, 현재에 일어나고 있는 일, 그리고 미래에 일어날 일은 모두 운명이 결정하는 것이지 자신이 어떻게 할 수 있는 것이 아니라고 여기는 경향이 있다.

  마지막으로 미래 지향 속담은 '㉤쥐구멍에도 볕 들 날이 있다.', '죽을병에도 쓸 약이 있다.'와 같이, 지금의 어려움을 참으면 미래에는 좋은 일이 생길 수 있기에 미래의 성취를 위해 목표를 계획하고 추구하는 경향성을 의미한다. 미래 지향 시간조망을 가진 사람은 지금의 행동이 미래에 어떤 결과를 초래하는지에 대해 관심을 가지며 훗날에 보상으로 나타나기를 기대하는 경향성이 높다.

① ㉠ : 개가 개를 낳지.
② ㉡ : 놓친 고기가 더 크다.
③ ㉢ : 남편 복 없는 여자 자식 복도 없다.
④ ㉣ : 고생 끝에 낙이 온다.
⑤ ㉤ : 죄는 지은 데로 가고, 덕은 닦은 데로 간다.

**02** 다음 〈보기1〉을 바탕으로 〈보기2〉에 대해 이해한 내용으로 가장 적절한 것은?

> **┤ 보기1 ├**
>
> 공동체에서 특정한 의사소통 방식을 반복하여 관습으로 굳어지면 이를 언어 공동체의 담화 관습이라고 한다. 담화 관습은 고정된 것이 아니라 사회·문화적 상황에 따라 계속 변화하면서 우리 생활에 영향을 미친다. 특히 직설적으로 말하지 않고 자신의 의도와 상대방의 반응을 간접적으로 이끌어내고자 하는 <u>우리말의 담화 관습</u>을 이해하고 언어생활을 할 때에 이를 적절하게 활용하는 자세가 필요하다.

> **┤ 보기2 ├**
>
> **(가)** 고려 말, 이방원은 이성계가 왕이 되는 것을 반대하던 정몽주를 회유하기 위해 다음과 같은 시조를 지어 불렀다. "이런들 어떠하며 저런들 어떠하리./ 만수산 드렁칡이 얽혀진들 어떠하리./ 우리도 이렇게 얽혀져 백 년까지 누리리라."
>
> **(나)** "열일곱 가지, 허허. 그렇게 뜯어 가니 촌놈들이 살겠는가? 나는 이때까지 엔간하면 고름이 살 될라디야 하고 말썽 없이 내왔네마는, 그래도 이것이 갓이 있고 끝이 있어제 밑구녁 뚫어진 도가지에 물 붓기도 아니고 참말로 해도 너무하는구만. 깨구락지도 움쳐야 뛰는 것인디 모구 다리에 피 빼대끼 훑어만 갈라고 환장을 하니 사람이 숨을 쉬고 살겄난 말이여."
>
> – 송기숙, 『자릿골의 비가』 –

① (가)와 (나)는 모두 부정적 사회 현실을 비판적으로 바라보는 관습적 태도를 드러낸다.

② (가)와 (나)는 모두 화자와 청자의 관계에 따라 달라지는 담화 관습을 보여 주고 있다.

③ (가)는 돌려 말하기, (나)는 속담을 통한 비유적 말하기라는 우리 조상들의 전통적인 담화 관습을 보여 주고 있다.

④ (가)와 (나)는 각각 특정 공동체 안에서 한번 형성된 담화 관습은 고정된 상태를 유지한다는 점을 보여 주고 있다.

⑤ (가)의 '이방원'이 말하고자 하는 바를 완곡하게 전달하는 반면, (나)의 화자는 말하고자 하는 내용을 직설적으로 표현하고 있다.

---

[03~05] 다음 글을 읽고 물음에 답하시오.

현대는 세계가 하나의 마을과 같은 지구촌 시대이다. 한 민족이라고 해서 한 나라에서만 살지 않으며, 한 언어라고 해서 한곳에서만 사용하지 않는다. 세계 각지의 외국인들이 한국 사회에 들어와 살고 있고, 우리 민족 역시 전 세계에 고루 퍼져 살고 있다. 세계 곳곳에서 다양한 나라의 사람들이 한국어를 사용하게 된 것이다.

이러한 사회의 변화에 따라 한국어를 배우려는 외국인의 수도 해마다 증가하고 있다. 해외에서 운영 중인 한국어 보급 기관은 4천여 개, 이들 기관의 수강생은 30만여 명에 달하며, 외국인 학습자를 위해 나라 안팎에서 발간한 한국어 교재는 3,400권가량인 것으로 조사되었다. 한국어 능력 시험은 2013년, 전 세계 61개국 194개 지역에서 실시되었는데, 응시자 수가 17만 명에 달하였다. 한국어 능력 시험을 보는 외국인이 늘어난다고 해서 한국어 사용자의 수가 늘어나는 것은 아니지만, 그만큼 한국어에 대한 외국인의 관심이 커지고 있음을 알 수 있다. 또한 미국, 일본, 중국, 호주 등 다양한 나라의 고등학교에서 한국어를 제2외국어로 채택하고 있고, 태국은 2018년도부터 대학 입학시험에 한국어를 제2외국어로 추가한다고 발표하였다. 이처럼 한국어에 대한 외국인의 관심과 학습 욕구가 늘어나고 있는 만큼 한국어의 국제적 위상이 높아질 가능성은 크다고 볼 수 있다.

| 기관별 현황 | 기관 수 | 학생 수 |
|---|---|---|
| 세종 학당 | 130개소 | 37,177명 |
| 한글 학교 | 1,918개 | 106,397명 |
| 한국 학교 | 31개교 | 12,322명 |
| 한국 교육원 | 17개국 39개원 | 30,000명 |
| 국외 대학 한국어 강좌 | 845개 | 57,440명 |
| 초·중등 한국어 과목 수강 | 882개 | 82,886명 |

▲ 전 세계 한국어 교육 기관별 현황(교육부, 2014)

한국어의 높아진 위상을 말할 때 한글의 우수성을 빠뜨릴 수 없다. 한글은 요즘 같은 정보화 사회에 유용하게 사용될 수 있는 문자이다. 한글은 자음과 모음 24자를 조합하여 다양한 소리를 표기할 수 있고, 알파벳과 달리 자음과 모음을 모아쓰기 때문에 컴퓨터나 휴대 전화 같은 디지털 기기에서 한글을 활용하면 정보를 빠르게 검색할 수 있다. 또 글자와 소리가 일치하는 특성을 지닌 한글은 음성 인식 기술을 활용한 기기에 유용하게 쓰인다. 이러한 한글의 우수성은 한국어와 한글의 세계화에 긍정적인 영향을 미치고 있다.

이렇게 국외에서 한국어의 위상이 높아지고 있는 반면에, 국내에서는 어떠한가? 오른쪽의 설문 결과에 나타나듯이 우리나라 사람 대부분은 자신이 한글과 한국어를 아끼고 사랑하며, 맞춤법과 어법을 잘 알고 있다고 생각한다. 그러나 실제 언어생활에서는 한국어를 잘못 사용할 때가 많다. 사람들 대부분이 습관처럼 어문 규범에 맞지 않는 말을 사용하고 있으면서도 이를 깨닫지 못하고 있는 것이다.

또 외국어, 외래어, 한자어를 무분별하게 사용하기도 한다. 외국어나 외래어를 섞어서 쓰면 세련되어 보인다고 생각하는 경향마저 나타나고 있다. 한자어도 마찬가지이다. 우리가 일상생활에서 접하는 민원 문서 같은 공문서와 계약에 사용하는 각종 문서에 한자어가 지나치게 많이 쓰여 사람들이 문서의 내용을 이해하기 어려운 경우가 많다.

외국어, 외래어, 한자어를 지나치게 많이 사용하는 것만이 문제가 아니다. 요즘 텔레비전 방송이나 인터넷 등에서도 한국어 파괴 현상이 빈번하게 일어나고 있다. 특히 청소년이 이러한 매체를 자주 접하다 보면 정체불명의 새말이나 비속어를 아무런 비판 없이 받아들이게 된다. 청소년이 어문 규범에 맞지 않는 말과 글을 사용하는 것은 그 자체로도 문제이지만, 이로써 세대 간의 소통이 단절될 수도 있다는 점에서 또 다른 문제가 된다. 비속어를 함부로 사용하는 것은 자칫하면 언어폭력으로까지 번질 수 있으므로 더욱 심각한 문제이다.

그러나 오염된 물이나 공기가 시간이 지나면서 스스로 정화되는 것처럼, 언어생활에서도 언어 사용자들이 스스로 자정 작용을 일으킬 수 있다. 최근에는 외국어나 외래어를 지나치게 사용하는 것을 불편해하며 이를 고쳐 쓰려는 움직임이 커지고 있고, 정부에서도 국민이 이해하기 쉽게끔 행정 용어를 순화하려는 노력을 기울이고 있다. 앞으로도 텔레비전이나 인터넷과 같은 매체에서는 매체의 영향력을 고려하여 올바른 언어를 사용해야 하며, 우리는 정체불명의 새말과 비속어의 사용을 줄이고 스스로 언어생활을 바로잡아야 한다.

한국어가 그 위상에 걸맞은 역할을 할 수 있도록 우리는 한국어에 자긍심을 가지고 우리의 말과 글을 소중하게 가꾸어 나가야 한다. 한국어의 세계화는 한국어 사용 인구의 증가만을 말하는 것이 아니다. 세계인이 한국어와 한국 문화를 더 잘 이해할 수 있는 여건을 만드는 것, 세계인의 사고와 문화를 효과적으로 표현할 수 있도록 한국어를 다듬어 나가는 것이 바로 한국어의 세계화라고 할 수 있다. 그러기 위해서는 우리 스스로 우리의 의사소통 문화를 성찰하고 올바른 한국어를 사용하도록 노력해야 할 것이다. 한국어의 미래는 그 미래를 만들어 가는 사람들에게 달려 있기 때문이다.

**03** 이 글에 사용된 쓰기 전략으로만 묶인 것은?

> ⓐ 관용적인 표현을 사용하여 독자의 이해를 돕고 있다.
> ⓑ 객관적인 수치를 제시하여 내용의 신뢰성을 높이고 있다.
> ⓒ 질문을 통해 화제를 제시하여 독자의 관심을 유도하고 있다.
> ⓓ 글쓴이의 다양한 경험을 제시하여 글의 객관성을 높이고 있다.

① ⓐ, ⓑ      ② ⓐ, ⓒ      ③ ⓑ, ⓒ      ④ ⓑ, ⓓ      ⑤ ⓒ, ⓓ

**04** 글쓴이가 궁극적으로 하고자 한 말로 가장 적절한 것은?

① 한국어의 국제적 위상과 국내적 위상의 차이를 인정하자.
② 지구촌 시대에 한국어의 높은 위상을 알고 자부심을 느끼자.
③ 한국어처럼 세계화에 성공할 수 있는 우리만의 문화를 발굴하자.
④ 한국어의 진정한 세계화를 위해 우리의 말과 글을 소중히 가꾸자.
⑤ 꾸준한 홍보를 통해 한국어를 보다 많은 사람들이 사용하게 하자.

**05** 이 글을 읽은 독자가 〈보기〉에 대해 보일 반응으로 가장 적절한 것은?

> ┤ 보기 ├
>
> 국립 국어원에서는 '우리말 다듬기 누리집'을 열고, '리플'을 '댓글'로, '네티즌'을 '누리꾼'으로 바꾸어 사용하자고 제안하였다. 인터넷을 사용하는 많은 사람들이 여기에 호응하여 그 후 지금까지 '댓글'과 '누리꾼'이라는 용어를 활발하게 사용하고 있다. 이후에도 '더치페이'를 '각자 내기'로, '캠프파이어'를 '모닥불놀이'로 순화하는 등 외래어, 외국어를 쉬운 우리말로 순화하는 데 앞장서고 있다.

① 〈보기〉에는 언어 사용자들이 스스로 일으키는 자정 작용이 나타나 있군.
② 〈보기〉의 새말을 무분별하게 사용하다 보면 세대 간 소통이 단절될 수도 있겠군.
③ 〈보기〉의 새말을 함부로 사용하는 것은 자칫하면 언어폭력으로까지 번질 수 있겠군.
④ 〈보기〉에서 '국립 국어원'은 국가의 공신력을 이용하여 사람들의 언어생활을 통제하고 있군.
⑤ 〈보기〉의 새말을 사용하지 않고 외래어나 외국어를 사용하는 것이 한국어의 세계화에 도움이 되겠군.

[06~09] 다음 글을 읽고 물음에 답하시오.

**(가)** 현대는 세계가 하나의 마을과 같은 지구촌 시대이다. 한 민족이라고 해서 한 나라에서만 살지 않으며, 한 언어라고 해서 한 곳에서만 사용하지 않는다. 세계 각지의 외국인들이 한국 사회에 들어와 살고 있고, 우리 민족 역시 전 세계에 고루 퍼져 살고 있다. 세계 곳곳에서 다양한 나라의 사람들이 한국어를 사용하게 된 것이다.

**(나)** 이러한 사회의 변화에 따라 한국어를 배우려는 외국인의 수도 해마다 증가하고 있다. 해외에서 운영 중인 한국어 보급 기관은 4천여 개, 이들 기관의 수강생은 30만여 명에 달하며, 외국인 학습자를 위해 나라 안팎에서 발간한 한국어 교재는 3,400권 가량인 것으로 조사되었다. 이처럼 한국어에 대한 외국인의 관심과 학습 욕구가 늘어나고 있는 만큼 한국어의 국제적 위상이 높아질 가능성은 크다고 볼 수 있다.

**(다)** 한국어의 높아진 위상을 말할 때 한글의 우수성을 빠뜨릴 수 없다. 한글은 요즘 같은 정보화 사회에 유용하게 사용될 수 있는 문자이다. 한글은 자음과 모음 24자를 조합하여 다양한 소리를 표기할 수 있고, 알파벳과 달리 자음과 모음을 모아쓰기 때문에 컴퓨터나 휴대 전화 같은 디지털 기기에서 한글을 활용하면 정보를 빠르게 검색할 수 있다. 또 글자와 소리가 일치하는 특성을 지닌 한글은 음성 인식 기술을 활용한 기기에 유용하게 쓰인다. 이러한 한글의 우수성은 한국어와 한글의 세계화에 긍정적인 영향을 미치고 있다.

**(라)** 이렇게 국외에서 한국어의 위상이 높아지고 있는 반면에,

[A]
국내에서는 어떠한가? 실제 언어생활에서는 한국어를 잘못 사용할 때가 많다. 사람들 대부분이 습관처럼 어문 규범에 맞지 않는 말을 사용하고 있으면서도 이를 깨닫지 못하고 있는 것이다.

또 외국어, 외래어, 한자어를 무분별하게 사용하기도 한다. 외국어나 외래어를 섞어서 쓰면 세련되어 보인다고 생각하는 경향마저 나타나고 있다. 한자어도 마찬가지이다. 우리가 일상생활에서 접하는 민원 문서 같은 공문서와 계약에 사용하는 각종 문서에 한자어가 지나치게 많이 쓰여 사람들이 문서의 내용을 이해하기 어려운 경우가 많다.

뿐만 아니라 요즘 텔레비전 방송이나 인터넷 등에서도 한국어 파괴 현상이 빈번하게 일어나고 있다.

**(마)** [B]

최근에는 외국어나 외래어를 지나치게 사용하는 것을 불편해하며 이를 고쳐 쓰려는 움직임이 커지고 있고, 정부에서도 국민이 이해하기 쉽게끔 행정 용어를 순화하려는 노력을 기울이고 있다. 앞으로도 텔레비전이나 인터넷과 같은 매체에서는 매체의 영향력을 고려하여 올바른 언어를 사용해야 하며, 우리는 정체불명의 새말과 비속어의 사용을 줄이고 스스로 언어생활을 바로잡아야 한다.

한국어가 그 위상에 걸맞은 역할을 할 수 있도록 우리는 한국어에 자긍심을 가지고 우리의 말과 글을 소중하게 가꾸어 나가야 한다. 한국어의 세계화는 한국어 사용 인구의 증가만을 말하는 것이 아니다. 세계인이 한국어와 한국 문화를 더 잘 이해할 수 있는 여건을 만드는 것, 세계인의 사고와 문화를 효과적으로 표현할 수 있도록 한국어를 다듬어 나가는 것이 바로 한국어의 세계화라고 할 수 있다.

**06** (가)~(마)에 대한 설명으로 적절하지 <u>않은</u> 것은?

① (가) : 현대에는 세계 각지에서 다양한 나라의 사람들이 한국어를 사용하고 있다는 화제를 제시하고 있다.

② (나) : 세계적으로 높아진 한국어의 위상을 구체적인 수치를 사용하여 객관적으로 설명하고 있다.

③ (다) : 한글의 우수성이 한국어의 위상을 높이는 데 이바지하고 있음을 다양한 이유를 들어 설명하고 있다.

④ (라) : 실제 언어 생활에서 어문 규범에 맞지 않는 한국어를 사용하는 사람들이 많음을 유추의 방식을 활용하여 지적하고 있다.

⑤ (마) : 한국어의 세계화에 대한 글쓴이의 생각을 언급하며 글을 마무리하고 있다.

**07** (라)의 [A]에 해당하는 예로 적절하지 <u>않은</u> 것은?

① 멀리 있지만 내가 너를 응원할께

② 나 이번에는 국어 백점각임. ㅇㄱㄹㅇ

③ 딸이 어머니에게 용돈을 받을 때 "요즘 책값이 많이 올랐어요."라고 돌려서 말한다.

④ 휴대 전화 구입 시 할부 수수료율은 연 5.9%이며 상환 방법은 원리금 균등 분할 상환입니다.

⑤ 이번에 새로 나온 차입니다. 트렌디한 레드 스페셜 패키지 인테리어와 엘레강스함을 갖추었습니다.

**08** 〈조건〉을 고려하여 (마)의 [B]에 들어갈 내용을 작성한다고 할 때, 가장 적절한 것은?

> ┤ 조건 ├
> ㄱ. 접속어로 시작할 것
> ㄴ. 비유적 표현을 활용할 것
> ㄷ. 앞뒤 문맥을 참고하여 작성할 것

① 그렇기 때문에 우리는 스스로 올바른 문화에 대해 성찰하고 우리말을 바르게 사용하도록 노력해야 할 것이다.

② 그리고 언어는 우리의 사고와 밀접한 관계가 있기 때문에 사고를 해치지 않기 위해서는 언어 순화가 필요하다.

③ 그리고 오염된 공기가 시간이 지나면 스스로 정화되는 것처럼, 언어 생활에 있어서도 스스로 정화하려는 움직임이 일어나고 있다.

④ 그러나 오염된 물이 시간이 지나면 깨끗해지는 것처럼, 우리 언어 생활도 사용자들이 스스로 순화하려는 자정작용을 일으킬 수 있다.

⑤ 그러나 언어 사용자들 중에는 무분별한 언어 사용을 지적하는 사람들도 많다. '더치 페이'를 '각자 내기'로 말하려는 움직임을 예로 들 수 있다.

**09** 〈보기〉는 윗글을 보완하기 위해 추가로 수집한 자료이다. 자료의 활용 방안으로 적절하지 <u>않은</u> 것은?

---

┤ 보기 ├

〈ㄱ〉 신문기사

　국립 국어원에서는 '우리말 다듬기 누리집'을 열고, '리플'을 '댓글'로, '네티즌'을 '누리꾼'으로 바꾸어 사용하자고 제안하였다. 인터넷을 사용하는 많은 사람들이 여기에 호응하여 그 후 지금까지 '댓글'과 '누리꾼'이라는 용어를 활발하게 사용하고 있다.

〈ㄴ〉 설문 통계자료

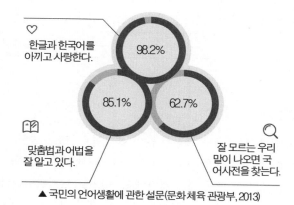

　한글과 한국어를 아끼고 사랑한다. 98.2%

　맞춤법과 어법을 잘 알고 있다. 85.1%

　잘 모르는 우리말이 나오면 국어사전을 찾는다. 62.7%

▲ 국민의 언어생활에 관한 설문(문화 체육 관광부, 2013)

〈ㄷ〉 인터뷰 내용

**[기자]** 무엇보다 한글은 다양한 디지털 기기들에서 높은 적합성을 보이며 그 우수성을 인정받고 있습니다. 우선 한자나 일어나는 먼저 영문으로 입력한 뒤 자국의 문자로 변환하는 복잡한 과정을 거쳐야 합니다. 하지만 우리는 다른 문자를 빌리지 않고 직접 입력하면 되는 데다, 자음과 모음이 나뉘어 배치되고 대문자와 소문자의 구별도 없어 자판이 간결하고 입력이 쉽습니다. 작은 크기의 자판을 지닌 휴대전화에서도 ㄱ과 ㅋ을 하나의 키에서 해결하거나, 모음 세 개만으로 모든 모음을 만들 수 있어 효율적입니다.

**[김국/서경대학교 산업공학과 교수]** 세종대왕이 훈민정음을 만들 당시에 이러한 컴퓨터 시대를 예상하고 만든 것은 아니지만, 한글은 결과적으로 디지털 기기에 아주 적합합니다.

〈ㄹ〉 인터넷 기사

**[○○일보=김빛이나 기자]** K-POP, 한식 등을 필두로 한 국어를 배우고자 하는 사람들이 늘면서 한국어능력시험도 매년 응시자가 증가하는 추세를 보이고 있다. 한국어능력시험 'TOPIK(Test of Proficiency in Korean)'은 한국어를 모국어로 하지 않는 재외동포 및 외국인에게 한국어 학습 방향을 제시하고, 한국어의 보급을 확대하는 것을 목적으로 1997년 제1회 시험이 시행됐다. 최근 응시 현황은 작년에는 회당 2만여 명에서 9만여 명까지 원서를 접수했고, 가장 최근 시험인 제56회 시험에는 2만 6000여 명이 지원해, 1만 4000여 명의 합격자를 배출했다.

---

① 〈ㄱ〉을 활용하여 올바른 언어 생활을 하려는 노력의 예를 보여주어야겠군.
② 〈ㄴ〉을 활용하면 한국어에 대한 세계인의 인식을 객관적으로 보여줄 수 있겠군.
③ 〈ㄷ〉을 활용하여 한글이 정보화 사회에 유용한 문자임을 강조할 수 있겠군.
④ 〈ㄹ〉을 활용하여 한국어를 배우려는 외국인이 점점 늘어나고 있음을 밝혀 신뢰성을 확보해야겠군.
⑤ 〈ㄷ〉과 〈ㄹ〉을 활용하면 한글의 우수성과 한글의 높아지는 위상을 뒷받침할 수 있겠군.

**[10~12] 다음 글을 읽고 물음에 답하시오.**

상대방의 마음을 상하게 하거나 불편하게 하는 말을 전달해야 하는 상황일 때, 우리 조상들은 ㉠직설적으로 말하지 않고 넌지시 돌려 말하는 방법을 사용하여 상대방의 반응과 깨달음을 간접적으로 이끌어 내고자 하였다. 전해 오는 여러 이야기에서 이런 태도를 엿볼 수 있다.

고려 말, 이방원은 이성계가 왕이 되는 것을 반대하던 정몽주를 회유하기 위해 다음과 같은 시조를 지어 불렀다. "이런들 어떠하며 저런들 어떠하리. / 만수산 드렁칡이 얽혀진들 어떠하리. / 우리도 이렇게 얽혀져 백 년까지 누리리라."

조선 시대에는 이런 일이 있었다. 즉위 초에 경연과 정무를 소홀히 하였던 광해군이 내관 이봉정에게 살이 찐 이유를 묻자 "소신이 선왕(先王)을 모실 때, 선왕께서 공사청(公事廳)에 납시어 나랏일을 열심히 하시었기 때문에 옆에서 모시느라 낮에는 밥 먹을 겨를이 없었고 밤에도 편히 잠을 못 잤습니다. 그런데 [                                    ]"라고 대답하였다고 한다.

**10** ㉠과 유사한 사례로 적절하지 <u>않은</u> 것은?

① 딸이 어머니에게 용돈을 받을 때, "요즘 책값이 많이 올랐어요."라고 말함.
② 친구가 옷을 사기 위해 의견을 물어보았을 때, "다른 옷은 어때?"라고 말함.
③ 도서관에서 노트북의 자판을 소리 나게 치는 사람에게 "여기는 도서관입니다."라고 말함.
④ 금연 구역에서 담배를 피운 사람에게 "다음부터는 저쪽에 가서 피우시기 바랍니다."라고 말함.
⑤ 친구의 추천으로 간 음식점이 마음에 들지 않았을 때, "다음에는 내가 추천하는 곳도 가볼까?"라고 말함.

**11** 윗글의 이방원의 시조를 듣고 거절의 의미를 담아 정몽주가 지었을 법한 시조로 적절한 것은?

① 흥망이 유수하니 만월대로 주초로다 / 오백년 왕업이 목적에 부쳤으니 / 석양에 지나는 객이 눈물 겨워 하노라
② 백년 도읍지를 필마로 돌아드니 / 산천은 의구한데 인걸은 간 데 없네 / 어즈버 태평연월이 꿈이런가 하노라
③ 백설이 잦아진 골에 구름이 머흐레라 / 반가운 매화는 어느 곳에 피었는고 / 석양에 홀로 서서 갈 곳 몰라 하노라
④ 눈 맞아 휘어진 대를 뉘라서 굽다 턴고 / 굽을 절이면 눈 속에 푸르르랴 / 아마도 세한고절은 너 뿐인가 하노라
⑤ 이몸이 죽고 죽어 일백번 고쳐 죽어 / 백골이 진토되어 넋이라도 있고 없고 / 님 향한 일편단심이야 가실 줄이 이시랴

**12** 윗글의 전체 맥락을 고려할 때, 빈칸에 들어갈 내용으로 적절한 것은?

① 경연과 정무를 소홀히 하는 전하께서 공사청에 납시지 않으니 신하로서 심히 걱정이 됩니다.
② 지금은 전하께서도 선왕께서 공사청(公事廳)에 납시어 나랏일을 열심히 하신 것처럼 하시기 때문입니다.
③ 소신이 선왕(先王)을 모실 때처럼 지금도 낮에는 밥 먹을 겨를이 없었고 밤에도 편히 잠을 못 잤기 때문입니다.
④ 지금은 전하께서 공사청에 납시지 않아 소신은 종일 태평하게 쉬고 고달픈 일이 없으니, 어찌 살이 찌지 않겠습니까?
⑤ 전하께서 공사청에 납시지 않아 소신이 종일 밥 먹을 겨를이 없고 밤에도 편히 잠을 못 이루는 것 때문이 아니겠습니까?

## [13~18] 다음 글을 읽고 물음에 답하시오.

**(가)** 이렇게 국외에서 한국어의 위상이 높아지고 있는 반면에, 국내에서는 어떠한가? 오른쪽의 설문 결과에 나타나듯이 우리나라 사람 대부분은 자신이 한글과 한국어를 아끼고 사랑하며, 맞춤법과 어법을 잘 알고 있다고 생각한다. 그러나 실제 언어생활에서는 한국어를 잘못 사용할 때가 많다. 사람들 대부분이 습관처럼 어문 ⓐ규범에 맞지 않는 말을 사용하고 있으면서도 이를 깨닫지 못하고 있는 것이다.

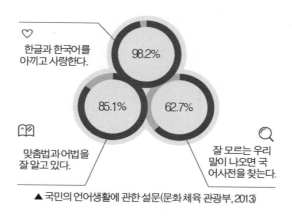

▲ 국민의 언어생활에 관한 설문(문화체육 관광부, 2013)

**(나)** 또 외국어, 외래어, 한자어를 무분별하게 사용하기도 한다. 외국어나 외래어를 섞어서 쓰면 세련되어 보인다고 생각하는 경향마저 나타나고 있다. 한자어도 마찬가지이다. 우리가 일상생활에서 접하는 ⓑ민원 문서 같은 공문서와 계약에 사용하는 각종 문서에 한자어가 지나치게 많이 쓰여 사람들이 문서의 내용을 이해하기 어려운 경우가 많다.

**(다)** 외국어, 외래어, 한자어를 지나치게 많이 사용하는 것만이 문제가 아니다. 요즘 텔레비전 방송이나 인터넷 등에서도 한국어 파괴 현상이 빈번하게 일어나고 있다. 특히 청소년이 이러한 매체를 자주 접하다 보면 정체불명의 새말이나 비속어를 아무런 비판 없이 받아들이게 된다. 청소년이 어문 규범에 맞지 않는 말과 글을 사용하는 것은 그 자체로도 문제이지만, 이로써 세대 간의 소통이 단절될 수도 있다는 점에서 또 다른 문제가 된다. 비속어를 함부로 사용하는 것은 자칫하면 언어폭력으로까지 번질 수 있으므로 더욱 심각한 문제이다.

**(라)** 그러나 오염된 물이나 공기가 시간이 지나면서 스스로 정화되는 것처럼, 언어생활에서도 언어 사용자들이 스스로 ⓒ자정 작용을 일으킬 수 있다. 최근에는 외국어나 외래어를 지나치게 사용하는 것을 불편해하며 이를 고쳐 쓰려는 움직임이 커지고 있고, 정부에서도 국민이 이해하기 쉽게끔 행정 용어를 ⓓ순화하려는 노력을 기울이고 있다. 앞으로도 텔레비전이나 인터넷과 같은 매체에서는 매체의 영향력을 고려하여 올바른 언어를 사용해야 하며, 우리는 정체불명의 새말과 비속어의 사용을 줄이고 스스로 언어생활을 바로잡아야 한다.

**(마)** 한국어가 그 위상에 걸맞은 역할을 할 수 있도록 우리는 한국어에 자긍심을 가지고 우리의 말과 글을 소중하게 가꾸어 나가야 한다. 한국어의 세계화는 한국어 사용 인구의 증가만을 말하는 것이 아니다. 세계인이 한국어와 한국 문화를 더 잘 이해할 수 있는 ⓔ여건을 만드는 것, 세계인의 사고와 문화를 효과적으로 표현할 수 있도록 한국어를 다듬어 나가는 것이 바로 한국어의 세계화라고 할 수 있다. 그러기 위해서는 우리 스스로 우리의 의사소통 문화를 성찰하고 올바른 한국어를 사용하도록 노력해야 할 것이다. 한국어의 미래는 그 미래를 만들어 가는 사람들에게 달려 있기 때문이다.

**13** 윗글에 대한 설명으로 가장 적절한 것은?

① 자료를 제시하여 상반된 견해를 안내하고 있다.
② 현상의 원인을 밝히고 미래 상황을 예측하고 있다.
③ 주요 용어의 개념 정의를 통해 논지를 펼치고 있다.
④ 유추의 방식을 활용하여 글의 내용을 전개하고 있다.
⑤ 자신의 주장을 강화하기 위해 전문가의 견해를 인용하고 있다.

**14** 윗글을 통해 해결할 수 있는 질문이 아닌 것은?

① 국내에서 한국어의 위상이 낮아진 이유는 무엇인가?
② 외국어나 외래어의 사용을 어떻게 생각하는 경향이 있는가?
③ 텔레비전이나 인터넷에서의 한국어 파괴 현상이 청소년에게 미치는 영향은 무엇인가?
④ 외래어나 외국어 사용을 줄이기 위해 정부가 하고 있는 노력이 무엇인가?
⑤ 한국어의 세계화를 통해 한국의 국력이 어떤 식으로 발전하고 달라지는가?

**15** ⓐ~ⓔ에 대한 설명으로 적절하지 않은 것은?

① ⓐ : 인간이 행동하거나 판단할 때에 마땅히 따르고 지켜야 할 가치 판단의 기준
② ⓑ : 주민이 행정 기관에 대하여 원하는 바를 요구하는 일
③ ⓒ : 모습과 정취(情趣)를 아울러 이르는 말
④ ⓓ : 잡스러운 것을 걸러서 순수하게 함.
⑤ ⓔ : 주어진 조건을 가리키는 말

**16** (가)~(마)에 대한 설명으로 적절하지 않은 것은?

① (가) : 한국어를 잘못 사용하고 있는 국어의 현실
② (나) : 외국어, 외래어, 한자어를 무분별하게 사용하는 현실
③ (다) : 매체에서 일어나는 한국어 파괴 현상의 문제점
④ (라) : 기존의 한국어가 가지는 담화상의 문제점
⑤ (마) : 한국어의 세계화를 위해 해야 할 일

**17** 윗글에서 확인할 수 있는 국내 한국어 사용의 문제점으로 적절하지 **않은** 것은?

① 어문 규범에 맞지 않는 한국어를 사용하는 경우가 있다.

② 외국어, 외래어, 한자어를 무분별하게 사용하는 경우가 있다.

③ 새롭게 형성된 말이나 비속어 등에 대해 비판적으로 받아들인다.

④ 텔레비전 방송이나 인터넷 등에서 한국어 파괴 현상이 일어나고 있다.

⑤ 비속어를 함부로 사용하는 경우가 있어 언어폭력으로 번지기도 한다.

**18** 윗글을 참고할 때 〈보기〉에서 확인할 수 있는 한국어 사용의 문제점으로 가장 적절한 것은?

┤ 보기 ├

**철수** : "쌤 저희 이번엔 렬루 우승각이에요."

**선생님** : "철수야, 그게 무슨 말이니?"

① 비속어 사용으로 언어폭력을 불러일으키고 있다.

② 정체불명의 새말 사용으로 세대 간 단절을 야기하고 있다.

③ 외국어나 외래어의 무분별한 사용으로 한국어를 파괴하고 있다.

④ 공적인 상황에서 지적 수준이 높은 어휘들을 오 · 남용하고 있다.

⑤ 국어 사전의 활용이 줄어들게 되어 전반적인 어휘력이 축소되고 있다.

**[19~21]** 다음 글을 읽고 물음에 답하시오.

현대는 세계가 하나의 마을과 같은 지구촌 시대이다. 한 민족이라고 해서 한 나라에서만 살지 않으며, 한 언어라고 해서 한곳에서만 사용하지 않는다. 세계 각지의 외국인들이 한국 사회에 들어와 살고 있고, 우리 민족 역시 전 세계에 고루 퍼져 살고 있다. 세계 곳곳에서 다양한 나라의 사람들이 한국어를 사용하게 된 것이다.

이러한 사회의 변화에 따라 한국어를 배우려는 외국인의 수도 해마다 증가하고 있다. 해외에서 운영 중인 한국어 보급 기관은 4천여 개, 이들 기관의 수강생은 30만여 명에 달하며, 외국인 학습자를 위해 나라 안팎에서 발간한 한국어 교재는 3,400권가량인 것으로 조사되었다. 한국어 능력 시험은 2013년, 전 세계 61개국 194개 지역에서 실시되었는데, 응시자 수가 17만 명에 달하였다. 한국어 능력 시험을 보는 외국인이 늘어난다고 해서 한국어 사용자의 수가 늘어나는 것은 아니지만, 그만큼 한국어에 대한 외국인의 관심이 커지고 있음을 알 수 있다. 또한 미국, 일본, 중국, 호주 등 다양한 나라의 고등학교에서 한국어를 제2외국어로 채택하고 있고, 태국은 2018년도부터 대학 입학시험에 한국어를 제2외국어로 추가한다고 발표하였다. 이처럼 한국어에 대한 외국인의 관심과 학습 욕구가 늘어나고 있는 만큼 ㉮한국어의 국제적 위상이 높아질 가능성은 크다고 볼 수 있다.

| 기관별 현황 | 기관 수 | 학생 수 |
|---|---|---|
| 세종 학당 | 130개소 | 37,177명 |
| 한글 학교 | 1,918개 | 106,397명 |
| 한국 학교 | 31개교 | 12,322명 |
| 한국 교육원 | 17개국 39개원 | 30,000명 |
| 국외 대학 한국어 강좌 | 845개 | 57,440명 |
| 초·중등 한국어 과목 수강 | 882개 | 82,886명 |

▲ 전 세계 한국어 교육 기관별 현황(교육부, 2014)

한국어의 높아진 위상을 말할 때 한글의 우수성을 빠뜨릴 수 없다. 한글은 요즘 같은 정보화 사회에 유용하게 사용될 수 있는 문자이다. 한글은 자음과 모음 24자를 조합하여 다양한 소리를 표기할 수 있고, 알파벳과 달리 자음과 모음을 모아쓰기 때문에 컴퓨터나 휴대 전화 같은 디지털 기기에서 한글을 활용하면 정보를 빠르게 검색할 수 있다. 또 글자와 소리가 일치하는 특성을 지닌 한글은 음성 인식 기술을 활용한 기기에 유용하게 쓰인다. 이러한 한글의 우수성은 한국어와 한글의 세계화에 긍정적인 영향을 미치고 있다.

이렇게 국외에서 한국어의 위상이 높아지고 있는 반면에, 국내에서는 어떠한가? 오른쪽의 설문 결과에 나타나듯이 우리나라 사람 대 부분은 자신이 한글과 한국어를 아끼고 사랑하며, 맞춤법과 어법을 잘 알고 있다고 생각한다. 그러나 ㉯실제 언어생활에서는 한국어를 잘못 사용할 때가 많다. 사람들 대부분이 습관처럼 어문 규범에 맞지 않는 말을 사용하고 있으면서도 이를 깨닫지 못하고 있는 것이다.

또 외국어, 외래어, 한자어를 무분별하게 사용하기도 한다. 외국어나 외래어를 섞어서 쓰면 세련되어 보인다고 생각하는 경향마저 나타나고 있다. 한자어도 마찬가지이다. 우리가 일상생활에서 접하는 민원 문서 같은 공문서와 계약에 사용하는 각종 문서에 한자어가 지나치게 많이 쓰여 사람들이 문서의 내용을 이해하기 어려운 경우가 많다.

외국어, 외래어, 한자어를 지나치게 많이 사용하는 것만이 문제가 아니다. 요즘 텔레비전 방송이나 인터넷 등에서도 한국어 파괴 현상이 빈번하게 일어나고 있다. 특히 청소년이 이러한 매체를 자주 접하다 보면 정체불명의 새말이나 비속어를 아무런 비판 없이 받아들이게 된다. 청소년이 어문 규범에 맞지 않는 말과 글을 사용하는 것은 그 자체로도 문제이지만, 이로써 세대 간의 소통이 단절될 수도 있다는 점에서 또 다른 문제가 된다. 비속어를 함부로 사용하는 것은 자칫하면 언어폭력으로까지 번질 수 있으므로 더욱 심각한 문제이다.

㉰그러나 오염된 물이나 공기가 시간이 지나면서 스스로 정화되는 것처럼, 언어생활에서도 언어 사용자들이 스스로 자정 작용을 일으킬 수 있다. 최근에는 외국어나 외래어를 지나치게 사용하는 것을 불편해하며 이를 고쳐 쓰려는 움직임이 커지고 있고, 정부에서도 국민이 이해하기 쉽게끔 행정 용어를 순화하려는 노력을 기울이고 있다. 앞으로도 텔레비전이나 인터넷과 같은 매체에서는 매체의 영향력을 고려하여 올바른 언어를 사용해야 하며, 우리는 정체불명의 새말과 비속어의 사용을 줄이고 스스로 언어생활을 바로잡아야 한다.

한국어가 그 위상에 걸맞은 역할을 할 수 있도록 우리는 한국어에 자긍심을 가지고 우리의 말과 글을 소중하게 가꾸어 나가야 한다. 한국어의 세계화는 한국어 사용 인구의 증가만을 말하는 것이 아니다. 세계인이 한국어와 한국 문화를 더 잘 이해할 수 있는 여건을 만드는 것, 세계인의 사고와 문화를 효과적으로 표현할 수 있도록 한국어를 다듬어 나가는 것이 바로 한국어의 세계화라고 할 수 있다. 그러기 위해서는 우리 스스로 우리의 의사소통 문화를 성찰하고 올바른 한국어를 사용하도록 노력해야 할 것이다. 한국어의 미래는 그 미래를 만들어 가는 사람들에게 달려 있기 때문이다.

**19** 글쓴이가 ㉮와 같이 생각한 이유로 적절하지 <u>않은</u> 것은?

① 한국어를 제2외국어로 채택한 나라가 많기 때문에
② 해외에서 운영 중인 한국어 보급 기관이 많기 때문에
③ 한국어를 배우려는 외국인의 수가 해마다 증가하기 때문에
④ 한국어에 대한 외국인의 관심과 학습 욕구가 늘어나고 있기 때문에
⑤ 한국인들이 스스로 맞춤법과 어법을 잘 알고 있다고 생각하기 때문에

**20** ㉯의 사례에 해당하지 <u>않는</u> 것은?

① 지우는 아까 도서관에 가고 있어.
② 우리에게도 잊혀질 권리가 있습니다.
③ 영철아, 선생님께서 너를 데리고 오라고 하셔.
④ 이 제품이 요즘 제일 잘 나가는 색상이세요.
⑤ 관계자는 시설의 개선이 필요하다라고 말했습니다.

**21** ㉰에 사용된 내용 전개 방식과 같은 것은?

① 사물놀이는 꽹과리, 징, 장구, 북 등 네 가지 악기로 연주되도록 편성된 음악 또는 이러한 편성에 의한 합주단을 말한다.
② 희곡은 소설과 마찬가지로 언어를 통해 표현되는 문학의 한 분야이며, 일정한 인물과 사건과 주제를 가지고 있다는 점에서 소설과 다를 바 없다.
③ 수정과를 만들기 위해서는 우선 물에 생강과 계피를 넣고 매운 맛이 우러나도록 끓인다. 그 다음 체로 걸러 건더기는 버리고 설탕을 타서 졸이다가 식힌다. 그리고 곶감을 그 물에 담가 불린다.
④ 비가 샌 지 오래된 집을 방치해 두었다가 고치려고 하면 많은 비용이 드는 것처럼 정치도 잘못된 점을 고치지 않고 있다가 나라가 위태하게 된 뒤에 갑작스럽게 고치려고 하면 바꾸는 데 더 많은 노력이 든다.
⑤ 서정 갈래는 운율 있는 언어를 사용하여 작가의 사상이나 감정을 압축된 언어로 표현하는 예술이고, 서사 갈래는 인물들이 사건을 통해 겪는 갈등과 그 갈등이 해결되는 양상을 통해 작가의 생각을 표현하는 예술 갈래이다.

**[01~04] 다음 글을 읽고 물음에 답하시오.**

현대는 세계가 하나의 마을과 같은 지구촌 시대이다. 한 민족이라고 해서 한 나라에서만 살지 않으며, 한 언어라고 해서 한곳에서만 사용하지 않는다. 세계 각지의 외국인들이 한국 사회에 들어와 살고 있고, 우리 민족 역시 전 세계에 고루 퍼져 살고 있다. 세계 곳곳에서 다양한 나라의 사람들이 한국어를 사용하게 된 것이다.

[A] 이러한 사회의 변화에 따라 한국어를 배우려는 외국인의 수도 해마다 증가하고 있다. 해외에서 운영 중인 한국어 보급 기관은 4천여 개, 이들 기관의 수강생은 30만여 명에 달하며, 외국인 학습자를 위해 나라 안팎에서 발간한 한국어 교재는 3,400권가량인 것으로 조사되었다. 한국어 능력 시험은 2013년, 전 세계 61개국 194개 지역에서 실시되었는데, 응시자 수가 17만 명에 달하였다. 한국어 능력 시험을 보는 외국인이 늘어난다고 해서 한국어 사용자의 수가 늘어나는 것은 아니지만, 그만큼 한국어에 대한 외국인의 관심이 커지고 있음을 알 수 있다. 또한 미국, 일본, 중국, 호주 등 다양한 나라의 고등학교에서 한국어를 제2외국어로 채택하고 있고, 태국은 2018년도부터 대학 입학 시험에 한국어를 제2외국어로 추가한다고 발표하였다. 이처럼 한국어에 대한 외국인의 관심과 학습 욕구가 늘어나고 있는 만큼 한국어의 국제적 위상이 높아질 가능성은 크다고 볼 수 있다.

| 기관별 현황 | 기관 수 | 학생 수 |
|---|---|---|
| 세종 학당 | 130개소 | 37,177명 |
| 한글 학교 | 1,918개 | 106,397명 |
| 한국 학교 | 31개교 | 12,322명 |
| 한국 교육원 | 17개국 39개원 | 30,000명 |
| 국외 대학 한국어 강좌 | 845개 | 57,440명 |
| 초·중등 한국어 과목 수강 | 882개 | 82,886명 |

▲ 전 세계 한국어 교육 기관별 현황(교육부, 2014)

한국어의 높아진 위상을 말할 때 한글의 우수성을 빠뜨릴 수 없다. 한글은 요즘 같은 정보화 사회에 유용하게 사용될 수 있는 문자이다. 한글은 자음과 모음 24자를 조합하여 다양한 소리를 표기할 수 있고, 알파벳과 달리 자음과 모음을 모아쓰기 때문에 컴퓨터나 휴대 전화 같은 디지털 기기에서 한글을 활용하면 정보를 빠르게 검색할 수 있다. 또 글자와 소리가 일치하는 특성을 지닌 한글은 음성 인식 기술을 활용한 기기에 유용하게 쓰인다. 이러한 한글의 우수성은 한국어와 한글의 세계화에 긍정적인 영향을 미치고 있다.

이렇게 국외에서 한국어의 위상이 높아지고 있는 반면에, 국내에서는 어떠한가? 오른쪽의 설문 결과에 나타나듯이 우리나라 사람 대부분은 자신이 한글과 한국어를 아끼고 사랑하며, 맞춤법과 어법을 잘 알고 있다고 생각한다. 그러나 실제 언어생활에서는 한국어를 잘못 사용할 때가 많다. 사람들 대부분이 습관처럼 어문 규범에 맞지 않는 말을 사용하고 있으면서도 이를 깨닫지 못하고 있는 것이다.

또 외국어, 외래어, 한자어를 무분별하게 사용하기도 한다. 외국어나 외래어를 섞어서 쓰면 세련되어 보인다고 생각하는 경향마저 나타나고 있다. 한자어도 마찬가지이다. 우리가 일상생활에서 접하는 민원 문서 같은 공문서와 계약에 사용하는 각종 문서에 한자어가 지나치게 많이 쓰여 사람들이 문서의 내용을 이해하기 어려운 경우가 많다.

외국어, 외래어, 한자어를 지나치게 많이 사용하는 것만이 문제가 아니다. 요즘 텔레비전 방송이나 인터넷 등에서도 한국어 파괴 현상이 빈번하게 일어나고 있다. 특히 청소년이 이러한 매체를 자주 접하다 보면 정체불명의 새말이나 비속어를 아무런 비판 없이 받아들이게 된다. 청소년이 어문 규범에 맞지 않는 말과 글을 사용하는 것은 그 자체로도 문제이지만, 이로써 세대 간의 소통이 단절될 수도 있다는 점에서 또 다른 문제가 된다. 비속어를 함부로 사용하는 것은 자칫하면 언어폭력으로까지 번질 수 있으므로 더욱 심각한 문제이다.

그러나 오염된 물이나 공기가 시간이 지나면서 스스로 정화되는 것처럼, 언어생활에서도 언어 사용자들이 스스로 자정 작용을 일으킬 수 있다. 최근에는 외국어나 외래어를 지나치게 사용하는 것을 불편해하며 이를 고쳐 쓰려는 움직임이 커지고 있고, 정부에서도 국민이 이해하기 쉽게끔 행정 용어를 순화하려는 노력을 기울이고 있다. 앞으로도 텔레비전이나 인터넷과 같은 매체에서는 매체의 영향력을 고려하여 올바른 언어를 사용해야 하며, 우리는 정체불명의 새말과 비속어의 사용을 줄이고 스스로 언어생활을 바로잡아야 한다.

한국어가 그 위상에 걸맞은 역할을 할 수 있도록 우리는 한국어에 자긍심을 가지고 우리의 말과 글을 소중하게 가꾸어 나가야 한다. 한국어의 세계화는 한국어 사용 인구의 증가만을 말하는 것이 아니다. 세계인이 한국어와 한국 문화를 더 잘 이해할 수 있는 여건을 만드는 것, 세계인의 사고와 문화를 효과적으로 표현할 수 있도록 한국어를 다듬어 나가는 것이 바로 한국어의 세계화라고 할 수 있다. 그러기 위해서는 우리 스스로 우리의 의사소통 문화를 성찰하고 올바른 한국어를 사용하도록 노력해야 할 것이다. 한국어의 미래는 그 미래를 만들어 가는 사람들에게 달려 있기 때문이다.

**01** 다음 중 〈보기〉를 참고하여 ㉠에 해당하는 예를 윗글에서 찾아 쓰시오.

┤ 보기 ├

유추란 유사성을 통해 미루어 짐작하는 것으로 어려운 개념이나 복잡한 것을 ㉠친숙하고 단순한 것이나 이미 알려진 사실로 설명하는 방법을 말한다.

**02** (라)의 내용을 〈보기〉와 같이 정리하였을 때, ⓐ에 들어갈 말을 한 문장으로 서술하시오.

┤ 보기 ├

| 오염된 물과 공기 | ⇒ | 스스로 정화된다. |
|---|---|---|
| 잘못된 언어를 사용하는 사람들 | | ⓐ |

**03** [A]에서 '세계적으로 높아진 한국어의 위상'을 뒷받침하기 위해 사용한 내용 전개 방법과 그 효과를 서술하시오.

**04** 글쓴이가 생각하는 '한국어의 세계화'가 의미하는 것 두 가지를 서술하시오.

**05** 언어 공동체의 담화 관습은 무엇을 의미하는지 서술하시오.

**06** 〈보기2〉는 〈보기1〉에서 설명하는 담화 관습과 유사한 사례이다. 〈보기1〉의 ⓐ에 들어갈 말을 쓰고, 〈보기2〉의 내용이 전달하고자 하는 의미를 서술하시오.

┤ 보기 1 ├

　　상대방의 마음을 상하게 하거나 불편하게 하는 말을 전달해야 하는 상황일 때, 우리 조상들은 직설적으로 말하지 않고 넌지시 (　ⓐ　) 방법을 사용하여 상대방의 반응과 깨달음을 간접적으로 이끌어 내고자 하였다. 전해 오는 여러 이야기에서 이런 태도를 엿볼 수 있다.

　　고려 말, 이방원은 이성계가 왕이 되는 것을 반대하던 정몽주를 회유하기 위해 다음과 같은 시조를 지어 불렀다. "이런들 어떠하며 저런들 어떠하리. / 만수산 드렁칡이 얽혀진들 어떠하리. / 우리도 이렇게 얽혀져 백 년까지 누리리라."

┤ 보기 1 ├

도서관에서 노트북의 자판을 소리 나게 치는 사람에게 "여기는 도서관입니다,"라고 말함.

┤ 조건 ├

• 다음과 같은 문장 형식으로 쓸 것.

　ⓐ는 ＿＿＿＿＿＿＿＿이고, 사례가 전달하려는 의미는 ＿＿＿＿＿＿＿＿이다.

• 어법 및 표기법에 맞게 서술할 것

**07** 〈보기〉의 '이봉정'이 ㉠처럼 말한 의도를 서술하시오.

┤ 보기 ├

　　상대방의 마음을 상하게 하거나 불편하게 하는 말을 전달해야 하는 상황일 때, 우리 조상들은 직설적으로 말하지 않고 넌지시 돌려 말하는 방법을 사용하여 상대방의 반응과 깨달음을 간접적으로 이끌어 내고자 하였다. 전해 오는 여러 이야기에서 이런 태도를 엿볼 수 있다.

　　조선 시대에는 이런 일이 있었다. 즉위 초에 경연과 정무를 소홀히 하였던 광해군이 내관 이봉정에게 살이 찐 이유를 묻자 ㉠"소신이 선왕(先王)을 모실 때, 선왕께서 공사청(公事廳)에 납시어 나랏일을 열심히 하시었기 때문에 옆에서 모시느라 낮에는 밥 먹을 겨를이 없었고 밤에도 편히 잠을 못 잤습니다. 그런데 지금은 전하께서 공사청에 납시지 않아 소신은 종일 태평하게 쉬고 고달픈 일이 없으니, 어찌 살이 찌지 않겠습니까?"라고 대답하였다고 한다.

[01~07] 다음 글을 읽고, 물음에 답하시오.

(가) 世솅宗종御엉製졩訓훈民민正졍音흠

㉠나·랏:말쏘·미中듕國·귁·에달·아文문字·쫑·와·로서르스뭇·디아·니홀·씨㉡이런젼·ᄎ·로어·린百·빅姓·셩·이니르·고·져·홇배이·셔·도ᄆ·ᄎᆞᆷ:내제·ᄠᆞ·들시·러펴·디:몯홇·노·미하·니·라㉢내·이·를爲·윙·ᄒᆞ·야:어엿·비너·겨㉣새·로·스·믈여·듧字·쫑·ᄅᆞᆯ밍·ᄀᆞ노·니㉤:사ᄅᆞᆷ:마·다:히·여:수·ᄫᅵ니·겨·날·로·ᄡᅮ·메便뼌安한·킈ᄒᆞ·고·져홇ᄯᆞᄅᆞ·미니·라

– 「훈민정음(訓民正音)」 언해본에서 –

(나)

便뼌安한·킈ᄒᆞ·고·져홇ᄯᆞᄅᆞ·미니·라 :사ᄅᆞᆷ:마·다:히·여:수·ᄫᅵ니·겨·날·로·ᄡᅮ·메 새·로·스·믈여·듧字쫑·ᄅᆞᆯ밍·ᄀᆞ노·니 내·이·를爲윙·ᄒᆞ·야:어엿·비너·겨 :몯홇·노·미하·니·라 ᄆ·ᄎᆞᆷ:내제·ᄠᆞ·들시·러펴·디 니르·고·져·홇배이·셔·도 ·이런젼·ᄎ·로어·린百빅姓셩·이 文문字쫑·와·로서르스뭇·디아·니홀·씨 나·랏:말쏘·미中듕國귁·에달·아

01 (가)에서 중세국어의 음운을 분석한 내용으로 적절하지 <u>않은</u> 것은?

① :말쏘·미 → :말쏨+·이
② ·ᄠᆞ·들 → ·ᄠᅳᆮ+·을
③ ·노·미 → ·놈+·이
④ ·배 → ·바+ㅣ
⑤ ·ᄡᅮ·메 → ·ᄡᅳ-+움+·에

02 (가)에서 훈민정음의 창제정신이 나타난 부분을 고른 것으로 적절한 것은?

| | 자주정신 | 실용정신 | 애민정신 |
|---|---|---|---|
| ① | ㉠ | ㉡ | ㉤ |
| ② | ㉠ | ㉢ | ㉤ |
| ③ | ㉠ | ㉤ | ㉢ |
| ④ | ㉡ | ㉢ | ㉣ |
| ⑤ | ㉡ | ㉤ | ㉢ |

**03** 〈보기〉에서 (나)를 보고 중세국어와 현대국어의 표기에 대해 나눈 대화 중 옳은 것만 고른 것은?

┤ 보기 ├

**소원** : 중세국어에서는 세로쓰기를 하였어.

**예린** : 지금 우리가 가로쓰기하는 것과는 다른 쓰기방식이었네?

**엄지** : 중세에는 문장 단위의 띄어쓰기를 했나봐. 읽을 때 의미파악이 어려워.

**은하** : 그렇지. 중세국어에는 표기에 한글과 한자가 섞인 모습도 보여.

**유주** : 현대에서는 '씀에(쓰는 데)'로 표기하는 것을 'ᄡᅮ·메'로 표기했던 것으로 보아 이어적기를 사용했어.

**신비** : 'ᄯᆞᄅᆞ미니라'도 '따름이니라'를 분철한 것이지?

① 소원, 예린, 엄지, 은하
② 소원, 예린, 엄지, 유주
③ 소원, 예린, 은하, 유주
④ 예린, 엄지, 유주, 신비
⑤ 소원, 예린, 엄지, 은하, 유주

**04** 중세국어와 현대국어의 음운에 대한 대화 중 옳은 것만 고른 것은?

┤ 보기 ├

**혜빈** : 중세국어에서 사용하던 'ㅸ', 'ㆍ'같은 음운은 지금은 사용하지 않아.

**연우** : ':사름'을 지금은 '사람'으로 쓰는 것이 좋은 예지.

**제인** : ':수·비'를 현대에서는 '수이(쉬→쉽게)'로 사용하는 것도 예시가 될 수 있어.

**나윤** : 그리고 중세국어에서는 글자 왼쪽에 성조를 나타내던 방점이 있었어.

**주이** : 성조는 방점의 종류로 보아 총 두 가지가 있었나봐.

**태하** : '·ᄠᅳ·들', '·ᄡᅮ·메'에서 'ㅲ', 'ㅄ'과 같은 초성도 지금은 사용하지 않아.

① 혜빈, 연우, 나윤, 주이, 태하
② 혜빈, 연우, 제인, 주이, 태하
③ 혜빈, 연우, 제인, 나윤, 태하
④ 혜빈, 연우, 제인, 나윤, 주이
⑤ 혜빈, 연우, 제인, 나윤, 주이, 태하

## 05 중세국어와 현대국어의 어휘에 대한 대화 중 옳은 것만 고른 것은?

| 보기 |

**초롱** : 중세국어에 있던 어휘가 현대 국어에서 없어지기도 했어.

**보미** : 중세국어에서 '전츠'라는 어휘가 현대 국어에서 없어진 것이 좋은 예야.

**은지** : 그래, 또 '스뭇디'가 현대국어에서 없어진 것도 하나의 예지.

**나은** : '어리다'가 중세에는 '어리석다'의 의미지만 현대에는 '나이가 적은'으로 사용하는 것처럼 의미가 축소된 경우도 있어.

**남주** : 중세국어의 '어엿브다'는 '불쌍하다'라는 의미가 현대에는 '예쁘다'라는 의미로 아예 변화되기도 했어.

**하영** : '놈'은 중세에 '남자나 사람을 낮잡아 이르는 말'이란 뜻에서 지금은 '일반적인 사람'으로 의미가 축소되었지?

① 초롱, 보미, 은지, 나은

② 초롱, 보미, 은지, 남주

③ 초롱, 보미, 나은, 하영

④ 초롱, 보미, 나은, 남주

⑤ 초롱, 은지, 남주, 하영

## 06 중세국어와 현대국어의 문법과 문법적 요소에 대한 대화 중 옳은 것만 고른 것은?

| 보기 |

**솔라** : '中듕國귁·에달·아'를 '중국과 달라'로 해석하는 것으로 보아 비교 주사격 조사가 '에'에서 '과'로 바뀌었다는 것을 알 수 있어.

**화사** : '·홇·배'를 '하는 바가'로 해석하는 건 중세국어에는 주격조사 '가'가 없었음을 알 수 있는 예야.

**문별** : '衛·윙·ㅎ·야'를 '위하여'로 쓰는 것으로 보아 현대국어에서는 모음조화를 잘 지키지 않게 되었음을 알 수 있어.

① 솔라                    ② 솔라, 화사                    ③ 화사, 문별

④ 솔라, 문별             ⑤ 솔라, 화사, 문별

## 07 이 글에 대한 설명으로 바른 것은?

① 새로 만든 28자는 자음 18자, 모음 10자이다.

② 창제의 3대 정신은 자주, 근면, 협동의 정신이다.

③ 글의 주제는 훈민정음의 창제 이유를 밝힌 것이다.

④ 새로 만든 ㅸ, ㅿ, ㆍ, ㆆ의 4글자는 이후 소실되었다.

⑤ 훈민정음이라는 책의 서문으로, 언해 이전 원문은 한글로 기록되어 있다.

**[08~11] 다음 글을 읽고, 물음에 답하시오.**

(가) 현대는 세계가 하나의 마을과 같은 지구촌 시대이다. 한 민족이라고 해서 한 나라에서만 살지 않으며, 한 언어라고 해서 한곳에서만 사용하지 않는다. 세계 각지의 외국인들이 한국 사회에 들어와 살고 있고, 우리 민족 역시 전 세계에 고루 퍼져 살고 있다. 세계 곳곳에서 다양한 나라의 사람들이 한국어를 사용하게 된 것이다.

(나) 이러한 사회의 변화에 따라 한국어를 배우려는 외국인의 수도 해마다 증가하고 있다. 해외에서 운영 중인 한국어 보급 기관은 4천여 개, 이들 기관의 수강생은 30만여 명에 달하며, 외국인 학습자를 위해 나라 안팎에서 발간한 한국어 교재는 3,400권가량인 것으로 조사되었다. 한국어 능력 시험은 2013년, 전 세계 61개국 194개 지역에서 실시되었는데, 응시자 수가 17만 명에 달하였다. 한국어 능력 시험을 보는 외국인이 늘어난다고 해서 한국어 사용자의 수가 늘어나는 것은 아니지만, 그만큼 한국어에 대한 외국인의 관심이 커지고 있음을 알 수 있다. 또한 미국, 일본, 중국, 호주 등 다양한 나라의 고등학교에서 한국어를 제2외국어로 채택하고 있고, 태국은 2018년도부터 대학 입학시험에 한국어를 제2외국어로 추가한다고 발표하였다. 이처럼 한국어에 대한 외국인의 관심과 학습 욕구가 늘어나고 있는 만큼 한국어의 국제적 위상이 높아질 가능성은 크다고 볼 수 있다.

(다) 한국어의 높아진 위상을 말할 때 한글의 우수성을 빠뜨릴 수 없다. 한글은 요즘 같은 정보화 사회에 유용하게 사용될 수 있는 문자이다. 한글은 자음과 모음 24자를 조합하여 다양한 소리를 표기할 수 있고, 알파벳과 달리 자음과 모음을 모아쓰기 때문에 컴퓨터나 휴대 전화 같은 디지털 기기에서 한글을 활용하면 정보를 빠르게 검색할 수 있다. 또 글자와 소리가 일치하는 특성을 지닌 한글은 음성 인식 기술을 활용한 기기에 유용하게 쓰인다. 이러한 한글의 우수성은 한국어와 한글의 세계화에 긍정적인 영향을 미치고 있다.

(라) 이렇게 국외에서 한국어의 위상이 높아지고 있는 반면에, 국내에서는 어떠한가? 오른쪽의 설문 결과에 나타나듯이 우리나라 사람 대부분은 자신이 한글과 한국어를 아끼고 사랑하며, 맞춤법과 어법을 잘 알고 있다고 생각한다. 그러나 실제 언어생활에서는 한국어를 잘못 사용할 때가 많다. 사람들 대부분이 습관처럼 어문 규범에 맞지 않는 말을 사용하고 있으면서도 이를 깨닫지 못하고 있는 것이다.

(마) 또 외국어, 외래어, 한자어를 무분별하게 사용하기도 한다. 외국어나 외래어를 섞어서 쓰면 세련되어 보인다고 생각하는 경향마저 나타나고 있다. 한자어도 마찬가지이다. 우리가 일상생활에서 접하는 민원 문서 같은 공문서와 계약에 사용하는 각종 문서에 한자어가 지나치게 많이 쓰여 사람들이 문서의 내용을 이해하기 어려운 경우가 많다.

**08** 윗글에 대한 설명으로 적절하지 <u>않은</u> 것은?

① 글의 특성상 객관적이고 사실적인 내용이 주를 이룬다.
② 정보 전달을 위해 해당 분야의 전문가인 글쓴이가 쓴 설명문이다.
③ 한국어의 세계에서의 위상과 국내에서의 위상을 비교하여 제시하고 있다.
④ 한국어의 국내외 위상과 미래의 한국어의 변화 모습을 추측하여 제시하고 있다.
⑤ 국어를 사랑하고 국어 발전에 참여하려면 우리가 어떤 자세를 지녀야 할지 생각할 수 있게 만드는 글이다.

**09** 윗글에서 확인할 수 있는 '한국어에 대한 외국인의 관심 증가'의 사례로 적절하지 <u>않은</u> 것은?

① 발간된 한국어 교재의 수 증가.

② 한국어 능력 시험 응시자 수 증가.

③ 한국어 보급 기관과 수강생 수 증가.

④ 음성 인식 기술을 활용한 기기에 유용.

⑤ 외국의 고등학교에서 한국어를 제2외국어로 채택.

**10** 윗글의 맥락을 고려할 때, 다음의 자료가 들어갈 문단으로 적절한 것은?

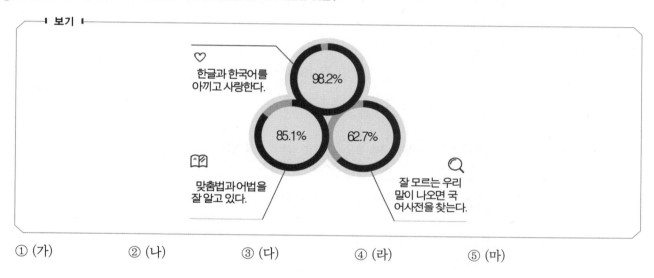

① (가)　　　　② (나)　　　　③ (다)　　　　④ (라)　　　　⑤ (마)

**11** 윗글을 작성하기 위해 고려한 사항으로 올바르게 짝지은 것은?

ⓐ 의문문의 형식을 활용한 문제 제기를 통해 독자들의 주의를 환기한다.

ⓑ 지구촌 시대의 도래와 상관없이 발전하는 한국어의 현재 상황을 먼저 밝힌다.

ⓒ 한국어를 잘못 사용하고 있는 국내의 현실을 세계적으로 높아진 한국어의 위상과 대조하여 부각한다.

ⓓ 공동체의 담화 관습을 고려하지 않는 국내 언어 교육의 현실을 비판적으로 다룬다.

① ⓐ, ⓑ　　　② ⓐ, ⓒ　　　③ ⓑ, ⓒ　　　④ ⓑ, ⓓ　　　⑤ ⓒ, ⓓ

[12~14] 다음 글을 읽고, 물음에 답하시오.

상대방의 마음을 상하게 하거나 불편하게 하는 말을 전달해야 하는 상황일 때, 우리 조상들은 직설적으로 말하지 않고 넌지시 돌려 말하는 방법을 사용하여 상대방의 반응과 깨달음을 간접적으로 이끌어 내고자 하였다. 전해 오는 여러 이야기에서 이런 태도를 엿볼 수 있다.

고려 말, 이방원은 이성계가 왕이 되는 것을 반대하던 정몽주를 회유하기 위해 다음과 같은 시조를 지어 불렀다. ㉠"이런들 어떠하며 저런들 어떠하리. / 만수산 드렁칡이 얽혀진들 어떠하리. / 우리도 이렇게 얽혀져 백 년까지 누리리라."

**12** 이 글에서 말하는 담화 관습의 예에 해당하지 않는 것은?

① 친구가 옷을 사기 위해 의견을 물어보았을 때, "다른 옷은 어때?"라고 말한다.
② 도서관에서 노트북의 자판을 소리 나게 치는 사람에게 "여기는 도서관입니다."라고 말한다.
③ 버스에서 내려야 하는데 문 앞을 막고 서 있는 사람에게 "조금만 비켜주세요."라고 말한다.
④ 출근하려고 집을 나서는 아버지께 "일기 예보에서 오늘 오후부터 비가 많이 내린대요."라고 말한다.
⑤ 창문이 열려 있어 교실에 찬바람이 들어올 때 창문 옆에 앉아있는 친구에게, "교실이 좀 춥지 않니?"라고 말한다.

**13** 이 글을 참고하였을 때, 〈보기〉의 밑줄 친 부분을 통해 전달하고자 한 의미로 가장 적절한 것은?

> ┤ 보기 ├
> 딸이 어머니에게 용돈을 받을 때, "요즘 책값이 많이 올랐어요."라고 말한다.

① 책값이 비싸다는 의미
② 용돈이 부족하다는 의미
③ 용돈이 필요 없다는 의미
④ 자신의 해결하겠다는 의미
⑤ 공부를 하지 않겠다는 의미

**14** 이방원이 ㉠의 시조를 통해 말하고자 한 바로 가장 적절한 것은?

① 우리 함께 힘을 모아 새로운 나라를 세우자.
② 나와 함께 끝까지 지조를 지키는 삶을 살아가자.
③ 속세에 얽매이지 말고 자연 속에서 함께 늙어가자.
④ 둘 중 누구의 힘이 더 센지 서로 얽혀 겨루어보자.
⑤ 속세 일에 신경 쓰지 말고 오랫동안 건강하게 살아가자

# 8

# 한국 문학의 빛깔

# 가 동지(冬至)ㅅ둘 기나긴 밤을

동지(冬至)ㅅ둘 기나긴 밤을 한 허리를 버혀 내여
임이 부재하는 부정적 시간 ・ 보이지 않는 것을 보이는 것으로 형상화 함.

춘풍(春風) 니불 아레 서리서리 너헛다가
봄바람처럼 따뜻하고 포근한 이불 ・ □: 음성상징어(6의 구븨구븨도 음성상징어입니다)

어론 님 오신 날 밤이여든 구븨구븨 펴리라
정을 맺은 임 ・ 임이 오신 날 밤 오래오래 같이 있고 싶은
마음. '서리서리 너헛다가'와 대조됨

– 황진이 / 정병욱 편저, 『시조 문학 사전』

■ **동지(冬至)ㅅ둘** : 동짓달. '동지'는 북반구에서는 일 년 중 낮이 가장 짧고 밤이 가장 긴 날로, 양력으로 12월 22일이나 23일경이다.
■ **버혀** 내여 ; 베어 내어.

■ **서리서리** : 국수, 새끼, 실 따위를 헝클어지지 아니하도록 둥그렇게 포개어 감아 놓은 모양.
■ **어론 님** : 정든 임.

⊙ **핵심정리**

| 갈래 | 시조, 평시조 |
|---|---|
| 성격 | 서정적, 감각적 |
| 제재 | 연모(戀慕)의 정. |
| 주제 | 임에 대한 절실한 그리움. |
| 특징 | • 추상적인 개념을 구체적인 사물로 표현함.<br>• 음성 상징어를 사용하여 우리말의 묘미를 잘 드러냄. |

**확인학습** ..................................................................................................................

01 '동짓달 기나긴 밤'은 임에 대한 간절한 그리움을 해학적으로 드러내고 있다.　　　　　○☐ ×☐

02 '동짓달 기나긴 밤'은 추상적인 대상의 주관적 변용을 통해 주제를 드러내고 있다.　　　　○☐ ×☐

03 '동짓달 기나긴 밤'은 계절적 특징을 활용하여 주제를 드러내고 있다.　　　　　　　　　○☐ ×☐

04 '동짓달 기나긴 밤'은 화자의 정서를 강조하기 위해 시적 의미를 점층적으로 확대하고 있다.　○☐ ×☐

05 '동짓달 기나긴 밤'에서 임이 부재(不在)한 겨울밤의 시간을 단축시키고자 하는 화자의 의지가 드러나 있는 부분을 4
어절로 찾아 쓰시오.　　　　　　　　　　　　　　　　[　　　　　　　　　　　　　　　]

# 🔲 님이 오마 ᄒᆞ거늘

님이 오마 ᄒᆞ거늘 저녁밥을 일 지어 먹고 중문(中門) 나서 대문(大門) 나가 지방(地方) 우희 치ᄃᆞ라 안자
<small>화자가 기다리는 대상      화자의 들뜬 마음이 반영된 행동</small>

이수(以手)로 가액(加額)ᄒᆞ고 오ᄂᆞᆫ가 가ᄂᆞᆫ가 건넌 산(山) ᄇᆞ라보니 거머횟들 셔 잇거늘 져야 님이로다
<small>화자가 임을 본 것으로 착각함</small>

보션 버서 품에 품고 신 버서 손에 쥐고 곰븨님븨 님븨곰븨 천방지방 지방천방 즌 ᄃᆡ ᄆᆞ른 ᄃᆡ 굴희지 말
<small>의태어</small>

고 워렁충창 건너가셔 졍(情)엣말 ᄒᆞ려 ᄒᆞ고 겻눈을 흘긧 보니 상년(上年) 칠월(七月) 사흔날 ᄀᆞᆰ가 벅긴 주
<small>의성어     임과의 회포를 푸는 말      지난해</small>

추리 삼대 셜드리도 날 소겨라
<small>'나'가 임으로 착각한 대상</small>

모쳐라 밤일싀만졍 ᄒᆡᆼ혀 낫이런들 ᄂᆞᆷ 우일 번 ᄒᆞ괘라
<small>실망감보다는 멋쩍음을 드러냄 – 사설시조 특유의 낙천성과 해학성</small>

---

- **일** : 일찍.
- **이수(以手)로 가액(加額)ᄒᆞ고** : 손으로 이마를 가리고.
- **거머횟들** : 검은빛과 흰빛이 뒤섞인 모양.
- **곰븨님븨** : 엎치락뒤치락 급히구는 모양.
- **천방지방** : 너무 급하여 허둥지둥 함부로 날뛰는 모양.

- **워렁충창** : 급히 달리는 발소리.
- **주추리 삼대** : 삼의 줄기.
- **모쳐라** : 아서라. 그만두어라.
- **우일 번** : 웃길 뻔. 웃음거리가 될 뻔.

◉ **핵심정리**

| 갈래 | 시조, 사설시조 |
| --- | --- |
| 성격 | 해학적, 과장적 |
| 제재 | 임이 온다는 소식. |
| 주제 | 임을 애타게 기다리는 마음. |
| 특징 | • 의성어와 의태어를 사용하여 행동을 과장하여 묘사함.<br>• 해학적 표현과 희극적 요소가 나타남. |

---

## 확인학습

01 윗글의 화자는 임에 대한 그리움이라는 화자의 심정을 화자의 행동을 통해 드러내고 있다.    O☐ X☐

02 윗글의 화자는 임이 온 것이 아닌가 하는 착각에 집을 나섰다가 실상을 확인하고 겸연쩍어하고 있다.    O☐ X☐

03 윗글에는 장면에 따른 화자의 처지 변화가 생동감을 준다.    O☐ X☐

04 윗글의 화자는 종장에서 주추리 삼대를 임으로 착각한 자신의 우스꽝스러운 행동에 대해 낮이면 다른 사람들을 웃길
뻔했다며 쑥스러운 마음을 드러내고 있다.    O☐ X☐

05 윗글의 종장은 임을 만난 기쁨이 담긴 어조로 낭송하는 것이 적절하다.    O☐ X☐

# 학습활동

**1.** 다음 글을 참고하여 시조의 형식적·내용적 특성을 알아보자.

> 시조는 고려 말기에 나타나 조선 시대에 전성기를 이룬 서정 문학이다. 시조의 기본적인 형태는 평시조로, 평시조는 3장(초장, 중장, 종장), 6구, 4음보를 기본형으로 한다. 조선 후기로 가면 평시조의 정형적 형식에서 벗어난 사설시조가 나타난다.
> 시조는 주로 사대부의 정서와 이념을 풀어낸 것으로, 자연 친화적 태도를 노래하거나 충효(忠孝) 등의 유교적 가치관을 노래하였다. 그리고 사대부의 풍류에 참여하는 기녀도 시조를 창작하였는데, 남녀의 정을 섬세하고 우아하게 표현하였다. 사설시조는 작자를 알 수 없는 작품이 많으며, 주로 세태를 풍자하거나 삶의 애환을 해학적으로 노래하였다.

**(1)** 형식적 측면에서 두 시조의 공통점과 차이점을 정리해 보자.

|  | 가 동지ㅅ돌 기나긴 밤을 | 나 님이 오마 ᄒ거놀 |
|---|---|---|
| **공통점** | 3장(초장 – 중장 – 종장)으로 구성되고, 종장의 첫 음보가 3음절임. | |
| **차이점** | 평시조. 시조의 정형적 형식을 지킴. | 사설시조. 시조의 정형적 형식에서 벗어남.<br>– 어느 한 장이 두 구 이상, 특히 중장이 길어짐. |

**(2)** 다음은 조선 중기의 문신인 송순이 지은 평시조이다. 작자를 고려할 때, 앞의 두 시조와 내용적 측면에서 어떤 차이가 있는지 말해 보자.

> (십 년(十年)을 경영(經營)ᄒ여 초려 삼간(草廬三間) 지여 내니 )    ( ): 안분지족, 안빈낙도의 삶의 자세가 드러남
>   초가, 짚이나 갈대 따위로 지붕을 인 집
>
> 나 ᄒ 간 들 ᄒ 간에 청풍(淸風) ᄒ 간 맛져 두고
>   나와 달, 청풍이 어우러지는 물아일체의 경지. 의인법
>
> 강산(江山)은 들일 듸 업스니 둘러 두고 보리라
>   강산을 병풍에 비유함

**Ⅰ예시 답안Ⅰ** 임을 향한 간절한 그리움을 노래한 앞의 두 시조와 달리, 이 시조는 자연 속에서 소박하게 살고자 하는 마음을 노래하고 있다. 이 시조를 지은 송순은 사대부로, 이 시조에는 사대부의 풍류와 자연 친화적인 태도가 드러나 있다.

⊙ **핵심정리**

| 갈래 | 평시조, 정형시, 서정시 | 성격 | 풍류적, 전원적, 낭만적 |
|---|---|---|---|
| **주제** | • 자연 귀의와 안빈낙도    • 자연과 더불어 사는 물아일체의 삶 | | |
| **특징** | • 근경에서 원경으로 이동하면서 시상을 전개함.<br>• 의인법과 비유적 표현을 사용하여 물아일체의 모습을 나타냄. | | |

**확인학습** ·······································································································

01 '십년을 경영하여'는 4음보의 운율로 구성되어 있다.　　　　　　　○☐ ×☐

02 '십년을 경영하여'의 화자는 십 년의 시간을 들여 집을 지은 것으로 보아 정성이 지극하다고 할 수 있다.　○☐ ×☐

03 '십년을 경영하여'의 화자는 자연과 자신을 동일시 여긴다.　　　　○☐ ×☐

04 '십년을 경영하여'는 음성상징어를 통해 효과적으로 주제를 드러낸다.　○☐ ×☐

05 '십년을 경영하여'는 소재를 길게 나열하여 웃음을 유발한다.　　　○☐ ×☐

06 '십년을 경영하여'는 원관념을 다른 소재에 빗대어 표현하고 있다.　○☐ ×☐

**2.** 다음은 향가 「제망매가(祭亡妹歌)」이다. 이를 감상하고 형식적 측면에 나타나는 한국 문학의 전통을 알아보자.

| 生死路隱<br>생 사 로 은 | 생사(生死) 길은<br>삶과 죽음의 갈림길 | |
|---|---|---|
| 此矣有阿米次肹伊遣<br>차 의 유 아 미 차 힐 이 견 | 예 있으매 머뭇거리고,<br>여기(이승, 이 세상) | |
| 吾隱去內如辭叱都<br>오 은 거 내 여 사 질 도 | 나는 간다는 말도<br>죽은 누이 | |
| 毛如云遣去內尼叱古<br>모 여 운 견 거 내 니 질 고 | 못다 이르고 어찌 갑니까.<br>안타까움과 비애감이 더해짐. | ▶ [1~4행] 죽은 누이에 대한 안타까움와 그리움 |
| 於內秋察早隱風未<br>어 내 추 찰 조 은 풍 미 | 「어느 가을 이른 바람에<br>누이의 요절을 암시 | |
| 此矣彼矣浮良落尸葉如<br>차 의 피 의 부 양 락 시 엽 여 | 이에 저에 떨어질 잎처럼,」<br>여기저기에　　죽은 누이를 비유(직유법) | 「」: 누이의 죽음을 시각적으로 표현함. |
| 一等隱枝良出古<br>일 등 은 지 량 출 고 | 한 가지에 나고<br>한 부모(은유법)에게서 태어나고도, →시적 대상과 화자가 혈육임을 암기 | |
| 去奴隱處毛冬乎丁<br>거 노 은 처 모 동 호 정 | 가는 곳 모르온저.<br>'가는' 주체는 누이, '모르는' 주체는 화자 | ▶ [5~8행] 혈육의 죽음을 통해 느끼는 인생의 무상감 |
| 阿也彌陀刹良逢乎吾<br>아 야 미 타 찰 량 봉 호 오 | 「아아, 미타찰(彌陀刹)에서 만날 나<br>극락세계　　　누이가 극락세계로 갔을 것이라는 믿음 | |
| 道修良待是古如<br>도 수 량 대 시 고 여 | 도(道) 닦아 기다리겠노라.」<br><br>▶ [9~10행] 불교적 믿음을 통한 슬픔의 종교적 승화<br>「」: 불교의 윤회 사상을 통해 인간적 고뇌를 극복함 | |

(10구체 향가의 낙구 첫머리는 감탄사로 시작하는 형식을 취함 (시상 전환))

⊙ **핵심정리**

| 갈래 | 향가 | 성격 | 서정적, 애상적, 추모적 |
|---|---|---|---|
| 제재 | 누이의 죽음 | 주제 | 죽은 누이의 명복을 빎 |
| 특징 | | | |

| 특징 | • 혈육과의 사별에서 오는 슬픔과 안타까움을 표현하고 있다.<br>• 비유, 상징 등과 같은 정제되고 세련된 표현 기교를 사용하여 작품의 서정성을 높이고 있다.<br>• 불교의 윤회 사상을 바탕으로 죽은 누이와의 재회를 소망하며 인간적 고뇌를 종교적으로 승화하였다. |
|---|---|

**확인학습**

**01** 이 작품은 삶과 죽음에 대한 인간적 고뇌를 드러내고 있다.　　　　　　　　　○□ ×□

**02** 이 작품은 인간과 자연의 대비되는 특성을 통해 주제를 드러내고 있다.　　　　　○□ ×□

**03** 이 작품에서는 안빈낙도의 삶을 살고자 하는 화자의 태도가 드러난다.　　　　　○□ ×□

**04** 이 작품은 상징과 비유적 표현을 사용하여 작품의 서정성을 높이고 있다.　　　　○□ ×□

**05** 이 작품은 불교의 윤회 사상을 바탕으로 화자의 소망을 드러내고 있다.　　　　　○□ ×□

**06** 이 작품은 대화 형식으로 이루어져 있다.　　　　　　　　　　　　　　　　　　○□ ×□

**07** '한 가지'를 통해 화자가 홀어머니 슬하에서 자랐음을 알 수 있다.　　　　　　　○□ ×□

**08** '나는 간다'의 '나'는 화자의 누이라고 볼 수 있다.　　　　　　　　　　　　　　○□ ×□

**09** '이른 바람'을 통해 누이의 죽음이 예상보다 빨리 왔음을 알 수 있다.　　　　　　○□ ×□

**10** 이 작품은 혈육과의 사별에서 오는 슬픔과 안타까움을 표현하고 있다.　　　　　○□ ×□

(1) 「제망매가」의 구성과 내용을 파악해 보자.

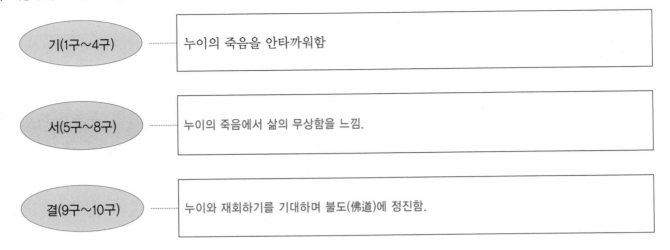

기(1구~4구) .......... 누이의 죽음을 안타까워함

서(5구~8구) .......... 누이의 죽음에서 삶의 무상함을 느낌.

결(9구~10구) .......... 누이와 재회하기를 기대하며 불도(佛道)에 정진함.

(2) 「제망매가」와 「님이 오마 ᄒ거놀」의 형식적 특징을 비교해 보자.

| | 제망매가 | 님이 오마 ᄒ거놀 |
|---|---|---|
| 구성 | '기 – 서 – 결'의 3단 구성을 취함. | '초장 – 중장 – 종장'의 3단 구성을 취함. |
| 시상의 종결 방식 | 결사를 감탄사 '아아'로 시작하여 화자의 고조된 정서를 표현하고 시상을 전환함. | 종장을 감탄형 '모쳐라'로 시작하여 화자의 고조된 정서를 표현하고 시상을 전환함. |

# 객관식 기본문제

**[01~02] 다음 글을 읽고 물음에 답하시오.**

**(가)** 동지(冬至)ㅅ달 기나긴 밤을 한 허리를 버혀 내여
춘풍(春風) 니불 아래 서리서리 너헛다가
어론님 오신 날 밤이여든 구뷔구뷔 펴리라

－ 황진이/정병욱 편저, 「시조문학 사전」 －

**(나)** 님이 오마 ㅎ거늘 져녁밥을 일 지어 먹고 중문(中門)나서 대문 (大門)나가 지방(地方) 우희 치ᄃ라 안자 이수(以手)로 가액(加額)ᄒ고 오는가 가는가 건넌 산(山) ᄇ라보니 거머횟들 셔 잇거늘 져야 님이로다.
보션 버서 품에 품고 신 버서 손에 쥐고 곰븨님븨 님븨곰븨 쳔방지방 지방쳔방 즌듸 ᄆ른듸 ᄀᆯ회지 말고 워렁충창 건너 가셔 졍(情)엣말 ᄒ려 ᄒ고 겻눈을 흘긋 보니 상년(上年) 칠월(七月) 사흔날 ᄀᆯ가 벅긴 주추리 삼대 슐드리도 날 소겨라.
모쳐라 밤일싀망졍 힝혀 낫이런들 ᄂᆷ 우일 번 ᄒ괘라.

－ 작자 미상/정병욱 편저, 「시조문학 사전」 －

**(다)** 십 년(十年)을 경영(經營)ᄒ야 초려삼간(草廬三間)지여내니
나 ᄒ간 ᄃᆞᆯ ᄒ 에 청풍(淸風) ᄒ 간 맛져 두고
강산(江山)은 들일 듸 업스니 둘러 두고 보리라.

－ 송순/정병욱 편저, 「시조문학 사전」 －

**(라)** 생사(生死) 길은
㉠예 있으매 머뭇거리고,
㉡나는 간다는 말도
몯다 이르고 어찌 갑니까.
어느 가을 ㉢이른 바람에
이에 저에 ㉣떨어질 잎처럼,
㉤한 가지에 나고
가는 곳 모르온저.
아아, ㉥미타찰(彌陀刹)에서 만날 ㉦나
도(道) 닦아 기다리겠노라.

－월명사, 「제망매가」/김완진 옮김, 「향가해독법 연구」 －

*미타찰(彌陀刹) 아미타불이 다스리는 서방 정토.

**01** **(가)~(라)를 이해한 내용으로 가장 적절한 것은?**

① (가)와 (나)는 평민의 생활상을 소재로 등장한 조선 후기와 시가 양식이다.
② (가)~(다)는 4음보 율격의 정형성이 드러나는 형식상 공통점이 있다.
③ (가)~(다)와 비교해 볼 때, (라)는 후대에 창작된 작품이다.
④ (가)~(다)와 달리, (라)는 3단 구성으로 내용이 전개되고 있다.
⑤ (나)의 '모쳐라'와 (라)의 '아아'는 형식상 연계성을 지니고 있다고 볼 수 있다.

**02** (가)와 (나)를 감상한 내용으로 적절하지 <u>않은</u> 것은?

① (가)에서 '동지(冬至)ㅅ돌 기나긴 밤'과 '어론 님 오신 날 밤'은 대조적 의미를 지닌다.
② (나)에서 화자는 '님'을 '거머횟들'과 '주추리 삼대'에 빗대어 임에 대한 간절한 그리움을 표현하고 있다.
③ (가)와 (나)는 부재하는 임에 대한 화자의 마음을 표현하고 있다.
④ (가)와 (나)는 음성 상징어를 활용하여 표현하고자 하는 대상을 더욱 생동감 있게 나타냈다.
⑤ (가)와 달리, (나)에는 해학의 기법을 활용하여 삶에 대한 긍정과 낙천성이 나타나 있다.

**03** (다)와 〈보기〉를 감상한 내용으로 적절하지 <u>않은</u> 것은?

> ┤ 보기 ├
>
> 말 업슨 청산(靑山)이요, 태(態) 업슨 유수(流水)이로다.
> 갑 업슨 청풍(淸風)이요, 님자 업슨 명월(明月)이라.
> 이 중(中)에 병(病) 업슨 이 몸이 분별(分別)업시 늙으리라.

① (다)와 〈보기〉는 대구법을 활용하여 의미를 강조하고 있다.
② (다)와 〈보기〉는 자연에서의 삶에 만족하는 자연친화적 태도가 드러난다.
③ (다)와 〈보기〉는 자연물에 인격을 부여하여 주제를 효과적으로 표현한다.
④ (다)의 '돌, 청풍, 강산'과 〈보기〉의 '청산, 유수, 청풍, 명월'은 유사한 함축적 의미를 지닌다.
⑤ (다)의 '돌, 청풍, 강산'과 〈보기〉의 '말, 태, 갑, 님즈, 병'은 함축적 의미가 대조적이다.

**04** (라)의 ㉠~㉯을 이해한 내용으로 적절한 것은?

① ㉠과 ㉫은 같은 의미로서 '죽어서 가는 극락세계'라고 할 수 있다.
② ㉡을 ㉣에 빗대어 표현함으로써 생생한 이미지를 형상화하고 있다.
③ ㉡과 ㉯은 같은 대상을 지칭하고 있다.
④ ㉢의 함축적 의미는 '죽음 앞에서의 침묵'을 뜻한다.
⑤ ㉤은 '같은 세상에 태어났음'을 빗대어 표현한 대상이다.

(가) 동지(冬至)ㅅ달 기나긴 밤을 한 허리를 버혀 내여
　　춘풍(春風) 니불 아래 서리서리 너헛다가
　　어론님 오신 날 밤이여든 구뷔구뷔 펴리라

　　　　　　　　　　　　　　　　　　　　－ 황진이/정병욱 편저, 「시조문학 사전」 －

(나) 십 년(十年)을 경영(經營)ㅎ야 초려삼간(草廬三間)지여내니
　　나 혼간 둘 혼 에 청풍(淸風) 혼 간 맛겨 두고
　　강산(江山)은 들일 듸 업스니 둘러 두고 보리라.

　　　　　　　　　　　　　　　　　　　　－ 송순/정병욱 편저, 「시조문학 사전」 －

(다) 님이 오마 ㅎ거늘 져녁밥을 일 지어 먹고 중문(中門)나서 대문 (大門)나가 지방(地方) 우희 치ㄷ라 안자 이수(以手)로 가액(加額)하고 오는가 가는가 건넌 산(山) ㅂ라보니 거머횟들 셔 잇거늘 져야 님이로다.
　　보션 버서 품에 품고 신 버서 손에 쥐고 곰븨님븨 님븨곰븨 쳔방지방 지방쳔방 즌듸 무른듸 굴회지 말고 워렁충창 건너가셔 졍(情)엣말 ㅎ려 ㅎ고 겻눈을 흘긋 보니 상년(上年) 칠월(七月) 사흔날 굴가 벅긴 주추리 삼대 슬드리도 날 소겨라.
　　모쳐라 밤일식망졍 힝혀 낫이런들 눔 우일 번 ㅎ괘라.

　　　　　　　　　　　　　　　　　　　　－ 작자 미상/정병욱 편저, 「시조문학 사전」 －

(라) 생사(生死) 길은
　　예 있으매 머뭇거리고,
　　나는 간다는 말도
　　몯다 이르고 어찌 갑니까.
　　어느 가을 이른 바람에
　　이에 저에 떨어질 잎처럼,
　　한 가지에 나고
　　가는 곳 모르온저.
　　아아, 미타찰(彌陀刹)에서 만날 나
　　도(道) 닦아 기다리겠노라.

　　　　　　　　　　　　　　　　　　　　－월명사, 「제망매가」/김완진 옮김, 「향가해독법 연구」 －

*미타찰(彌陀刹) 아미타불이 다스리는 서방 정토.

**05** (가)~(라)에 대한 설명으로 가장 적절한 것은?

　① (가), (나)는 (다)와 달리 종장의 첫 음보가 3음절이다.
　② (가), (나)는 (다)에 비해 정형화된 형식이 주는 안정감이 있다.
　③ (가), (나)는 (다), (라)와 달리 3단 구성의 형태로 시상을 전개하고 있다.
　④ (가)~(다) 모두 4음보의 율격이 규칙적이어서 일정하게 끊어 읽을 수 있다.
　⑤ (라)의 결사는 (다)의 종장과 달리 감탄형으로 시작하여 화자의 정서를 집약하고 있다.

**06** (가)에 대한 설명으로 적절하지 <u>않은</u> 것은?

① 추상적 개념을 구체적으로 형상화하고 있다.

② 계절의 변화를 제시하여 화자의 미래를 암시하고 있다.

③ 음성상징어를 통해 화자의 내면을 섬세하게 표현하고 있다.

④ 임의 부재 시간을 단축시키려는 화자의 의지가 드러나 있다.

⑤ 화자는 임과 다시 만날 날을 상상하며 이별의 상황을 견디고 있다.

**[07~10] 다음 글을 읽고 물음에 답하시오.**

**(가)** 동지(冬至)ㅅ둘 기나긴 밤을 한 허리를 버혀 내여
　　 춘풍(春風) 니불 아레 서리서리 너헛다가
　　 어론 님 오신 날 밤이여든 구뷔구뷔 펴리라.

　　　　　　　　　　　　　　　　　　　　　　　　　　　　　　– 황진이 –

**(나)** 님이 오마 ᄒ거늘 저녁밥을 일 지어 먹고 중문(中門) 나서 대문(大門) 나가 지방(地方) 우희 치ᄃᆞ라 안자 이수(以手)로 가액(加額)ᄒ고 오는가 가는가 건넌 산(山) ᄇ라보니 거머횟들 셔 잇거늘 져야 님이로다

　보션 버서 품에 품고 신 버서 손에 쥐고 곰븨님븨 님븨곰븨 쳔방지방 지방쳔방 즌 ᄃᆡ 모른 ᄃᆡ 굴희지 말고 워렁충창 건너가셔 졍(情)엣말 ᄒ려 ᄒ고 겻눈을 흘긧 보니 샹년(上年) 칠월(七月) 사흔날 골가 벅긴 주추리 삼대 슬드리도 날 소겨라

　모쳐라 밤일식만졍 ᄒᆡᆼ혀 낫이런들 ᄂᆞᆷ 우일 번 ᄒ괘라.

　　　　　　　　　　　　　　　　　　　　　　　　　　　　　　– 작자 미상 –

**(다)** 생사(生死) 길은
　　 예 있으매 머뭇거리고,
　　 나는 간다는 말도
　　 몯다 이르고 어찌 갑니까.
　　 어느 가을 이른 바람에
　　 이에 저에 떨어질 잎처럼,
　　 한 가지에 나고
　　 가는 곳 모르온저.
　　 아아, 미타찰(彌陀刹)에서 만날 나
　　 도(道) 닦아 기다리겠노라.

　　　　　　　　　　　　　　　　　　　　　　　　　– 월명사, 「제망매가」 –

**07** (가)~(다)에 대한 설명으로 적절한 것은?

① (가)는 반어적 표현을 통해 화자의 정서를 강조하고 있다.
② (가)는 여성적 어조가 (나)는 남성적 어조가 드러나 있다.
③ (나)는 화자의 감정을 이입한 시어를 통해 간절한 마음을 드러내고 있다.
④ (다)는 대화체 어조를 통해 시적 대상에 대해 친근감을 드러내고 있다.
⑤ (다)는 이승과 저승의 거리를 극복하고자 하는 소망을 나타내고 있다.

**08** (가)의 발상 및 표현상 특징으로 옳은 설명을 〈보기〉에서 있는 대로 고른 것은?

┤ 보기 ├

ㄱ. 시간의 상대성을 참신한 발상으로 표현했다.
ㄴ. 사건과 상황의 전개가 서술자에 의해 객관적으로 드러난다.
ㄷ. 역설적 표현으로 대상에 대해 간절한 마음을 드러내고 있다.
ㄹ. 음성 상징어를 통해 시적 화자의 정서를 효과적으로 드러내고 있다.
ㅁ. '동짓달 밤'과 '춘풍'은 서로 이미지가 대조되면서 화자의 정서를 강조하고 있다.

① ㄱ, ㄴ, ㄷ  　② ㄱ, ㄴ, ㄹ  　③ ㄴ, ㄷ, ㄹ  　④ ㄱ, ㄹ, ㅁ  　⑤ ㄴ, ㄹ, ㅁ

**09** (나)에 대한 설명으로 적절한 것은?

① 자신의 어리석은 행동에 몹시 낙담하고 있다.
② 해학적 표현을 사용하여 상황을 과장적으로 표현하였다.
③ 이별의 상황을 막아보려는 화자의 심리가 나타나 있다.
④ 형식을 엄격하게 지켜 우아하고 조화로운 정신세계를 담고 있다.
⑤ 화자와 자연은 밀접하게 연결되어 심리적 유대감을 보이고 있다.

**10** (다)의 내용에 비추어 시적 화자가 누이에게 하고 싶은 말로 적절하지 <u>않은</u> 것은?

① 너와 나의 사별이 슬프기는 하지만 재회할 날이 있으리라 믿는다.
② 뜻하지 않게 비명(非命)에 죽은 너를 생각하면 인생의 무상감을 느끼게 된다.
③ 너의 갑작스러운 죽음으로 인해 큰 슬픔을 느꼈으나 이를 구도(求道)와 기다림으로 극복하려 한다.
④ 가을 바람에 떨어지는 나뭇잎처럼 삶이란 유한한 것이고 그것이 인간의 한계이기도 한 듯하다.
⑤ 너의 죽음이 인간의 원죄와 관련이 있다 여겨 그것을 풀기 위해 종교적 제의(祭儀)를 지내고자 한다.

**[11~14]** 다음 글을 읽고 물음에 답하시오.

**(가)** ⓐ동지(冬至)ㅅ돌 기나긴 밤을 한 허리를 버혀 내여
　　 춘풍(春風) 니불 아레 서리서리 너헛다가
　　 어론 님 오신 날 밤이여든 구뷔구뷔 펴리라.

　　　　　　　　　　　　　　　　　　　　　　　　　– 황진이 –


**(나)**

**[A]:** 님이 오마 ᄒ거늘 저녁밥을 일 지어 먹고 중문(中門) 나서 대문 (大門) 나가 지방(地方) 우희 치ᄃ라 안자 이수(以手)로 가액(加額)하고 오ᄂ가 가ᄂ가 건넌 산(山) ᄇ라보니

**[B]:** 거머횟들 셔 잇거늘 져야 님이로다

**[C]:** 보션 버서 품에 품고 신 버서 손에 쥐고 곰븨님븨 님븨곰븨 쳔방지방 지방쳔방 즌 듸 ᄆ른듸 ᄀ리지 말고 워렁충창 건너가셔

**[D]:** 졍(情)엣말 ᄒ려 ᄒ고 겻눈을 흘긋 보니 상년(上年) 칠월(七月) 사흔날 ᄀ라 벅긴 주추리 삼대 슬드리도 날 소겨라

**[E]:** 모쳐라 밤일식망졍 ᄒᆡᆼ혀 낫이런들 ᄂ 우일 번 ᄒ괘라.

　　　　　　　　　　　　　　　　　　　　　　　　　– 작자 미상 –


**(다)** 십 년(十年)을 경영ᄒ야 초려삼간(草廬三間)지여 내니
　　 나 ᄒᆞᆫ 간 ᄃᆞᆯ ᄒᆞᆫ 간에 청풍(淸風) ᄒᆞᆫ 간 맛져 두고
　　 강산(江山)은 들일 ᄃᆡ 업스니 둘러 두고 보리라.

　　　　　　　　　　　　　　　　　　　　　　　　　– 송순 –


**(라)** 생사(生死) 길은
　　 예 있으매 머뭇거리고,
　　 나는 간다는 말도
　　 몯다 이르고 어찌 갑니까.
　　 어느 가을 이른 바람에
　　 이에 제에 떨어질 잎처럼.
　　 한 가지에 나고
　　 가는 곳 모르온저.
　　 아아, 미타찰(彌陀刹)에서 만날 나
　　 도(道) 닦아 기다리겠노라.

　　　　　　　　　　　　　　　　　　　– 월명사, 「제망매가」 –


**11** **(가)와 (나)를 비교한 내용으로 옳은 것은?**

① (나)와 달리 (가)는 여성 화자의 심리를 표현하고 있다.
② (가)와 달리 (나)는 종장의 첫 음보가 정형적 형식에서 벗어나 있다.
③ (나)와 달리 (가)는 실현 불가능한 상상을 통해 현재 상황을 견디고 있다.
④ (가)와 달리 (나)는 부정적 상황에서 화자가 느끼는 결핍이 해소되고 있다.
⑤ (가)와 (나) 모두 음성 상징어를 사용하여 생생하고 해학적으로 표현하고 있다.

**12** (가)~(라)에 나타난 표현상의 특징과 그 효과에 대한 설명으로 옳은 것은?

① (가) – 추상적인 개념을 구체적인 사물로 형상화하여 이미지의 허구성을 강조한다.
② (나) – 과장된 표현을 통해 화자의 절망감을 극대화하고 있다.
③ (나) – 장면의 순차적 나열을 통해 시상 전개의 속도를 늦추고 있다.
④ (다) – 규칙적인 4음보를 통해 운율감을 형성하고 있다.
⑤ (라) – 인생사의 섭리를 자연물에 비유하여 자연 친화적인 태도를 보이고 있다.

**13** (나)를 〈보기〉와 같은 시적 맥락에 따라 설명한 것으로 적절하지 <u>않은</u> 것은?

┤ 보기 ├

[A] 상황 ⇒ [B] 착각 ⇒ [C] 행동 ⇒ [D] 자각 ⇒ [E] 반응

① [A] : 임이 온다는 소식을 듣고 들뜬 마음으로 기다리는 상황이다.
② [B] : 화자의 착각은 [C]와 [D]의 해학적 상황과 연결된다.
③ [C] : 허겁지겁 달려가는 행동으로 임에 대한 화자의 애타는 그리움을 알 수 있다.
④ [D] : [B]에서의 착각을 자각하면서 임이 자신을 속였음을 서운해 하고 있다.
⑤ [E] : 타인의 시선을 의식하며 [C]의 행동에 대하여 멋쩍어하는 반응을 보이고 있다.

**14** (나)를 영화로 제작한다고 할 때, 감독이 고려할 사항으로 옳지 <u>않은</u> 것은?

① 건너편 산에는 검은색과 흰색이 뒤섞인 모양의 사물을 설치하고, 임의 모습과 중첩되도록 해야겠어.
② 뒷 부분에서 껍질을 벗긴 삼이 줄기가 필요한데, 요즘은 구하기 힘든 만큼 미리 준비하도록 해야겠어.
③ '밤이기에 다행이다.'라고 마지막 독백하는 장면에서는 애상적 분위기의 배경 음악을 삽입하면 좋겠어.
④ 이마 위에 손을 얹고 건너편 산을 바라보게 하는 등 연기자가 작은 손동작까지도 신경 쓸 수 있도록 말해야겠어.
⑤ 임을 만나기 위해 뛰어가는 장면을 촬영할 때에는 주인공의 허둥대는 모습을 대변하듯이 일부러 카메라가 흔들리게 촬영한다든지 주인공의 발소리를 강조하는 등의 기법을 다양하게 활용해야겠어.

[01~03] 다음 글을 읽고, 물음에 답하시오.

(가) 님이 오마 ㅎ거늘 저녁밥을 일 지어 먹고 중문(中門) 나서 대문(大門) 나가 지방(地方) 우희 치드라 안자 이수(以手)로 가액(加額)ㅎ고 오는가 가는가 건넌 산(山) 브라보니 거머 횟들 셔 잇거늘 져야 님이로다

보션 버서 품에 품고 신 버서 손에 쥐고 곰븨님븨 님븨곰븨 천방지방 지방천방 즌 듸 므른 듸 굴희지 말고 워렁충창 건너가셔 정(情)엣말 ㅎ려 ㅎ고 겻눈을 흘긧 보니 상년(上年) 칠월(七月) 사흔날 굴가 벅긴 주추리 삼대 슬드리도 날 소겨라

모쳐라 밤일식만졍 힝혀 낫이런들 눔 우일 번 ㅎ괘라.

– 사설 시조 –

(나) ㉠생사(生死) 길은
　　예 있으매 머뭇거리고,
　　나는 간다는 말도
　　묻다 이르고 어찌 갑니까.
　　㉡어느 가을 이른 바람에
　　이에 제에 떨어질 잎처럼,
　　㉢한 가지에 나고
　　가는 곳 모르온저.
　　아아, ㉣미타찰(彌陀刹)에서 만날 나
　　도(道) 닦아 기다리겠노라.

– 월명사, 「제망매가」 –

(다) ㉤네가 오기로 한 그 자리에
　　내가 미리 가 너를 기다리는 동안
　　다가오는 모든 발자국은
　　내 가슴에 쿵쿵거린다.
　　바스락 거리는 나뭇잎 하나도 다 내게 온다.
　　기다려본 적이 있는 사람은 안다.
　　세상에서 기다리는 일처럼 가슴 애리는 일 있을까
　　네가 오기로 한 그 자리, 내가 미리 와 있는 이곳에서
　　문을 열고 들어오는 모든 사람이
　　너였다가
　　너였다가, 너일 것이었다가
　　다시 문이 닫힌다.
　　사랑하는 이여
　　오지 않는 너를 기다리며
　　마침내 나는 너에게 간다.
　　아주 먼데서 나는 너에게 가고
　　아주 오랜 세월을 다하여 지금 오고 있다
　　아주 먼데서 지금 천천히 오고 있는 너를
　　너를 기다리는 동안 나도 가고 있다
　　남들이 열고 들어오는 문을 통해
　　내 가슴에 쿵쿵거리는 모든 발자국 따라
　　너를 기다리는 동안 나는 너에게 가고 있다.

– 황지우, 「너를 기다리는 동안」 –

**01** (가)에 대한 설명으로 가장 알맞은 것은?

① 추상적인 개념을 구체적으로 형상화하고 있다.

② 감각적 이미지를 활용하여 시적 배경을 드러내고 있다.

③ 임에 대한 절실한 그리움을 낭만적으로 표현하고 있다.

④ 계절적 배경을 드러내는 시어를 통해 시적 분위기를 조성하고 있다.

⑤ 음성상징어를 사용하여 임을 기다리는 화자의 마음을 생생하게 표현하고 있다.

**02** ㉠~㉤에 대한 설명으로 적절하지 <u>않은</u> 것은?

① ㉠ : 삶과 죽음의 길목에서 머뭇거림을 의미한다.

② ㉡ : 누이가 젊은 나이에 세상을 떠났음을 의미한다.

③ ㉢ : 같은 부모님께 태어나도 운명을 알 수 없음을 의미한다.

④ ㉣ : 누이와의 재회를 기다리며 불도에 전념함을 의미한다.

⑤ ㉤ : 초조감과 절망감 속에서 임을 기다리고 있음을 의미한다.

**03** (나)에 대한 감상으로 적절하지 <u>않은</u> 것은?

① 3구의 '나'는 죽은 누이이고, 낙구의 '나'는 시적 화자이다.

② '가을의 이른 바람'은 젊은 나이에 요절한 누이의 죽음을 의미한다.

③ '한 가지'는 누이와 화자를 낳아 준 어버이를 뜻한다고 볼 수 있다.

④ '미타찰'은 극락세계를 뜻하며, 누이와 이별하는 공간이다.

⑤ 낙구에서 화자는 혈육의 죽음으로 인한 슬픔을 불교적 믿음으로 극복, 승화하고 있다.

[04~06] 다음 글을 읽고, 물음에 답하시오.

**(가)**

㉠돌하 노피곰 도두샤
어긔야 ㉡머리곰 비취오시라
어긔야 어강됴리 / 아으 다롱디리
㉢져재 녀러신고요
어긔야 ㉣즌 딕롤 드딕욜셰라
어긔야 어강됴리 / 어느이다 노코시라
어긔야 내 가논 딕 ㉤졈그롤셰라
어긔야 어강됴리 / 아으 다롱디리

 ― 백수광부의 아내, 「정읍사」 ―

**(나)**

생사(生死) 길은 / 예 있으매 머뭇거리고,
나는 간다는 말도 / ⓐ몯다 이르고 어찌 갑니까.
어느 가을 이른 바람에 / 이에 저에 떨어질 잎처럼,
ⓑ한 가지에 나고 / 가는 곳 모르온저.
아아, 미타찰(彌陀刹)에서 만날 나
도(道) 닦아 기다리겠노라.

 ― 월명사, 「제망매가」 ―

**(다)**

ⓒ동지(冬至)ㅅ둘 기나긴 밤을 한 허리를 버혀 내여
춘풍(春風) 니불 아래 서리서리 너헛다가,
어론 님 오신 날 밤이여든 구뷔구뷔 펴리라.

 ― 황진이 ―

**(라)**

님이 오마 ᄒ거늘 저녁밥을 일 지어 먹고 중문(中門)나서 대문 (大門)나가 지방(地方) 우희 치ᄃ라 안자 이수(以手)로 가액(加額)하고 오는가 가는가 건넌 산(山) ᄇ라보니 거머횟들 셔 잇거늘 져야 님이로다

보션 버서 품에 품고 신 버서 손에 쥐고 곰븨님븨 님븨곰븨 쳔방지방 지방쳔방 ⓓ즌 딕 ᄆ른딕 굴회지 말고 워렁충창 건너가셔 정(情)엣말 ᄒ려 ᄒ고 졋눈을 흘긋 보니 상년(上年) 칠월(七月) 사흔날 골가 벅긴 ⓔ주추리 삼대 슬드리도 날 소겨라

모쳐라 밤일싀망졍 힝혀 낫이런들 눔 우일 번 ᄒ괘라.

 ― 작자미상 ―

**04** (가)~(라)의 시적 화자에 대해 이해한 내용으로 가장 적절한 것은?

① (가)와 (나)의 화자는 부정적인 상황을 예상하여 걱정하고 염려하는 마음을 드러내고 있다.
② (가)와 (라)의 화자는 시적대상에 대해 존칭을 사용하여 공경하는 마음을 드러내고 있다.
③ (나)와 (다)의 화자는 재회의 날을 기다리며 시적대상이 부재하는 상황을 견디고 있다.
④ (나)와 (라)의 화자는 의연하고 담대한 태도로 시적 상황을 받아들이고 있다.
⑤ (다)와 (라)의 화자는 시적 대상에 대한 간절한 그리움을 과장된 행동으로 드러내고 있다.

**05** (가)의 ㉠~㉤ 중, 〈보기〉의 설명에 해당하는 시어로 짝지어진 것은?

┌─┤ 보기 ├─

　화자의 경험이나 감정 등 추상적인 내용을 구체적인 대상으로 나타내기 위해 빛과 어둠의 대립 구조를 사용하고 있다.

① ㉠-㉡　　　　② ㉠-㉢　　　　③ ㉡-㉢　　　　④ ㉢-㉤　　　　⑤ ㉣-㉤

**06** ⓐ~ⓔ를 이해한 내용으로 적절하지 않은 것은?

① ⓐ : 갑작스런 시적대상의 죽음에 대한 화자의 안타까운 마음이 드러나 있다.
② ⓑ : 화자와 시적대상이 한 부모에게서 태어난 남매임을 비유적으로 표현하고 있다.
③ ⓒ : 화자가 외로움을 느끼게 되는 시간적 배경으로 부정적인 의미를 드러내고 있다.
④ ⓓ : 의태어를 통해 임을 향해 허겁지겁 달려가는 화자의 모습을 해학적으로 묘사하고 잇다.
⑤ ⓔ : 임으로 생각한 대상에 대해 화자의 오류를 감추기 위해 책임을 전가하고 있다.

[07~12] 다음 글을 읽고, 물음에 답하시오.

(가) 동지(冬至)ㅅ돌 기나긴 밤을 한 허리를 버혀 내여
　　춘풍(春風) 니불 아레 서리서리 너헛다가
　　어론 님 오신 날 밤이여든 구뷔구뷔 펴리라.

－ 황진이 －

(나) 십 년을 경영ㅎ야 초려삼간(草廬三間)지여 내니
　　나 흔 간 둘 흔 간에 청풍(淸風) 흔 간 맛겨 두고
　　강산(江山)은 들일 듸 업스니 둘러 두고 보리라.

－ 송순 －

(다) 님이 오마 ㅎ거늘 저녁밥을 일 지어 먹고 중문(中門) 나서 대문(大門) 나가 지방(地方) 우희 치ᄃ라 안자 이수(以手)로 가액(加額)ㅎ고 오는가 가ᄂ가 건넌 산(山) ᄇ라보니 거머횟들 셔 잇거늘 져야 님이로다
보션 버서 품에 품고 신 버서 손에 쥐고 곰븨님븨 님븨곰븨 쳔방지방 지방쳔방 즌 듸 ᄆ른 듸 굴희지 말고 워렁충창 건너가서 정(情)엣말 ᄒ려 ᄒ고 겻눈을 흘긧 보니 상년(上年) 칠월(七月) 사흔날 ᄀ가 벅긴 주추리 삼대 술드리도 날 소겨라
모쳐라 밤일식만졍 힝혀 낫이런들 ᄂᆞᆷ 우일 번 ᄒ괘라.

－ 작자 미상 －

(라) 생사(生死) 길은
　　예 있으매 머뭇거리고,
　　나는 간다는 말도
　　몯다 이르고 어찌 갑니까.
　　어느 가을 이른 바람에
　　이에 저에 떨어질 잎처럼,
　　한 가지에 나고
　　가는 곳 모르온저.
　　아아, 미타찰(彌陀刹)에서 만날 나
　　도(道) 닦아 기다리겠노라.

－ 월명사 －

**07** **(가)~(라)의 갈래적 특징에 대한 설명으로 가장 적절한 것은?**

① (가)~(라)는 한글로 기록되었으며, 다양한 계층에 의해 창작되었다.
② (가)~(라)는 모두 고려말기에 나타나 조선 시대에 전성기를 이룬 서정 문학이다.
③ (가)와 (나)의 단형 형식은 시대의 흐름에 따라 (다)와 (라)처럼 장형화되어 갔다.
④ (가)~(다)는 (라)와 달리 3장 6구 3음보를 기본형으로 하는 정형적 양식이다.
⑤ (다)와 (라)는 3단 구성과 시상 종결 방식이 유사하다.

**08** (가)와 같은 시적 발상 및 표현이 드러나는 것을 <u>모두</u> 고르면?

① 나의 마음이 아프고 쓰린 때에 주머니에 수를 놓으려면 / 나의 마음은 수놓는 금실을 따라서 바늘구멍으로 들어가고 / 주머니 속에서 맑은 노래가 나와서 나의 마음이 됩니다.

– 한용운, 「수(繡)의 비밀」 –

② 내 마음속 우리 임의 고운 눈썹을 / 즈믄 밤의 꿈으로 맑게 씻어서 / 하늘에다 옮기어 심어 놨더니 / 동지섣날 날으는 매서운 새가 / 그걸 알고 시늉하며 비끼어 가네.

– 서정주, 「동천」 –

③ 먼 여행에서 돌아와 / 이슬을 털 듯 추억을 털며 / 초록 속에 가득히 서 있고 싶다. // 그대 사랑하는 동안 / 내겐 우는 날이 많았었다. // 아픔이 출렁거려 / 늘 말을 잃어갔다.

– 문정희, 「찔레」 –

④ 폭포는 곧은 절벽을 무서운 기색도 없이 떨어진다 // 규정할 수 없는 물결이 / 무엇을 향하여 떨어진다는 의미도 없이 / 계절과 주야를 가리지 않고 / 고매한 정신처럼 쉴 사이 없이 떨어진다

– 김수영, 「폭포」 –

⑤ 산모퉁이를 돌아 논가 외딴 우물을 홀로 찾아가선 가만히 들여다봅니다. // 우물 속에는 달이 밝고 구름이 흐르고 하늘이 펼치고 파아란 바람이 불고 가을이 있습니다.

– 윤동주, 「자화상」 –

**09** (나)와 시적화자의 태도가 가장 유사한 것은?

① 三冬(삼동)에 베옷 입고 巖穴(암혈)에 눈비 마자"
　구름 쩬 볏뉘도 쩬 적이 업건마는,
　西山(서산)에 히지다 ᄒ니 눈물겨워 ᄒ노라.

– 조식 –

② 靑山(청산)은 엇뎨ᄒ야 萬古(만고)애 프르르며,
　流水(유수)는 엇뎨ᄒ야 晝夜(주야)애 긋디 아니는고,
　우리도 그치디 마라 萬古常靑(만고상청) 호리라.

–이황, 「도산십이곡」 –

③ 靑山(청산)은 내 뜻이오 綠水(녹수)는 님의 情(정)이,
　綠水(녹수) 흘러간들 靑山(청산)이야 變(변)홀손가.
　綠水(녹수)도 靑山(청산)을 못 니져 우러 예어 가는고.

– 황진이 –

④ 頭流山(두류산) 兩端水(양단수)를 녜 듯고 이졔 보니,
　桃花(도화) 쁜 묽근 물에 山影(산영)조ᄎ 잠겻셰라.
　아희야, 武陵(무릉)이 어듸오, 나는 옌가 ᄒ노라.

– 조식 –

⑤ 간밤의 부던 ᄇ람에 눈서리 치단말가.
　落落長松(낙락장송)이 다 기우러 가노믜라.
　ᄒ믈며 못다 픤 곳이야 닐러 므슴 ᄒ리오.

– 유응부 –

**10** (나)와 〈보기〉를 비교하여 감상한 것으로 가장 적절한 것은?

┤ 보기 ├

산수간 바위 아래 띠집*을 짓노라 하니
그 모른 남들은 웃는다 한다마는
어리고 향암(鄕闇)*의 뜻에는 내 분수인가 하노라.

〈제1수〉
– 윤선도, 「만흥」 –

*띠집 : 움막, 초가집
*향암 : 시골에서 자라 온갖 사리에 어둡고 어리석은 사람. 여기서는 자기 자신을 겸손하게 일컫는 말

① (나)의 화자는 〈보기〉의 화자와 달리 자신의 처지에 만족하고 있다.
② (나)의 화자는 〈보기〉의 '남들'처럼 안빈낙도(安貧樂道)하는 자세를 지니고 있다.
③ (나)의 '초려삼간', 〈보기〉의 '띠집'을 통해 화자의 소박한 삶의 태도를 짐작할 수 있다.
④ (나)의 '강산'은 〈보기〉의 '산수'와는 달리 자연친화적 성격을 엿볼 수 있는 소재이다.
⑤ (나)는 〈보기〉와 달리 실제 자연이 아닌 화자가 이상향으로 여기고 있는 자연을 그리고 있다.

**11** (다)에 대한 설명으로 적절한 것만을 있는 대로 고른 것은?

┤ 보기 ├

ㄱ. 반어적 표현을 통해 의미를 강조하여 나타내고 있다.
ㄴ. 음성상징어를 활용하여 장면을 생동감 있게 제시하고 있다.
ㄷ. '주추리 삼대'를 '임'으로 착각한 화자의 행동이 독자의 웃음을 자아내고 있다.
ㄹ. 구체적인 자연물을 통해 남녀 간의 사랑, 정절 등의 유교적인 가치관을 노래하고 있다.

① ㄱ, ㄷ          ② ㄱ, ㄹ          ③ ㄴ, ㄹ          ④ ㄱ, ㄴ, ㄷ          ⑤ ㄴ, ㄷ, ㄹ

**12** 〈보기〉를 참고하여 (라)를 감상한 내용으로 적절하지 않은 것은?

┤ 보기 ├

(라)에서 죽음은 필연적이라는 불교적 생사관이 밑바탕에 깔려 있다고 할 수 있다. 그런데 시적 대상인 누이는 이렇게 정해진 죽음을 뜻밖의 순간에 맞게 된다. 화자는 혈육의 죽음 앞에서 슬픔을 느끼지만 슬픔을 극복하고 만남을 기약한다.

① '생사(生死) 길은 예 있으매'를 통해 화자의 불교적 생사관을 읽을 수 있군.
② '나는 간다'라는 말을 통해 혈육의 죽음 앞에서 느끼는 절망적 슬픔의 깊이를 이해할 수 있어.
③ '이른 바람'을 통해 시적 대상이 이른 나이에 죽었음을 알 수 있군.
④ '아아'를 통해 시상을 전환하고 마무리하고 있음을 알 수 있어.
⑤ '미타찰(彌陀刹)'에서 기다리겠다는 것에서 슬픔을 종교적으로 승화하려는 태도를 엿볼 수 있어.

(가)

생사(生死) 길은
예 있으매 머뭇거리고,
나는 간다는 말도
몯다 이르고 어찌 갑니까.
어느 가을 이른 바람에
이에 저에 떨어질 잎처럼,
한 가지에 나고
가는 곳 모르온저.
아아, 미타찰(彌陀刹)에서 만날 나
도(道) 닦아 기다리겠노라.

– 월명사, 「제망매가」 –

(나)

ⓐ동지(冬至)ㅅ돌 기나긴 밤을 한 허리를 버혀 내여
춘풍(春風) 니불 아레 서리서리 너헛다가
어론 님 오신 날 밤이여든 구뷔구뷔 펴리라.

– 황진이 –

(다)

님이 오마 ᄒ거늘 저녁밥을 일 지어 먹고 중문(中門) 나서 대문(大門) 나가 지방(地方) 우희 치ᄃ라 안자 이수(以手)로 가액(加額)ᄒ고 오ᄂ는가 가ᄂ는가 건넌 산(山) ᄇ라보니 거머횟들 셔 잇거늘 져야 님이로다

보션 버서 품에 품고 신 버서 손에 쥐고 곰븨님븨 님븨곰븨 쳔방지방 지방쳔방 즌 ᄃ 므른 ᄃ 굴희지 말고 워렁충창 건너가서 졍(情)엣말 ᄒ려 ᄒ고 겻눈을 흘긋 보니 상년(上年) 칠월(七月) 사흔날 ᄀ라 벅긴 주추리 삼대 슬드리도 날 소겨라

모쳐라 밤일싀만졍 ᄒᆡᆼ혀 낮이런들 ᄂᆞᆷ 우일 번 ᄒ괘라.

– 작자 미상, 「님이 오마 ᄒ거놀」 –

(라)

그립고 그리워도 볼 수가 없어
마음은 바람에 나부끼는 종이 연 같아라
돗자리라면 말아 두고 ㉠돌이라면 굴러 낼 수 있으련만
이 마음의 응어리 어느 때나 고칠까
그리운 사람은 멀리 하늘 모퉁이에 있는데
구름 뜬 하늘 아래 늘어진 ㉡푸른 버들
아득한 시름은 끝이 없어라
홀로 앉아 공후를 타니
㉢공후는 하소연하는 듯 흐느끼는 듯
다 타도록 비단 적삼 젖는 줄도 몰랐네

원컨대 쌍쌍이 나는 ㉣새가 되어서
임 향한 창 앞에 서 있고자
원컨대 밝은 달이 되어
임의 창문 휘장 뚫어 비춰 들고자
슬픈 노래 잠 못 드는 밤 어찌 이리 긴고
㉤꿈속에서도 요산 남쪽 건너지 못하였네
기나긴 그리움에 공연히 애만 끊노라

– 성현, 「장상사(長相思)」 –

**13** (가)~(다)의 공통점으로 가장 적절한 것은?

① 세 단계로 구성되는 형식적 체계를 갖추고 있다.
② 의문형 표현을 활용하여 화자의 정서를 강조하고 있다.
③ 4음보의 규칙적인 운율을 통해 리듬감을 형성하고 있다.
④ 음성 상징어를 사용하여 대상을 감각적으로 표현하고 있다.
⑤ 역설적 표현으로 대상에 대한 간절한 마음을 드러내고 있다.

**14** (가)를 〈보기〉로 바꾸어 표현할 때 적절하지 <u>않은</u> 것은?

┤ 보기 ├

　ⓐ삶과 죽음의 갈림길이 멀리 잇지 않고 여기 이승에 있으니 두렵기만 하구나. ⓑ누이에게 해주고 싶은 말이 많았었는데 한마디 말도 못하고 누이를 보내게 되니 정말 슬플 뿐이다. ⓒ때 이른 바람 때문에 여기 저기 떨어지는 낙엽처럼 제명을 살지 못하고 죽은 누이, ⓓ같은 부모 밑에 태어나고서도 가는 곳 모르니 인간의 삶이 너무 무상하구나. 하지만 언제가 나는 서방정토에서 죽은 누이를 만날 수 있으리라. ⓔ그때를 기다리며 열심히 불도에 정진해야겠다.

① ⓐ　　　　② ⓑ　　　　③ ⓒ　　　　④ ⓓ　　　　⑤ ⓔ

**15** (가)와 다음에 제시된 시 〈강우〉를 비교한 것으로 옳지 <u>않은</u> 것은?

조금 전까지는 거기 있었는데
어디로 갔나,
밥상은 차려 놓고 어디로 갔나,
넙치지지미 맵싸한 냄새가
코를 맵싸하게 하는데
어디로 갔나,
이 사람이 갑자기 왜 말이 없나,
내 목소리는 메아리가 되어
되돌아온다
내 목소리만 내 귀에 들린다.
이 사람이 어디 가서 잠시 누웠나,
옆구리 담피가 다시 드셨나, 아니 아니
이번에는 그게 아닌가 보다
한 뼘 두 뼘 어둠을 적시며 비가 온다.
혹시나 하고 나는 밖을 기웃거린다.
나는 풀이 죽는다.
빗발은 한 치 앞을 못 보게 한다.
왠지 느닷없이 그렇게 퍼붓는다.
지금은 어쩔 수가 없다고,

– 김춘수, 「강우」 –

*담피 : 담(痰)이 살가죽 속에 뭉쳐서 생긴 멍울

① (가)와 〈강우〉 모두 '누이'와 '아내'라는 가족을 잃은 아픔을 노래하고 있다.

② (가)는 슬픔을 종교적으로 극복하려는 태도를, 〈강우〉는 체념하는 태도를 보이고 있다.

③ (가)는 대상의 갑작스러운 죽음을 안타까워하고 있고, 〈강우〉는 대상의 죽음을 인정하지 않고 있다.

④ (가)에서의 '이르게 떨어진 잎'과 〈강우〉에서의 '빗발'은 각각 '누이의 요절'과 '시적 화자의 눈물'로 해석되어 슬픔을 증폭시키는 소재로 사용되었다.

⑤ (가)에서의 '가는 곳 모르온저'에서는 인생에 대한 무상감이, 〈강우〉에서의 '내 목소리는 메아리가 되어 되돌아온다.'에서는 대상의 부재로 인한 공허감이 드러나 있다.

**16** 〈보기〉의 ㉠~㉤ 중, ⓐ와 성격이 같은 것으로 옳은 것만을 있는 대로 고른 것은?

┤ 보기 ├

• 기침을 하자 / 젊은 시인이여 기침을 하자 / 눈을 바라보며 / ㉠밤새도록 고인 가슴의 가래라도 / 마음껏 뱉자

• 삼월에 눈이 오면 / 샤갈의 마을의 쥐똥만 한 겨울 열매들은 / 다시 올리브빛으로 물이 들고 / ㉡밤에 아낙들은 / 그해의 제일 아름다운 불을 / 아궁이에 지핀다.

• 연등은 켜질까요 / 고개 가로저어 / 더 깊숙이 감방 속으로 발을 옮기며 / 두 눈 질끈 감으면 / 더욱더 영롱히 떠오르는 사월 초파일 / 인왕산 ㉢밤 연등, 연등, 연등 / 아아 참말 꽃 같네요 / 참말 꽃밭 같네요.

• 고통과 설움의 땅 훨훨 지나서 / 뿌리 깊은 벌판에 서자 / 두 팔로 막아도 바람은 불 듯 / 영원한 눈물이란 없느니라 / 영원한 비탄이란 없느니라 / 캄캄한 ㉣밤이라도 하늘 아래선 / 마주 잡을 손 하나 오고 있거니

• 달빛이 흡사 비 오듯 쏟아지는 ㉤밤에도 / 우리는 헐어진 성터를 헤매이면서 / 언제 참으로 그 언제 우리 하늘에 / 오롯한 태양을 모시겠느냐고 / 가슴을 쥐어 뜯으며 이야기하며 이야기하며 / 가슴을 쥐어뜯지 않았느냐?

① ㉠, ㉤　　　　② ㉡, ㉢　　　　③ ㉡, ㉣　　　　④ ㉠, ㉢, ㉣　　　　⑤ ㉠, ㉣, ㉤

**17** 〈보기〉에 나타난 (나)의 특징이 가장 잘 드러난 작품은?

┤ 보기 ├

추상적 개념인 '밤'이라는 시간을 시각적 이미지로 형상화하고 있다.

① 아! 그립다.
　내 혼자 마음 날같이 아실 이
　꿈에나 아득히 보이는가

　　　　　　　　　　　　　　　　　　　　　– 김영랑, 「내 마음을 아실 이」 –

② 나의 사랑, 나의 결별
　샘터에 물 고이 듯 성숙하는
　내 영혼의 슬픈 눈

　　　　　　　　　　　　　　　　　　　　　　　　　– 이형기, 「낙화」 –

③ 임 앞에 타오르는
　향연(香煙)과 같이
　땅에선 또 아지랑이 타오르것다.

　　　　　　　　　　　　　　　　　　　　　　　　　– 이수복, 「봄비」 –

④ 화톳장을 뒤치고
　담배를 눌러 꺼도
　마음은 속으로 끝없이 울리노니
　아아 이는 다시 나를 과실(過失)함이러뇨.

　　　　　　　　　　　　　　　　　　　　　　　　　– 유치환, 「광야에 와서」 –

⑤ 아– 스스로히 푸르른 정열에 넘쳐
　둥그란 하눌을 이고 웅얼거리는 바다,
　바다의 깊이 우에
　네구멍 뚫린 피리를 불고…… 청년아.

　　　　　　　　　　　　　　　　　　　　　　　　　– 서정주, 「바다」 –

**18** (나)~(라)에 쓰인 '밤'의 시적 의미에 대한 이해로 적절하지 <u>않은</u> 것은?

① (나)의 '밤'은 화자의 필요에 따라 줄이고 늘릴 수 있는 시간이군.
② (다)의 '밤'은 화자가 사물을 임으로 착각하게 만드는 원인일 수 있겠군.
③ (다)의 '밤'은 자신의 행동에 대해 화자가 안도감을 느끼게 하는 대상이겠군.
④ (라)의 '밤'은 (나), (다)와 달리 화자가 임 가까이 가는 방법에 대해 생각하는 시간이군.
⑤ (다), (라)의 '밤'은 (나)와 달리 임의 부재에서 오는 화자의 외로움이 느껴지는 시간이겠군.

**19** ㉠~㉤에 대한 설명으로 가장 적절한 것은?

① ㉠ : 슬픔으로 응어리진 화자의 마음을 빗댄 소재이다.
② ㉡ : 시름에 빠진 화자의 마음을 달래주는 자연물이다.
③ ㉢ : 화자의 슬픈 정서를 드러내는 감정이입의 대상이다.
④ ㉣ : 화자의 외로움을 불러일으키는 객관적 상관물이다.
⑤ ㉤ : 현실에서 이루지 못한 화자의 소망을 이루어주는 매개체이다.

**[20~25] 다음 글을 읽고, 물음에 답하시오.**

(가) 동지(冬至)ㅅ둘 ㉠기나긴 밤을 한 허리를 버혀 내여
　　　춘풍(春風) 니불 아레 서리서리 너헛다가
　　　어론 님 오신 날 밤이여든 구뷔구뷔 펴리라

　　　　　　　　　　　　　　　　　　　　　　　　　　－ 황진이 －

(나) 님이 오마 ᄒ거늘 져녁 밥을 일 지어 먹고 중문(中門) 나셔 대문(大門) 나가 지방(地方) 우희 치ᄃ라 안자 이수(以手)로 가액(加額)ᄒ고 오는가 가는가 건넌 산(山) ᄇ라보니 거머횟들 셔 잇거늘 저야 님이로다

　보션 버셔 품에 품고 신 버셔 손에 쥐고 곰븨님븨 님븨곰븨 쳔방지방 지방쳔방 즌 ᄃ 른 ᄃ 굴희지 말고 위렁충창 건너가셔 정(情)엣말 ᄒ려 ᄒ고 겻눈을 흘긧 보니 상년(上年) 칠월(七月) 사흔날 골가 벅긴 주추리 삼대 슬드리도 날 소겨라

　모쳐라 밤일식만졍 힝혀 낫이런들 놈 우일 번 ᄒ괘라

　　　　　　　　　　　　　　　　　　　　　　　　　　－ 작자미상 －

(다) 십 년(十年)을 경영(經營)ᄒ여 초려삼간(草廬三間) 지여 내니
　　　나 ᄒᆞᆫ 간 ᄃᆞᆯ ᄒᆞᆫ 간에 청풍(淸風) ᄒᆞᆫ 간 맛뎌 두고
　　　강산(江山)은 들일 ᄃᆡ 업스니 둘러 두고 보리라

　　　　　　　　　　　　　　　　　　　　　　　　　　－ 송순 －

**20** (가)~(다)의 표현상의 특징과 효과로 적절한 것은?

① (가)와 (나)는 계절감을 지닌 시어를 통해 시의 분위기를 감각적으로 제시한다.
② (가)와 (나)는 음성상징어를 사용하여 화자의 간절한 마음을 생생하게 표현한다.
③ (가)와 (다)는 대비되는 시어를 통해 화자가 처한 상황을 효과적으로 표현한다.
④ (가)와 (다)는 다양한 감각적 표현을 통해 화자가 소망하는 세계를 구체적으로 표현한다.
⑤ (나)와 (다)는 자연을 의인화하여 화자의 자연친화적 태도를 효과적으로 표현한다.

**21** (가)에 대한 설명으로 적절하지 않은 것은?

① 임에 대한 간절한 그리움을 표현하고 있다.
② 음성 상징어를 활용하여 대상을 생생하게 표현하고 있다.
③ 종결어미 '-리라'를 활용하여 화자의 소망을 드러내고 있다.
④ 계절감을 나타내는 시어를 사용하여 시간의 경과를 나타내고 있다.
⑤ '밤'을 구체적 사물로 형상화하여 가운데를 자를 수 있는 것으로 표현하고 있다.

**22** ㉠에 보이는 시적 발상이 나타나지 않는 것은?

① 밤 근심이 하 길기에 / 꿈도 길 줄 알았더니 / 님을 보러 가는 길에 반도 못 가서 깼었고나.

　　　　　　　　　　　　　　　　　　　　　　　　　　　　　　　 – 한용운, 「꿈과 근심」 –

② 내 마음 속 우리 님의 고운 눈썹을 / 즈믄 밤의 꿈으로 맑게 씻어서 하늘에다 옮기어 심어 놨더니

　　　　　　　　　　　　　　　　　　　　　　　　　　　　　　　　　 – 서정주, 「동천」 –

③ 한숨아 세한숨아 네 어내 틈으로 드러온다. / 고모장지 세살장지 가로닫아 여닫이 암돌쩌귀 수돌쩌귀 배목걸새 뚝닥 박고

　　　　　　　　　　　　　　　　　　　　　　　　　　　　　　　　 – 작자미상, 사설시조 –

④ 문을 닫으니 붉은 잎 떨어지고 / 시구를 얻으니 흰머리가 새롭구나 정다운 벗 생각할 때는 즐겁다가 / 적막한 새벽되니 시름 더하네

　　　　　　　　　　　　　　　　　　　　　　　　　　　　　　 – 박은, 「우중유희택지」 –

⑤ 겨울나무와 / 바람 / 머리채 긴 바람들은 투명한 빨래처럼 / 진종일 가지 끝에 걸려 / 나무도 바람도 / 혼자가 아닌 게 된다

　　　　　　　　　　　　　　　　　　　　　　　　　　　　　　　　 – 김남조, 「설일」 –

**23** (나)와 〈보기〉를 비교한 것으로 적절하지 <u>않은</u> 것은?

┤ 보기 ├

창밖이 어른어른커늘 님만 여겨 펄떡 뛰어 뚝 나서 보니
님은 아니 오고 으스름 달빛에 녈 구름 날 속였구나
마초아 밤일세망정 행여 낮이런들 남 우일 뻔하여라

– 작자 미상 –

① (나)와 〈보기〉는 모두 기존의 평시조에서 장형화 되었다.
② (나)와 〈보기〉는 모두 임을 애타게 기다리는 마음을 형상화하고 있다.
③ (나)와 〈보기〉의 화자는 모두 자연물을 임으로 착각하여 해학성을 드러낸다.
④ (나)와 〈보기〉 모두 열거와 과장을 통해서 화자의 고조된 정서를 표현하고 있다.
⑤ 〈보기〉와 달리 (나)는 의성어를 사용하여 화자의 조급한 마음을 표현하고 있다.

**24** 〈보기〉에서 설명하고 있는 특징이 나타나지 <u>않는</u> 것은?

┤ 보기 ├

　해학은 사회적 사건이나 현상을 우스꽝스럽게 표현하는 방법이다. 해학은 주어진 사실을 객관적으로 드러내지 않고 과장하거나 왜곡하거나 비꼬아서 우스꽝스럽게 표현해 웃음을 유발한다. 이는 선조들의 일상생활이 녹아있는 마당극이나 판소리, 소설 등에서 자주 드러나며, 웃음을 유발하는 해학적 표현을 통해 기쁜 상황은 더욱 유쾌하게 만들고, 슬픈 상황은 웃음으로 대체할 수 있도록 했다. 해학은 또 교훈적인 메시지를 은근히 숨기는데도 쓰였으며 직접적인 표현보다 더 효과적으로 주제를 드러낸다.

① 창밖이 어른어른커늘 님만 여겨 펄떡 뛰어 툭 나서 보니 / 님은 아니 오고 으스름 달빛에 녈 구름 날 속였구나 / 마초아 방일세 망정 행여 낮이런들 남 우일 뻔하여라.

– 작자미상 –

② 서방님 병들어 두고 먹일 것이 없어 / 종루 시장에 다리를 팔아. 배 사고, 감 사고, 유자 사고, 석류를 샀다. 아차차 잊었구나. 오색 사탕을 잊었구나. / 수박에 숟가락 꽂아 놓고 한숨지어 하노라.

– 작자미상 –

③ 기를 여라믄이나 기르되 요 기곳치 알미오랴. / 뮈온 님 오게 되면 쇠리를 회회 치며 치쒸락 나리쒸락 반겨서 뇌닷고, 고은 님 오게 되면 뒷발을 바둥바둥 므르락 나오락 캉캉 즛는요 도리앙키 / 쉰밥이 그릇 그릇 난진들 너 먹일 줄이 아시라

– 작자미상 –

④ 외나무다리 어렵대야 시아버니같아 어려우냐? 나뭇잎이 푸르대야 시어머니보다 더 푸르랴? 시아버니 호랑새요 시어머니 꾸중새요. 동세하나 할림새요. 시누 하나 뾰족새요. 시아지비 뾰중새요. 남편 하나 미련새요. 자식 하나 난 우는 새요 나 하나만 썩는 샐세.

– 작자미상 –

⑤ 귀또리 져 귀또리 어엿부다 져 귀또리 / 어인 귀또리 지는달 새는 밤의 긴 소리 쟈른 소리 절절(節節)이 슬픈 소리 제 혼자 우러 녜어 사창(紗窓) 여원 줌을 슬쓰리도 씨오느고야 / 두어라. 제 비록 미물(微物)이나 무인동방(無人洞房)에 내 뜻 알리는 너쑌인가 ㅎ노라

– 작자미상 –

**25** 〈보기〉를 참고하여 (다)를 감상한 것으로 적절하지 않은 것은?

┤ 보기 ├

　　조선 시대 시조 문학의 주된 향유 계층은 사대부들이었다. 그들은 '사(士)'로서 심성을 수양하고 '대부(大夫)'로서 관직에 나아가 정치 현실에 참여하는 것을 이상으로 여겼다. 세속적 현실 속에서 나라와 백성을 위한 이념을 추구하면서 동시에 심성을 닦을 수 있는 자연을 동경했던 것이다. 이러한 의식의 양면성에 기반을 두고 시조 문학은 크게 강호가류(江湖歌類)와 오륜가류(五倫歌類)의 두 가지 경향으로 발전하게 되었다.
　　그리고 사대부의 풍류에 참여하는 기녀도 시조를 창작하였는데, 남녀의 정을 섬세하고 우아하게 표현하였다. 사설시조는 작자를 알 수 없는 작품이 많으며, 주로 세태를 풍자하거나 삶의 애환을 해학적으로 노래하였다.

① 화자는 자연물을 의인화하여 물아일체(物我一體)의 경지를 보이고 있군.
② 화자는 자신의 심성을 닦을 수 있는 공간으로 그러한 자연의 공간을 동경했다고 할 수 있겠군.
③ 화자가 자연 속에서 소박하게 살고자 하는 마음을 노래한 것으로 보아 이 시조는 강호가류(江湖歌類)에 속하겠군.
④ 화자가 십년이나 계획하여 초려삼간(草廬三間)을 짓겠다는 것은 안빈낙도(安貧樂道)의 자세를 보여주는 것이라 하겠군.
⑤ 화자는 유교적 가치관을 갖고 있는 '대부(大夫)'로서 현실에 대한 비판적인 인식을 갖고 세태를 풍자하는 태도도 보여주고 있군.

[26~29] 다음 글을 읽고, 물음에 답하시오.

(가) 동지(冬至)ㅅ돌 기나긴 밤을 한 허리를 버혀 내여
　　　춘풍(春風) 니불 아레 서리서리 너헛다가
　　　어론 님 오신 날 밤이여든 구뷔구뷔 펴리라.

― 황진이 ―


(나) 님이 오마 ᄒ거늘 저녁밥을 일 지어 먹고 중문(中門) 나서 대문(大門) 나가 지방(地方) 우희 치드라 안자 이수(以手)로 가액(加額)ᄒ고 오는가 가는가 건넌 산(山) ᄇ라보니 거머횟들 셔 잇거늘 져야 님이로다

　　보션 버서 품에 품고 신 버서 손에 쥐고 곰븨님븨 님븨곰븨 천방지방 지방천방 즌 듸 무른 듸 굴희지 말고 워렁충창 건너가서 정(情)엣말 ᄒ려 ᄒ고 겻눈을 흘긧 보니 상년(上年) 칠월(七月) 사흔날 ᄀ가 벅긴 주추리 삼대 슬드리도 날 소겨라

　　모쳐라 밤일식만졍 ᄒ혀 낫이런들 ᄂᆞᆷ 우일 번 ᄒ괘라.

― 작자미상 ―

**(다)** 산수간 바위 아래 띠집을 짓노라 하니

　　그 모른 남들은 웃는다 한다마는

　　어리고 향암(鄕闇)의 뜻에는 내 분(分)인가 하노라.


　　잔 들고 혼자 앉아 먼 뫼를 바라보니

　　그리던 님이 오다 반가움이 이러하랴

　　말씀도 웃음도 아녀도 못내 좋아 하노라


　　누고서 삼공(三公)도곤 낫다하더니 만승(萬乘)이 이만하랴

　　이제로 헤어든 소부허유가 약돗더라

　　아마도 임천한흥(林泉閑興)을 비길 곳이 없어라


　　강산이 됴타한들 내 분(分)으로 누엇느냐

　　님군의 은혜를 이제 더욱 아노이다

　　아무리 갚고자 하여도 해올 일이 업세라.

– 윤선도, 「만흥」 중에서 –

---

**26** (가)~(다)에 대한 설명으로 적절하지 <u>않은</u> 것은?

① (가)는 추상적 개념을 구체적 사물로 표현하여 전개하였다.

② (가)와 (나)는 음성상징어를 사용하여 우리말의 아름다움을 잘 보여준다.

③ (나)는 상황을 과장되게 표현하여 화자의 정서를 드러내고 있다.

④ (나)와 (다)는 영탄적 표현을 통해 현실에 대한 화자의 인식을 드러내고 있다.

⑤ (다)는 동일한 시적 대상을 지칭하는 다양한 시어를 제시하고 있다.


**27** (가)와 〈보기〉의 화자가 대화한 내용으로 <u>잘못된</u> 것은?

┤ 보기 ├

　　십 년(十年)을 경영(經營)ᄒ여 초려삼간(草廬三間) 지여내니

　　나 ᄒᆞᆫ 간 ᄃᆞᆯ ᄒᆞᆫ 간에 청풍(淸風) ᄒᆞᆫ 간 맛져 두고

　　강산(江山)은 들일 듸 업스니 둘러 두고 보리라.

① (가)의 화자 : 십 년간 관직에 있었는데 초려삼간(草廬三間) 지으셨다니 당신은 욕심이 없는 사람이군요.

② 〈보기〉의 화자 : 아닙니다. 당신이야말로 자신의 감정을 솔직하게 표현하시다니 부럽습니다.

③ (가)의 화자 : 자연물을 의인화하여 자연과 더불어 살고 싶은 마음을 가지신 걸 보니 '강산(江山)'은 당신에게 큰 의미가 있는가 봅니다.

④ 〈보기〉 화자 : 네. 자연과 동화되고 싶은 마음에 노심초사(勞心焦思)하고 있습니다.

⑤ (가)의 화자 : 저는 대조적 표현을 사용하여 임을 기다리는 마음을 나타내어 보았는데 제 간절함이 보이시나요?

**28** 〈보기〉를 바탕으로 작품을 감상할 때 (나)와 가장 유사한 시적 발상이 나타나는 것은?

> ┤ 보기 ├
>
> 　서정 문학에서 시적 대상이나 시적 상황에 대해 대응하는 화자의 정서와 태도는 어조나 사상 전개를 통해 드러난다. 이를테면 사랑하는 임을 기다리는 마음과 임에 대한 화자의 애타는 그리움을 '착각'과 '실상'의 의미 구조를 통해 극적으로 형상화하여 시상을 전개하는데, 이런 방식은 한 인간으로서 가지고 있는 본연의 순수한 사랑의 감정을 담아내는 중요한 표현 수단으로 활용된다.

① 그대가 처음 / 내 속에 피어날 때처럼 / 잊는 것 또한 그렇게 / 순간이면 좋겠네 // 멀리서 웃는 그대여 / 산 넘어 가는 그대여 // 꽃이 / 지는 건 쉬워도 / 잊는 건 한참이더군 / 영영 한참이더군

　　　　　　　　　　　　　　　　　　　　　　　　　　　　　　　　　　　　　　　　　　　　　　　　　　　　　　　　　　　　　　　　　　　　 – 최영미, 「선운사에서」 –

② 화분에 매화꽃이 올 적에 / 그걸 맞느라 밤새 조마조마하다 / 나는 한 말을 내어놓는다 / 이제 오느냐 / 아이가 학교를 파하고 집으로 돌아올 적에 / 나는 또 한 말을 내어 놓는다 / 이제 오느냐

　　　　　　　　　　　　　　　　　　　　　　　　　　　　　　　　　　　　　　　　　　　　　　　　　　　　　　　　　　　　　　　　　　　　 – 문태준, 「이제오느냐」 –

③ 새벽에 준 조로의 물이 / 대낮이 지나도록 마르지 않고 / 젖어 있듯이 / 묵은 사랑이 / 뉘우치는 마음의 한복판에 / 젖어 있을 때 / 붉은 파밭의 푸른 새싹을 보아라 / 얻는 다는 것은 곧 잃는 것이다.

　　　　　　　　　　　　　　　　　　　　　　　　　　　　　　　　　　　　　　　　　　　　　　　　　　　　　　　　　　　　　　　　　　　　 – 김수영, 「파밭가에서」 –

④ 기다리면 임께서 바다 위로 걸어오신다기에 / 연북정 지붕 끝에 고요히 앉은 아침 이슬이 되어 그대를 기다리나니 / 기다림 없는 사랑이 어디 잇느냐/ 그대의 사랑도 일생에 한 번쯤은 아침 이슬처럼 / 아름다운 순간을 갖게 되기를

　　　　　　　　　　　　　　　　　　　　　　　　　　　　　　　　　　　　　　　　　　　　　　　　　　　　　　　　　　　　　　　　　　　　 – 정호승, 「연북정」 –

⑤ 세상에서 기다리는 일처럼 가슴 애리는 일 있을까 / 네가 오기로 한 그 자리, 내가 미리 와 있는 이곳에서 / 문을 열고 들어오는 모든 사람이 / 너였다가 / 너였다가, 너일 것이었다가 / 다시 문이 닫힌다.

　　　　　　　　　　　　　　　　　　　　　　　　　　　　　　　　　　　　　　　　　　　　　　　　　　　　　　　　　　　　　　　　　　　　 – 황지우, 「너를 기다리는 동안」 –

**29** 다음 중 (다)에 나타난 시적 화자의 태도와 유사한 것은?

① 달 밝고 바람 잔잔하니 물결이 비단일다
　작은 배를 비스듬히 놓아 오락가락 하는 흥(興)을
　백구(白鷗)야 하 즐겨 마라 세상(世上)알가 하노라.

　　　　　　　　　　　　　　　　　　　　　　　　　　　　　　　　　　　　　　　　　　　　　　　　　　　　　　　　　　　　　　　　　　　　 – 나위소, 「강호구가」 중에서 –

② 청산(靑山)은 내 뜻이오 녹수(綠水)는 님의 정(情)이
　녹수(綠水) 흘러간들 청산(靑山)이야 변(變)할 것인가
　녹수(綠水)도 청산(靑山)을 못 잊어 울면서 흘러 가는가.

　　　　　　　　　　　　　　　　　　　　　　　　　　　　　　　　　　　　　　　　　　　　　　　　　　　　　　　　　　　　　　　　　　　　 – 황진이 –

③ 눈 마자 휘어진 대를 누가 굽다던가
　굽을 절(節)이면 눈 속에 푸를 것인가
　아마도 세한고절(歲寒高節) 너 뿐인가 하노라.

　　　　　　　　　　　　　　　　　　　　　　　　　　　　　　　　　　　　　　　　　　　　　　　　　　　　　　　　　　　　　　　　　　　　 – 원천석 –

④ 노래 만든 사람 시름도 많기도 많구나
　일러 다 못 일러 불러나 풀었는가
　진실로 풀릴 것이면 나도 불러 보리라.

　　　　　　　　　　　　　　　　　　　　　　　　　　　　　　　　　　　　　　　　　　　　　　　　　　　　　　　　　　　　　　　　　　　　 – 신흠 –

⑤ 산(山)은 옛 산(山)이로되 물은 옛 물이 아니로다.
　주야(晝夜)에 흐르나니 옛 물이 있을 소냐.
　인걸(人傑)도 물과 같아서 가고 아니 오는구나.

　　　　　　　　　　　　　　　　　　　　　　　　　　　　　　　　　　　　　　　　　　　　　　　　　　　　　　　　　　　　　　　　　　　　 – 황진이 –

# 서술형 심화문제

[01~09] 다음 글을 읽고, 물음에 답하시오.

**(가)**

십 년(十年)을 경영(經營)ᄒ여 초려삼간(草廬三間) 지여 내니
나 ᄒ 간 달 ᄒ 간에 청풍(淸風) ᄒ 간 맛뎌 두고
강산(江山)은 들일 듸 업스니 둘러 두고 보리라

**(나)**

생사(生死) 길은
예 있으매 머뭇거리고,
나는 간다는 말도
몯다 이르고 어찌 갑니까.
어느 가을 이른 바람에
이에 저에 떨어질 잎처럼,
한 가지에 나고
가는 곳 모르온저.
아아, 미타찰(彌陀刹)에서 만날 나
도(道) 닦아 기다리겠노라.

**(다)**

ⓐ동지(冬至)ㅅ둘 기나긴 밤을 한 허리를 버혀 내여
춘풍(春風) 니불 아래 서리서리 너헛다가,
어론 님 오신 날 밤이여든 구뷔구뷔 펴리라.

**(라)**

님이 오마 ᄒ거늘 저녁밥을 일 지어 먹고
중문(中門)나서 대문(大門)나가 지방(地方) 우희 치ᄃ라 안자 이수(以手)로 가액(加額)ᄒ고 오ᄂᆞᆫ가 가ᄂᆞᆫ가 건넌 산(山)ᄇᆞ라보니 거머횟들 셔 잇거늘 져야 님이로다

[A] ┌ 보션 버서 품에 품고 신 버서 손에 쥐고 곰븨님븨 님븨곰븨 천방지방 지방천방 즌 듸 무른 듸 굴희지 말고 위렁충
    창 건너가셔 정(情)엣말 ᄒ려 ᄒ고 겻눈을 흘긧 보니 상년(上年) 칠월(七月) 사흔날 골가 벅긴 주추리 삼대 슬드리도
    └ 날 소겨라
모쳐라 밤일식망졍 힝혀 낫이런들 눔 우일 번 ᄒ괘라.

---

**01** (가)와 (다)의 차이점을 내용적 측면에서, 작자를 고려하여 〈조건〉에 맞게 서술하시오.

┌ **조건** ┐
• (가)와 (다)의 작가가 속한 계층에 대한 언급을 반드시 할 것
└                                                      ┘

**02** (나)~(라)를 읽고 〈보기〉의 ㉠~㉣을 채우시오.

┤ 보기 ├

　한국 서정 문학은 형식면에서 시대에 따라 특정한 형식이 도드라지게 나타나기도 하였고, 기존의 형식이 변형되면서 후대에 계승되기도 하였다. 통일 신라 시대에 성행한 (나)와 같은 갈래의 (　㉠　)는 고려 말기에 시조로 발전하고, 조선시대에 전성기를 이룬 (다)와 같은 평시조는 조선 후기에 형식을 변형하여 (라)와 같은 갈래의 (　㉡　)로 창작되어 나타난다.

　(나), (다), (라)와 같은 서정 문학의 계승이 형식면에서 나타나는 특징은 다음과 같다. 첫째, 모두 공통적으로 3단 구성으로 나타난다. 둘째, (나)의 '아아'와 같이 '결'부분에 해당하는 마지막 두 구의 첫머리에 쓴 감탄사가 (다)와 (라)같은 갈래에서는 (　㉢　)을 반드시 지켜야 하는 형식으로 계승 발전되었다. 이것은 조선 후기 가사의 '결사'에도 영향을 주어 그 흔적이 남아 있기도 한다. 셋째, 운율에서 (다)는 전형적인 (　㉣　) 운율로 자연스럽게 끊어 읽을 수 있는 반면에, (라)는 대부분 음보에 따른 운율이 정형성을 벗어나 내용이 길어져 나타난다.

**03** (나)와 〈보기〉의 시적 상황에서 볼 수 있는 (1)공통점과 (2)태도의 차이점을 서술하시오.

┤ 보기 ├

네가 오기로 한 그 자리에
내가 미리 가 너를 기다리는 동안
다가오는 모든 발자국은
내 가슴에 쿵쿵거린다.
바스락 거리는 나뭇잎 하나도 다 내게 온다.
기다려본 적이 있는 사람은 안다.
세상에서 기다리는 일처럼 가슴 애리는 일 있을까
네가 오기로 한 그 자리, 내가 미리 와 있는 이곳에서
문을 열고 들어오는 모든 사람이
너였다가
너였다가, 너일 것이었다가
다시 문이 닫힌다.
사랑하는 이여
오지 않는 너를 기다리며
마침내 나는 너에게 간다.
아주 먼데서 나는 너에게 가고
아주 오랜 세월을 다하여 지금 오고 있다
아주 먼데서 지금 천천히 오고 있는 너를
너를 기다리는 동안 나도 가고 있다
남들이 열고 들어오는 문을 통해
내 가슴에 쿵쿵거리는 모든 발자국 따라
너를 기다리는 동안 나는 너에게 가고 있다.

－ 황지우, 「너를 기다리는 동안」 －

┤ 조건 ├

• 시적 대상과 관련하여 서술할 것

**04** (다)의 ⓐ와 동일한 표현상 특징이 나타나는 부분을 〈보기〉에서 찾아 쓰고, 그 표현상 특징에 대해 〈조건〉에 맞게 서술하시오.

┤ 보기 ├

내 무음 버혀 내여 뎌 달을 만들고져.
구만 리 댱텬(長川)의 번드시 걸려 이셔,
고온 님 겨신 고듸 가 비최여나 보리라.

– 정철 –

┤ 조건 ├

• 〈보기〉의 표기대로 찾아 쓸 것
• 표현상 특징은 상세하게 서술할 것
• 어법 및 표기법에 맞게 서술할 것

**05** (라)의 [A]에 나타나는 표현상의 특징과 효과를 서술하시오.

**06** (라)가 (나)의 전통을 계승했다고 할 때, 어떤 점에서 계승을 했는지 〈조건〉에 맞게 서술하시오.

┤ 조건 ├

• (나)와 (라)의 갈래에 대한 명칭을 답안에서 언급할 것
• '구성'과 '시상의 종결 방식'이라는 두 가지 측면에서 답안을 서술할 것
• '구성' 측면에서 답안을 서술할 때에는 각 갈래의 구체적 구성 단계가 언급되도록 서술할 것
• '시상의 종결 방식' 측면에서 답안을 서술할 때에는 각 작품 속 단어 또는 구절 등을 직접 인용하고, 그러한 종결 방식이 갖는 효과 두 가지를 서술할 것

# 가 속미인곡(續美人曲)

| 원문 | 현대어 |
|---|---|
| 뎨 가는 뎌 각시 본 듯도 흐뎌이고 | 저기 가는 저 각시 본 듯도 하구나 |
| 텬상(天上) 빅옥경(白玉京)을 엇디흐야 니별(離別)흐고 | 천상 백옥경을 어찌하여 이별하고 |
| 힌 다 뎌 져믄 날의 눌을 보라 가시는고 | 해 다 져 저문 날에 누굴 보러 가시는가 |
| 어와 네여이고 이내 스셜 드러 보오 | 어와 너로구나 이내 사셜 들어 보오 |
| 내 얼굴 이 거동이 님 괴얌즉 흐가마는 | 내 모습 이 거동이 임이 사랑함직 한가마는 |
| 엇딘디 날 보시고 네로다 녀기실싀 | 어쩐지 날 보시고 너로다 여기심에 |
| 나도 님을 미더 군뜨디 젼혀 업서 | 나도 임을 믿어 딴생각 전혀 없어 |
| 이릭야 교틱야 어즈러이 흐돗썬디 | 아양이며 교태며 어지럽게 하였던지 |
| 반기시는 낫비치 네와 엇디 다르신고 | 반기시는 낯빛이 예와 어찌 다르신가 |
| 누어 싱각흐고 니러 안자 혜여흐니 | 누워 생각하고 일어나 앉아 헤아리니 |
| 내 몸의 지은 죄 뫼고티 싸혀시니 | 내 몸의 지은 죄 산같이 쌓였으니 |
| 하늘히라 원망흐며 사름이라 허믈흐랴 | 하늘을 원망하며 사람을 탓하겠는가 |
| 셜워 플텨혜니 조믈(造物)의 타시로다 | 서러워 생각하니 조물주의 탓이로다 |
| 글란 싱각 마오 믹친 일이 이셔이다 | 그것일랑 생각 마오 맺힌 일이 있습니다 |
| 님을 뫼셔 이셔 님의 일을 내 알거니 | 임을 모셔 봐서 임의 일을 내 알거니 |
| 믈 고튼 얼굴이 편흐실 적 멋 날일고 | 물 같은 몸이 편하실 때 몇 날일까 |
| 츈한고열(春寒苦熱)은 엇디흐야 디내시며 | 봄추위 여름 더위 어떻게 지내시며 |
| 츄일동텬(秋日冬天)은 뉘라셔 뫼셧는고 | 가을철 겨울철은 누가 모셨는가 |
| 죽조반(粥早飯) 죠셕(朝夕) 뫼 녜와 굿티 셰시는가 | 죽조반 조석 진지 예전과 같이 올리시나 |
| 기나긴 밤의 좀은 엇디 자시는고 | 기나긴 밤에 잠은 어찌 주무시나 |
| 님 다히 쇼식(消息)을 아므려나 아쟈 흐니 | 임 계신 곳 소식을 어떻게든 알자 하니 |
| 오늘도 거의로다 닉일이나 사름 올가 | 오늘도 저물었네 내일이나 사람 올까 |
| 내 무음 둘 디 업다 어드러로 가쟛 말고 | 내 마음 둘 데 없다 어디로 가잔 말인가 |

주석:
- 텬상(天上) 빅옥경(白玉京)을 엇디흐야 니별(離別)흐고 — '여인2'가 임과 이별함 → 관직에서 물러남
- 힌 다 뎌 져믄 날의 — 쓸쓸한 상황 강조 → 애상적 분위기
- 나도 님을 미더 군뜨디 젼혀 업서 — 임에 대한 '여인 2'의 순수한 사랑과 믿음
- 이릭야 교틱야 어즈러이 흐돗썬디 — '여인 2'가 생각하는 이별의 이유
- 내 몸의 지은 죄 뫼고티 싸혀시니 — 이별에 대해 자책
- 셜워 플텨혜니 조믈(造物)의 타시로다 — 조물주의 탓 - 운명론적 태도
- 글란 싱각 마오 / 믹친 일이 이셔이다 — '여인 1'이 '여인 2'를 위로함 / → '여인 2'의 말 → 다양한 해석이 가능함
- 믈 고튼 얼굴이 편흐실 적 멋 날일고 — '여인 2'는 자신이 임을 모시던 때를 생각하며 여러 걱정거리들을 털어놓고 있다. '여인 2'의 이러한 임에 대한 염려는 작가인 '정철'의 임금에 대한 충정을 뜻한다고 볼 수 있다.
- 님 다히 쇼식(消息)을 아므려나 아쟈 흐니 — 임 계신 곳 = 임금 계신 곳 = 한양
- 오늘도 거의로다 닉일이나 사름 올가 — 임의 소식을 전하는 사람

잡거니 밀거니 놉픈 뫼히 올라가니
△: '여인 2'의 소망을 이루기 위한 공간

구롬은 ᄏᆞ니와 안개는 므스 일고
□: '여인 2'와 임 사이를 가로막는 장애물 → 당시 조정을 어지럽히던 간신을 상징함

산쳔(山川)이 어둡거니 일월(日月)을 엇디 보며
당시의 부정적인 시대 상황    임금을 상징함

지쳑(咫尺)을 모ᄅᆞ거든 쳔 리(千里)를 ᄇᆞ라보랴

출하리 믈ᄀᆞ의 가 ᄇᆡ길히나 보랴 ᄒᆞ니

ᄇᆞ람이야 믈결이야 어둥졍 된뎌이고

샤공은 어ᄃᆡ 가고 빈 ᄇᆡ만 걸렷ᄂᆞᆫ고
◯ 객관적 상관물 – '여인 2'의 외로움 부각

강쳔(江天)의 혼자 셔셔 디ᄂᆞᆫ ᄒᆡ를 구버보니

님 다히 쇼식(消息)이 더옥 아득ᄒᆞ뎌이고

모쳠(茅簷) 춘 자리의 밤듕만 도라오니

반벽쳥등(半壁靑燈)은 눌 위ᄒᆞ야 불갓ᄂᆞᆫ고

오ᄅᆞ며 ᄂᆞ리며 헤ᄯᅳ며 바자니니
임의 소식을 알기 위해 낮 동안 '여인 2'가 했던 행동

져근덧 녁진(力盡)ᄒᆞ야 픗ᄌᆞᆷ을 잠간 드니

졍셩(精誠)이 지극ᄒᆞ야 ᄭᅮᆷ의 님을 보니

옥(玉) ᄀᆞᄐᆞᆫ 얼구리 반(半)이 나마 늘거셰라
임과 '여인 2'가 함께 있었을 때    임과 '여인 2'가 헤어져 있을 때

ᄆᆞ음의 머근 말ᄊᆞᆷ 슬ᄏᆞ장 ᄉᆞᆲ자 ᄒᆞ니
임에 대한 사랑과 그리움의 말

눈믈이 바라나니 말ᄊᆞᆷ인들 어이 ᄒᆞ며

졍(情)을 못다 ᄒᆞ야 목이조차 메여 ᄒᆞ니

오뎐된 계셩(鷄聲)의 ᄌᆞᆷ은 엇디 ᄭᆡ돗던고

어와 허ᄉᆞ(虛事)로다 이 님이 어ᄃᆡ 간고

결의 니러 안자 창(窓)을 열고 ᄇᆞ라보니

어엿븐 그림재 날 조츨 ᄯᆞᆫ이로다
'여인 2'의 외롭고 쓸쓸한 심정을 드러냄

출하리 싀여디여 낙월(落月)이나 되야이셔
'여인 2'의 분신 ① 소극적 애정관(멀리서 임을 바라봄)

님 겨신 창(窓) 안히 번드시 비최리라

각시님 ᄃᆞᆯ이야ᄏᆞ니와 구ᄌᆞᆫ비나 되쇼셔
'여인 2'의 분신 ② 적극적 애정관(오랫동안 내리며 임의 곁에 있을 수 있음)

---

잡거니 밀거니 높은 산에 올라가니

구름은 물론이고 안개는 무슨 일인가

산천이 어두운데 해와 달을 어찌 보며

지척을 모르는데 천 리를 바라볼까

차라리 물가에 가 뱃길이나 보려 하니

바람이야 물결이야 어수선히 되었구나

사공은 어디 가고 빈 배만 매여 있는가

강가에 혼자 서서 지는 해를 굽어보니

임 계신 곳 소식이 더욱 아득하구나

초가집 찬 자리에 밤중쯤 돌아오니

벽 가운데 청등은 누굴 위해 밝았는가

오르며 내리며 헤매며 서성대니

잠깐 동안 힘이 다해 풋잠을 잠깐 드니

정성이 지극하여 꿈에 임을 보니

옥 같은 모습이 반 넘어 늙었구나

마음에 먹은 말씀 실컷 사뢰려니

눈물이 쏟아지니 말씀인들 어찌 하며

정회를 못다 풀어 목조차 메여 오니

새벽닭 소리에 잠은 어찌 깨었던가

어와 허사로다 이 임이 어디 갔나

잠결에 일어나 앉아 창을 열고 바라보니

가엾은 그림자가 날 좇을 뿐이로다

차라리 죽어서 지는 달이나 되어서

임 계신 창 안에 환하게 비추리라

각시님 달도 좋지만 궂은비나 되소서

⊙ **어휘풀이**

- **백옥경(白玉京)** : 도가(道家)에서 이르는 옥황상제가 산다는 곳. 여기에서는 임금이 있는 한양의 궁궐을 가리킨다.
- **사설(辭設)** : 1. 늘어놓는 말이나 이야기. 2. 잔소리나 푸념을 길게 늘어놓음. 또는 그 잔소리와 푸념.
- **교태(嬌態)** : 귀염을 받으려고 알랑거리는 태도.
- **죽조반(粥早飯)** : 아침 먹기 전에 일찍 먹는 죽.
- **지척(咫尺)** : 아주 가까운 거리.
- **새벽닭 소리** : 날이 샐 무렵에 우는 닭의 소리. '오뎐된 계셩(鷄聲)'은 '방정맞은 닭 울음소리'로 해석하기도 한다.
- **궂은비** : 날이 흐리어 어두침침하게 오랫동안 내리는 비.

⊙ **핵심정리**

| 갈래 | 가사, 서정 가사, 양반 가사 |
|---|---|
| 성격 | 서정적, 애상적 |
| 제재 | 임을 그리워하는 마음. |
| 주제 | 임에 대한 그리움과 슬픔. |
| 특징 | • 두 여인이 대화를 나누는 형식으로 전개됨.<br>• 우리말 표현의 아름다움을 잘 살림. |

**확인학습** ................................................................................................................

01 이 작품은 대화의 형식으로 시상을 전개하고 있다. O☐ X☐

02 이 작품은 4음보의 율격을 반복해 리듬감을 살리고 있다. O☐ X☐

03 이 작품은 '연군지정'을 남녀 간의 사랑에 빗대어 표현한 것으로 볼 수 있다. O☐ X☐

04 이 시의 화자는 화자는 자신이 임의 사랑을 믿고 아양과 교태를 부리며 지나치게 허물없이 행동하여 임과 이별하였다고 생각하고 있다. O☐ X☐

05 '여인 1'은 작품의 전개와 종결을 위한 기능적 역할을 하는 보조 화자이다. O☐ X☐

06 '여인 1'은 자신의 신세를 하소연하고 있다. O☐ X☐

07 '여인 2'는 작품의 주제를 구현하는 중심적 인물이다. O☐ X☐

08 '구준비'는 오랫동안 내리며 임의 옷을 적실 만큼 가까이 갈 수 있는 소재이다. O☐ X☐

09 이 작품에서 '구롬'과 '안개'는 당시에 조정을 어지럽히던 간신을 상징한다. O☐ X☐

10 이 작품의 화자는 임에게 버림받은 것에 대해 임을 원망하지 않고 자신과 운명의 탓으로 돌리고 있다. O☐ X☐

## 나 진달래꽃

- 김소월 -

나 보기가 역겨워
시적화자(희생적 · 헌신적 사랑의 주체)

가실 때에는
가정법

말없이 고이 보내 드리우리다
① 임의 뜻을 따르겠다는 순종과 체념의 자세 ② 내면의 고통을 강조하는 반어적 표현


영변(寧邊)에 약산(藥山)
평안북도 영변 서쪽에 있는 산

진달래꽃
시적화자의 분신, 사랑과 한의 표상

아름 따다 가실 길에 뿌리우리다.
임의 앞길 축원


가시는 걸음걸음
주체=임

놓인 그 꽃을
뿌려 놓은 진달래꽃

사뿐히 즈려밟고 가시옵소서
① 자기 희생의 태도, 숭고한 사랑을 드러냄 ② 역설적 표현


나 보기가 역겨워

가실 때에는

죽어도 아니 눈물 흘리우리다.
① '애이불비'의 자세 ② 매우 슬퍼할 것이라는 의미를 담은 반어적 표현


■ **영변에 약산** 평안북도 영변 서쪽에 있는 산.

⊙ **핵심정리**

| 갈래 | 현대 시, 자유시, 서정시 |
| --- | --- |
| 성격 | 민요적, 애상적 |
| 제재 | 임과의 이별. |
| 주제 | 이별의 정한(情恨). |
| 특징 | • 이별의 상황을 가정하여 애절한 심정을 노래함.<br>• 민요조 율격과 수미 상관식 구성을 취함. |

**확인학습** ·········································································································································

01 이 시는 후렴구를 반복하여 음악적 효과를 거두고 있다.　　　　　　　○☐ ×☐

02 이 시는 4음보의 음보율로 운율감을 형성한다.　　　　　　　　　　　○☐ ×☐

03 이 시는 7·5조의 음수율로 운율감을 형성한다.　　　　　　　　　　　○☐ ×☐

04 이 시는 유사한 종결 어미를 반복하여 각운을 형성하고 있다.　　　　　○☐ ×☐

05 이 시는 첫 연과 끝 연을 대응시켜 시적 의미를 강조하고 있다.　　　　○☐ ×☐

06 이 시의 '나'는 임과의 이별을 체념하고 받아들이고 있다.　　　　　　○☐ ×☐

07 이 시의 '진달래꽃'은 임에 대한 사랑을 상징하는 것으로 '나'의 분신으로 볼 수 있다.　○☐ ×☐

08 이 시의 '나'는 이별에도 눈물 흘리지 않고 슬픔을 극복하는 태도를 보인다.　○☐ ×☐

09 이 시의 갈래는 고려가요이다.　　　　　　　　　　　　　　　　　　○☐ ×☐

10 이 시의 화자는 이별에 순응하고 임이 가는 길을 축복한다.　　　　　○☐ ×☐

11 슬프지만 겉으로는 슬픔을 나타내지 아니하는 자세를 '애이불비'라고 한다.　○☐ ×☐

12 이 시는 민요적 율격과 정서를 계승하고 있다.　　　　　　　　　　　○☐ ×☐

13 이 시는 현실의 고통을 극복하려는 태도를 드러낸다.　　　　　　　　○☐ ×☐

14 이 시는 이별의 상황을 가정하여 정서를 드러낸다.　　　　　　　　　○☐ ×☐

15 이 시는 수미상관의 구성 방식을 통해 주제를 강조하고 있다.　　　　○☐ ×☐

# 가시리

– 지은이 모름 –

가시리 가시리잇고 나는
흥을 돋우기 위한 여음.
대답이 필요한 물음이 아니라 제발 떠나지
말라는 애원이 담긴 말이라고 볼 수 있음.

브리고 가시리잇고 나는

(위 증즐가 大平盛代(대평셩되)) ( ) : 후렴구(조흥구, 여음구)
이별의 분위기와 어울리지 않는 시구


날러는 엇디 살라 ᄒ고

브리고 가시리잇고 나는

위 증즐가 大平盛代(대평셩되)


잡스와 두어리마ᄂᆞᄂᆞᆫ

선ᄒ면 아니 올셰라
아니 올까 두렵습니다. 화자가 임을 보내는 이유. 임을 보내는 아쉬움을 절제하여 표현함.

위 증즐가 大平盛代(대평셩되)


셜온 님 보내ᅌᅩ노니 나는
주체 : 임과 이별하는 시적화자. '셜온'의 주체를 '임'으로 보아 '이별을 서러워하는 임을 보내 드리나니'라고 해석하기도 함.

가시는 돗 도셔 오쇼셔 나는
임과의 재회를 기원하는 마음이 담긴 표현으로, 간절하게 임의 귀환을 기다리겠다는 뜻이기도 함.

위 증즐가 大平盛代(대평셩되)


■ **영변에 약산** 평안북도 영변 서쪽에 있는 산.

◉ 핵심정리

| 갈래 | 고려 가요 |
|---|---|
| 성격 | 서정적, 민요적, 애상적 |
| 제재 | 임과의 이별 |
| 주제 | 이별의 정한 |
| 특징 | • 운율: 각 행이 3 · 3 · 2조를 기본으로 다소의 가감을 보이는 3음보격<br>• 형식: 각 연 2행의 분연체(연장체)<br>• 구성: '기−승−전−결'의 구조<br>• 표현: 반복법 사용, 순우리말 시어, 간결하고 애절한 가사<br>• 민요였던 것이 고려의 궁중 음악인 속악으로 개편되면서 투식어(여음, 나ㄴ · ㄴ)와 후렴구가 첨가된 것으로 보임. |

**확인학습** ·····

01 이 시는 연의 구분이 있고 3음보의 율격을 따르고 있다. ○☐ ✕☐

02 이 시는 보편적인 정서를 소박하고 진솔하게 표현한다. ○☐ ✕☐

03 이 시는 의미상 '기승전결(起承轉結)'의 4단 구성을 취하고 있다. ○☐ ✕☐

04 이 시는 궁중 음악으로 편입되는 과정에서 후렴구가 추가되었다. ○☐ ✕☐

05 이 시의 후렴구는 주제를 효과적으로 부각한다. ○☐ ✕☐

06 이 시의 후렴구는 시각적으로 연을 구분 짓고 시의 구조에 통일성을 부여한다. ○☐ ✕☐

07 이 시는 이별의 상황을 중심으로 시상을 전개하고 있다. ○☐ ✕☐

08 이 시는 임이 떠나지 않기를 바라는 시적 화자의 소망이 느껴진다. ○☐ ✕☐

09 이 시는 떠나는 임을 원망하며 이별의 이유를 자신의 탓으로 돌리는 시적 화자의 태도가 드러나 있다. ○☐ ✕☐

10 이 시의 화자는 이별에 순응하고 임과의 재회를 염원하고 있다. ○☐ ✕☐

[01~04] 다음 글을 읽고 물음에 답하시오.

데 가는 뎌 각시 본 듯도 ᄒ녀이고
텬샹(天上) ㉠빅옥경(白玉京)을 엇디ᄒᆞ야 니별(離別)ᄒ고
ᄒᆡ 다 뎌 뎌 져믄 날의 눌을 보라 가시ᄂᆞ고
어와 네여이고 내 ㉡설 드러 보오
내 얼굴 이 거동이 님 괴얌즉 ᄒ가마ᄂᆞᆫ
엇딘디 날 보시고 네로다 녀기실ᄉᆡ
나도 님을 미더 군ᄯᅳ디 전혀 업서
이릭야 교틱야 어즈러이 ᄒ돗썬디
반기시ᄂᆞᆫ 눗비치 녜와 엇디 다ᄅᆞ신고
누어 싱각ᄒᆞ고 니러 안자 혜여ᄒ니
내 몸의 지은 죄 뫼ᄀᆞ티 ᄡᅡ혀시니
하늘히라 원망ᄒᆞ며 사ᄅᆞᆷ이라 허믈ᄒ랴
셜워 플터 혜니 조믈(造物)의 타시로다
글란 싱각 마오 미친 일이 이셔이다
님을 뫼셔 이셔 님의 일을 내 알거니
믈 ᄀᆞᆮ튼 얼굴이 편ᄒᆞ실 적 몃 날일고
츈한 고열(春寒苦熱)은 엇디ᄒᆞ야 디내시며
츄일동텬(秋日冬天)은 뉘라셔 뫼셨ᄂᆞᆫ고
쥭조반(粥早飯) 죠셕(朝夕) 뫼 녜와 ᄀᆞᆮ티 셰시ᄂᆞ가
기나긴 밤의 ᄌᆞᆷ은 엇디 자시ᄂᆞᆫ고
㉢님 다히 쇼식(消息)을 아므려나 아쟈 ᄒ니
오늘도 거의로다 ᄂᆡ일이나 사ᄅᆞᆷ 올가
내 ᄆᆞᄋᆞᆷ 둘 ᄃᆡ 업다 어드러로 가쟛 말고
잡거니 밀거니 놉픈 뫼희 올라가니
구롬은 ᄏᆞ니와 안개는 므스 일고
산쳔(山川)이 어둡거니 일월(日月)을 엇디 보며
지쳑(咫尺)을 모ᄅᆞ거든 쳔 리(千里)ᄅᆞᆯ ᄇᆞ라보랴
출하리 믈ᄀᆞ의 가 ᄇᆡ 길히나 보랴 ᄒ니
ᄇᆞ람이야 믈결이야 어둥졍 된뎌이고
샤공은 어ᄃᆡ 가고 ㉣빈 ᄇᆡ만 걸렷ᄂᆞᆫ고
강텬(江天)의 혼자 셔셔 디ᄂᆞᆫ 히ᄅᆞᆯ 구버보니
님 다히 쇼식(消息)이 더옥 아득ᄒ녀이고
모쳠(茅簷) 춘 자리의 밤듕만 도라오니
반벽쳥등(半壁靑燈)은 눌 위ᄒᆞ야 불갓ᄂᆞᆫ고
오ᄅᆞ며 ᄂᆞ리며 헤쓰며 바자니니
져근덧 녁진(力盡)ᄒᆞ야 픗ᄌᆞᆷ을 잠간 드니
졍셩(精誠)이 지극ᄒᆞ야 ᄭᅮᆷ의 님을 보니
옥(玉) ᄀᆞᆮ튼 얼굴이 반(半)이 나마 늘거셰라
ᄆᆞᄋᆞᆷ의 머근 말ᄉᆞᆷ 슬ᄏᆞ장 ᄉᆞᆲ쟈 ᄒ니
눈믈이 바라 나니 말ᄉᆞᆷ인들 어이ᄒᆞ며

정(情)을 못다 ᄒᆞ야 목이조차 몌여ᄒᆞ니
오뎐된 ⓜ계셩(鷄聲)의 ᄌᆞᆷ은 엇디 ᄭᆡ돗던고
와 허스(虛事)로다 이 님이 어ᄃᆡ 간고
결의 니러 안자 창(窓)을 열고 ᄇᆞ라보니
어엿븐 그림재 날 조츨 ᄲᅮᆫ이로다
츨하리 싀여디여 낙월(落月)이나 되야 이셔
님 겨신 창(窓) 안히 번드시 비최리라
각시님 ᄃᆞᆯ이야 ᄏᆞ니와 구즌비나 되쇼셔

– 정철, 「속미인곡」 –

---

**01** ㉠~㉤에 대한 설명으로 적절하지 <u>않은</u> 것은?

① ㉠ : 이 작품을 '충신연주지사(忠信戀主之詞)'로 볼 때, 임금이 계시는 한양의 궁궐로 해석할 수 있다.

② ㉡ : 임과 이별하게 된 사정과 임에 대한 화자의 애틋한 마음을 표현한 내용으로 볼 수 있다.

③ ㉢ : 화자가 간절히 알고자 하는 것이나, '구름, 안개, 일월'로 인하여 알 수 없게 되었다.

④ ㉣ : 객관적 상관물로서 화자의 외로운 정서를 더욱 부각시키며, '반벽청등'도 같은 기능을 한다.

⑤ ㉤ : 임과 화자가 '꿈'에서나마 만나는 것을 방해하는 장애물로서의 의미를 지닌다.

**02** 윗글에 대한 설명으로 적절한 것을 〈보기〉에서 잇는 대로 고른 것은?

> **┤ 보기 ├**
> ㄱ. 주 화자와 보조 화자가 등장하여 대화체로 내용을 전개하고 있다.
> ㄴ. 화자는 여인으로서 사랑하는 임과의 이별에서 느끼는 원망의 마음을 표현하고 있다.
> ㄷ. '높픈 뫼'에서 '믈ᄀᆞ'로, 다시 '모쳠'으로의 공간적 이동이 나타난다.
> ㄹ. 시간 흐름에 따른 사건의 전개가 이루어지고 있는 것으로 보아 서사 갈래이다.
> ㅁ. 4음보 운율이 연속적으로 느껴지는 '가사' 작품으로 조선시대에 유행한 양식이다.

① ㄱ, ㄷ     ② ㄷ, ㄹ     ③ ㄱ, ㄷ, ㅁ     ④ ㄴ, ㄷ, ㄹ     ⑤ ㄱ, ㄴ, ㄹ, ㅁ

**03** 다음 〈보기〉를 바탕으로 (가)를 감상한 내용으로 적절하지 <u>않은</u> 것은?

┤ 보기 ├

　　정철은 술을 좋아하고 감정을 억누르지 못하며, 붕당을 만들어 선비들을 분열시킨다는 이유로 여러 차례 사헌부와 사간원의 탄핵을 받았다. 당시 조정은 동인과 서인으로 나뉘어 있었는데, 정철은 서인의 주요 인물로서 동인의 비판 대상이었다. 하지만 선조는 정철을 충성스러운 신하로 여기고, 그가 말을 너무 곧고 바르게 하기 때문에 남에게 미움을 받는다며 정철을 두둔하였다. 그럼에도 결국 정철은 선조 18년인 1585년, 벼슬에서 물러나 전라남도 창평에 머물러 살게 되었다. 이때 임금을 향한 그리움을 담아 〈사미인곡〉과 〈속미인곡〉을 지었다.

① 임금과의 재회에 대한 간절한 소망을 드러내고 있군.
② 죽어서라도 임금에게 가까이 가고 싶은 마음이 드러나 있군.
③ 자신을 돌봐주지 않는 임금에 대한 불만을 토로하고 있군.
④ 임금의 소식을 전해 줄 사람이 올 것이라는 희망을 갖고 있군.
⑤ 임금을 걱정하며 슬퍼하는 마음을 전하고 싶어 하는군.

**04** 윗글의 내용과 일치하지 <u>않는</u> 것은?

① 화자는 임 곁에서 사랑받던 과거의 시간을 떠올리고 있다.
② 화자는 임과 이별하게 된 상황을 자신의 운명으로 여기고 있다.
③ 화자는 죽어서도 절대로 임을 잊지 않겠다는 의지를 보이고 있다.
④ 화자는 현재 자신이 함께 하지 못하고 있는 사랑하는 임의 일상을 염려하고 있다.
⑤ 화자는 임의 소식을 알기 위해 하루 종일 돌아다니다가 다음 날 새벽에 초가로 돌아와 잠이 들었다.

**[05~13] 다음 글을 읽고 물음에 답하시오.**

(가) ㉠가시리 가시리잇고 나ᄂᆞᆫ
　　ᄇᆞ리고 가시리잇고 나ᄂᆞᆫ
　　위 증즐가 大平聖代(대평셩ᄃᆡ)

　　날러는 엇디 살라 ᄒᆞ고
　　ᄇᆞ리고 가시리잇고 나ᄂᆞᆫ
　　위 증즐가 大平聖代(대평셩ᄃᆡ)

　　잡ᄉᆞ와 두어리마ᄂᆞᄂᆞᆫ
　　선ᄒᆞ면 아니 올셰라.
　　위 증즐가 大平聖代(대평셩ᄃᆡ)

ⓒ셜온 님 보내옵노니 나는
가시는 듯 도셔 오쇼셔 나는
위 증즐가 大平聖代(대평셩ⓐ)

– 작자 미상, 「가시리」 –

(나) 나 보기가 역겨워
가실 때에는
ⓒ말없이 고이 보내 드리우리다

영변(寧邊)에 약산(藥山)
ⓔ진달래꽃
아름 따다 가실 길에 뿌리우리다

가시는 걸음 걸음
놓인 그 꽃을
ⓜ사뿐히 즈려 밟고 가시옵소서

나 보기가 역겨워
가실 때에는
죽어도 아니 눈물 흘리우리다

– 김소월, 「진달래꽃」 –

---

**05** (가)에 나타난 시적 화자의 정서와 태도 변화를 표현한 것으로 가장 적절한 것은?

① 안타까움 → 슬픔, 원망 → 체념, 순응 → 소망, 기원
② 안타까움 → 소망, 기원, → 슬픔, 원망 → 절제, 체념
③ 안타까움 → 슬픔, 원망 → 체념, 극복 → 순응, 기원
④ 안타까움 → 체념, 절제 → 슬픔, 원망 → 기원, 축복
⑤ 안타까움 → 슬픔, 원망 → 소망, 기원 → 절제, 체념

**06** (가) 시에 대한 설명으로 적절하지 않은 것은?

① 시어의 반복을 통해 주제를 강조하고 있음.
② 민간에서 구전되다가 궁중악으로 편입된 노래임.
③ 후렴구와 여음구의 사용으로 운율을 형성하고 있음.
④ 화자는 현실 극복 의지와 미래 지향적 태도를 지니고 있음.
⑤ 이별의 상황에서 느끼는 슬픔과 정한(情恨)을 솔직하게 표현함.

**07** 〈보기〉를 바탕으로 (가)를 감상한 것으로 적절하지 <u>않은</u> 것은?

┤ 보기 ├

- 형식상 특징
  - 3음보를 기본으로 하여 3·3·2조의 음수율이 많이 나타남
  - 분연체로 구성되며 음악성을 살리는 후렴구가 반복됨

- 내용상 특징
  - 남녀 간의 애정, 이별의 안타까움 등 진솔함이 표현됨
  - 적극적으로 만류하지 못하고 체념하는 소극적 태도를 보임

① 1연에서 이 시의 형식상 특징을 확인할 수 있음.
② '위 증즐가 大平聖代(대평셩ᄃᆡ)'의 반복은 후렴구로 음악성을 살려줌.
③ '날러는 엇디 살라 ᄒᆞ고'에서 떠나는 임에 대한 애원과 원망이 고조됨.
④ '선ᄒᆞ면 아니 올셰라'에는 마음이 상하여 이별을 적극적으로 거부하는 태도를 드러냄.
⑤ '가시ᄂᆞᆫ 둣 도셔 오쇼셔'에는 임과의 재회를 기원하는 표현이자 간절하게 임의 귀환을 기다리겠다는 태도임.

**08** (나) 시에 대한 설명으로 가장 적절한 것은?

① 화자의 정서가 심화됨에 따라 행의 길이가 길어지고 있다.
② 역설법과 반어법을 사용하여 화자의 의도를 드러내고 있다.
③ 음성 상징어를 사용하여 화자의 심리상태를 나타내고 있다.
④ 화자는 임과 이별하게 된 과정을 되돌아보고 회환에 잠긴다.
⑤ 자연물에 의탁하여 화자의 정서를 간접적으로 드러내고 있다.

**09** (나)의 3연은 발표 당시에는 〈보기〉와 같이 표현되었다. 고쳐 쓴 (나)시의 시적 효과는?

┤ 보기 ├

가시는길 발거름마다
쌕려노흔 그꼿을
고히나 즈려밟고 가시옵소서

① 사동표현으로 시적 화자가 바뀌었다.
② 어휘를 현대적으로 바꾸어 세련미가 있다.
③ 시행을 압축하여 화자의 외로움을 강조했다.
④ 강한 설득적 어조로 떠나는 임을 당혹하게 한다.
⑤ 시어를 바꾸고 글자 수를 조절해 운율의 효과를 살렸다.

**10** (가)와 (나)의 공통점에 대한 설명으로 적절하지 <u>않은</u> 것은?

① '기−승−전−결'의 4단 구성으로 시상을 전개하고 있다.
② 이별의 정한을 다루고 있다는 점에서 한국 문학의 한 문학적 전통을 이루고 있다.
③ 여성적 어조로 이별의 안타까움을 소박하고 진솔하게 잘 드러내고 있다.
④ 글자 수를 맞추는 음수율과 호흡 단위로 일정하게 끊어 읽는 음보율 두 가지를 활용하여 음악성을 살리고 있다.
⑤ 임의 입장을 배려하여 자신의 정서를 절제하며, 자기 본심에 위배되는 행위도 기꺼이 선택하고 있다는 점에서 감동과 안타까움을 동시에 느끼게 한다.

**11** ㉠∼㉤ 각 시어의 표현상의 특징에 대한 설명으로 적절하지 <u>않은</u> 것은?

① ㉠ : '가시렵니까'의 의미를 담고 있으며, '가시리잇고'에서 음수율을 맞추기 위해 '−잇고'를 생략한 형태이다.
② ㉡ : '서러운'의 의미로 시적 화자의 마음을 담고 있지만 임의 정서로 볼 수도 있다는 점에서 중의적 해석이 가능하다.
③ ㉢ : 시적 화자의 본심과 반대되는 대응이라는 점에서 일종의 반어적 표현이라 할 수 있다.
④ ㉣ : 시적 화자의 분신으로 볼 수 있으며, 임을 향한 열정적이고 화려한 사랑을 상징하고 있다.
⑤ ㉤ : '사뿐히'는 힘을 줄이는 행위, '즈려밟고'는 힘을 가하는 행위를 의미한다는 점에서 역설적 표현이다.

**12** (가)와 (나)의 공통점으로 보기에 적절하지 <u>않은</u> 것은?

① 3음보 율격을 지니고 있다.
② 여성적 어조로 인고적 자세가 드러난다.
③ 임에 대한 미련과 집념의 태도를 보인다.
④ 임이 떠나지 않기를 바라는 마음을 갖고 있다.
⑤ 이별의 상황을 중심으로 시상을 전개하고 있다.

**13** (가)와 (나)의 공통점이 <u>아닌</u> 것은?

① 상징적 소재    ② 이별의 한    ③ 애상적    ④ 음보율    ⑤ 체념

[14~18] 다음 글을 읽고 물음에 답하시오.

(가) 뎨 가는 뎌 각시 본 듯도 흔뎌이고
    텬샹(天上) 빅옥경(白玉京)을 엇디흐야 니별(離別)흐고
    히 다 뎌 져믄 날의 눌을 보라 ㉠가시는고
    어와 네여이고 이내 스셜 ㉡드러 보오
    내 얼굴 이 거동이 님 괴얌즉 흔가마는
    엇딘디 날 보시고 네로다 녀기실식
    나도 님을 미더 군쁘디 전혀 업서
    이리야 교틱야 어즈러이 흐돗썬디
    반기시는 눗비치 녜와 엇디 다르신고
    누어 싱각흐고 니러 안자 ㉢혜여흐니
    내 몸의 지은 죄 뫼ㄱ티 싸혀시니
    하늘히라 원망흐며 사룸이라 허믈흐랴
    셜워 플텨 혜니 조믈(造物)의 타시로다
    ④글란 싱각 마오 미친 일이 이셔이다
    님을 뫼셔 이셔 님의 일을 내 알거니
    믈 ㄱ툰 얼굴이 편흐실 적 몃 날일고
    츈한 고열(春寒苦熱)은 엇디흐야 디내시며
    츄일 동텬(秋日冬天)은 뉘라셔 뫼셧는고
    쥭조반(粥早飯) 죠셕(朝夕) 뫼 녜와 ㄱ티 셰시는가
    기나긴 밤의 줌은 엇디 자시는고
    님다히 쇼식(消息)을 아므려나 아쟈 흐니
    오늘도 거의로다 늬일이나 사룸 올가
    내 무음 둘 듸 업다 어드러로 가쟛 말고
    잡거니 밀거니 놉픈 뫼히 ㉣올라가니
    구룸은ㄱ니와 안개는 므스 일고
    산쳔(山川)이 어둡거니 일월(日月)을 엇디 보며
    지쳑(咫尺)을 모르거든 쳔 리(千里)룰 브라보랴
    출하리 믈ㄱ의 가 빅 길히나 ㉤보랴 흐니
    브람이야 믈결이야 어둥졍 된뎌이고
    샤공은 어딕 가고 뷘 빅만 걸렷는고
    강텬(江天)의 혼자 셔셔 디는 히룰 구버보니
    님다히 쇼식(消息)이 더욱 아득흐뎌이고
    모쳠(茅簷) 춘 자리의 밤듕만 도라오니
    반벽청등(半壁靑燈)은 눌 위흐야 불갓는고
    오르며 느리며 헤쓰며 바자니니
    져근덧 녁진(力盡)흐야 풋줌을 잠간 드니
    졍셩(精誠)이 지극흐야 꿈의 님을 보니
    옥(玉) ㄱ툰 얼굴이 반(半)이 나마 늘거셰라
    무움의 머근 말씀 슬ㄱ장 숣쟈 흐니
    눈믈이 바라 나니 말씀인들 어이흐며

정(情)을 못다 ᄒ야 목이조차 몌여ᄒ니
오뎐된 계셩(鷄聲)의 ᄌ음은 엇디 ᄭᅢ돗던고
어와 허ᄉ(虛事)로다 이 님이 어ᄃᆡ 간고
결의 니러 안자 창(窓)을 열고 ᄇᆞ라보니
어엿븐 그림재 날 조출 ᄲᅵᆫ이로다
ᄎᆞᆯ하리 싀여디여 ⓐ낙월(落月)이나 되야이셔
님 겨신 창(窓) 안히 번드시 비최리라
각시님 ᄃᆞᆯ이야ᄏᆞ니와 ⓑ구ᄌᆫ비나 되쇼셔

-정철, 「속미인곡(續美人曲)」 -

(나) 나 보기가 역겨워
　　가실 때에는
　　말없이 고이 보내 드리우리다.

　　영변(寧邊)에 약산(藥山)
　　진달래꽃
　　아름 따다 가실 길에 뿌리우리다.

　　가시는 걸음걸음
　　놓인 그 꽃을
　　사뿐히 즈려밟고 가시옵소서.

　　나 보기가 역겨워
　　가실 때에는
　　죽어도 아니 눈물 흘리우리다.

-김소월, 「진달래꽃」 -

---

**14** ㉠~㉤ 중 행위의 주체가 <u>다른</u> 하나는?

① ㉠　　　　② ㉡　　　　③ ㉢　　　　④ ㉣　　　　⑤ ㉤

**15** ⓐ, ⓑ를 비교한 설명으로 적절한 것은?

① ⓐ보다 ⓑ가 더 수동적인 느낌을 준다.
② ⓐ에 비해 ⓑ는 임과의 거리감을 단축시키고 있다.
③ ⓐ는 하강의 이미지라면 ⓑ는 상승의 이미지를 담고 있다.
④ ⓐ는 임에 대한 사랑의 의미를, ⓑ는 이별의 의미를 담고 있다.
⑤ ⓐ는 현재의 상황을 수용하는데 반해 ⓑ는 상황을 이겨내려는 의미를 담고 있다.

**16** (가), (나)의 공통점으로 가장 적절한 것은?

① 감정을 드러내지 않고 상황만 전달하고 있다.
② 이별의 상황에서도 상대를 원망하지 않고 있다.
③ 설의적 표현으로 자신의 심리를 강조하고 있다.
④ 4음보의 율격을 반복하여 운율을 형성하고 있다.
⑤ 역설적 표현을 통해 이별의 한을 극대화하고 있다.

**17** (가)의 시어에 대한 설명으로 적절한 것은?

① '브람', '믈결' : 화자의 임을 연결시켜 주는 만남의 매개체
② '모쳠 춘 자리' : 임을 만남을 방해하는 장애물
③ '계셩', '높픈 뫼' : 임과의 만남을 방해하는 장애물
④ '뷘 빈', '반벽쳥등' : 화자의 외로움을 심화시키는 존재
⑤ '어엿븐 그림재' : 임과의 만남을 위해 아름답게 단장한 화자의 모습

**18** (가)에 대해 나눈 대화로 적절하지 <u>않은</u> 것은?

① 이 작품에는 두 명의 여인들이 등장하는 것 같아.
② 맞아. 편의상 ⓐ의 발화자를 '여인1'이라 칭한다면 '여인1'은 '여인2'의 하소연을 유도하는 역할을 한다고 볼 수 있어.
③ 그럼 '여인2'가 작품의 주제와 정서를 주도하는 중심화자라고 볼 수 있겠네.
④ 응, 하지만 '여인1'의 역할을 무시할 수는 없어. '여인2'의 신분과 처지를 짐작할 수 있게 해 주잖아.
⑤ 그렇구나. 간단히 정리하자면, '여인2'는 작가를 대변하는 인물이고, '여인1'은 작가와 대립되는 인물 정도로 이해하면 되겠네.

**[19~23] 다음 글을 읽고 물음에 답하시오.**

뎨 가는 뎌 각시 본 듯도 흔뎌이고
ⓐ텬샹(天上) 빅옥경(白玉京)을 엇디ᄒᆞ야 니별(離別)ᄒᆞ고
ᄒᆡ 다 뎌 뎌믄 날의 눌을 보라 가시ᄂᆞᆫ고
어와 네여이고 이내 ᄉᆞ셜 드러 보오
내 얼굴 이 거동이 님 괴얌즉 ᄒᆞ가마ᄂᆞᆫ
엇딘디 날 보시고 네로다 녀기실ᄉᆡ
나도 님을 미더 군ᄯᅳ디 전혀 업서

이리야 교티야 어즈러이 ᄒᆞ돗썬디
반기시ᄂᆞᆫ ᄂᆞᆺ비치 녜와 엇디 다ᄅᆞ신고
누어 ᄉᆡᆼ각ᄒᆞ고 니러 안자 혜여ᄒᆞ니
내 몸의 지은 죄 뫼ᄀᆞ티 ᄊᆞ혀시니
하ᄂᆞᆯ히라 원망ᄒᆞ며 사ᄅᆞᆷ이라 허믈ᄒᆞ랴
셜워 플텨 혜니 조믈(造物)의 타시로다
글란 ᄉᆡᆼ각 마오 ᄆᆞ친 일이 이셔이다
님을 뫼셔 이셔 님의 일을 내 알거니
믈ᄀᆞ튼 얼굴이 편ᄒᆞ실 적 몃 날일고
츈한 고열(春寒苦熱)은 엇디ᄒᆞ야 디내시며
츄일 동텬(秋日冬天)은 뉘라셔 뫼셧ᄂᆞᆫ고
죽조반(粥早飯) 죠석(朝夕) 뫼 녜와 ᄀᆞᆺ티 셰시ᄂᆞᆫ가
기나긴 밤의 ᄌᆞᆷ은 엇디 자시ᄂᆞᆫ고
㉠님 다히 쇼식(消息)을 아므려나 아쟈 ᄒᆞ니
오늘도 거의로다 ᄂᆡ일이나 사ᄅᆞᆷ 올가
㉡내 ᄆᆞᄋᆞᆷ 둘 ᄃᆡ 업다 어드러로 가쟛 말고
잡거니 밀거니 놉픈 뫼히 올라가니
㉢구롬은ᄏᆞ니와 안개ᄂᆞᆫ 므스 일고
산쳔(山川)이 어둡거니 일월(日月)을 엇디 보며
지쳑(咫尺)을 모ᄅᆞ거든 쳔 리(千里)를 ᄇᆞ라보랴
츌하리 믈ᄀᆞ의 가 ᄇᆡ 길히나 보랴 ᄒᆞ니
㉣ᄇᆞ람이야 믈결이야 어둥졍 된뎌이고
샤공은 어ᄃᆡ 가고 빈 ᄇᆡ만 걸렷ᄂᆞᆫ고
강텬(江天)의 혼자 셔셔 디ᄂᆞᆫ ᄒᆡ를 구버보니
님 다히 쇼식(消息)이 더옥 아득ᄒᆞ뎌이고
㉤모쳠(茅簷) 춘 자리의 밤듕만 도라오니
㉑반벽쳥등(半壁靑燈)은 눌 위ᄒᆞ야 블갓ᄂᆞᆫ고
오ᄅᆞ며 ᄂᆞ리며 헤쓰며 바자니니
져근덧 녁진(力盡)ᄒᆞ야 픗ᄌᆞᆷ을 잠간 드니
졍셩(精誠)이 지극ᄒᆞ야 ᄭᅮᆷ의 님을 보니
옥(玉) ᄀᆞ튼 얼굴이 반(半)이 나마 늘거셰라
㉒ᄆᆞᄋᆞᆷ의 머근 말ᄉᆞᆷ 슬ᄏᆞ장 ᄉᆞᆲ쟈 ᄒᆞ니
눈믈이 바라 나니 말ᄉᆞᆷ인들 어이ᄒᆞ며
졍(情)을 못다 ᄒᆞ야 목이조차 몌여ᄒᆞ니
㉓오뎐된 계셩(鷄聲)의 ᄌᆞᆷ은 엇디 ᄭᆡ돗던고
어와 허ᄉᆞ(虛事)로다 이 님이 어ᄃᆡ 간고
결의 니러 안자 창(窓)을 열고 ᄇᆞ라보니
어엿븐 ⓔ그림재 날 조ᄎᆞᆯ ᄲᅮᆫ이로다
츌하리 싀여디여 (A)낙월(落月)이나 되야이셔
님 겨신 창(窓) 안ᄒᆡ 번드시 비최리라
각시님 ᄃᆞᆯ이야ᄏᆞ니와 (B)구준비나 되쇼셔

**19** 윗글에 대한 설명으로 적절하지 <u>않은</u> 것은?

① 조선시대 가사 문학의 백미로 손꼽히는 작품이다.
② 4음보의 율격을 반복하여 운율감을 형성하고 있다.
③ 계절의 변화에 따라 자연물에 상징적 의미를 부여하여 주제를 형상화하고 있다.
④ 우리말의 묘미를 잘 살린 어휘들을 구사하여 문학사적으로 큰 의의가 있다.
⑤ 서정적이며 애상적인 분위기를 통해 화자의 마음을 잘 드러내고 있다.

**20** 윗글의 ㉠~㉤을 현대어로 옮길 때 적절하지 <u>않은</u> 것은?

① ㉠ – 임 계신 곳 소식을 어떻게든 알자 하니
② ㉡ – 내 마음 둘 데 없다 어디로 가잔 말인가
③ ㉢ – 초가집 찬 자리에 밤중쯤 돌아오니
④ ㉣ – 마음에 먹은 말씀 실컷 사뢰려니
⑤ ㉤ – 오래된 닭 울음에 잠은 어찌 깨우는가

**21** 〈보기〉는 위 작품에 대한 수업의 일부이다. 학생들의 의견 가운데 적절하지 <u>않은</u> 것은?

┤ 보기 ├

**선생님** : 위 작품의 내용 전개는 다음과 같이 정리해 볼 수 있어요. 주된 이야기를 하는 화자를 '을녀'라고 하고, 그 이야기를 들어주는 보조적인 화자를 '갑녀'라고 정합시다. 그리고 이 두 화자가 작가의 생각을 조화롭게 대변하고 있다고 합시다.

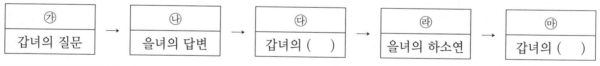

| ㉮<br>갑녀의 질문 | → | ㉯<br>을녀의 답변 | → | ㉰<br>갑녀의 (　　) | → | ㉱<br>을녀의 하소연 | → | ㉲<br>갑녀의 (　　) |

① ㉮는 ㉯가 자연스럽게 나오도록 도와주고 있어요.
② ㉯에는 을녀가 산과 물가에 가야하는 이유가 자세히 나타나 있어요.
③ ㉰에서 갑녀의 위로를 받지만 을녀는 임을 걱정하고 있어요.
④ ㉱에는 임에 대한 을녀의 애틋한 마음이 구구절절 드러나요.
⑤ ㉲는 을녀의 말을 보완하면서 작가의 생각을 대변하고 있어요.

**22** 윗글에서 '빈 빅'와 같은 역할을 하는 시어를 찾으시오.

① ⓐ　　　　② ⓑ　　　　③ ⓒ　　　　④ ⓓ　　　　⑤ ⓔ

**23** (A)와 (B)의 의미를 나눈 학생들의 대화 중 적절하지 <u>않은</u> 것은?

① **세현** : (A)와 (B) 모두 임에 대한 화자의 사랑하는 마음을 담고 있어.

② **승현** : (A)는 임이 계신 곳을 멀리서 잠깐만 비출 수 있는 존재로 나약하고 우유부단한 화자의 성격을 간접적으로 드러내고 있고 사실 이러한 태도가 임에게 버림받은 이유이기도 하지.

③ **정훈** : 게다가 날이 맑은 날에만 비출 수 있다는 점에서 화자의 마음을 표현하기에 뭔가 아쉬운데 (B)는 어두운 날에도 오랫동안 내리는 비이기 때문에 더 적극적으로 화자의 마음을 표현해 줄 수 있다고 볼 수 있어.

④ **마루** : 맞아, (B)가 더 오래 임과 함께 할 수 있다는 점에서 임에 대한 간절한 마음을 더 잘 표현한다고 할 수 있지.

⑤ **하람** : 그리고 (B)는 슬픈 눈물이라는 의미도 함축하고 있어서 그리운 마음을 전하기에 더 효과적이라 생각해.


**[24~30] 다음 글을 읽고 물음에 답하시오.**

---

**(가)**
가시리 가시리잇고 나는
ᄇ리고 가시리잇고 나는
위 증즐가 大平聖代(대평셩ᄃᆡ)

날러는 엇디 살라 ᄒ고
ᄇ리고 가시리잇고 나는
위 증즐가 大平聖代(대평셩ᄃᆡ)

잡ᄉ와 두어리마ᄂᆞᄂᆞᆫ
선ᄒ면 아니 올셰라.
위 증즐가 大平聖代(대평셩ᄃᆡ)

셜온 님 보내ᅀᆞᆸ노니 나는
가시ᄂᆞᆫ 듯 도셔 오쇼셔 나는
위 증즐가 大平聖代(대평셩ᄃᆡ)

– 작자 미상, 「가시리」 –

**(나)**
나 보기가 역겨워
가실 때에는
말없이 고이 보내 드리우리다.

영변(寧邊)에 약산(藥山)
진달래꽃,
아름 따다 가실 길에 뿌리우리다.

가시는 걸음 걸음
놓인 그 꽃을
사뿐히 즈려밟고 가시옵소서.

나 보기가 역겨워
가실 때에는
㉠죽어도 아니 눈물 흘리우리다.

– 김소월, 「진달래꽃」 –

**24** (가)에 대한 설명으로 적절한 것을 〈보기〉에서 있는 대로 고른 것은?

┤ 보기 ├

ㄱ. '가시리'는 화자가 시적 대상에게 하는 말로 반복되게 쓰여 리듬감을 형성한다.
ㄴ. '위 증즐가 大平聖代(대평셩ᄃᆡ)'는 전체 주제와는 무관하지만 반복을 통해 시의 음악성을 확보한다.
ㄷ. '아니 올셰라'는 화자의 정서를 직접 드러내는 시어로, 화자가 이별을 거부하는 이유를 알려 주는 단서이다.
ㄹ. '보내ᅌᅳ노니'는 화자의 결정을 드러내는 시어로, 이별 상황에서 체념적인 화자의 모습을 의미한다.
ㅁ. 각 연의 내용이 독립적으로 전개되는 분연체로 구성되어 있다.
ㅂ. '나ᄂᆞᆫ'은 흥을 돋우기 위한 여음으로 투식어에 해당한다.

① ㄱ, ㄴ, ㄹ
② ㄷ, ㄹ, ㅁ
③ ㄴ, ㄹ, ㅁ, ㅂ
④ ㄱ, ㄴ, ㄹ, ㅂ
⑤ ㄱ, ㄷ, ㄹ, ㅁ, ㅂ

**25** (가)의 화자에 대한 이해로 적절하지 <u>않은</u> 것은?

① 임이 떠나려고 하는 상황에 놓여 있어.
② 임이 떠나지 못하게 붙잡고 싶은 욕망이 있어.
③ 임이 가시자마자 곧 돌아와주기를 기원하고 있어.
④ 임에 대해 품게 된 불만을 노골적으로 드러내고 있어.
⑤ 임을 붙잡으면 임이 돌아오지 않을까 염려하고 있어.

**26** (가)에서 다음의 밑줄 친 내용을 설명하기 위한 시구로 적절하지 <u>않은</u> 것은?

(가) 작품은 얼굴도 소리도 보이지 않는 '님'이란 존재가 작품 전체의 중심을 이루는 인물이다. 처음부터 끝까지 <u>이 노래를 이끌어가는 주체는 '님'</u>이며 화자인 '나'는 수동적인 존재일 뿐이다.

① 가시리 가시리잇고
② ᄇᆞ리고 가시리잇고
③ 잡ᄉᆞ와 두어리마ᄂᆞ는
④ 선ᄒᆞ면 아니 올셰라
⑤ 가시ᄂᆞᆫ 듯 도셔 오쇼셔

**27** (나)에 쓰인 표현상의 특징에 대한 설명으로 적절하지 <u>않은</u> 것은?

① 이별의 상황을 가정하여 시상을 전개하고 있다.
② 색채 이미지의 대조를 통해 화자의 정서를 부각하고 있다.
③ 행에 따라 호흡의 속도를 다르게 하여 리듬의 변화를 주었다.
④ 종결 어미 '–우리다'의 반복을 통해 음악적 효과를 나타낸다.
⑤ 7·5조를 기본으로 다소의 가감을 보이는 음수율을 통해 리듬감을 형성하고 있다.

**28** (가), (나)의 공통점으로 <u>가장</u> 적절한 것은?

① 설의법을 사용하여 화자의 고조된 감정을 나타낸다.
② 유사한 문장 구조를 반복하여 시적 상황을 부각한다.
③ 명암의 선명한 대비를 통해 시적 분위기를 환기한다.
④ 풍자적 어조를 활용하여 화자의 비판적 상황을 표출한다.
⑤ 영탄의 방식으로 시상을 마무리하여 주제 의식을 드러낸다.

**29** (가), (나)의 표현 방식에 대한 설명으로 <u>가장</u> 적절한 것은?

① (가), (나)에서 모두 시적 상황에 어울리지 않는 시행이 포함되어 있다.
② (가)와 달리 (나)에서는 순우리말 시어를 통해 애절한 마음이 나타나고 있다.
③ (가)와 달리 (나)에서는 점층적인 표현을 통해 갈등하는 내면이 강조되고 있다.
④ (나)와 달리 (가)에서는 색채어를 통해 시적 대상의 면모가 드러나고 있다.
⑤ (나)와 달리 (가)에서는 반복되는 구절을 통해 시각적으로 연이 구분되고 있다.

**30** (가), (나)를 감상한 내용으로 적절하지 <u>않은</u> 것은?

① (가)는 3음보의 민요적 율격으로 기–승–전–결의 구조로 이루어져 있다.
② (나)는 임에 대한 아름답고 숭고한 사랑을 상징적 시어를 통해 표현하고 있다.
③ (가)와 달리 (나)는 임이 돌아오기를 바라는 화자의 바람이 드러나 있다.
④ (가)와 (나)는 모두 여성적이고 애상적인 어조를 통해 주제를 효과적으로 부각하고 있다.
⑤ (가)의 화자는 원망과 안타까움을 드러내고 (나)의 화자는 이별을 예감하며 인고의 의지로 슬픔을 극복하는 모습을 보이고 있다.

**[01~03] 다음 글을 읽고 물음에 답하시오.**

(가) 나 보기가 역겨워
　　가실 때에는
　　말없이 고이 보내 드리우리다.

　　영변(寧邊)에 약산(藥山)
　　진달래꽃
　　㉠아름 따다 가실 길에 뿌리우리다.

　　가시는 걸음걸음
　　놓인 그 꽃을
　　㉡사뿐히 즈려밟고 가시옵소서.

　　나 보기가 역겨워
　　가실 때에는
　　죽어도 아니 눈물 흘리우리다.

　　　　　　　　　　　　　　　　　　－ 김소월, 「진달래꽃」 －


(나) 가시리 가시리잇고 ㉢나는
　　　브리고 가시리잇고 나는
　　　위 증즐가 대평셩딕(大平聖代)

　　　날러는 엇디 살라 ᄒ고
　　　브리고 가시리잇고 나는
　　　위 증즐가 대평셩딕(大平聖代)

　　　잡ᄉ와 두어리마ᄂᆞᆫ
　　　선ᄒ면 아니 올셰라.
　　　위 증즐가 대평셩딕(大平聖代)

　　　㉣셜온 님 보내ᅌᅩ노니 나는
　　　가시는 ᄃᆞᆺ 도셔 오쇼셔 나는
　　　위 증즐가 대평셩딕(大平聖代)

*선ᄒ면 : 서운하면, 마음이 상하면

　　　　　　　　　　　　　　　　　　－ 「가시리」 －


(다) 젼나귀 바삐 몰아 다 저문 날 오신 손님
　　　보리피 거친 밥에 *찬물(饌物)이 아조 업다.
　　　㉤아희야 배 내어 띄워라 그물 놓아 보리라.

*찬물 : 반찬이 될만한 것.

　　　　　　　　　　　　　　－ 나위소, 「강호구가(江湖九歌)」 제4수 －

**01** (가)에 대한 설명으로 적절하지 <u>않은</u> 것은?

① 전통적인 '한(恨)'의 정서를 밑바탕에 깔고 있다.

② 행에 따라 호흡의 속도를 다르게 하여 리듬의 변화를 주고 있다.

③ 대비적인 의미의 시어를 나란히 배치하여 화자의 속마음을 역설적으로 드러낸다.

④ 처음과 끝에 유사한 문장 구조를 반복하여 슬픔을 극복해내려는 화자의 의지를 강조한다.

⑤ 각 연의 유사한 위치에 동일한 종결 어미를 배치하여 운율적 요소를 형성하고 있다.

**02** 〈보기〉를 참고할 때, (나)와 공통적인 율격이 나타나는 것은?

┤ 보기 ├

　　운율은 행을 이루는 단어의 배열과 글자의 발음에 의해 만들어내는 일정한 리듬감으로, 소리의 강약, 장단, 고저 등을 이용하거나 동음, 유음의 반복을 통해 만들어진다. 한국 시가에서 운율을 생산하는 율격 체계의 바탕이 되는 것은 음절로서, 음절이 모여 이룬 음보가 운율을 형성하는 주된 단위가 된다.

① 이화(梨花)에 월백(月魄)하고 은한이 삼경(三更)인 제/ 일지춘심(一枝春心)을 자규(子規)야 알랴마는/ 다정(多情)도 병인 양하여 잠 못 들어 하노라

－ 이조년 －

② 하늘은 날더러 구름이 되라 하고/ 땅은 날더러 바람이 되라 하네./ 청룡 흑룡 흩어져 비 개인 나루/ 잡초나 일깨우는 잔바람이 되라네

－ 신경림, 「목계장터」 －

③ 빼어난 가는 잎새 굳은 듯 보드랍고/ 자줏빛 굵은 대공 하얀한 꽃이 벌고/ 이슬은 구슬이 되어 마디마디 달렸다.

－ 이병기, 「난초」 －

④ 쥘상치 두 손 받쳐/ 한입에 우겨넣다 //희뜩/ 눈이 팔려 우긴 채 내다보니// 흩는 꽃 쫓던 나비/ 울 너머로 가더라.

－ 조운, 「상치쌈」 －

⑤ 강나루 건너서/ 밀밭 길을// 구름에 달 가듯이/ 가는 나그네// 길은 외줄기/ 남도 삼백 리// 술 익는 마을마다/ 타는 저녁 놀

－ 박목월, 「나그네」 －

**03** (나)에 대해 학생들이 나눈 대화이다. 잘못 이해한 학생은?

① **다영** : 첫 연의 '나ᄂᆞᆫ'은 '나는'이란 뜻으로 해석하면 안 돼. 별다른 뜻 없이 운율을 맞추기 위한 여음이라 볼 수 있어.

② **호재** : 갑자기 당하는 이별의 상황에 절망하는 심정을 비유적인 시어를 통해 함축적으로 잘 표현하고 있어서 이 시를 읽고 있으면 그 마음이 느껴져 안타까워.

③ **민수** : 자신의 마음과는 다르게 임이 다시 오지 않을까 두려워 잡고 싶은 감정을 누르는 모습에서 전통적인 여인의 소극적이고 체념적인 태도를 엿볼 수 있어.

④ **지영** : 처음부터 소극적인 태도를 보인 건 아니야. 떠나는 임에 대한 원망에서 시작했지만 자신의 태도로 인해 나타날 임의 태도 때문에 감정을 절제하고 미래에 다시 재회할 것을 소망하는 순서로 화자의 태도가 전환되고 있어.

⑤ **동민** : 시에서 특정한 어구가 반복되는 것은 운율 외에도 주제나 감정을 강조하기 위함인데, '가시리'란 시어의 반복은 시적 화자의 감정이 그만큼 아프고 힘들다는 것을 보여주고 있어.

**04** (가)~(다)에 대한 설명으로 적절하지 않은 것은?

① (가)는 규칙적인 음보율과 일정한 음수율로 운율을 형성하고 있다.
② (가)는 각 연의 같은 위치에 동일한 어미를 사용하여 운율을 형성하고 있다.
③ (나)는 후렴구를 제외한 부분에 순수한 우리말을 주로 사용하고 있다.
④ (나)는 '위 증즐가 대평셩ᄃᆡ(大平盛代)'를 통해 시의 구조에 통일성을 부여하고 있다.
⑤ (가), (나), (다)는 형식적 제약에서 자유롭지 못한 까닭에 작자와 향유층이 한정적이다.

**05** ㉠~㉤에 대한 설명으로 적절하지 않은 것은?

① ㉠ : 떠나는 임의 앞길을 축원하는 산화공덕(散花功德)의 의미를 담고 있다.
② ㉡ : 임이 떠나지 않기를 바라는 화자의 마음을 직설적으로 표현하였다.
③ ㉢ : 노래로 부를 때 흥을 돋우기 위한 표현으로 별다른 의미는 없다.
④ ㉣ : 주체를 '임'으로 보면, '임이 이별을 서러워한다'로 해석할 수 있다.
⑤ ㉤ : '손님'을 배려하는 화자의 마음을 짐작할 수 있는 표현이다.

**[06~09] 다음 글을 읽고 물음에 답하시오.**

**(가)**

┌ 가시리 가시리잇고 나는
ⓙ
└ 브리고 가시리잇고 나는
　　ⓛ위 증즐가 大平聖代(대평셩딘)


┌ 날러는 엇디 살라 ᄒ고
ⓒ
└ 브리고 가시리잇고 나는
　　위 증즐가 大平聖代(대평셩딘)


　　ⓔ잡ᄉ와 두어리마ᄂᆞᆫ
　　선ᄒ면 아니 올셰라.
　　위 증즐가 大平聖代(대평셩딘)


　　셜온 님 보내ᄋᆞ노니 나는
　　ⓜ가시는 ᄃᆞᆺ 도셔 오쇼셔 나는
　　위 증즐가 大平聖代(대평셩딘)

　　　　　　　　　　　　　　　　　　　　　　　　　　– 작자 미상, 「가시리」 –


**(나)**

아리랑 아리랑 아라리요
아리랑 고개로 넘어간다.
나를 버리고 가시는 님은
십 리도 못 가서 발병 난다.

　　　　　　　　　　　　　　　　　　　　　　　　　　– 작자 미상, 「신아리랑」 –


**(다)**

나 보기가 역겨워
가실 때에는
말없이 고이 보내 드리우리다.


영변에 약산
진달래꽃
아름 따다 가실 길에 뿌리우리다.


가시는 걸음걸음
놓인 그 꽃을
사뿐히 즈려밟고 가시옵소서.


나 보기가 역겨워
가실 때에는

죽어도 아니 눈물 흘리우리다.

– 김소월, 「진달래꽃」 –

**(라)**

하늘은 날더러 구름이 되라 하고
땅은 날더러 바람이 되라 하네.
청룡 흑룡 흩어져 비 개인 나루
잡초나 일깨우는 잔바람이 되라네.
〈하략〉

– 신경림, 「목계 장터」 –

---

**06** ㉠~㉤에 대한 설명으로 적절하지 <u>않은</u> 것은?

① ㉠ : 설의적 표현을 활용하여 나를 버리고 떠나지 말라는 애원의 의미를 강조하고 있다.
② ㉡ : 시의 분위기와 어울리지 않는 시구로 궁중악으로 편입되는 과정에서 정치적 내용이 첨가되었음을 보여준다.
③ ㉢ : 1연의 질문이 형식을 되풀이함으로써 떠나는 임에 대한 원망을 고조시키고 있다.
④ ㉣ : 생각 같아서는 상대방을 잡아 두고 싶다는 화자의 간절한 마음을 드러내고 있다.
⑤ ㉤ : 가자마자 바로 나에게 돌아오라는 역설적 표현을 사용해 임의 귀환에 대한 화자의 소망을 드러내고 있다.

**07** 〈보기〉를 바탕으로 (다)를 감상한 내용으로 적절하지 <u>않은</u> 것은?

┤ 보기 ├

　　김소월의 시에서 주된 정서로 드러나는 한(恨)은 서로 모순을 이루는 두 감정이 갈등을 일으키고, 그 갈등이 끝내 풀리지 않을 때 생긴다. 한은 체념해야 할 상황에서도 미련을 버리지 못할 때나 자책과 상대에 대한 원망이 충돌하여 이렇게도 저렇게도 할 수 없을 때 맺힌다. 한은 결코 통일된 혹은 해결된 감정일 수 없다. 그것은 복합된 갈등의 감정이며 동시의 미해결의 감정인 것이다. 이렇게 한은 소망하는 바가 현실적으로 성취되기 어려움으로 인한 좌절과 소망하는 바에 대한 미련이라는 상호 모순된 감정의 충돌을 통하여 형성된다. (다)를 표면적으로 살펴보면 시적화자가 바라지 않는 이별을 받아들여야만 하는 상황에 대하여 순종의 미덕을 보여 주고 있다. 그러나 내면적 의미에 주목하면 시적화자가 이별의 상황에서 느끼는 한의 정서를 심층적으로 이해할 수 있다.

① 1연에서 '나'는 표면적으로는 이별의 상황을 받아들이지만 미련을 완전히 버리지는 못했을 거야.
② '나 보기가 역겨워'라는 시구에서 내가 임에게 예쁘게 보이지 못했다는 자책과 임이 나를 어여삐 여기지 않는다는 서운함을 드러내고 있어.
③ 임이 가시는 길에 꽃을 '아름 따다' 뿌리는 마음을 단순히 임을 향한 축원으로만 해석하는 것은 내면적인 의미에 주목하지 않은 거야.
④ '사뿐히 즈려밟고'라는 표현을 통해 겉으로는 담담해 보이지만 은연중에 화자가 느끼는 이별의 아픔을 드러내고 있는 것 같아.
⑤ 4연에서 '죽어도 아니 눈물 흘리우리다'에 드러난 자세는 재회를 기대하며 이별의 슬픔을 감내하는 '나'의 마음을 강조하는 것 같아.

**08** 〈보기〉는 (나), (다)의 작가가 가상으로 나눈 대화이다. 다음 중 적절한 것만을 있는 대로 고른 것은?

┤ 보기 ├

**(다)의 작가** : 안녕하세요. 저는 사랑하는 임과의 이별의 상황을 가정하여 시를 썼는데, (나)의 작가님도 작품에서 이별의 상황을 설정하셨더라고요. ⋯⋯⋯⋯⋯⋯⋯⋯⋯⋯⋯⋯⋯⋯⋯⋯⋯⋯⋯⋯⋯⋯⋯⋯⋯ ㉠

**(나)의 작가** : 네. 저도 이별의 상황을 설정함으로서 화자가 그 상황에서 취할 태도를 잘 드러냈다고 할 수 있죠.

**(다)의 작가** : 그렇군요. 저는 한국의 전통적인 한을 표현하기 위해 공간적 배경을 중요하게 설정했어요. '영변에 약산'은 화자가 사랑하는 임과의 심리적 거리감을 깨닫는 곳으로 화자의 슬픔을 강조하고 있어요. ⋯⋯⋯⋯⋯⋯⋯⋯⋯⋯⋯⋯⋯⋯⋯⋯⋯⋯⋯⋯⋯⋯⋯⋯⋯⋯⋯⋯⋯⋯⋯⋯⋯⋯⋯⋯⋯⋯⋯⋯⋯⋯⋯⋯ ㉡

**(나)의 자가** : 저도 (가)의 작가님처럼 '아리랑 고개'라는 장애물을 설정한 점은 같아요. 하지만 고개를 넘어감으로써 화자의 극복 의지를 표현하고자 했다는 점에서 다르네요. ⋯⋯⋯⋯⋯⋯⋯⋯⋯⋯⋯ ㉢

**(다)의 작가** : 그런데 저는 이별의 상황을 극복해야 할 대상으로 보고 있지 않아요. 이별의 상황을 설정함으로써 임을 향한 화자의 강렬한 사랑이 더욱 부각되기 때문이죠. ⋯⋯⋯⋯⋯⋯⋯⋯⋯⋯⋯ ㉣

**(나)의 작가** : 저는 임이 화자를 떠나면 발병이 날 것이라고 협박하는 표현을 사용함으로써 임에 대한 원망의 감정을 직접적으로 드러내고 있어요. ⋯⋯⋯⋯⋯⋯⋯⋯⋯⋯⋯⋯⋯⋯⋯⋯⋯⋯⋯⋯⋯⋯⋯⋯⋯⋯⋯ ㉤

**(다)의 작가** : 저는 화자가 임과의 이별을 묵묵하게 받아들이고, 임의 앞길을 축복하는 시적 발상을 표현했어요. ⋯⋯⋯⋯⋯⋯⋯⋯⋯⋯⋯⋯⋯⋯⋯⋯⋯⋯⋯⋯⋯⋯⋯⋯⋯⋯⋯⋯⋯⋯⋯⋯⋯⋯⋯⋯⋯⋯⋯⋯⋯⋯⋯⋯ ㉥

① ㉠, ㉡, ㉥      ② ㉠, ㉣, ㉤      ③ ㉠, ㉣, ㉤, ㉥

④ ㉡, ㉢, ㉣, ㉤      ⑤ ㉡, ㉢, ㉤, ㉥

**09** (나)~(라)를 감상한 내용으로 적절한 것만을 〈보기〉에서 있는 대로 고른 것은?

┤ 보기 ├

**학생1** : (나), (다) 모두 특정한 종결 어미와 3음보를 반복하여 한국 문학의 전통적인 운율감을 잘 드러내고 있다.

**학생2** : 동일한 상황에서 (나)의 화자는 임의 불행을 빌고 있지만 (다)는 화자의 행복을 진심으로 기도하고 있다.

**학생3** : (다), (라)에서는 대구법을 활용하여 리듬감을 형성하고, 시적 의미를 강조하고 있다.

**학생4** : (라)에서는 자연물을 주어로 하여 화자에게 권유하는 형식을 사용함으로써 화자의 주체적인 의지보다는 운명에 순응한다는 느낌을 준다.

① 학생1, 학생2
② 학생1, 학생4
③ 학생2, 학생4
④ 학생1, 학생3, 학생4
⑤ 학생2, 학생3, 학생4

(가) 가시리 가시리잇고 나는
　　부리고 가시리잇고 나는
　　㉠위 증즐가 大平聖代(대평셩딕)

　　　날러는 엇디 살라 ᄒ고
　　　부리고 가시리잇고 나는
　　　위 증즐가 大平聖代(대평셩딕)

　　　잡스와 두어리마ᄂᆞ는
　　　선ᄒ면 아니 올셰라.
　　　위 증즐가 大平聖代(대평셩딕)

　　　셜온 님 보내ᅌᅳᆸ노니 나는
　　　가시ᄂᆞᆫ 듯 도셔 오쇼셔 나는
　　　위 증즐가 大平聖代(대평셩딕)

　　　　　　　　　　　　　　　　　　　　　－ 작자 미상, 「가시리」 –

(나) 나 보기가 역겨워
　　가실 때에는
　　말없이 고이 보내 드리우리다.

　　　영변(寧邊)에 약산(藥山)
　　　㉡진달래꽃
　　　아름 따다 가실 길에 뿌리우리다.

　　　가시는 걸음걸음
　　　놓인 그 꽃을
　　　사뿐히 즈려밟고 가시옵소서.

　　　나 보기가 역겨워
　　　가실 때에는
　　　㉢죽어도 아니 눈물 흘리우리다.

　　　　　　　　　　　　　　　　　　　　　－ 김소월, 「진달래꽃」 –

(다) 아리랑 아리랑 아라리요
　　아리랑 고개로 넘어간다.
　　나를 버리고 가시는 님은
　　십 리도 못 가서 발병 난다.

　　　　　　　　　　　　　　　　　　　　　－ 「신아리랑」에서 –

**10** (가)의 ㉠에 대한 설명으로 적절하지 <u>않은</u> 것은?

① 음악적 기능을 하는 부분이다.

② 시에서 흥을 돋우는 역할을 한다.

③ 작품의 내용이나 구조에 통일성을 부여한다.

④ 궁중악으로 편입되는 과정에서 발생한 것으로 추정된다.

⑤ 각 연의 끝에 배치되면서 시각적으로 연을 구분 짓는 역할을 한다.

**11** 〈보기〉에서 (나)의 ㉡과 시적 의미가 유사한 것을 골라 바르게 묶은 것은?

┌─ 보기 ┐

(A) 밤낮 하늘을 돌고 돌아도/ 나 그대만 볼 수 있다면/ 내 달콤한 단잠까지도/ 다 버리고 날아올라가도 좋아/ 저 빛을 따라가 ㉠혜성이 되어 저 하늘을 날아봐/ 내 맘을 전하게 그대에게 데려가

– 윤하, 「혜성」 가요 중에서 –

(B) ㉡묏버들 가려 꺾어 보내노라 님의 손에/ 자시는 창 밖에 심어 두고 보소서/ 밤비에 새잎 곧 나거든 날인가도 여기소셔.

– 홍랑 –

(C) 산에는 꽃 피네/ 꽃이 피네/ 갈 봄 여름 없이/ 꽃이 피네// 산에/ 산에/ 피는 ㉢꽃은/ 저만치 혼자서 피어 있네

–김소월, 「산유화」 –

(D) 한 송이의 ㉣국화꽃을 피우기 위해/ 천둥은 먹구름 속에서/ 또 그렇게 울었나 보다.// 그립고 아쉬움에 가슴 조이던/ 머언 먼 젊음의 뒤안길에서/ 인제는 돌아와 거울 앞에 선/ 내 누님같이 생긴 꽃이여.

– 서정주, 「국화 옆에서」 –

└──────────────────────┘

① ㉠, ㉡          ② ㉠, ㉢          ③ ㉡, ㉣          ④ ㉠, ㉡, ㉢          ⑤ ㉡, ㉢, ㉣

**12** 〈보기〉의 시와 (나) 시를 비교하여 감상한 것으로 가장 적절하지 않은 것은?

┤ 보기 ├

산에는 꽃 피네
꽃이 피네
갈 봄 여름 없이
꽃이 피네

山(산)에
山(산)에
피는 꽃은
저만치 혼자서 피어 있네

산에서 우는 작은 새여
꽃이 좋아
산에서
사노라네

산에는 꽃 지네
꽃이 지네
갈 봄 여름 없이
꽃이 지네

— 김소월, 「산유화」 —

① (나)가 의미상 두 행을 세 행으로 배열했다면, 〈보기〉는 의미상 두 행을 네 행으로 배열하고 있다.

② (나)는 '−우리다'를, 〈보기〉는 '−네'를 각각 연이나 행의 마지막 부분에 여러 번 반복하여 각운을 형성하고 있다.

③ (나)는 '고이 보내'거나 '눈물 흘리우'겠다는 모습에서, 〈보기〉는 '지네' 또는 '산에서 우는 새'라는 시어에서 두 작품 모두 이별의 아픔을 노래하고 있음을 알 수 있다.

④ (나)는 시적 화자가 작품 속에 등장하여 자신의 정서를 직접 노래하고 있는 반면, 〈보기〉의 화자는 작품 밖 관찰자적 입장에서 '새'와 시적 상황을 통해 자신의 정서를 간접적으로 드러내고 있음을 알 수 있다.

⑤ (나)는 3연에서 행위의 주체가 달라지고 있다는 점이나 문장 종결형이 다르다는 점에서, 〈보기〉는 1, 2연이 '피네'로 대표되는 '존재의 생성'을 노래하다가, 3, 4연에서 '우는 새'와 '지네'의 표현을 통해 '존재의 소멸'을 노래하는 것으로 변화되고 있다는 점 등에서 3연을 각각 전환 연으로 볼 수 있다.

**13** 〈보기〉를 참고할 때 (나)의 ⓒ과 같은 표현법이 나타나는 것은?

> ┤ 보기 ├
>
> **희수** : '죽어도 아니 눈물 흘리우리다'란 표현에 담긴 화자의 본마음은 무엇일까?
>
> **민기** : 자신의 마음이 상처 입어도 약한 모습을 보이지 않겠다는 다짐처럼 보이지만 이면에는 매우 슬퍼할 것이며, 임이 떠나지 않기를 간절히 바라는 마음이 있겠지.

① 영화가 시작하기 전에 우리는 / 일제히 일어나 애국가를 경청한다 / 삼천리 화려 강산의 / 을숙도에서 일정한 군을 이루며 / 갈대 숲을 이룩하는 흰 새떼들이 / 자기들끼리 끼룩거리면서 **(중략)** 우리의 대열을 이루며 / 한 세상 떼어 메고 / 이 세상 밖 어디론가 날아갔으면 / 하는데 대한 사람 대한으로 / 길이 보전하세로 / 각각 자기 자리에 앉는다. / 주저 앉는다.

– 황지우, 「새들도 세상을 뜨는구나」 –

② 이별을 쓸데없는 눈물의 원천을 만들고 마는 것은 스스로/ 사랑을 깨치는 것인 줄 아는 까닭에 걷잡을 수 없는 슬픔의 힘을 옮겨서/ 새 희망의 정수박이에 들어부었습니다./ 우리는 만날 때에 떠날 것을 염려하는 것과 같이/ 떠날 때에 다시 만날 것을 믿습니다./ 아아, 님은 갔지마는 나는 님을 보내지 아니하였습니다./ 제 곡조를 못 이기는 사랑의 노래는 님의 침묵을 휩싸고 돕니다.

– 한용운, 「님의 침묵」 –

③ 산벚나무 잎 한쪽이 고추잠자리보다 더 빨갛게 물들고 있다 지금 우주의 계절은 가을을 지나가고 있고, 내 인생의 시간은 오후 세시에서 다섯시 사이에 와 있다 내 생의 열두시에서 한시 사이에는 치열하였으나 그 뒤편은 벌레 먹은 자국이 많았다// 이미 나는 중심의 시간에서 멀어져 있지만 어두워지기 전까지 아직 몇 시간이 남아 있다는 것이 고맙고, 해가 다 저물기 전 구름을 물들이는 찬란한 노을과 황홀을 한번은 허락하시리라는 생각만으로도 기쁘다.

– 도종환, 「세 시에서 다섯 시 사이」 –

④ 믿을 수 없다, 저것들도 먼지와 수분으로 된 사람 같은 생물이란 것을. 그렇지 않고서야 어찌 시멘트와 살충제 속에서만 살면서도 저렇게 비대해질 수 있단 말인가. 살덩이를 녹이는 살충제를 어떻게 가는 혈관으로 흘려보내며 딱딱하고 거친 시멘트를 똥으로 바꿀 수 있단 말인가. 입을 벌릴 수밖엔 없다, 쇳덩이의 근육에서나 보이는 저 고감도의 민첩성과 기동력 앞에서는.

– 김기택, 「바퀴벌레는 진화 중」 –

⑤ 마음도 한자리 못 앉아 있는 마음일 때,/ 친구의 서러운 사랑 이야기를/ 가을 햇볕으로나 동무 삼아 따라가면,/ 어느새 등성이에 이르러 눈물 나고나./ 제삿날 큰집에 모이는 불빛도 불빛이지만 /해 질 녘 울음이 타는 가을 강을 보것네.

– 박재삼, 「울음이 타는 가을 강」 –

**14** (가)~(다)에 대한 설명으로 적절하지 <u>않은</u> 것은?

① (가)는 (나)와 달리 여음구가 사용되었다.

② (가)~(다) 모두 사랑하는 사람과 이별의 상황을 제시하고 있다.

③ (가)~(다) 모두 동일한 연결어미를 사용하여 화자의 정서를 강조하고 있다.

④ (나)는 (가)와 같이 전통적인 여인의 모습인 순종적이고 체념적인 태도가 나타난다.

⑤ (나)와 (다)는 대상이 곁에 있기를 바라는 마음은 같지만 대응하는 방식은 다르게 나타난다.

**15** 〈보기〉의 화자가 (가)~(다)의 화자에게 할 말로 가장 적절한 것은?

┌ 보기 ├

요사이 안부를 묻노니 어떻게 지내시나요?
달 밝은 사창엔 소첩의 한이 가득합니다.
만일 꿈속의 넋에게 자취를 남기게 한다면
문 앞의 돌길은 이미 모래가 되었겠지요.

– 이옥봉, 「자술」 –

① (가) : 당신의 임은 그래도 말을 하면 응답을 해주는 따뜻한 사람이군요.
② (가) : 기다리면 임이 돌아올 것이라는 희망을 가진 당신이 부럽네요.
③ (나) : 나도 당신처럼 슬프면 '슬프다', 아니면 '아니다' 대놓고 감정을 표현할 걸 그랬어요.
④ (나) : 임이 보고 싶어 매일 밤 그 집 앞을 서성이는 내 심정을 당신의 진달래꽃에 비유해도 될까요?
⑤ (다) : 나에게 차가운 임에게 소망을 갖지 않고 저주를 퍼붓는 당신의 모습 정말 멋져요.

**16** 〈보기〉의 마지막 부분에 나타난 선생님의 요구에 대한 대답으로 가장 적절한 것은?

┌ 보기 ├

**선생님** : '이별의 정한'은 한국 문학의 전통 중의 한 요소라고 볼 수 있습니다. 이별의 정한을 다룬 또 다른
국문학 작품의 예로 Ⓐ'황조가'를 들 수 있는데 내용은 다음과 같습니다.

펄펄 나는 저 꾀꼬리 / 암수 서로 다정한데
외로울사 이 내 몸은 / 그 누구와 함께 돌아갈꼬

'삼국사기'에 실려 전하는 이 작품의 유래는 다음과 같습니다. 유리왕은 왕비 송씨(松氏)가 죽자 화희(禾
姬)와 치희(雉姬) 두 여인을 계실(繼室)로 맞았는데, 이들은 서로 임금의 총애를 받기 위해 다투었습니다. 왕
이 사냥을 가 궁궐을 비운 틈에 화희가 치희를 모욕하여 한(漢)나라로 쫓아 버렸습니다. 왕이 사냥에서 돌아
와 이 말을 듣고 곧 말을 달려 뒤를 쫓았으나 화가 난 치희는 돌아오지 않았습니다. 왕이 탄식하며 나무 밑에
서 쉬는데, 짝을 지어 날아가는 황조(黃鳥:꾀꼬리)를 보고 탄식하며 이 노래를 지었습니다.
지문으로 제시된 (가), (나), (다)와 위의 Ⓐ를 비교하며 감상하고 자신의 의견을 제시해 봅시다.

① Ⓐ와 (가)의 화자는 임의 부재로 인한 자신의 불행한 심경을 토로하고 있어요.
② Ⓐ와 (다)의 화자는 모두 임에게 특정한 행동을 요구하는 말투를 통해 자신의 감정을 드러내고 있어요.
③ Ⓐ와 (나)의 화자는 자신의 처지와 대비가 되는 소재를 활용하여 자신의 처지를 부각하고 있어요.
④ Ⓐ와 (나), (다)의 화자는 모두 임과의 재회에 대한 소망을 표출하고 있어요.
⑤ Ⓐ와 (가), (나)의 화자는 모두 반복법을 통하여 이별의 슬픔을 강조하고 있어요.

[17~27] 다음 글을 읽고 물음에 답하시오.

(가)

뎨 가는 뎌 각시 본 듯도 ᄒᆞ뎌이고
㉠텬샹(天上) 빅옥경(白玉京)을 엇디ᄒᆞ야 니별(離別)ᄒᆞ고
ᄒᆡ 다 뎌 져믄 날의 눌을 보라 가시ᄂᆞᆫ고
어와 네여이고 이내 ᄉᆞ셜 드러 보오
내 얼굴 이 거동이 님 괴얌즉 ᄒᆞ가마ᄂᆞᆫ
엇딘디 날 보시고 네로다 녀기실ᄉᆡ
나도 님을 미더 군ᄠᆞᆮ디 전혀 업서
이리야 교틱야 어ᄌᆞ러이 ᄒᆞ돗썬디
반기시ᄂᆞᆫ ᄂᆞᆺ비치 녜와 엇디 다ᄅᆞ신고
누어 싱각ᄒᆞ고 니러 안자 혜여ᄒᆞ니
㉡내 몸의 지은 죄 뫼ᄀᆞ티 빠혀시니
하ᄂᆞᆯ히라 원망ᄒᆞ며 사ᄅᆞᆷ이라 허믈ᄒᆞ랴
셜워 플텨혜니 조믈(造物)의 타시로다
글란 싱각 마오 ᄆᆞ친 일이 이셔이다
님을 뫼셔 이셔 님의 일을 내 알거니
믈 ᄀᆞᄐᆞᆫ 얼굴이 편ᄒᆞ실 적 몃 날일고
츈한고열(春寒苦熱)은 엇디ᄒᆞ야 디내시며
츄일동텬(秋日冬天)은 뉘라셔 뫼셧ᄂᆞᆫ고
죽조반(粥早飯) 죠셕(朝夕) 뫼 녜와 ᄀᆞ티 셰시ᄂᆞᆫ가
기나긴 밤의 줌은 엇디 자시ᄂᆞᆫ고
님 다히 쇼식(消息)을 아므려나 아쟈 ᄒᆞ니
오ᄂᆞᆯ도 거의로다 ᄂᆡ일이나 사ᄅᆞᆷ 올가
내 ᄆᆞ음 둘 ᄃᆡ 업다 어드러로 가쟛 말고
㉢잡거니 밀거니 놉픈 뫼희 올라가니
㉣구롬은 ᄏᆞ니와 안개ᄂᆞᆫ 므스 일고
산쳔(山川)이 어둡거니 일월(日月)을 엇디 보며
지쳑(咫尺)을 모ᄅᆞ거든 쳔 리(千里)ᄅᆞᆯ ᄇᆞ라보랴
출하리 믈ᄀᆞ의 가 ᄇᆡ길하나 보랴 ᄒᆞ니
ᄇᆞ람이야 믈결이야 어둥졍 된뎌이고
샤공은 어듸 가고 븬 ᄇᆡ만 걸렷ᄂᆞᆫ고
강텬(江天)의 혼자 셔셔 디ᄂᆞᆫ 히ᄅᆞᆯ 구버보니
님 다히 쇼식(消息)이 더옥 아득ᄒᆞ뎌이고
모쳠(茅簷) 춘 자리의 밤듕만 도라오니
㉤반벽쳥등(半壁靑燈)은 눌 위ᄒᆞ야 불갓ᄂᆞᆫ고
오ᄅᆞ며 ᄂᆞ리며 헤쓰며 바자니니
져근덧 녁진(力盡)ᄒᆞ야 풋줌을 잠간 드니
졍셩(精誠)이 지극ᄒᆞ야 ᄭᅮᆷ의 님을 보니
옥(玉) ᄀᆞᄐᆞᆫ 얼굴이 반(半)이 나마 늘거셰라
ᄆᆞ음의 머근 말ᄉᆞᆷ 슬ᄏᆞ장 ᄉᆞᆲ쟈 ᄒᆞ니

눈믈이 바라 나니 말솜인들 어이ᄒᆞ며
정(情)을 못다 ᄒᆞ야 목이조차 몌여ᄒᆞ니
오뎐된 계셩(鷄聲)의 ᄌᆞᆷ은 엇디 ᄭᆡ돗던고
어와 허ᄉᆞ(虛事)로다 이 님이 어딕 간고
결의 니러 안자 창(窓)을 열고 ᄇᆞ라보니
ⓜ어엿븐 그림재 날 조출 ᄲᅮᆫ이로다
ᄎᆞᆯ하리 싀여디여 낙월(落月)이나 되야이셔
님 겨신 창(窓) 안히 번드시 비최리라
각시님 ᄃᆞᆯ이야 ᄏᆞ니와 구ᄌᆞᆫ비나 되쇼셔


(나)
나 보기가 역겨워
가실 때에는
말없이 고이 보내 드리우리다.


영변(寧邊)에 약산(藥山)
진달래꽃
아름 따다 가실 길에 뿌리우리다.


가시는 걸음걸음
놓인 그 꽃을
ⓑ사뿐히 즈려밟고 가시옵소서.


나 보기가 역겨워
가실 때에는
죽어도 아니 눈물 흘리우리다.


(다)
┌ 가시리 가시리잇고 나ᄂᆞᆫ
기 ᄇᆞ리고 가시리잇고 나ᄂᆞᆫ
└ 위 증즐가 대평셩ᄃᆡ(大平聖代)

┌ 날러는 엇디 살라 ᄒᆞ고
승 ᄇᆞ리고 가시리잇고 나ᄂᆞᆫ
└ 위 증즐가 대평셩ᄃᆡ(大平聖代)

┌ 잡ᄉᆞ와 두어리마ᄂᆞᄂᆞᆫ
전 선ᄒᆞ면 아니 올셰라.
└ 위 증즐가 대평셩ᄃᆡ(大平聖代)

┌ 셜온 님 보내ᄋᆞᆸ노니 나ᄂᆞᆫ
결 가시ᄂᆞᆫ 듯 도셔 오쇼셔 나ᄂᆞᆫ
└ 위 증즐가 대평셩ᄃᆡ(大平聖代)

**17** (가)와 (나)의 화자에 대해 이해한 내용으로 적절하지 <u>않은</u> 것은?

① (가)의 화자는 그리운 임의 소식을 들을 수 없어 '물가'를 헤매며 안타까워하고 있다.

② (가)의 화자는 임을 볼 수 있는 '풋잠'에서 깨어난 것을 아쉬워하고 있다.

③ (가)의 화자는 '지는 달'이 되어 '창안'을 비추고 싶다는 소망을 통해 임에 대한 간절한 사랑을 드러낸다.

④ (나)의 화자는 이미 떠나 버린 임에 대한 정성과 사랑을 노래하고 있다.

⑤ (나)의 화자는 슬픔을 드러내지 않고 견디겠다는 '애이불비(哀而不悲)'의 정서를 보이고 있다.

**18** 〈보기〉는 (가)를 평가한 글의 일부이다. 이를 참고하여 윗글을 이해한 것으로 가장 적절한 것은?

> ┤ 보기 ├
>
> 　지금 우리나라의 시문은 자기 말을 버려두고 다른 나라의 말을 배워서 표현하므로, 설령 아주 비슷하다 하더라도 이는 단지 앵무새가 사람의 말을 하는 것에 불과하다. 민간의 나무는 아이나 물 긷는 아낙네들이 소리 내어 서로 주고받는 노래가 비록 비루하다 할지라도, 그 참과 거짓을 논한다면 정녕 학사 대부들의 이른바 시부(詩賦)와는 같은 자격에 두고 논할 수 없다.
>
> 　하물며 이 세편의 별곡(「관동별곡」, 「사미인곡」, 「속미인곡」)은 천기(天機)가 스스로 일어난 것을 담고 있되 속됨은 없으니, 예로부터 우리나라의 참문장은 이 세 편뿐이다. 그런데 세 편을 가지고 다시 따져 본다면, 「속미인곡」의 수준이 가장 높다. 「관동별곡」과 「사미인곡」은 여전히 한자어를 빌려서 수식한 것이므로 자연스럽지 못하다.
>
> 　　　　　　　　　　　　　　　　　　　　　　　　　　　　　－ 김만중, 「서포만필」 －

① 〈보기〉는 (가)가 새의 울음소리처럼 경쾌한 율격을 지녔다고 평가하였다.

② 〈보기〉는 세 편의 별곡이 평민들이 기질을 충실히 반영했다고 평가하였다.

③ 〈보기〉는 (가)와 같은 학사 사대부들의 노래를 아이나 아낙네들의 노래보다 높게 평가하였다.

④ 〈보기〉는 세 편의 별곡이 우리말과 한자어를 조화롭게 사용하였기에 참문장이라고 평가하였다.

⑤ 〈보기〉는 세 편의 별곡 중 진실한 감정을 우리말로 아름답게 표현했다는 점에서 윗글을 가장 높게 평가하였다.

**19** (가)에 대한 설명으로 적절하지 <u>않은</u> 것은?

① 조선 시대 가사 문학의 백미로 손꼽힌다.

② 시간의 흐름에 따라 화자의 내적 갈등이 해소되고 있다.

③ 자연물에 상징적 의미를 부여하여 작품의 주제를 형상화하고 있다.

④ 연군의 정을 이별한 여인의 애달픈 심정에 의탁하여 표현하고 있다.

⑤ 한자어보다 우리말을 중심으로 표현하고 있다.

**20** 다음 중 @의 의미와 가장 유사한 것은?

① 너럭바위 우히 松竹(송죽)을 헤치고 정자를 안쳐시니
　구름 튼 靑鶴(청학)이 천리를 가리라 두 날개를 버렷는 듯

– 송순 –

② 草庵(초암)이 寂廖(적료)흔딕 벗 없이 흔자 안즈
　平調(평조) 한 닙히 흰 구름이 절로 존다.
　어느 뉘 이 죠흔 뜻을 알 리 잇다 흐리오.

– 김수장 –

③ 구름이 無心(무심)튼 말이 아마도 허랑흐다.
　中天(중천)에 써 이셔 任意(임의)로 드니면서
　구틱야 光明(광명)흔 날빗츨 싸라가며 덥ㅁ니

– 이존오 –

④ 절이 흰 구름 속에 있어
　스님은 흰 구름을 쓸지 않네.
　나그네가 오자 비로소 문을 여니
　온 산의 松花(송화)는 이미 쇠었네.

– 이달 –

⑤ 구름 빛이 좋다하나 검기를 자로 한다.
　바람소리 맑다 하나 그칠 적이 하노매라
　좋고도 그칠 뉘 없기는 물뿐인가 하노라.

– 윤선도 –

**21** 다음 중 ㉠~㉤에 대한 설명으로 적절하지 <u>않은</u> 것은?

① ㉠ – 관직에서 물러난 화자의 상황을 의미한다.
② ㉡ – 이별에 대한 자책이 드러나 있다.
③ ㉢ – 임과의 심리적 거리를 좁히려는 화자의 노력이 엿보인다.
④ ㉣ – 시적화자는 반벽청등에서 마음의 위로를 받고 있다.
⑤ ㉤ – 화자의 외롭고 쓸쓸한 심정이 드러나 있다.

**22** (나) 시의 표현상의 특징으로 적절하지 <u>않은</u> 것은?

① 경어체의 여성적 어조를 통해 정서를 효과적으로 표현한다.
② 유사한 종결어미의 반복과 수미상관을 통해 운율을 형성한다.
③ 구체적 지명과 토속적 시어를 통해 향토적 부위기를 자아낸다.
④ 반어법을 사용하여 화자의 애절한 심정을 효과적으로 표현한다.
⑤ 역설적 표현을 사용하여 화자의 슬픔을 종교적으로 승화하고 있다.

**23** 이별의 상황에서 보이는 화자의 태도가 (나) 시와 가장 유사한 것은?

① 나는 이 겨울을 누워서 지냈다. / 사랑하는 사람을 잃어버려 / 염주처럼 윤나게 굴리던 / 독백도 끝이 나고 / 바람도 불지 않아 / 이 겨울 누워서 편히 지냈다.

– 문정희, 「겨울일기」 –

② 비 개인 긴 강둑에 풀빛이 진한데 / 남포에 임을 보내니 노랫가락마저 구슬프구나. / 대동강의 물은 어느 때에 마를 것인가? / 해마다 이별의 눈물만 푸른 물결에 더해 가노니.

– 정지상, 「송인(送人)」 –

③ 서경이 서경이 서울이지마는 / 닦은 곳 닦은 곳 소서경을 사랑하지마는 / 이별하기 보다는 이별하기 보다는 길쌈하는 베를 버리고라도 사랑해주신다면 사랑해주신다며 울면서 따르겠습니다.

– 작자미상, 「서경별곡」 –

④ 그대가 아찔한 절벽 끝에서 / 바람의 얼굴로 서성인다면 그대를 부르지 않겠습니다. / 옷깃 부둥키며 수선스럽지 않겠습니다. / 그대에게 무슨 연유가 있겠거니 / 내 사랑의 몫으로 / 그대의 뒷모습을 마지막 순간까지 지켜보겠습니다.

– 김선우, 「낙화, 첫사랑」 –

⑤ 이별은 쓸데없는 눈물의 원천을 만들고 마는 것은 / 스스로 사랑을 깨치는 것인 줄 아는 까닭에 / 걷잡을 수 없는 슬픔의 힘을 옮겨서 새 희망의 정수박이에 들어부었습니다. / 우리는 만날 때에 떠날 것을 염려하는 것과 같이 떠날 때에 다시 만날 것을 믿습니다.

– 한용운, 「님의 침묵」 –

**24** 〈보기〉와 (나)를 비교한 것으로 적절하지 않은 것은?

> ┤ 보기 ├
>
> 먼 훗날 당신이 찾으시면
> 그때에 내 말이 "잊었노라."
>
> 당신이 속으로 나무라면
> "무척 그리다가 잊었노라."
>
> 그래도 당신이 나무라면
> "믿기지 않아서 잊었노라."
>
> 오늘도 어제도 아니 잊고
> 먼 훗날 그때에 "잊었노라."
>
> – 김소월, 「먼 후일」 –

① 〈보기〉와 달리 (나)에는 임을 위하는 마음이 드러나고 있다.
② 두 작품에서 보이는 민요조의 율격은 작품의 전통적인 정서와 잘 어우러진다.
③ 두 작품 모두 이별의 상황을 적극적으로 타개하려는 모습을 보이지는 않고 있다.
④ (나)는 유사한 연의 반복을, 〈보기〉는 특정 단어의 반복을 통해 의미를 강조하고 있다.
⑤ 두 작품 모두 이별을 경험한 후의 슬픔을 반어적 표현을 통해 더욱 강렬하게 표현하고 있다.

**25** 다음 중 ⓑ에 사용된 수사법과 같은 표현 방법이 사용된 것은?

① 두 볼에 흐르는 빛이
　　정작으로 고와서 서러워라.

– 조지훈, 「승무」 –

② 여승은 합장하고 절을 했다.
　　가지취의 내음새가 났다.
　　쓸쓸한 낯이 옛날같이 늙었다.
　　나는 불경처럼 서러워졌다.

– 백석, 「여승」 –

③ 낙엽은 폴란드 망명정부의 지폐
　　포화에 이즈러진
　　드룬시의 가을 하늘을 생각게 한다.

– 김광균, 「추일서정」 –

④ 풀이 눕는다.
　　비를 몰아오는 동풍에 나부껴
　　풀은 눕고 드디어 울었다.

– 김수영, 「풀」 –

⑤ 태양을 의논하는 거룩한 이야기는
　　항상 태양을 등진 곳에서만 비롯하였다.

– 신석정, 「꽃덤불」 –

**26** (다)의 시어에 대한 설명으로 적절하지 <u>않은</u> 것은?

① '버리고'의 주체는 임으로 화자가 애원하는 이유가 된다.
② '어찌 살라 하고'의 주체는 임을 떠나보내며 한탄하는 화자이다.
③ '잡사와 두어리마ᄂᆞᄂᆞᆫ'의 주체는 임으로, 임이 떠나는 원인이 된다.
④ '보내옵나니'의 주체는 화자로, 임이 돌아오기를 바라면서 하는 행위이다.
⑤ '돌아오소서'는 임이 행위의 주체로, 화자의 소망이 담겨 있다.

**27** 다음 중 (다)를 기승전결의 구성으로 이해할 때, 적절하지 <u>않은</u> 것은?

① '기'에서는 임과 이별하는 상황을 제시하며 시상을 이끌어 내고 있군.
② '승'에서는 화자의 처지를 하소연하며 시상을 고조시키고 있군.
③ '전'에서는 임과의 이별을 부정하면서 시상을 전환하고 있군.
④ '결'에서는 임이 곧 돌아오기를 바라는 마음이 나타나는군.
⑤ '결'에서는 자기희생과 절제의 태도로 시상을 마무리하고 있군.

[28~31] 다음 글을 읽고 물음에 답하시오.

(가) 뎨 가는 뎌 각시 본 듯도 ᄒ뎌이고
    텬샹(天上) 빅옥경(白玉京)을 엇디ᄒ야 니별(離別)ᄒ고
    ᄒᆡ 다 뎌 져믄 날의 눌을 보라 가시ᄂᆞᆫ고
    어와 네여이고 이내 수셜 드러 보오
    <u>ㄱ내 얼굴 이 거동이 님 괴얌즉 ᄒ가마ᄂᆞᆫ</u>
    엇딘디 날 보시고 네로다 녀기실ᄉᆡ
    나도 님을 미더 군ᄯᅳ디 젼혀 업서
    <u>ㄴ이릭야 교ᄐᆡ야 어즈러이 ᄒ돗ᄯᅥᆫ디</u>
    반기시ᄂᆞᆫ ᄂᆞᆺ비치 녜와 엇디 다ᄅᆞ신고
    누어 싱각ᄒ고 니러 안자 혜여ᄒ니
    내 몸의 지은 죄 뫼ᄀᆞ티 빠혀시니
    하ᄂᆞᆯ히라 원망ᄒ며 사ᄅᆞᆷ이라 허믈ᄒᆞ랴
    셜워 플텨혜니 조믈(造物)의 타시로다
    글란 싱각 마오 미친 일이 이셔이다
    님을 뫼셔 이셔 님의 일을 내 알거니
    믈 ᄀᆞ튼 얼굴이 편ᄒᆞ실 적 몃 날일고
    츈한고열(春寒苦熱)은 엇디ᄒ야 디내시며
    츄일동텬(秋日冬天)은 뉘라셔 뫼셧ᄂᆞᆫ고
    죽조반(粥早飯) 죠셕(朝夕) 뫼 녜와 ᄀᆞ티 셰시ᄂᆞᆫ가
    기나긴 밤의 ᄌᆞᆷ은 엇디 자시ᄂᆞᆫ고
    님 다히 쇼식(消息)을 아므려나 아쟈 ᄒ니
    오늘도 거의로다 ᄂᆡ일이나 사ᄅᆞᆷ 올가
    내 ᄆᆞ음 둘 ᄃᆡ 업다 어드러로 가쟛 말고
    잡거니 밀거니 놉픈 뫼히 올라가니

구룸은 킈니와 안개는 므스 일고
ⓒ산쳔(山川)이 어둡거니 일월(日月)을 엇디 보며
지쳑(咫尺)을 모르거든 쳔 리(千里)를 ᄇᆞ라보랴
ᄎᆞᆯ하리 믈ᄀᆞ의 가 ᄇᆡᆺ길하나 보랴 ᄒᆞ니
ᄇᆞ람이야 믈결이야 어둥졍 되뎌이고
샤공은 어듸 가고 븬 ᄇᆡ만 걸렷ᄂᆞᆫ고
강쳔(江天)의 혼자 셔셔 디ᄂᆞᆫ 히를 구버보니
님 다히 쇼식(消息)이 더옥 아득ᄒᆞ뎌이고
모쳠(茅簷) 찬 자리의 밤듕만 도라오니
ⓔ반벽쳥등(半壁靑燈)은 눌 위ᄒᆞ야 볼갓ᄂᆞᆫ고
오르며 ᄂᆞ리며 헤쓰며 바자니니
져근덧 녁진(力盡)ᄒᆞ야 픗ᄌᆞᆷ을 잠간 드니
졍셩(精誠)이 지극ᄒᆞ야 ᄭᅮᆷ의 님을 보니
옥(玉) ᄀᆞᄐᆞᆫ 얼굴이 반(半)이 나마 늘거셰라
ᄆᆞᄋᆞᆷ의 머근 말ᄉᆞᆷ 슬ᄏᆞ장 ᄉᆞᆲ쟈 ᄒᆞ니
눈믈이 바라 나니 말ᄉᆞᆷ인들 어이 ᄒᆞ며
졍(情)을 못다 ᄒᆞ야 목이조차 몌여 ᄒᆞ니
오뎐된 계셩(鷄聲)의 ᄌᆞᆷ은 엇디 ᄭᆡ돗던고
어와 허ᄉᆞ(虛事)로다 이 님이 어듸 간고
결의 니러 안자 창(窓)을 열고 ᄇᆞ라보니
ⓜ어엿븐 그림재 날 조ᄎᆞᆯ ᄲᅮᆫ이로다
ᄎᆞᆯ하리 싀여디여 낙월(落月)이나 되야이셔
님 겨신 창(窓) 안히 번드시 비최리라
각시님 ᄃᆞᆯ이야ᄏᆞ니와 구준비나 되쇼셔

– 정철, 「속미인곡」 –

(나) 가시리 가시리잇고 나ᄂᆞᆫ
　　　ᄇᆞ리고 가시리잇고 나ᄂᆞᆫ
　　　위 증즐가 대평셩ᄃᆡ(大平聖代)

　　　날러는 엇디 살라 ᄒᆞ고
　　　ᄇᆞ리고 가시리잇고 나ᄂᆞᆫ
　　　위 증즐가 대평셩ᄃᆡ(大平聖代)

　　　잡ᄉᆞ와 두어리마ᄂᆞᄂᆞᆫ
　　　선ᄒᆞ면 아니 올셰라.
　　　위 증즐가 대평셩ᄃᆡ(大平聖代)

　　　셜온 님 보내ᅌᆞᆸ노니 나ᄂᆞᆫ
　　　가시ᄂᆞᆫ 듯 도셔 오쇼셔 나ᄂᆞᆫ
　　　위 증즐가 대평셩ᄃᆡ(大平聖代)

– 작자 미상, 「가시리」 –

**28** 다음을 바탕으로 할 때, (가)와 가장 비슷한 성격을 지닌 작품으로 적절한 것은?

> (가)는 여성 화자의 목소리를 통해 임과 이별한 괴로움을 토로하고 있으나 작품의 창작 배경과 작가의 상황을 고려할 때, 충신이 임금을 그리워하는 노래 즉, '충신연주지사(忠臣戀主之詞)'의 작품임을 알 수 있다.

① 꿈에 단니는 길히 자최곳 날쟉시면
   님의 집 창밧긔 석로(石路)라도 달흐리라
   꿈길히 자최 업스니 그를 슬허ᄒ노라.

　　　　　　　　　　　　　　　　　　　　－ 이명한 －
　　　　　　　　　　　　* **슬허ᄒ노라** : 슬퍼하노라

② 지당(池塘)에 비 ᄲ리고 양류(楊柳)에 ᄂᆡ ᄭᅵ인 졔,
   사공(沙工)은 어듸 가고 뷘 빅만 믜엿ᄂᆞᆫ고.
   석양(夕陽)에 ᄧᅡᆨ 일흔 굴며기는 오락가락 ᄒᆞ노매.

　　　　　　　　　　　　　　　　　　　　－ 조헌 －
　　　　　　　　* **지당** : 연못　* **ᄂᆡ** : 안개

③ 심산(深山)의 밤이 드니 북풍(北風)이 더욱 차다
   옥루고처(玉樓高處)에도 이 바람 부난게오
   긴 밤의 치우신간 북두(北斗) 비겨 바래로라

　　　　　　　　　　　　　　　　　　　　－ 박인로 －
　　* **옥루고처** : 옥으로 된 누각과 높은 거처　* **북두** : 북두칠성

④ 청초(靑草) 우거진 골에 자는다 누엇는다.
   홍안(紅顔)을 어듸 두고 백골(白骨)만 무쳣는이.
   잔(盞) 자바 권(勸)ᄒ리 업스니 그를 슬허ᄒ노라.

　　　　　　　　　　　　　　　　　　　　－ 임제 －
　　　　　　　　* **홍안** : 젊은 여인의 얼굴

⑤ 강호(江湖)에 노쟈ᄒ니 성주(聖主)를 ᄇᆞ리례고
   성주(聖主)를 셤지쟈ᄒ니 소락(所樂)애 어긔예라
   호온자 기로(岐路)애 셔셔 갈 듸 몰라 ᄒ노라.

　　　　　　　　　　　　　　　　　　　　－ 권호문 －
　　　* **ᄇᆞ리례고** : 버려야 하고　* **소락** : 즐기는 것을

┌ 보기 ┐

엇그제 님을 뫼셔 광한뎐(廣寒殿)의 올낫더니,

그더딕 엇디ᄒᆞ야 하계(下界)예 ᄂᆞ려오니,

올 적의 비슨 머리 얼킈연디 삼 년(三年)이라.

연지분(臙脂粉) 잇ᄂᆞ마ᄂᆞ 눌 위ᄒᆞ야 고이 홀고.

ᄆᆞ음의 미친 실음 텹텹(疊疊)이 ᄡᅡ혀 이셔,

짓ᄂᆞ니 한숨이오 디ᄂᆞ니 눈믈이라.

인ᄉᆡᆼ(人生)은 유혼(有限)혼디 시룜도 그지 업다.

무심(無心)혼 셰월(歲月)은 믈 흐ᄅᆞᆺ듯 ᄒᆞᄂᆞᆫ고야.

염냥(炎涼)이 ᄯᆡᆯ 아라 가ᄂᆞ 듯 고텨 오니,

듯거니 보거니 늣길 일도 하도 할샤.

동풍(東風)이 건듯 부러 젹셜(積雪)을 헤텨 내니,

창(窓) 밧긔 심근 미화(梅花) 두세 가지 픠여셰라.

ᄀᆞ득 닝담(冷淡)혼디 암향(暗香)은 므스일고.

황혼(黃昏)의 둘이 조차 벼마틱 빗최니,

늣기ᄂᆞ 듯 반기ᄂᆞ 듯 님이신가 아니신가

뎌 미화(梅花) 것거 내여 님 겨신 ᄃᆡ 보내오져.

님이 너를 보고 엇더타 너기실고.

ᄭᅩᆺ 디고 새닙 나니 녹음(綠陰)이 실렷ᄂᆞᆫ디,

나위(羅幃) 젹막(寂寞)ᄒᆞ고 슈막(繡幕)이 뷔여 잇다.

부용(芙蓉)을 거더 노코 공쟉(孔雀)을 둘러 두니,

ᄀᆞ득 시룜 한ᄃᆡ 날은 엇디 기돗던고.

원앙금(鴛鴦衾) 버혀 노코 오ᄉᆡᆨ션(五色線) 플텨 내여

금자히 견화이셔 님의 옷 지어 내니,

슈품(繡品)은 ᄏᆞ니와 졔도(制度)도 ᄀᆞ줄시고.

산호슈(珊瑚樹) 지게 우희 백옥함(白玉函)의 다마 두고,

님의게 보내오려 님 겨신 ᄃᆡ ᄇᆞ라보니,

산(山)인가 구롬인가 머흐도 머흘시고.

쳔리만리(千里萬里) 길흘 뉘라셔 ᄎᆞ자갈고.

니거든 여러 두고 날인가 반기실가.

－정철, 「사미인곡」－

① 윗글의 '빅옥경'과 〈보기〉의 '광한뎐'은 그 함축적 의미가 동일하다.

② 윗글의 '모첨'과 〈보기〉의 '하계'는 화자가 현재 머물고 있는 곳을 의미한다.

③ 윗글과 달리, 〈보기〉에는 계절을 알게 하는 단어인 '동풍'과 '원앙금'이 나타나 있다.

④ 〈보기〉에서 화자가 임 계신 곳으로 보내고자 하는 소재로 '매화'와 '님의 옷'을 들 수 있다.

⑤ 〈보기〉에서 '연지분'은 여성 화자임을 알게 하는 단어이다.

**30** ⊙∼⑩을 풀이한 내용으로 적절하지 <u>않은</u> 것은?

① ⊙ : 임의 전적인 은혜로 사랑받음을 강조하고 있군.

② ⓛ : 임에게 버림받은 원인이 구체적으로 나타나 있군.

③ ⓒ : 부정적인 시대 상황에 처한 임의 처지가 나타나 있군.

④ ⓔ : '반벽청등'은 화자의 마음을 더욱 외롭게 하고 있군.

⑤ ⑩ : 가엾은 임의 모습이 그림자로 투영되고 있군.

**31** 〈보기〉는 (나)의 짜임을 나타낸 것이다. ⓐ∼ⓓ에 들어갈 내용으로 가장 적절한 것은?

> ┤ 보기 ├
>
> [1연] : 이별에 대한 ( ⓐ )
>
> [2연] : 떠나는 임에 대한 ( ⓑ )
>
> [3연] : 애상적 감정의 ( ⓒ )
>
> [4연] : 이별 후, 화자의 ( ⓓ )

|  | ⓐ | ⓑ | ⓒ | ⓓ |
|---|---|---|---|---|
| ① | 거부 | 송축 | 절제 | 염원 |
| ② | 거부 | 원망 | 고조 | 소망 |
| ③ | 체념 | 송축 | 절제 | 절망 |
| ④ | 슬픔 | 원망 | 고조 | 허탈감 |
| ⑤ | 안타까움 | 원망 | 절제 | 소망 |

**(가)**

┌ 데 가는 뎌 각시 본 듯도 흔뎌이고
│ 텬샹(天上) 빅옥경(白玉京)을 엇디ㅎ야 니별(離別)ㅎ고
│ ㉠히 다 뎌 져믄 날의 눌을 보라 가시ᄂᆞᆫ고
└ 어와 네여이고 이내 ᄉᆞ셜 드러 보오
[A] 내 얼굴 이 거동이 님 괴얌즉 ᄒᆞ가마ᄂᆞᆫ
│ 엇딘디 날 보시고 네로다 녀기실ᄉᆡ
│ 나도 님을 미더 군ᄠᅳ디 전혀 업서
│ 이릭야 교틱야 어즈러이 ᄒᆞ돗썬디
└ 반기시ᄂᆞᆫ ᄂᆞᆺ비치 녜와 엇디 다ᄅᆞ신고

┌ 내 몸의 지은 죄 뫼ᄀᆞ티 ᄡᅡ혀시니
[B] ㉡하늘히라 원망ᄒᆞ며 사ᄅᆞᆷ이라 허믈ᄒᆞ랴
└ 셜워 플텨 혜니 조믈(造物)의 타시로다 (중략)

┌ 님 다히 쇼식(消息)을 아므려나 아쟈 ᄒᆞ니
│ 오늘도 거의로다 ᄂᆡ일이나 사ᄅᆞᆷ 올가
│ 내 ᄆᆞᄋᆞᆷ 둘 ᄃᆡ 업다 어드러로 가쟛 말고
[C] 잡거니 밀거니 놉픈 뫼히 올라가니
│ 구롬은 ᄏᆞ니와 안개ᄂᆞᆫ 므스 일고
│ 산쳔(山川)이 어둡거니 일월(日月)을 엇디 보며
└ 지쳑(咫尺)을 모ᄅᆞ거든 쳔 리(千里)ᄅᆞᆯ ᄇᆞ라보랴

┌ 출하리 믈ᄀᆞ의 가 ᄇᆡ 길히나 보랴 ᄒᆞ니
│ ᄇᆞ람이야 믈결이야 어둥졍 된뎌이고
[D] 샤공은 어ᄃᆡ 가고 ㉢븬 ᄇᆡ만 걸럿ᄂᆞᆫ고
│ 강텬의 혼자 셔셔 디ᄂᆞᆫ 히ᄅᆞᆯ 구버보니
└ ㉣님다히 쇼식이 더옥 아득ᄒᆞ뎌이고 (중략)
ㅁ졍셩(精誠)이 지극ᄒᆞ야 ᄭᅮᆷ의 님을 보니
옥(玉) ᄀᆞᄐᆞᆫ 얼굴이 반(半)이 나마 늘거셰라

┌ ᄆᆞᄋᆞᆷ의 머근 말ᄉᆞᆷ 슬ᄏᆞ장 ᄉᆞᆲ쟈 ᄒᆞ니
│ 눈믈이 바라나니 말ᄉᆞᆷ인들 어이 ᄒᆞ며
│ 졍(情)을 못다 ᄒᆞ야 목이조차 몌여ᄒᆞ니
[E] 오뎌된 계셩(鷄聲)의 ᄌᆞᆷ은 엇디 ᄭᆡ돗던고
│ 어와 허ᄉᆞ(虛事)로다 이 님이 어ᄃᆡ 간고
│ 결의 니러 안자 창(窓)을 열고 ᄇᆞ라보니
└ 어엿븐 그림재 날 조ᄎᆞᆯ ᄲᅮᆫ이로다
출하리 ᄉᆡ여디여 낙월(落月)이나 되야이셔
님 겨신 창(窓) 안히 번드시 비최리라
각시님 ᄃᆞᆯ이야 ᄏᆞ니와 구준비나 되쇼셔

(나)

그립고 그리워도 볼 수가 없어
마음은 바람에 나부끼는 종이 연 같아라
ⓑ돗자리라면 말아 두고 돌이라면 굴러 낼 수 있으련만
이 마음의 응어리 어느 때나 고칠까
그리운 사람은 멀리 하늘 모퉁이에 있는데
구름 뜬 하늘 아래 늘어진 푸른 버들
ⓐ아득한 시름은 끝이 없어라
홀로 앉아 공후를 타니
ⓞ공후는 하소연하는 듯 흐느끼는 듯
다 타도록 비단 적삼 젖는 줄도 몰랐네
원컨대 쌍쌍이 나는 새가 되어서
임 향한 창 앞에 서 있고자
원컨대 밝은 달빛 되어
임의 방문 휘장 뚫어 비춰들고자
슬픈 노래 ⓩ잠 못 드는 밤 어찌 이리 긴고
ⓒ꿈속에서도 요산 남쪽 건너지 못하였네
기나긴 그리움에 공연히 애만 끓노라

– 성현, 「장상사(長相思)」 –

**32** (가)의 계성(鷄聲)과 〈보기〉의 귀쏘리에 대한 설명이 잘못된 것은?

> ┤ 보기 ├
>
> 귀쏘리 져 귀쏘리 어엿부다 져 귀쏘리
> 어인 귀쏘리 지는둘 새는 밤의 긴 소리 자른 소리 절절이 슬픈 소리 제 혼자 우러 녜어 사창(紗窓) 여윈 줌을 슬쓰리도 쌔오는고야
> 두어라. 제 비록 미물(微物)이나 무인동방(無人洞房)에 내 뜻 알리는 너쑌인가 ᄒ노라

① '귀쏘리'와 '계성'은 화자의 정서를 대변하고 있다.
② '계성'과 '귀쏘리'는 화자의 잠을 깨우는 소재로 사용되었다.
③ '계성'과 '귀쏘리'는 청각적 심상을 통해 작품 속에서 기능하고 있다.
④ '오뎐된'과 '어엿부다'라는 표현을 통해 대상에 대한 화자의 감정을 드러내고 있다.
⑤ 위 시와 달리 〈보기〉의 화자는 '귀쏘리'를 용서하고 동병상련의 대상으로 여기고 있다.

**33** ㉠~㉲에 대한 설명으로 적절하지 <u>않은</u> 것은?

① ㉠, ㉲ – 화자의 쓸쓸한 상황을 더욱 강조하고 애상적인 분위기를 자아내고 있다.

② ㉡, ㉺ – 비슷한 문장구조를 반복하는 대구법을 사용하여 운율을 형성하고 있다.

③ ㉢, ㉸ – 화자의 외로움을 사물에 빗대어 간접적으로 표현하고 있다.

④ ㉣, ㉻ – 임과의 거리감을 드러내어 임에 대한 그리움을 드러내고 있다.

⑤ ㉤, ㉾ – 꿈을 통해 임과 재회하고자 하는 간절한 소망을 잠시나마 이루고 있다.

**34** (가), (나)와 유사한 시적상황이 드러나고 있는 것은?

① 사랑이 거즛말이 님 날 사랑 거즛말이
　숨에 와 뵈단 말이 그 더욱 거즛말이
　날갓치 줌 아니 오면 어늬 꿈에 뵈리오.

－ 김상용 －

② 뉘라서 까마귀를 검고 흉타 ᄒᆞ돗던고
　반포보은(反哺報恩)이 그 아니 아름다운가
　ᄉᆞ름이 저 새만 못ᄒᆞᆷ믈 못내 슬허ᄒᆞ노라.

－ 박효관 －

③ 허허 호호 흔들 내 우음이 졍 우움가
　하 어쳑 업서셔 눗기다가 그리 되게
　벗님ᄂᆡ 우디를 말구려 아귀 ᄣᅥᆨ여디리라.

－ 권섭 －

④ 누고셔 삼공(三公)도곤 낫다 ᄒᆞ더니 만승(萬乘)이 이만ᄒᆞ랴
　이제로 생각해보니 소부(巢父)허유(許由) 약앗더라.
　아마도 임천한흥(林泉閑興)을 비길 곳이 업세라.

－ 윤선도, 「만흥」 －

⑤ ᄆᆞ음아 너ᄂᆞᆫ 어이 ᄆᆡ양에 져멋ᄂᆞᆫ다
　내 늘글 적이면 넨들 아니 늘글소냐
　아마도 너 좃녀 ᄃᆞ니다가 ᄂᆞᆷ 우일가 ᄒᆞ노라.

－ 서경덕 －

**[01~05] 다음 글을 읽고 물음에 답하시오.**

(가)  나 보기가 역겨워
　　　가실 때에는
　　　말없이 고이 보내 드리우리다.

　　　영변(寧邊)에 약산(藥山)
　　　진달래꽃
　　　아름 따다 가실 길에 뿌리우리다.

　　　가시는 걸음걸음
　　　놓인 그 꽃을
　　　사뿐히 즈려밟고 가시옵소서.

　　　나 보기가 역겨워
　　　가실 때에는
　　　ⓐ죽어도 아니 눈물 흘리우리다.

　　　　　　　　　　　　　　　　　　　　　　　　　　－ 김소월, 「진달래꽃」 －

(나)  뎨 가는 뎌 각시 본 듯도 ᄒᆞ녀이고
　　　텬샹(天上) 빅옥경(白玉京)을 엇디ᄒᆞ야 니별(離別)ᄒᆞ고
　　　히 다 뎌 뎌믄 날의 눌을 보라 가시ᄂᆞᆫ고
　　　어와 네여이고 내 ᄉᆞ셜 드러 보오
　　　내 얼굴 이 거동이 님 괴얌즉 ᄒᆞ가마ᄂᆞᆫ
　　　엇딘디 날 보시고 네로다 녀기실ᄉᆡ
　　　나도 님을 미더 군ᄠᅳ디 전혀 업서
　　　이리야 교ᄐᆡ야 어ᄌᆞ러이 ᄒᆞ돗ᄯᅥᆫ디
　　　반기시ᄂᆞᆫ ᄂᆞᆺ비치 녜와 엇디 다ᄅᆞ신고
　　　누어 싱각ᄒᆞ고 니러 안자 혜여ᄒᆞ니
　　　내 몸의 지은 죄 뫼ᄀᆞ티 ᄡᅡ혀시니
　　　하ᄂᆞᆯ히라 원망ᄒᆞ며 사ᄅᆞᆷ이라 허믈ᄒᆞ랴
　　　셜워 플텨 혜니 조믈(造物)의 타시로다
　　　글란 싱각 마오 미친 일이 이셔이다
　　　님을 뫼셔 이셔 님의 일을 내 알거니
　　　믈 ᄀᆞᆮᄐᆞᆫ 얼굴이 편ᄒᆞ실 적 몃 날일고
　　　츈한 고열(春寒苦熱)은 엇디ᄒᆞ야 디내시며
　　　츄일동텬(秋日冬天)은 뉘라셔 뫼셧ᄂᆞᆫ고
　　　죽조반(粥早飯) 죠셕(朝夕) 뫼 녜와 ᄀᆞᆺ티 셰시ᄂᆞᆫ가
　　　기나긴 밤의 ᄌᆞᆷ은 엇디 자시ᄂᆞᆫ고
　　　님 다히 쇼식(消息)을 아므려나 아쟈 ᄒᆞ니
　　　오늘도 거의로다 ᄂᆡ일이나 사ᄅᆞᆷ 올가
　　　내 ᄆᆞᆷ 둘 ᄃᆡ 업다 어드러로 가쟛 말고
　　　잡거니 밀거니 놉픈 뫼ᄒᆡ 올라가니

구룸은 ᄏᆞ니와 안개는 므스 일고
산쳔(山川)이 어둡거니 일월(日月)을 엇디 보며
지쳑(咫尺)을 모ᄅᆞ거든 쳔 리(千里)ᄅᆞᆯ ᄇᆞ라보랴
출하리 믈ᄀᆞ의 가 ᄇᆡ 길히나 보랴 ᄒᆞ니
ᄇᆞ람이야 믈결이야 어둥졍 된뎌이고
샤공은 어딕 가고 븬 ᄇᆡ만 걸렷ᄂᆞᆫ고
강텬(江天)의 혼자 셔셔 디ᄂᆞᆫ 히ᄅᆞᆯ 구버보니
님 다히 쇼식(消息)이 더옥 아득ᄒᆞ뎌이고
모쳠(茅簷) ᄎᆞᆫ 자리의 밤듕만 도라오니
반벽쳥등(半壁靑燈)은 눌 위ᄒᆞ야 붉갓ᄂᆞ고
오ᄅᆞ며 ᄂᆞ리며 헤ᄯᅳ며 바자니니
져근덧 녁진(力盡)ᄒᆞ야 풋ᄌᆞᆷ을 잠간 드니
졍셩(精誠)이 지극ᄒᆞ야 ᄭᅮᆷ의 님을 보니
옥(玉) ᄀᆞ튼 얼굴이 반(半)이 나마 늘거셰라
ᄆᆞ음의 머근 말ᄉᆞᆷ 슬ᄏᆞ장 ᄉᆞᆲᄌᆞ 하니
눈믈이 바라 나니 말ᄉᆞᆷ인들 어이ᄒᆞ며
졍(情)을 못다 ᄒᆞ야 목이조차 몌여ᄒᆞ니
오뎐된 계셩(鷄聲)의 ᄌᆞᆷ은 엇디 ᄭᆡ돗던고
와 허ᄉᆞ(虛事)로다 이 님이 어딕 간고
결의 니러 안자 창(窓)을 열고 ᄇᆞ라보니
어엿븐 그림재 날 조ᄎᆞᆯ ᄲᅮᆫ이로다
출하리 싀여디여 낙월(落月)이나 되야 이셔
님 겨신 창(窓) 안히 번드시 비최리라
각시님 ᄃᆞᆯ이야ᄏᆞ니와 구ᄌᆞᆫ비나 되쇼셔

– 정철, 「속미인곡」 –

**01** (가)의 ⓐ에 나타난 표현 방법과 이면적 의미를 아래 표를 참고하여 서술하시오.

| 표현 방법 |
|---|
| 반어법, (       ) |

| 표현적 의미 | 이면적 의미 |
|---|---|
| • 절대로 눈물을 흘리지 않겠다. | |

**02** 〈보기〉를 참고하여 (가)가 한국인이 가장 애송하는 시로 불리는 이유를 시의 내용과 형식적(운율) 측면으로 나누어 서술해 보시오.

┃ 보기 ┃

　　김소월은 한국 현대 시인의 대명사로 한과 슬픔으로 덧난 우리네 민중의 상처를 전통적 율격 속에 보듬어 안은 민족 시인이다. 그가 남긴 단 한 권의 시집인 『진달래꽃』은 많은 출판사에서 숱한 판본으로 거듭 출간된다. 그의 시집은 마치 판매 부수가 공식 집계되지 않는 성경과 마찬가지로 세월과 무관한 이 땅의 베스트셀러다.

**03** (나)의 '낙월'과 '구즌비'의 함축적 의미를 조건에 맞게 서술하시오.

┃ 조건 ┃

• '낙월'과 '구즌비' 각각의 사전적 의미를 밝혀 쓰고, 윗글에서 사용된 함축적 의미를, 그 이유와 함께 구체적으로 서술할 것
• 어법 및 표기법에 맞게 서술할 것

**04** (나)와 〈보기〉를 참고하여 빈칸에 들어갈 내용을 쓰시오. (단 (A), (B)에는 〈보기〉에 쓰인 용어만을 써야 정답으로 인정함. 또한, (A), (B)에 1어절 이상 서술시 앞의 1어절만 채점함.)

┃ 보기 ┃

　　정철은 술을 좋아하고 감정을 억누르지 못하며, 붕당을 만들어 선비들을 분열시킨다는 이유로 여러 차례 사헌부와 사간원의 탄핵을 받았다. 당시 조정은 동인과 서인으로 나뉘어 있었는데, 정철은 서인의 주요 인물로서 동인의 비판 대상이었다. 하지만 선조는 정철을 충성스러운 신하로 여기고, 그가 말을 너무 곧고 바르게 하기 때문에 남에게 미움을 받는다며 정철을 두둔하였다. 그럼에도 결국 정철은 선조 18년인 1585년, 벼슬에서 물러나 전라남도 창평에 머물러 살게 되었다. 이때 임금을 향한 그리움을 담아 「사미인곡」과 「속미인곡」을 지었다.

| 시어의 의미 | |
|---|---|
| 님 | 선조 |
| 님 다히 | (A) |
| 구롬 | (B) |
| '텬샹 빅옥경을 엇디ᄒᆞ야 니별ᄒᆞ고'에서 드러나는 작가의 상황 | |
| ( C ) | |

**05** 다음을 읽고, 물음에 답하시오.

(1) (나)와 〈보기〉를 비교한 글을 읽고, ⓐ~ⓓ을 답하시오.

┌─ 보기 ┐

형님 온다 형님 온다 분고개로 형님 온다.
형님 마중 누가 갈까 형님 동생 내가 가지.
형님 형님 사촌 형님 시집살이 어뎁뎁까.
이애 이애 그 말 마라 시집살이 개집살이.
앞밭 에는 당추 심고 뒷밭에는 고추 심어,
고추 당추 맵다 해도 시집살이 더 맵더라.

└──────────────────────────────┘

┌────────────────────────────────┐

　　(가)는 '여인 1, 2'가, 〈보기〉는 '형님'과 '사촌동생'이 등장하는데, 두 작품 모두 인물간의 ( ⓐ )을(를) 통해 내용을 전개하고 있다. 이때 (가)의 '여인 1'은 〈보기〉의 ( ⓑ )과, (가)의 '여인 2'는 〈보기〉의 ( ⓒ )과 내용 전개상 같은 역할을 담당하고 있다. 〈보기〉는 보조적 화자가 중심 화자에게 질문을 던짐으로써 하소연을 이끌어내는 부분으로 (가)의 [A]~[E]중 ( ⓓ ) 단계와 내용 구성상 유사하다고 볼 수 있다.

└────────────────────────────────┘

(2) 〈보기1〉에서 설명하는 것을 (나)와 〈보기2〉에서 각각 두 개씩 찾아 쓰시오.

┌─ 보기 1 ┐

　　시조나 가사에는, 임과 헤어져 있는 화자가 어떤 특정한 자연물로 다시 태어나서 임의 곁에 머물고 싶다는 진술이 흔히 나타난다. 이러한 진술은 화자의 소망을 강조하기 위한 관습적 표현인데, 그 속에는 당대인들의 세계관이 투영되어 있다. 인간과 자연의 깊은 관련을 맺으며 조화를 이룬다는 인식, 현세의 인연이 후세로 이루어질 수 있다는 순환적 인식 등이 그것이다. 시가에 담긴 이러한 인식은 화자가 현실의 고난이나 결핍을 극복하는 데 도움을 준다.

└────────────────────────────────┘

┌─ 보기 2 ┐

그립고 그리워도 볼 수가 없어
마음은 바람에 나부끼는 종이 연 같아라
돗자리라면 말아 두고 돌이라면 굴러 낼 수 있으련만
이 마음의 응어리 어느 때나 고칠까
그리운 사람은 멀리 하늘 모퉁이에 있는데
구름 뜬 하늘 아래 늘어진 푸른 버들
아득한 시름은 끝이 없어라
홀로 앉아 공후를 타니
공후는 하소연하는 듯 흐느끼는 듯
다 타도록 비단 적삼 젖는 줄도 몰랐네
원컨대 쌍쌍이 나는 새가 되어서
임 향한 창 앞에 서 있고자
원컨대 밝은 달빛 되어
임의 방문 휘장 뚫어 비춰들고자
슬픈 노래 잠 못 드는 밤 어찌 이리 긴고
꿈속에서도 요산 남쪽 건너지 못하였네
기나긴 그리움에 공연히 애만 끓노라

－ 성현, 「장상사(長相思)」 －

└────────────────────────────────┘

[06~07] 다음 글을 읽고 물음에 답하시오.

(가) 가시리 가시리잇고 나눈
　　　 ᄇ리고 가시리잇고 나눈
　　　 위 증즐가 大平聖代(대평셩ᄃᆡ)

　　　 날러는 엇디 살라 ᄒ고
　　　 ᄇ리고 가시리잇고 나눈
　　　 위 증즐가 大平聖代(대평셩ᄃᆡ)

　　　 잡ᄉ와 두어리마ᄂᆞᆫ
　　　 션ᄒ면 아니 올셰라.
　　　 위 증즐가 大平聖代(대평셩ᄃᆡ)

　　　 셜온 님 보내ᄋᆞᆸ노니 나눈
　　　 가시ᄂᆞᆫ 듯 도셔 오쇼셔 나눈
　　　 위 증즐가 大平聖代(대평셩ᄃᆡ)

　　　　　　　　　　　　　　　　　　　 － 작자 미상, 「가시리」 －

(나) 나 보기가 역겨워
　　　 가실 때에는
　　　 말없이 고이 보내 드리우리다.

　　　 영변(寧邊)에 약산(藥山)
　　　 진달래꽃,
　　　 아름 따다 가실 길에 뿌리우리다.

　　　 가시는 걸음 걸음
　　　 놓인 그 꽃을
　　　 사뿐히 즈려밟고 가시옵소서.

　　　 나 보기가 역겨워
　　　 가실 때에는
　　　 죽어도 아니 눈물 흘리우리다.

　　　　　　　　　　　　　　　　　　　 － 김소월, 「진달래꽃」 －

**06** (가)의 위 증즐가 大平成代(대평셩ᄉᆡ)와 같은 후렴구는 후대에 첨가된 것으로 이해되는데 그 근거를 서술하시오.

┌─ 주의 ─┐
내용 측면과 전승 과정 측면, 두 가지 측면으로 나누어 구체적으로 기술하시오.

**07** (나)의 1연과 4연에 유사한 구조가 반복되어 생기는 효과를 한 가지만 서술하시오.

**08** (나)에서 〈보기〉의 예로 가장 적절한 시행을 찾아 쓰시오.

┤ 보기 ├

반어법은 속마음과 상반되는 걸 표현을 통해서 표현의 효과를 높이는 수사법이다.

**09** (가), (나), 〈보기1〉의 노래를 고려하여 〈보기2〉의 [A]에 들어갈 내용을 한 문장으로 서술하시오.

┤ 보기 1 ├

아리랑 아리랑 아라리요
아리랑 고개를 넘어간다.
나를 버리고 가시는 임은
십 리도 못 가서 발병 난다.

– 「신아리랑」에서 –

┤ 보기 2 ├

| 화자의 상황 | 이별의 상황 | | |
|---|---|---|---|
| | ↓ | | |
| | 가시리 | 진달래꽃 | 신아리랑 |
| 화자의 상황 대응 방식 | [A] | 떠나는 임에게 말없이 꽃을 뿌려준다. | 임을 원망하며 불행한 일을 당하기를 바라고 있다. |
| 화자의 속마음 | 당신이 곧 돌아오기를 바랍니다. | 당신이 가면 무척 슬플 테니 제발 떠나지 마십시오. | 당신이 내 곁에 머물기를 바랍니다. |

# 허생전(許生傳)

– 박지원 (김혈조 옮김) –

허생은 묵적동<sup>■</sup>에 살았다. 묵적동에서 곧장 남산 아래로 이르는 곳에 우물이 있고, 우물가에는 오래된 살구나무가 서 있었다. 살구나무를 향해서 사립문이 열려 있고, <u>몇 칸 안 되는 초가집은 비바람도 제대로 가리지 못했다.</u> 그러나
매우 가난한 살림
허생은 독서를 좋아하고, 그 아내가 삯바느질을 하여 겨우 입에 풀칠을 하고 살았다.

하루는 아내가 배가 몹시 고파서 눈물을 흘리며,

"임자는 평생 과거에 응시하지도 않으면서 책을 읽어서 무엇하려고 그러시오?"

하니 허생이 웃으며 말했다.

"내가 책을 읽는 것이 아직 미숙해서 그렇다오."

<u>"그렇다면 장인바치<sup>■</sup> 일이라도 하지 그러시오?"</u>
무능한 양반보다는 유능한 장인과 상인이 더 낫다는 아내의 생각 ; 작가의 가치관이 드러남
<u>"장인바치 일은 본래 배우지 못했으니, 어찌하란 말인가?"</u>

<u>"그럼 장사가 있잖습니까?"</u>

"장사야 본시 밑천이 드는 법인데, 어찌하란 말인가?"

그 아내가 왈칵 화를 내고 버럭 소리를 질렀다.

<u>"밤낮으로 책을 읽더니 고작 배운 게 '어찌하란 말인가'라는 말뿐이오? 장인바치 일도 못 한다, 장사도 못 한다면,</u>
현실의 문제를 해결하지 못하는 사대부의 무능 비판
<u>어째서 도적질은 못 하는 게요?"</u>

허생이 읽던 책을 덮고는 일어서면서,

"애석하도다. 내 본래 책 읽기를 십 년을 기약했더니, 이제 칠 년 만에 그만 접어야 하다니."

하고 문을 나서서 가 버렸다.

허생은 평소에 알고 지내는 사람도 없고 해서, 곧바로 번화한 운종가<sup>■</sup>로 나아가 시장 사람들에게 물었다.

"한양에서 누가 가장 부자입니까?"

변 씨라고 말해 주는 사람이 있어서, 허생은 드디어 그 집을 찾아갔다. 허생은 변 씨를 만나 길게 읍<sup>■</sup>을 하고는,

<u>"내가 집이 가난하여 조그마한 것을 시험해 보려는 것이 있으니, 그대에게 돈 만 금<sup>■</sup>을 빌릴까 하오."</u>
큰돈을 빌리면서도 당당한 태도 – 허생의 비범함이 드러남

하니 변 씨는 "그러시오." 하고는 그 자리에서 만 금을 내주었다. 허생은 끝내 고맙다는 인사도 하지 않고 나가 버
변 씨 또한 배포가 남다름을 알 수 있음

렸다.

변 씨 집의 자제들과 와 있던 손님들이 허생의 몰골을 보니, 이건 영락없는 비렁뱅이였다. 허리를 두른 실띠는 술

이 빠졌고, 갖신˙의 뒤축은 자빠졌으며, 갓은 찌그러지고 도포는 그을려 행색이 꾀죄죄한 데다가, 코에서는 맑은 콧

물이 줄줄 흘렀다. 허생이 가고 나자 모두 대경실색하여˙ 물었다.
거지처럼 보이는 허생에게 두말없이 큰 돈을 빌려주는 것을 보고 매우 놀람.

"대인께선 저이를 아십니까?"

"모른다네."

"아니, 지금 평생 알지도 못하는 사람에게 갑자기 만 금의 돈을 함부로 던져 버리시고도 그 이름조차 묻지 않으시

다니, 대체 이게 무슨 영문입니까?"

"자네들이 알 수 있는 일이 아니네. 무릇 남에게 무얼 빌리러 오는 사람은 반드시 자기 생각과 뜻을 대단히 떠벌리

고 자신의 신의를 먼저 보이려고 자랑하지만, 안색은 부끄러움에 비굴하고 말은 중언부언하게˙ 마련이라네. 그런데

그 손님은 비록 행색은 꾀죄죄하나, 하는 말은 간단하고 눈빛은 오만하게 뜨며 얼굴에 부끄러워하는 기색이 전혀 없
변 씨가 파악한 허생의 남다른 태도

으니, 필시 재물을 가지고 만족하는 그런 속물은 아닐 것이네. 그가 시험해 보자는 것이 작은 일이 아닐 것이매, 나

역시 손님에게 시험해 보려는 것이 있네. 주지 않으려면 그만이겠지만 이미 만 금을 주었는데 성명은 물어서 무엇하
변 씨의 대담한 성격을 보여 줌

겠는가?"

한편 만 금을 빌린 허생은 다시 집으로 돌아가지 않고, 그 길로 바로 경기도 안성으로 내려가 거기에 머물며 거처

를 마련하였다. 안성 지방이 경기도와 충청도의 경계이고, 삼남˙ 지방의 길목이 된다고 생각했기 때문이다. 거기서
안성은 당시 경제와 문화의 중심지였음

대추, 밤, 감, 배, 석류, 귤, 유자 등의 과일들을 모두 시세˙의 곱절 가격으로 모조리 사들였다.
연회나 제사에 쓰이는 식재료                                                                  사재기

허생이 과일을 사재기하는 바람에 나라 안에서는 연회를 열거나 제사를 지낼 수 없었다. 얼마 지나자 허생에게 곱

절의 가격으로 팔았던 장사치들이 도리어 열 배의 가격으로 되사 가게 되었다. 허생이 한숨을 쉬며 탄식하였다.
나라의 경제 규모가 매우 작고 취약함을 알 수 있음

"겨우 만 금으로 한 나라를 휘청하게 만들었으니, 나라의 경제 규모를 짐작할 만하다."

허생은 다시 칼, 호미, 베, 명주, 솜을 사 가지고 제주도로 들어가서 그곳의 말총˙을 다 거두어들였다.

"몇 해가 지나면 나라 사람들이 머리를 싸매지 못할 것이다."

과연 얼마 있다가 망건˙값이 열 배로 치솟았다.

- **묵적동** 오늘날 서울특별시 중구 충무로와 필동에 걸쳐 있던 동네. 과거에 가난한 양반이 많이 거주한 지역이었다.
- **장인바치** '장인(匠人)'을 낮잡아 이르는 말. 손으로 물건을 만드는 일을 직업으로 하는 사람을 가리킨다.
- **운종가** 조선 시대에, 서울의 거리 가운데 지금의 종로 네거리를 중심으로 한 곳.
- **읍** 인사하는 예(禮)의 하나. 두 손을 맞잡아 얼굴 앞으로 들어 올리고 허리를 앞으로 공손히 구부렸다가 몸을 펴면서 손을 내린다.
- **금(金)** 조선 시대의 화폐 단위로 '냥(兩)'이라 부르기도 한다. 즉, '천 금'은 '천 냥'과 같다. 작품 원문에서도 작가는 '금'과 '냥'이 라는 단위 명사를 섞어서 쓰고 있다.
- **갖신** 가죽으로 만든 우리 고유의 신을 통틀어 이르는 말.
- **대경실색하다(大驚失色—)** 몹시 놀라 얼굴빛이 하얗게 질리다.
- **중언부언하다(重言復言—)** 이미 한 말을 자꾸 되풀이하다.
- **삼남(三南)** 충청도, 전라도, 경상도 세 지방을 통틀어 이르는 말.
- **시세** 일정한 시기의 물건값.
- **말총** 말의 갈기나 꼬리의 털.
- **망건** 상투를 튼 사람이 머리카락을 걷어 올려 흘러내리지 아니하도록 머리에 두르는, 그물처럼 생긴 물건. 보통 말총이나 머리카락으로 만든다.

**확인학습** ·······································································································································

01 허생의 아내는 허생이 집안의 생계를 돌보지 않고 책 읽기만 하는 모습에 화를 낸다.  ○□ ×□

02 허생은 아내를 무시하는 가부장적인 태도를 보인다.  ○□ ×□

03 허생은 책 읽기를 십 년 기약하여 학문의 완성을 추구하고자 한다.  ○□ ×□

04 허생은 자신에게 돈을 빌려준 변 씨에게 진심으로 감사한다.  ○□ ×□

05 허생은 변 씨에게 빌린 돈으로 과일과 말총을 사재기하여 큰돈을 벌어들인다.  ○□ ×□

06 허생이 과일과 말총을 사재가한 이유는 양반들이 예법을 지키기 위해 사는 물건이었기 때문이다.  ○□ ×□

07 당시 조선 사회는 상품 화폐 경제가 발달하고 있었다.  ○□ ×□

08 허생이 안성 지방에 터를 잡은 것은 허생에게 친숙한 고장이었기 때문이다.  ○□ ×□

09 매점매석한 허생의 모습을 통해 당시 이러한 상행위가 쉽게 이루어졌음을 알 수 있다.  ○□ ×□

10 허생은 사재기한 물건을 더 비싸게 팔지 못한 것에 아쉬워하고 있다.  ○□ ×□

허생이 늙은 뱃사공을 찾아서 물었다.

"바다 밖에 사람이 살 만한 빈 섬이 있던가?"

"있습지요. 언젠가 태풍에 표류하여 곧장 서쪽으로 사흘을 가서 한밤중에 어떤 빈 섬에 닿았습니다. 따져 보니까 중국의 사문과 일본의 장기도의 중간쯤 될 겁니다. 꽃나무가 절로 피며, 과일이 절로 익어 있고, 사슴들이 떼를 지어 다니고, 물고기는 사람을 봐도 놀라질 않았습지요."

살기 좋은 곳. 이상향의 모습

허생이 크게 기뻐하며,

"자네가 나를 그곳으로 데려다준다면 부귀를 함께 누리게 해 줌세."

하니 사공이 그 말을 따르기로 하였다.

드디어 바람을 타고 동남 방향으로 가서 섬에 들어가게 되었다. 허생은 섬의 높은 곳에 올라서 사방을 둘러보고는 그만 실망하여 탄식하였다.

"땅이 고작 천 리가 못 되니, 무슨 큰일을 할 수 있겠는가? 땅은 기름지고 샘물은 달콤하여 그저 돈 많은 늙은이는

섬의 규모를 아쉬워하는 허생 – 이상국가를 만들고자 하는 포부가 매우 큼

될 수 있겠구먼."

그러자 사공이 물었다.

"텅 빈 섬에 사람이라곤 없는데 도대체 누구와 함께 살아간다는 말이시오?"

"덕(德)만 있다면 사람이란 절로 모이게 마련이네, 덕이 없을까 걱정해야지, 어찌 사람이 없음을 근심하겠는가?"

허생의 유교적 사상이 드러난 구절 – 덕치주의

그때 전라도 변산반도에는 도적 떼 수천이 우글거리고 있었다. 그 지방의 고을과 군에서 군졸을 풀어서 체포하려고 했으나 잡을 수가 없었다. 도적 떼도 감히 나돌아 다니며 노략질을 함부로 할 수가 없어서 바야흐로 굶주림에 허덕였다. 허생이 도적의 소굴로 들어가서 괴수를 달랬다.

"천 명이 천 금을 털어서 나누면 한 사람 앞으로 얼마의 돈이 돌아가는가?"

"한 사람에 한 냥씩 돌아가지요."

매우 적은 돈

"자네들에게 아내가 있는가?"

"없답니다."

"가진 밭뙈기라도 있는가?"

도적들이 코웃음을 쳤다.

"아니, 밭 있고 아내가 있다면 무엇 때문에 괴롭게 도적이 된단 말이오?"

평범한 양민의 삶을 살지 못해 도적이 되었음을 알 수 있음

"자네들이 그렇게 잘 안다면 어째서 장가를 들어 살림을 장만하고, 소를 사서 밭을 갈 생각은 하지 않는 겐가? 그

리되면 살아서 도적놈이란 이름도 없을 것이고, 집에 살면서 부부의 즐거움도 있을 것이며, 나돌아 다녀도 관에 붙잡

힐 염려가 없을 것이고, 길이길이 의식의 풍요함을 누릴 수 있지 않겠는가?"

"어찌 그런 생활을 원하지 않겠소이까? 다만 돈이 없어서 못 하고 있을 뿐입죠."
<sub>평범한 삶을 살 수 있는 최소한의 경제적 기반조차 없음</sub>

허생이 웃으며 말했다.

"자네들이 명색 도적질을 하는 도둑놈이련만 어찌 돈 없다는 걱정을 다 하누? 내가 자네들을 위해 돈을 마련해 줄
<sub>허생이 도적들의 문제를 해결해 줄 것을 약속함</sub>

것이네. 내일 바닷가를 바라보게나. 바람에 붉은 깃발이 펄럭이는 배가 모두 돈을 실은 배일 터이니, 어디 자네들 마

음껏 한번 가져가 보게."

허생이 도적들과 약조를 하고 떠나자, 도적들이 모두 '미친놈'이라고 비웃었다.
<sub>허생의 말을 믿지 않는 도적들</sub>

다음 날이 되어 바닷가에 허생이 돈 삼십만 냥을 싣고 나타나자, 모두 크게 놀라 허생에게 줄을 지어 절을 하였다.

"오직 장군의 명령대로 따르겠소이다."

"있는 힘대로 지고 가게나."

그리하여 도적들이 돈을 짊어졌으나, 사람마다 고작 백 금을 넘지 못했다. 허생이
<sub>돈 백 냥을 짊어지지 못하는 모습에서 도적들이 오랫동안 굶주린 백성일 뿐임을 암시함</sub>

"너희들 힘이란 게 고작 백 금을 들기에도 부족하거늘, 어찌 도적질이라도 변변히 할 수 있겠는가? 지금 너희들은

비록 평민이 되려고 해도 이름이 이미 도적의 명부에 올라 있으니 어디 갈 곳도 없을 것이다. 내가 여기서 너희들을
<sub>도적들이 허생을 따라 섬으로 들어가는 사건에 인과적 필연성 부여함</sub>

기다릴 터이니, 각자 백 금씩 가지고 가서 아내 한 사람과 소 한 마리씩 장만해 오너라."

하자, 군도들이 모두 좋다고 승낙하며 흩어졌다.

그동안 허생은 이천 명이 한 해 동안 먹을 양식을 장만하여 그들을 기다렸다. 도적들이 기한한 날짜에 모두 도착해

뒤에 처진 사람이 하나도 없었다. 드디어 모두 배에 싣고, 빈 섬으로 들어갔다. 허생이 도적을 모두 쓸어 가자 나라
<sub>나라의 근심을 없앤 허생 – 허생의 영웅적 면모 부각, 지배층의 무능 비판</sub>

안에는 도적 걱정이 없어졌다.

한편 섬으로 들어간 허생과 도적들은 나무를 찍어서 집을 짓고, 대나무를 엮어서 울타리를 만들었다. 땅기운이 온

전하다 보니 온갖 곡식이 심는 대로 크고 무성하게 자라고, 김을 매고 쟁기질을 하지 않아도 한 줄기에 아홉 이삭이

달렸다. 삼 년 먹을 식량을 비축해 두고 나머지는 모두 배에 싣고 장기도로 가서 팔았다. 장기도는 일본에 속한 고을
<sub>장기도와의 교역 – 작가의 선구적인 해외 진출 사상 표현</sub>

로, 삼십일만 호가 되는 큰 지방인데 바야흐로 큰 기근이 들어 있었다. 그리하여 굶주린 사람들을 진휼하고 은 백만

냥을 얻게 되었다.

허생이 탄식하면서,

"이제야 나의 자그마한 시험을 마치게 되었구나."

하고는 남녀 이천 명을 모두 모아 놓고 명을 내렸다.

( ): 백성의 생활이 윤택하게 된 뒤에야 백성들의 의식을 바른 데로 이끌 수 있다는 실학사상 반영

"내가 처음 너희들과 이 섬에 들어올 때의 계획으로는 먼저(너희들을 풍부하게 만들어 놓은 다음에 따로 문자를 만들고, 의관 제도를 새로이 제정하려고 하였느니라). 그런데 여기 땅이 좁고 내 덕이 얇으니, 나는 이제 여기를 떠나련

이상국가를 세울 때 기초가 되는 것 - 문물과 제도

다. 아이들이 태어나 숟가락을 잡게 되면 오른손으로 잡도록 가르치고, 하루라도 나이가 많은 사람이 먼저 먹도록 양

보하게 하라."

그러고는 다른 배를 모두 불살라 버리고,

"나가는 사람이 없으면 들어오는 사람도 없을 테지."

하고 은자 오십만 냥을 바닷속에 던지며,

경제 규모가 작은 곳이므로 이처럼 많은 돈이 불필요하다고 여김

"바다가 마르면 얻는 사람이 생기겠지. 백만 냥이나 되는 돈은 나라 안에서도 놓아둘 곳이 없거늘, 하물며 이 작은

양반 사대부에 대한 비판 - 글을 아는 사대부가 백성을 착취하는 현실에 대한 부정적 인식

섬에서야."

했다. 글을 아는 사람은 모두 배에 실어서 함께 섬을 빠져나오며,

"이 섬에 화근을 없애려 함이네."

라고 하였다.

■ **사문** 동남아시아의 어느 곳을 가리키는 듯하나 정확히 알 수 없음.
■ **장기도(長崎島)** 일본 나가사키.

■ **괴수** 못된 짓을 하는 무리의 우두머리.
■ **진휼하다** 흉년을 당하여 가난한 백성을 도와주다.

**확인학습**

01 허생은 빈 섬에서 백성의 먹고사는 문제를 해결한 후에 문자를 만들려 했으나 포기한다.  ○☐ ✕☐

02 허생은 섬의 모든 사람들에게 글을 가르친다.  ○☐ ✕☐

03 허생은 도적 떼를 빈 섬으로 데려가 정착할 수 있게 도왔지만 경제적 풍요를 이루지는 못했다.  ○☐ ✕☐

04 도적들이 늘어난 것은 지배층이 무능하고 부도덕하여 백성들의 삶을 제대로 돌보지 못했기 때문이다 .  ○☐ ✕☐

05 허생은 농업을 장려하여 백성들의 먹고사는 문제를 해결해야 한다고 생각한다.  ○☐ ✕☐

06 허생은 외국과의 교역을 통해 나라의 부를 축적하고 힘을 키워야 한다고 생각한다.  ○☐ ✕☐

07 빈섬은 현실에서 도피해 새로운 영토를 정복하고자 한 허생의 목적을 실현하는 공간이다.  ○☐ ✕☐

08 허생은 다른 사람이 찾아오지 못하도록 섬에 오가는 배를 모두 불태운 것으로 보아 이기적인 사람이야.  ○☐ ✕☐

뭍으로 나온 허생은 나라 안을 두루 돌아다니며 가난하고 의지할 곳이 없는 사람들을 구제하였다. 돈을 그렇게 써도 아직 은자 십만 냥이 남았다.

"이 돈이면 변 씨에게 빌린 돈을 갚을 수 있겠군."

허생이 변 씨를 찾아가서 보고는,

"나를 기억하시겠소이까?"

하고 묻자 변 씨는 깜짝 놀라며 말했다.

"그대의 얼굴색이 조금도 나아지지 않은 걸 보니, 혹 만 금을 다 털어먹은 건 아니오?"
　　　　　허생의 삶의 태도가 변하지 않았음을 보여줌　　　　　　　　　　　　　　　변 씨의 오해

허생이 웃으며 말했다.

"재물을 가지고 얼굴이 번드르르해지는 일이야, 당신 같은 장사치들의 일일 뿐이오. 만 금이란 돈이 어찌 사람의
　　　　　　　　　　　　　　　　　자신이 장사치들과 다름을 강조함
도(道)를 살찌우기야 하겠소?"
재물보다도 몸보다 정신을 우위에 두는 태도 – 허생의 사대부로서의 정체성을 보여 줌

이에 은 십만 냥을 변 씨에게 주며,

"내가 순간의 굶주림을 참지 못하여 책 읽기를 마저 끝내지 못하고, 그대에게 만 금을 빌렸던 것이 부끄럽소이다."

하니 변 씨는 깜짝 놀라서 일어나 절을 하고 십만 냥을 다 받을 수 없다고 사양하며, 십분의 일만 이자로 쳐서 받겠다고 하였다. 허생이 버럭 화를 내며,

"당신은 어째서 나를 장사꾼으로 취급하려는 게요?"

하고는 옷자락을 뿌리치고는 휙 가 버렸다.

변 씨가 몰래 그의 뒤를 밟아서 쫓아가니, 허생이 남산 아래로 향하더니 작은 오두막집으로 들어가는 것이 멀리 보였다. 한 늙은 할미가 우물가에서 빨래를 하고 있기에, 변 씨가 물어보았다.
　　　서술자 대신 과거의 사건을 요약적으로 전달하는 역할을 함

"저기 보이는 오두막이 누구의 집이오?"

"허 생원 댁이랍니다. 가난한 형편에 글 읽기를 좋아했는데, 어느 날 아침 훌쩍 집을 나가더니 돌아오지 않은 지 벌써 오 년이나 됩니다. 부인이 혼자 집에 있

으면서 허 생원이 집 나간 날짜에 제사를 지낸답니다."

변 씨는 그제야 그의 성씨가 허씨라는 것을 알고 탄식하며 돌아갔다.

이튿날 변 씨는 허생에게 받은 은자를 모두 가지고 가서 그에게 돌려주었다. 허생은 사양하였다.

"내가 부자가 되려고 했다면 백만 금을 버리고 이까짓 십만 금을 취하려고 하겠소? 내가 지금부터는 그대의 도움을 받아 가며 살아갈 터이니, 그대가 나를 자주 들여다보고 먹는 입을 따져서 양식을 보내 주고, 몸을 헤아려 옷감이

나 보내 주구려. <u>한평생 그렇게 살아간다면 충분할 것이니, 어찌 재물로 정신을 괴롭히고 싶겠소이까?</u>"
　　　　　　　　　선비로서 청빈한 삶의 태도

변 씨가 백방˙으로 허생을 달래 보았지만 끝내 어찌할 수가 없었다. 변 씨는 그때부터 허생의 양식과 옷가지가 떨어질 만한 때를 헤아렸다가 자신이 직접 찾아가서 가져다주었다. 그러면 허생도 흔연히˙ 받아들였고, 만약 조금이라도 많이 가져오면 언짢아하면서,

　<u>"그대는 어째서 내게 재앙을 안겨 주려는 것이오?</u>"
　　　재물을 취하는 것에 대한 부정적 인식이 드러남

하였다.

술을 가지고 가면 더욱 기뻐하며 서로 취하도록 실컷 마셨다. 이렇게 몇 년을 지내자 두 사람의 정분이 날로 두터워졌다.

어느 날 변 씨가 조용한 틈을 타서 어떻게 오 년 만에 백만 금을 벌어들였는지 물어보았다. 허생이 대답하였다.

"그것이야 아주 알기 쉬운 일이오. <u>조선이란 나라는 배가 외국으로 통하지 못하고, 수레가 나라 안을 다니질 못하기 때문에, 모든 물품이 이 안에서 생산되고 이 안에서 소비됩니다.</u>
　　　　　　　　외국과의 교역이 자유롭지 못하고 유통 구조가 취약한 조선의 현실

대저 천 금이란 돈은 작은 돈이므로 물건을 모두 사들일 수가 없지만, 그러나 이를 열로 쪼개면 백 금이 열 개가 되어서 열 가지 물건이야 충분히 살 수가 있겠지요. 물건의 단위가 가벼우면 굴리기 쉽기 때문에 설령 한 가지 물건이 밑진다 하더라도 나머지 아홉 개의 물건으로 재미를 볼 수 있답니다. 이런 장사 방법은 정상적으로 이익을 취하는 방법이고, 작은 장사꾼이나 하는 수단이지요.

그러나 만 금이란 돈은 물건을 모조리 사재기할 수 있으니, 수레에 있는 것은 수레 전부를, 배에 있는 것은 배 전부를, 한 고을에 있는 것은 고을 전부를 마치 촘촘한 그물로 모두 훑어 내는 것처럼 싹쓸이할 수 있지요. 뭍에서 생산되는 만 가지 물건 중에서 한 가지를 몰래 사재기하고, 바다의 만 가지 어족 중에서 한 가지를 슬며시 사재기하고, 약재 만 가지 중에서 하나를 몰래 독점하면, 그 한 가지 물건이 남몰래 잠겨 있는 동안에 모든 장사치의 물건이 말라 버리게 되지요.

<u>이런 사재기 방법은 인민을 해치는 길이 될 것이니, 후세의 당국자들이 만약 내가 써먹었던 이런 사재기를 한다면</u>
　　　　허생의 상행위는 큰 이익을 취하려는 것이 아니라 나라의 경제 형편을 시험하려는 것이었음을 알 수 있음
<u>반드시 나라를 병들게 하고 말 것이오.</u>"

"그대는 처음에 내가 돈을 꾸어 줄 것을 어떻게 알고서 나를 찾아와서 돈을 빌리려고 했던 겁니까?"

"꼭 그대만 내게 돈을 빌려줄 뿐 아니라 만 금을 가진 사람이라면 누구라도 모두 빌려주었을 것이오. 나 스스로 요량해˙ 보아도 내 재주가 백만 금이란 거금을 벌어들이기에는 부족합니다. 그러나 <u>되고 안 되고는 하늘에 달린 것이니, 난들 어찌 미리 알 수 있겠습니까? 그러므로 나를 능히 활용하는 사람은 복이 있는 사람일 것이고, 그 부자를 더</u>
　　　　　　　　하늘의 뜻을 믿는 운명론적 사고
<u>큰 부자로 만드는 것은 하늘이 명하는 것이지요.</u> 그러니 돈을 빌려주지 않을 수 있겠습니까?

만 금을 얻고 나서는 그 사람의 복에 의지해서 장사를 했기 때문에 하는 일마다 성공을 했던 겁니다. 만약 내가 내 돈을 가지고 사사로이 뭔가를 하려고 했다면 그 성패는 역시 알 수 없었겠지요."

"시방 사대부들이 <u>남한산성에서 오랑캐에게 당했던 치욕</u>을 씻어 내려고 하니, 지금이야말로 뜻있는 선비들이 팔을
청나라 군대가 일으킨 전쟁(병자호란)으로 인조와 신하들이 남한산성으로 들어가 45일간 대항해 싸우다가 인조가 남한산성에서 나와 굴욕적인 항복을 했던 사건
걷어붙이고 지혜를 떨쳐 볼 때입니다. 당신은 그런 재주를 가지고 어찌 괴롭게 어둠에 파묻혀서 일생을 마치려고 합니까?"

"자고로 어둠에 파묻혔던 분들이 어디 한두 분이었소? <u>졸수재 조성기</u>■ 같은 분은 적국에 사신으로 보낼 만한 인물
뜻을 펼치지 못한 인재의 예 ①
이었건만 평생 벼슬 없이 베잠방이를 걸친 채 늙어 죽었고, <u>반계 유형원</u>■ 같은 분은 군량미를 조달할 능력이 있었건
뜻을 펼치지 못한 인재의 예 ②
만 바다 한 귀퉁이에서 일생을 배회하였습니다. 지금 나라의 정치를 도모한다는 인물들을 알 만하지 않겠습니까? 나 같은 사람이야 그저 장사나 잘하는 사람입니다. 장사를 해서 번 은자로는 구왕(九王)■의 모가지라도 사기에 충분한 돈이지만, 그러나 바다에 던져 버리고 온 까닭은 이 나라 안에서는 도대체 쓸 데가 없기 때문이었지요."

변 씨는 "휴우." 하고 크게 탄식을 하고는 돌아갔다.

- **백방(百方)** 여러 가지 방법. 또는 온갖 수단과 방도. '여러 방면', '온갖 방법'으로 순화.
- **흔연히** 기쁘거나 반가워 기분이 좋게.
- **요량하다** 앞일을 잘 헤아려 생각하다.
- **조성기** 조선 숙종 때의 학자(1638~1689). 호는 졸수재(拙修齋)이다. 한문 소설 〈창선감의록〉을 지었으며 저서에 《졸수재집》

이 있다.
- **유형원** 조선 효종 때의 실학자(1622~1673). 호는 반계(磻溪)이고 저서에 《반계수록》이 있다.
- **구왕** 청나라 태조의 열네 번째 아들이며 이름은 도르곤이다. 청나라 3대 황제인 세조의 숙부로 정권의 실세였다. 병자호란 때 조선에 온 바 있다.

**확인학습** ⋯⋯⋯⋯⋯⋯⋯⋯⋯⋯⋯⋯⋯⋯⋯⋯⋯⋯⋯⋯⋯⋯⋯⋯⋯⋯⋯⋯⋯⋯⋯⋯⋯⋯⋯⋯⋯

**01** 조선은 배가 외국으로 통하지 못하고 수레가 나라 안을 다니지 못하지만 필요한 물건은 충분히 공급한다. O☐ ✕☐

**02** 허생은 변 씨에게 재물로 인해 얼굴이 번드르르해지는 사람은 장사치라고 말하며 재물에 대해 부정적인 관점을 보인다. O☐ ✕☐

**03** 허생은 사대부는 상인보다 우월한 존재라고 생각한다. O☐ ✕☐

**04** 허생은 재물이란 생활에 필요한 정도만 있으면 된다고 생각한다. O☐ ✕☐

**05** 허생은 상인이 재물에 욕심을 내지 않으면 사대부 대접을 받을 수 있다고 말하고 있다. O☐ ✕☐

**06** 허생은 몸을 살찌우는 것보다 정신을 살찌우는 것이 중요하다고 생각한다. O☐ ✕☐

**07** 이 글은 서술자의 논평을 통해 사건의 비극성을 강화하고 있다. O☐ ✕☐

변 씨는 본시 정승 이완˚과 각별하게 지내는 사이였다. 이 공(公)은 당시 어영청˚ 대장으로 있었는데, 언젠가 변 씨와 이야기를 하다가 지금 여항˚이나 일반 민가에 혹 쓸 만한 재주가 있어 대사를 함께 도모할 인물이 있는가를 물은 적이 있었다. 변 씨가 허생의 이야기를 하였더니, 이 공은 깜짝 놀라며 물었다.

"기이한 일이로세. 정말 그런 인물이 있단 말입니까? 그래 이름은 뭐라고 부른답디까?"

"소인이 그와 삼 년을 함께 지냈지만, 여태껏 이름도 모르고 있답니다."

"그이는 필시 이인(異人)˚일 걸세. 자네와 같이 가 보도록 하세."

밤중에 이 대장은 <u>아랫사람을 물리치고</u> 변 씨와 둘이 걸어서 허생의 집에 당도하였다. 변 씨는 이 공을 문밖에서 기
<small>은밀하게 행동함</small>
다리게 하고, 혼자 먼저 들어가서 허생을 만나 보고 이곳에 찾아온 연유를 이야기했다. 허생은 짐짓 못 들은 척하며,

"그만, 자네가 차고 온 술병이나 이리 풀어 놓으시게."

하고는 서로 즐겁게 마셨다. 변 씨는 이 공을 밖에서 기다리게 해 놓은 것이 민망하여 여러 차례 말을 꺼내 보았으나, 허생은 대꾸도 하지 않았다. 밤이 깊어지자 허생이 말했다.

"손님을 불러도 되겠소."

이 대장이 방에 들어왔으나, <u>허생은 편안하게 앉아서 일어나지도 않았다.</u> 이 대장은 몸 둘 바를 모르고 엉거주춤하
<small>허생의 무례한 태도 – 이완 대장을 시험해 보기 위함</small>
다가 겨우 나라에서 어진 인재를 구하려는 뜻을 설명하였다. 허생이 손을 내저으며 말했다.

"밤은 짧은데 말이 너무 길어서 듣기에 아주 지루하구먼. 그래, 너는 지금 무슨 벼슬을 하느냐?"

"어영청 대장입니다."

"그렇다면 너는 바로 나라에서 신임받는 신하가 아니더냐. <u>내가 응당 재야˚에 숨어 있는 와룡 선생˚을 천거할 터이</u>
<u>니, 네가 임금께 아뢰어 그에게 삼고초려(三顧草廬)˚ 할 수 있게 하겠는가?"</u>
<small>허생이 제시한 계책①</small>

이 대장은 머리를 숙여 골똘히 생각하더니 한참 만에 대답했다.

"<u>어렵겠습니다. 그다음의 것을 듣고자 합니다.</u>"
<small>이완의 완곡한 거절</small>

"나는 '그다음'이란 말은 아직 배우지 못했도다."

이 대장이 그래도 굳이 묻자, 허생은 말했다.

"<u>명나라 장군과 병사들은 조선이 예전에 입은 은혜가 있다고 여겨서 그 자손들이 되놈의 나라에서 몸을 빼어 우리나</u>
<small>허생이 제시한 계책②</small>
<u>라로 많이 건너왔으나, 이리저리 떠돌며 홀몸으로 외롭게 지내고 있는 이가 많다. 네가 임금께 아뢰어 종실˚의 여자들</u>
<u>을 뽑아서 두루 시집을 보내고, 훈척˚과 권귀˚들의 집을 몰수하여 그들의 살림집으로 내어 줄 수 있게 하겠느냐?"</u>

이 대장이 고개를 숙이고 한참 있다가 대답하였다.

"그것도 어렵겠습니다."

"아니, 이것도 어렵다, 저것도 어렵다 한다면 대관절 무슨 일이 가능하겠느냐? 아주 쉬운 일이 있으니, 네가 능히 할 수 있겠느냐?"

"말씀해 주시기 바랍니다."

"대저 천하에 대의를 외치려면 먼저 천하의 호걸들과 사귀어 결탁하지 않고는 되지 않는 법이고, 남의 나라를 정벌
<sub>지혜와 용기가 뛰어나고 기개와 풍모가 있는 사람</sub>
하려면 먼저 첩자를 쓰지 않으면 성공을 거둘 수 없는 법이다. 지금 <u>만주족이 갑자기 천하의 주인이 되었으나, 아직</u>
<sub>청나라 초기의 역사적 상황</sub>
<u>중국을 완전히 손아귀에 넣어 친하게 지내지 못하는 형편이니,</u> 이때 조선이 다른 나라보다 먼저 솔선해서 복종한다

면 저들에게 신뢰를 받을 것이다. 만약 당나라, 원나라 때의 예전 일처럼 우리 자제들을 청나라에 파견하여 학교에

입학하고 벼슬도 할 수 있게 하고, 장사치들의 출입도 금하지 말도록 저들에게 간청한다면, 저들도 자기네에게 친근

해지고자 하는 우리를 보고 반드시 기뻐하여 이를 허락할 것이다.

이렇게 되면 나라의 <u>자제들을 엄선하여 머리를 깎여 변발</u>을 하게 하고 오랑캐 복장을 입히고 선비들은 빈공과에
<sub>허생이 제시한 계책③</sub>
<u>응시하고, 일반 사람들은 멀리 강남까지 장사를 하게 만들어서 그들의 허실을 엿보고 한족의 호걸들과 결탁한다면,</u>

<u>천하를 도모할 수 있을 것이며 나라의 치욕도 씻을 수 있을 것이다.</u> 만약 명나라 황족의 후손을 찾지 못하면, 천하의

제후들을 인솔해서 하늘에 임금이 될 만한 사람을 천거하여, 잘만 되면 대국의 스승이 될 것이며, 못되어도 성씨가

다른 제후 국가 중에서는 제일 큰 나라로서의 지위는 잃지 않을 것이다."

이 대장이 낙심하고 허탈해서 말했다.

"사대부들이 모두 예법을 삼가 지키고 있거늘, 누가 기꺼이 머리를 깎고 오랑캐 옷을 입으려고 하겠습니까?"

허생이 대갈일성하며,

"도대체 사대부라는 게 뭐 하는 것들이냐. 오랑캐 땅에서 태어난 주제에 자칭 사대부라고 뽐내고 앉았으니, 이렇게

어리석을 데가 있느냐? <u>입는 옷이란 모두 흰옷이니 이는 상복이고, 머리는 송곳처럼 뾰족하게 묶었으니 이는 남쪽 오</u>
<sub>조선 사대부들의 복장과 예법이 명분 없는 허식일 뿐을 지적함</sub>
<u>랑캐의 방망이 상투이거늘,</u> 무슨 놈의 예법이란 말인가?

<u>번오기</u>는 원한을 갚기 위해 자신의 머리를 아끼지 않고 내주었고, <u>무령왕</u>은 자기 나라를 강하게 만들기 위해 오
<sub>목적을 이루기 위해서는 예법과 명분에 얽매이지 않아야 함을 강조함</sub>
<u>랑캐 복장을 하는 것을 부끄럽게 여기지 않았다.</u>

지금 명나라를 위해서 복수를 하려고 하면서도 그까짓 상투 하나를 아까워한단 말이냐. 장차 말을 달려 칼로 치고

창으로 찌르며, 활을 당기고 돌을 던져야 하는 판에 그따위 너풀거리는 소매를 바꾸지 않고서, 그걸 자기 딴에 예법

이라고 한단 말이냐?

내가 처음에 너에게 세 가지 계책을 일러 주었거늘, 도대체 너는 한 가지도 가능한 일이 없다고 하니, 그러면서도

신임을 받는 신하라고 말할 수 있겠느냐? 그래, 신임받는 신하라는 게 고작 이런 것이냐? 이런 자는 목을 잘라야 옳

을 것이니라."

하고 좌우를 둘러보며 칼을 찾아서 찌르려고 하였다. 이 대장은 깜짝 놀라서 일어나 뒷문으로 뛰쳐나가 재빠르게

달아났다.

<u>이튿날 다시 찾아갔더니 집은 이미 텅 비어 있고, 허생은 간 곳이 없었다.</u>
<sub>허생이 사라진 미완의 결말로 마무리</sub>

- **이완** 조선 중기의 무장(1602~1674). 병자호란 때에 공을 세웠으며, 효종이 북벌을 계획하자 어영청 대장이 되어 무기를 제조하고 성곽을 고쳐 지었다.
- **어영청** 조선 시대에 둔 다섯 군영의 하나. 효종 3년(1652)에 이완을 대장으로 삼아 처음 설치하였다.
- **여항** 백성의 살림집이 많이 모여 있는 곳.
- **이인** 재주가 신통하고 비범한 사람.
- **재야(在野)** 초야에 파묻혀 있다는 뜻으로, 공직에 나아가지 아니하고 민간에 있음을 이르는 말.
- **와룡 선생(臥龍先生)** 중국 삼국 시대 촉한의 정치가이자 군사 전략가인 제갈량을 일컫는 말.
- **삼고초려** 인재를 맞아들이기 위하여 참을성 있게 노력함. 중국 삼국 시대에, 촉한의 유비가 은거하고 있던 제갈량의 초옥으로

세 번이나 찾아갔다는 데서 유래한다.
- **종실** 임금의 친족.
- **훈척** 나라를 위하여 드러나게 세운 공로가 있는 임금의 친척.
- **권귀** 지위가 높고 권세가 있음. 또는 그런 사람.
- **변발** 몽골 인이나 만주인의 풍습으로, 남자의 머리를 뒷부분만 남기고 나머지 부분을 깎아 뒤로 길게 땋아 늘임. 또는 그런 머리.
- **빈공과** 중국 당나라 때에. 관리를 뽑기 위해 외국인에게 보게 하던 시험.
- **대갈일성(大喝一聲)** 크게 외쳐 꾸짖는 한마디의 소리.
- **번오기** 중국 전국 시대의 장수. 본래 진나라의 장수였으나 연나라로 망명하였다. 진나라에 품은 원한이 있어. 진시황을 암살하려는 자객 형가를 돕고자 자신의 목숨을 내놓았다.
- **무령왕** 중국 전국 시대 조나라의 왕.

⊙ **핵심정리**

| 갈래 | 고전 소설, 한문 단편 소설 | 성격 | 비판적, 풍자적 |
|---|---|---|---|
| 시점 | 전지적 작가 시점 | | |
| 배경 | • 시간: 조선 효종 때(17세기 중반)<br>• 공간: 국내(서울, 안성, 제주, 변산반도 등), 국외(빈섬, 장기도) | | |
| 제재 | '허생'이라는 선비의 비범한 재주와 기이(奇異)한 행적 | | |
| 주제 | 사대부의 무능과 허위의식 비판, 새로운 삶의 각성과 실천 촉구 | | |
| 특징 | • 비범한 식견과 능력을 지닌 '허생'이라는 인물의 행적을 중심으로 이야기가 전개됨.<br>• 실학사상을 바탕으로 당대 조선 사회의 폐단을 비판함.<br>• '빈 섬'이라는 새로운 공간을 통해 이상향을 모습을 그려 보임. | | |

**확인학습**

01 이완대장은 부국강병을 주장하며 북벌에 앞장서는 영웅적 인물이다. O☐ X☐

02 이완대장은 지배 계층의 인습에 얽매여 새로운 변화를 거부하는 인물이다. O☐ X☐

03 이완대장은 허생을 직접 찾아 조언을 구하는 모습을 보아 명분보다 실리를 적극적으로 추구하는 인물이다. O☐ X☐

04 당시 조선의 지배층은 청나라를 오랑캐라 부르며 업신여겨 청나라의 문화와 옷차림을 받아들이지 않았다. O☐ X☐

05 당시 조선의 지배층은 청나라를 정벌하기 위한 정책을 치밀하게 준비하였다. O☐ X☐

06 당시 조선은 인재 등용이 제대로 이루어지지 않았다. O☐ X☐

07 허생전의 결말은 허생이 처벌받지 않는 행복한 결말 구조이다. O☐ X☐

08 허생전의 결말은 암시와 여운을 남겨 독자의 상상력을 자극한다. O☐ X☐

**[01~10] 다음 글을 읽고 물음에 답하시오.**

**(가)** 허생은 묵적동에 살았다. 묵적동에서 곧장 남산 아래로 이르는 곳에 우물이 있고, 우물가에는 오래된 살구나무가 서 있었다. 살구나무를 향해서 사립문이 열려 있고, 몇 칸 안 되는 초가집은 비바람도 제대로 가리지 못했다. 그러나 허생은 독서를 좋아하고, 그 아내가 삯바느질을 하여 겨우 입에 풀칠을 하고 살았다. 하루는 아내가 배가 몹시 고파서 눈물을 흘리며,

"임자는 평생 과거에 응시하지도 않으면서 책을 읽어서 무엇 하려고 그러시오?" 하니 허생이 웃으며 말했다.

"내가 책을 읽는 것이 아직 미숙해서 그렇다오."

"그렇다면 장인바치 일이라도 하지 그러시오?"

"장인바치 일은 본래 배우지 못했으니, 어찌하란 말인가?"

"그럼 장사가 있잖습니까?"

"장사야 본시 밑천이 드는 법인데, 어찌하란 말인가?"

그 아내가 왈칵 화를 내고 버럭 소리를 질렀다.

㉠"밤낮으로 책을 읽더니 고작 배운 게 '어찌하란 말인가'라는 말뿐이오? 장인바치 일도 못 한다, 장사도 못 한다면, 어째서 도적질은 못 하는 게요?"

허생이 읽던 책을 덮고는 일어서면서, "애석하도다. 내 본래 책 읽기를 십 년을 기약했더니, 이제 칠년 만에 그만 접어야 하다니." 하고 문을 나서서 가 버렸다.

**(나)** 한편 만 금을 빌린 허생은 다시 집으로 돌아가지 않고, 그 길로 바로 경기도 안성으로 내려가 거기에 머물려 거처를 마련하였다. 안성 지방이 경기도와 충청도의 경계이고, 삼남 지방의 길목이 된다고 생각했기 때문이다. 거기서 대추, 밤, 감, 배, 석류, 귤, 유자 등의 과일들을 모두 시세의 곱절 가격으로 모조리 사들였다.

허생이 과일을 사재기하는 바람에 나라 안에서는 연희를 열거나 제사를 지낼 수 없었다. 얼마 지나자 허생에게 곱절의 가격으로 팔았던 장사치들이 도리어 열 배의 가격으로 되사 가게 되었다. 허생이 한숨을 쉬며 탄식하였다.

㉡"겨우 만 금으로 한 나라를 휘청하게 만들었으니, 나라의 경제 규모를 짐작할 만하다."

**(다)** 그때 전라도 변산반도에는 도적 떼 수천이 우글거리고 있었다. 그 지방의 고을과 군에서 군졸을 풀어서 체포하려고 했으나 잡을 수가 없었다. 도적 떼도 감히 나돌아 다니며 노략질을 함부로 할 수가 없어서 바야흐로 굶주림에 허덕였다. 허생이 도적의 소굴로 들어가서 괴수를 달랬다.

"천 명이 천 금을 털어서 나누면 한 사람 앞으로 얼마의 돈이 돌아가는가?"

"한 사람에 한 냥씩 돌아가지요."

"자네들에게 아내가 있는가?"

"없답니다."

"가진 밭뙈기라도 있는가?"

도적들이 코웃음을 쳤다.

"아니, 밭 있고 아내가 있다면 무엇 때문에 괴롭게 도적이 된단 말이오?"

"자네들이 그렇게 잘 안다면 어째서 장가를 들어 살림을 장만하고, 소를 사서 밭을 갈 생각은 하지 않는 겐가? 그리되면 살아서 도적놈이란 이름도 없을 것이고, 집에 살면서 부부의 즐거움도 있을 것이며, 나돌아 다녀도 관에 붙잡힐 염려가 없을 것이고, 길이길이 의식이 풍요함을 누릴 수 있지 않겠는가?"

"어찌 그런 생활을 원하지 않겠소이까? 다만 돈이 없어서 못하고 있을 뿐입죠."

허생이 웃으며 말했다.

"자네들이 명색이 도적질을 하는 도둑놈이련만 어찌 돈 없다는 걱정을 다 하누? 내가 자네들을 위해 돈을 마련해 줄 것이네. 내일 바닷가를 바라보게나. 바람에 붉은 깃발이 펄럭이는 배가 모두 돈을 실은 배일 터이니, 어디 자네들 마음껏 한

번 가져가 보게."

허생이 도적들과 약조를 하고 떠나자, 도적들이 모두 '미친놈'이라고 비웃었다.

다음 날이 되어 바닷가에 허생이 돈 삼십만 냥을 싣고 나타나자, 모두들 크게 놀라 허생에게 줄을 지어 절을 하였다.

"오직 장군의 명령대로 따르겠소이다."

"있는 힘대로 지고 가게나."

그리하여 도적들이 돈을 짊어졌으나, 사람마다 고작 백 금을 넘지 못했다.

허생이 "너희들 힘이란 게 고작 백 금을 들기에도 부족하거늘, 어찌 도적질이라도 변변히 할 수 있겠는가? 지금 너희들은 비록 평민이 되려고 해도 이름이 이미 도적의 명부에 올라 있으니 어디 갈 곳도 없을 것이다. 내가 여기서 너희들을 기다릴 터이니, 각자 백 금씩 가지고 가서 아내 한 사람과 소 한 마리씩 장만해 오너라."하자, 군도들이 모두 좋다고 승낙하며 흩어졌다.

그동안 허생은 이천 명이 한 해 동안 먹을 양식을 장만하여 그들을 기다렸다. 도적들이 기한된 날짜에 모두 도착해 뒤에 쳐진 사람이 하나도 없었다. 드디어 모두 배에 싣고, ㉮빈 섬으로 들어갔다. 허생이 도적을 모두 쓸어 가자 나라 안에는 도적 걱정이 없어졌다.

한편 섬으로 들어간 허생과 도적들은 나무를 찍어서 집을 짓고, 대나무를 엮어서 울타리를 만들었다. 땅기운이 온전하다 보니 온갖 곡식이 심은 대로 크고 무성하게 자라고, 김을 매고 쟁기질을 하지 않아도 한 줄기에 아홉 이삭이 달렸다. 삼 년 먹을 식량을 비축해 두고 나머지는 모두 배에 싣고 장기도로 가서 팔았다. 장기도는 일본에 속한 고을로, 삼십일만 호가 되는 큰 지방인데 바야흐로 큰 기근이 들어 있었다. 그리하여 굶주린 사람들을 진휼하고 은 백만 냥을 얻게 되었다.

**(라)** 허생이 탄식하면서,

"이제야 나의 자그마한 시험을 마치게 되었구나."

하고는 남녀 이천 명을 모두 모아 놓고 명을 내렸다.

"ⓒ내가 처음 너희들과 이 섬에 들어올 때의 계획으로는 먼저 너희들을 풍부하게 만들어 놓은 다음에 따로 문자를 만들고, 의관제도를 새로이 제정하려고 하였느니라. 그런데 여기 땅이 좁고 내 덕이 얇으니, 나는 이제 여기를 떠나련다. 아이들이 태어나 숟가락을 잡게 되면 오른손으로 잡도록 가르치고, 하루라도 나이가 많은 사람이 먼저 먹도록 양보하게 하라."

그러고는 다른 배를 모두 불살라 버리고,

"나가는 사람이 없으면 들어오는 사람도 없을 테지."

하고 은자 오십만 냥을 바닷속에 던지며,

"바다가 마르면 얻는 사람이 생기겠지. 백만 냥이나 되는 돈은 나라 안에서는 놓아둘 곳이 없거늘, 하물며 이 작은 섬에서야." 했다. 글을 아는 사람은 모두 배에 실어서 함께 섬을 빠져나오며, "이 섬에 화근을 없애려 함이네." 라고 하였다.

**(마)** 뭍으로 나온 허생은 나라 안을 두루 돌아다니며 가난하고 의지할 곳이 없는 사람들을 구제하였다. 돈을 그렇게 써도 아직 은자 십만 냥이 남았다.

"이 돈이면 변 씨에게 빌린 돈을 갚을 수 있겠군."

허생이 변 씨를 찾아가서 보고는,

"나를 기억하시겠소이까?"

하고 묻자 변 씨는 깜짝 놀라며 말했다.

"그대의 얼굴색이 조금도 나아지지 않은 걸 보니, 혹 만 금을 다 털어먹은 건 아니오?"

허생이 웃으며 말했다.

"재물을 가지고 얼굴이 번드르르해지는 일이야, 당신 같은 장사치들의 일일 뿐이오. 만 금이란 돈이 어찌 사람의 도(道)를 살찌우기야 하겠소?"

이에 은 십만 냥을 변 씨에게 주며,

"내가 순간의 굶주림을 참지 못하여 책 읽기를 마저 끝내지 못하고, 그대에게 만 금을 빌렸던 것이 부끄럽소이다."

하니 변 씨는 깜짝 놀라서 일어나 절을 하고 십만 냥을 다 받을 수 없다고 사양하며, 십분의 일만 이자로 쳐서 받겠다고 하였다. 허생이 버럭 화를 내며,

㉣"당신은 어째서 나를 장사꾼으로 취급하려는 게요?"

하고는 옷자락을 뿌리치고는 휙 가 버렸다.

**(바)** 이 대장이 방에 들어왔으나, 허생은 편안하게 앉아서 일어나지도 않았다.

이 대장은 몸 둘 바를 모르고 엉거주춤하다가 겨우 나라에서 어진 인재를 구하려는 뜻을 설명하였다. 허생이 손을 내저으며 말했다.

"밤은 짧은데 말이 너무 길어서 듣기에 아주 지루하구먼. 그래, 너는 지금 무슨 벼슬을 하느냐?"

"어영청 대장입니다."

"그렇다면 너는 바로 나라에서 신임 받는 신하가 아니더냐. 내가 응당 재야에 숨어 있는 와룡선생(臥龍先生)을 천거할 터이니, 네가 임금께 아뢰어 그에게 삼고초려(三顧草廬)할 수 있게 하겠는가?"

이 대장은 머리를 숙여 골똘히 생각하더니 한참 만에 대답했다.

"어렵겠습니다. 그 다음의 것을 듣고자 합니다."

"나는 '그 다음'이란 말은 아직 배우지 못했도다."

이 대장이 그래도 굳이 묻자, 허생은 말했다.

"명나라 장군과 병사들은 조선이 예전에 입은 은혜가 있다고 여겨서 그 자손들이 되놈의 나라에서 몸을 빼어 우리나라로 많이 건너왔으나, 이리저리 떠돌며 홀몸으로 외롭게 지내고 있는 이가 많다. 네가 임금께 아뢰어 종실의 여자들을 뽑아서 두루 시집을 보내고, 훈척과 권귀들의 집을 몰수하여 그들의 살림집으로 내어줄 수 있겠느냐?"

이 대장이 고개를 숙이고 한참 있다가 대답하였다.

"그것도 어렵겠습니다."

**(사)** "아니 이것도 어렵다, 저것도 어렵다 한다면 대관절 무슨 일이 가능하겠느냐? 아주 쉬운 일이 있으니, 네가 능히 할 수 있겠느냐?"

"말씀해 주시기 바랍니다."

"대저 천하의 대의를 외치려면 먼저 천하의 호걸들과 사귀어 결탁하지 않고는 되지 않는 법이고, 남의 나라를 정벌하려면 먼저 첩자를 쓰지 않으면 성공을 거둘 수 없는 법이다. 지금 만주족이 갑자기 천하의 주인이 되었으나, 아직 중국을 완전히 손아귀에 넣어 친하게 지내지 못하는 형편이니, 이때 조선이 다른 나라 보다 먼저 솔선해서 복종한다면 저들에게 신뢰를 받을 것이다. 만약 당나라, 원나라 때의 예전 일처럼 우리 자제들을 청나라에 파견하여 학교에 입학하고 벼슬도 할 수 있게 하고, 장사치들의 출입도 금하지 말도록 저들에게 간청한다면, 저들도 자기네에게 친근하고자 하는 우리를 보고 반드시 기뻐하여 이를 허락할 것이다. 이렇게 되면 ㉤나라의 자제들을 엄선하여 머리를 깎여 변발을 하게하고 오랑캐 복장을 입히고 선비들은 빈공과에 응시하고, 일반 사람들은 멀리 강남까지 장사를 하게 만들어서 그들의 허실을 엿보고 한족의 호걸들과 결탁한다면, 천하를 도모할 수 있을 것이며 나라의 치욕도 씻을 수 있을 것이다. 만약 명나라 황족의 후손을 찾지 못하면, 천하의 제후들을 인솔해서 하늘에 임금이 될 만한 사람을 천거하여, 잘만 되면 대국의 스승이 될 것이며, 못 되어도 성씨가 다른 제후국 중에서는 제일 큰 나라로서의 지위는 잃지 않을 것이다."

이 대장이 낙심하고 허탈해서 말했다.

"사대부들이 모두 예법을 삼가 지키고 있거늘, 누가 기꺼이 머리를 깎고 오랑캐 옷을 입으려고 하겠습니까?"

허생이 대갈일성하며,

"도대체 사대부라는 게 뭐하는 것들이냐. 오랑캐 땅에서 태어난 주제에 자칭 사대부라고 뽐내고 앉았으니, 이렇게 어리석을 데가 있느냐? 입는 옷이란 모두 흰 옷이니 이는 상복이고, 머리는 송곳처럼 뾰족하게 묶었으니 이는 남쪽 오랑캐의 방망이 상투이거늘, 무슨 놈의 예법이란 말인가? 번오기는 원한을 갚기 위해 자신의 머리를 아끼지 않고 내주었고, 무령

왕은 자기 나라를 강하게 만들기 위해 오랑캐 복장을 입는 것을 부끄럽게 여기지 않았다. 지금 명나라를 위해서 복수를 하려고 하면서도 그까짓 상투 하나를 아까워한단 말이냐. 장차 말을 달려 칼로 치고 창으로 찌르며, 활을 당기고 돌을 던져야 하는 판에 그 따위 너풀거리는 소매를 바꾸지 않고서, 그걸 자기 딴에 예법이라고 한단 말이냐? 내가 처음에 너에게 세 가지 계책을 일러 주었거늘, 도대체 너는 한 가지도 가능한 일이 없다고 하니, 그러면서도 신임을 받는 신하라고 말할 수 있겠느냐? 그래, 신임 받는 신하라는 게 고작 이런 것이냐. 이런 자는 목을 잘라야 옳을 것이니라."

하고 좌우를 둘러보며 칼을 찾아서 찌르려고 하였다. 이 대장은 깜짝 놀라서 일어나 뒷문으로 뛰쳐나가 재빠르게 달아났다.

ⓐ이튿날 다시 찾아갔더니 집은 이미 텅 비어 있고, 허생은 간 곳이 없었다.

– 박지원, 「허생전」 –

**01** (가)~(바)에서 알 수 있는 내용으로 가장 알맞은 것은?

① (가) : 허생은 대외적인 명분보다는 실리를 중시한다.
② (나) : 당시 경제 규모가 열악하고 유통 구조가 취약했다.
③ (다) : 일반 백성들의 윤리 의식이 붕괴되었다.
④ (라) ; 허생은 빈 섬에서 자신이 원하던 이상 국가를 건설하였다.
⑤ (사) : 집권층의 부정부패를 비판하고 있다.

**02** (가)~(마)의 밑줄 친 구절과 관련 있는 한자성어가 <u>아닌</u> 것은?

① (가) : 삼순구식(三旬九食)　　　　② (나) : 매점매석(買占賣惜)
③ (다) : 무릉도원(武陵桃源)　　　　④ (라) : 장유유서(長幼有序)
⑤ (사) : 경국지색(傾國之色)

**03** 위 글을 읽고 '허생은 ○○(이)다.'라는 주제로 토론하였다. 주장과 근거의 관계가 가장 알맞은 것은?

① **수진** : (다)에서 도적들을 자기 마음대로 다 쓸어가는 것으로 보아 허생은 무법자라고 할 수 있어.
② **희원** : (다)에서 이용후생을 통해 도적들이 평범한 삶을 누릴 수 있도록 이끌어주는 것을 볼 때 허생이 책임감 있는 지식인임을 알 수 있어.
③ **민승** : (라)에서 허생이 애초에 자신이 계획한 일을 다 하지 못하고 떠나는 것으로 보아 기회주의자임을 알 수 있어.
④ **아영** : (라)에서 글을 아는 사람을 '화근'이라고 지칭한것으로 보아 허생이 지식 자체에 대한 회의주의자였음을 알 수 있어.
⑤ **정용** : (사)에서 명분만 중시하는 집권층을 안타까워하는 모습을 볼 때 허생은 박애주의자임을 알 수 있어.

**04** 〈보기〉를 고려할 때, ㉮와 관련한 설명으로 옳지 <u>않은</u> 것은?

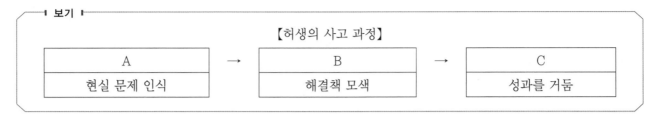

┤ 보기 ├

【허생의 사고 과정】

| A | | B | | C |
|---|---|---|---|---|
| 현실 문제 인식 | → | 해결책 모색 | → | 성과를 거둠 |

① A : 삶의 터전을 잃고 도적이 된 백성들이 새롭게 정착할 곳이 필요했다.

② B : 가정을 이루고 농사를 지어 안정된 삶을 위한 기반을 마련하였다.

③ B : 비옥한 토지 덕분에 거둔 많은 곡식을 비축해 둠으로써 안정된 생활이 가능하도록 하였다.

④ C : 식량이 필요한 자들과 거래를 함으로써 많은 돈을 벌 수 있었다.

⑤ C : 유교적 관념과 예절을 강조하여 사회 질서를 굳건하게 세울 수 있었다.

**05** ㉠~㉤에 대한 이해로 적절한 것은?

① ㉠ : 아내는 무능한 선비(士)보다 '농(農)'과 '상(商)'이 더 낫다고 생각하고 있다.

② ㉡ : 나라의 취약한 경제 구조에 대해 비판적으로 여기는 관점이 드러나고 있다.

③ ㉢ : 국가가 우선 해야 할 문제를 문물과 제도의 제정으로 보는 실학사상이 반영되어 있다.

④ ㉣ : 허생은 재물에 대해 공적인 측면에서 부정적인 인식을 보이고 있다.

⑤ ㉤ ; 명나라의 후손들이 청의 문물을 배우고 그들과 교역하도록 도와야 한다는 작가의 생각이 반영되어 있다.

**06** 윗글의 '안성', '제주도', '빈 섬'에 대하여 토의한 내용으로 적절하지 <u>않은</u> 것은?

① '빈 섬'은 가족을 바탕으로 한 풍요로운 농경 사회의 공간이라 할 수 있어.

② '빈 섬'은 지배층과 피지배층의 구별이 없으나 예의 범절을 중시한 이상향이라 할 수 있어.

③ '빈 섬'은 백성들이 안정된 삶을 살 수 있도록 하는 허생의 포부를 시험해 보기 위한 공간이야.

④ '안성'과 '제주도'는 허생이 백성들의 생활 필수품을 사재기하여 큰 돈을 벌 수 있게 한 공간이야.

⑤ '안성'은 당시 경제와 문화의 중심지였으므로 허생이 매점매석을 위해 선택한 공간이라고 할 수 있어.

**07** ⓐ와 같은 결말 구조를 택한 이유로 적절한 것은?

① 주인공 허생이 결국 평범한 인물이었음을 드러내고자 한다.

② 독자들이 뒤 이야기를 상상할 수 있는 여지를 남겨두지 않는다.

③ 현실의 문제와 인물간의 갈등이 원만히 해결되었음을 보여준다.

④ 허생의 가치관이 당시에는 용납되기 어려운 급진적인 것이었음을 암시한다.

⑤ 고전 소설의 일반적인 결말 구조에 충실해 권선징악의 주제 의식을 드러낸다.

**08** 〈보기〉의 인물 관계도를 참고하여, 다른 인물과의 관계에서 보여준 말이나 행동을 근거로 '허생'의 성격을 파악한 내용으로 적절하지 <u>않은</u> 것은?

보기

| 아내 | — (A) — | | — (C) — | 변씨 |
|---|---|---|---|---|
| 도적떼 | — (B) — | 허생 | — (D) — | 이완 |

① (A) – 생계에 관심이 없고, 실용과는 무관한 책읽기만 좋아하는 인물이다.

② (B) – 백성이 안정된 생활을 할 수 있는 사회를 만들어야 한다는 사대부로서의 문제의식과 책임감을 지닌 인물이다.

③ (C) – 선비로서의 자존감이 높고 주관이 뚜렷하여 사농공상의 계급의식을 벗어난 인물이다.

④ (D) – 당대 지배층의 무능과 허위의식을 질타하는 비판적 지식인이다.

⑤ (A), (D) – 실리를 중시하는 실용주의의 입장에서 볼 때 (A)와 (D)에서 각각 다른 태도를 보인다.

**09** (바)~(사)를 고려할 때, 〈보기〉의 ⓐ~ⓒ와 관련된 내용으로 옳지 <u>않은</u> 것은?

보기

【작가 박지원이 작성한, 글쓰기 계획】

Ⅰ. 시대 상황 제시
  – 나라가 위기에 처했으나 마땅한 인재가 없음.
  – 청에 대한 치욕과 울분을 씻고자 하는 국민 정서가 강함.

Ⅱ. 시대적 문제 해결을 위한 대책 마련
  1. 인재 등용을 위한 적극적 노력이 필요함. ········ ⓐ
  2. 명나라 후손에 대한 대우를 개선해야 함. ········ ⓑ
  3. 청과의 교류를 통하여 국력을 신장시켜야 함. ········ ⓒ

Ⅲ. 정리

① ⓐ : 어진 인재를 구하기 위한 적극적인 노력을 임금부터 해야 함을 강조한다.

② ⓑ : 훈척과 권귀가 지닌 재산을 이용하여 명에 대한 의리를 지키도록 한다.

③ ⓑ : 명나라의 은혜를 입었음에도 실질적인 대우가 이루어지지 않음을 비판한다.

④ ⓒ : 청나라의 귀족들을 우리나라 과거에 응시하게 하여 일정한 지위를 부여한다.

⑤ ⓒ : 청과의 교류가 청의 설정을 제대로 파악할 수 있는 방법이 될 수 있음을 드러낸다.

**10** 윗글에 대한 설명으로 적절한 것은?

① 대화와 행동을 통하여 인물의 성격을 드러낸다.

② 사건이 일어난 순서를 뒤바꾸어 입체적으로 서술한다.

③ 1인칭의 서술자가 등장하여 주인공의 행적을 서술한다.

④ 서술자가 다른 인물의 심리를 파악하지 못하는 한계가 있다.

⑤ 서술자가 수시로 바뀌어 하나의 사건에 대한 여러 측면을 서술한다.

**[11~18] 다음 글을 읽고 물음에 답하시오.**

(가) 허생은 묵적동에 살았다. 묵적동에서 곧장 남산 아래로 이르는 곳에 우물이 있고, 우물가에는 오래된 살구나무가 서 있었다. 살구나무를 향해서 사립문이 열려 있고, 몇 칸 안 되는 초가집은 비바람도 제대로 가리지 못했다. 그러나 허생은 독서를 좋아하고, 그 아내가 삯바느질을 하여 겨우 입에 풀칠을 하고 살았다.

하루는 아내가 배가 몹시 고파서 눈물을 흘리며,

"임자는 평생 과거에 응시하지도 않으면서 책을 읽어서 무엇 하려고 그러시오?"

하니 허생이 웃으며 말했다.

"내가 책을 읽는 것이 아직 미숙해서 그렇다오."

"그렇다면 장인바치 일이라도 하지 그러시오?"

"장인바치 일은 본래 배우지 못했으니, 어찌하란 말인가?"

"그럼 장사가 있잖습니까?"

"장사야 본시 밑천이 드는 법인데, 어찌하란 말인가?"

(나) 변 씨 집의 자제들과 와 있던 손님들이 허생의 몰골을 보니, 이건 영락없는 비렁뱅이였다. 허리를 두른 실띠는 술이 빠졌고, 갓신의 뒤축은 자빠졌으며, 갓은 찌그러지고 도포는 그을려 행색이 꾀죄죄한데다가, 코에서는 맑은 콧물이 줄줄 흘렀다. 허생이 가고 나자 모두들 대경실색하여 물었다.

"대인께선 저이를 아십니까?"

"모른다네."

"아니, 지금 평생 알지도 못하는 사람에게 갑자기 만 금의 돈을 함부로 던져 버리시고도 그 이름조차 묻지 않으시다니, 대체 이게 무슨 영문입니까?"

"자네들이 알 수 있는 일이 아니네. 무릇 남에게 무얼 빌리러 오는 사람은 반드시 자기 생각과 뜻을 대단히 떠벌리고 자신의 신의를 먼저 보이려고 자랑하지만, 안색은 부끄러움에 비굴하고 말은 중언부언하게 마련이라네. 그런데 저 손님은 비로 행색은 꾀죄죄하나, 하는 말은 간단하고 눈빛은 오만하게 뜨며 얼굴에 부끄러워하는 기색이 전혀 없으니, 필시 재물을 가지고 만족하는 그런 속물은 아닐 것이네. 그가 시험해 보자는 것이 작은 일이 아닐 것이매, 나 역시 손님에게 시험해 보려는 것이 있네. 주지 않으려면 그만이겠지만 이미 만 금을 주었는데 성명은 물어서 무엇하겠는가?"

한편, 만 금을 빌린 허생은 다시 집으로 돌아가지 않고, 그 길로 바로 경기도 안성으로 내려가 거기에 머물며 거처를 마련하였다. 안성 지방이 경기도와 충청도의 경계이고, 삼남 지방의 길목이 된다고 생각했기 때문이다. 거기서 대추, 밤, 감, 배, 석류, 유자 등의 과일들을 모두 시세의 곱절 가격으로 모조리 사들였다.

허생이 과일을 사재기하는 바람에 나라 안에서는 연회나 제사를 지낼 수 없었다. 얼마 지나자 허생에게 곱절의 가격으로 팔았던 장사치들이 도리어 열 배의 가격으로 되사 가게 되었다. 허생이 한숨을 쉬며 탄식하였다.

㉠"겨우 만 금으로 한 나라를 휘청하게 만들었으니, 나라의 경제 규모를 짐작할 만하다."

(다) 그때 전라도 변산반도에는 도적 떼 수천이 우글거리고 있었다. 그 지방의 고을과 군에서 군졸을 풀어서 체포하려고 했으나 잡을 수가 없었다. 도적 떼도 감히 나돌아 다니며 노략질을 함부로 할 수가 없어서 바야흐로 굶주림에 허덕였다. 허생이 도적의 소굴로 들어가서 괴수를 달랬다.

"천 명이 천 금을 털어서 나누면 한 사람 앞으로 얼마의 돈이 돌아가는가?"

"한 사람에 한 냥씩 돌아가지요."

"자네들에게 아내가 있는가?"

"없답니다."

"가진 밭뙈기라도 있는가?"

㉡도적들이 코웃음을 쳤다.

"아니, 밭 있고 아내가 있다면 무엇 때문에 괴롭게 도적이 된단 말이오?"

"자네들이 그렇게 잘 안다면 어째서 장가를 들어 살림을 장만하고, 소를 사서 밭을 갈 생각은 하지 않는 겐가? 그리되면 살아서 도적놈이란 이름도 없을 것이고, 집에 살면서 부부의 즐거움도 있을 것이며, 나돌아 다녀도 관에 붙잡힐 염려가 없을 것이고, 길이길이 의식이 풍요함을 누릴 수 있지 않겠는가?"

"어찌 그런 생활을 원하지 않겠소이까? 다만 돈이 없어서 못하고 있을 뿐입죠."

허생이 웃으며 말했다.

"자네들이 명색이 도적질을 하는 도둑놈이련만 어찌 돈 없다는 걱정을 다 하누? 내가 자네들을 위해 돈을 마련해 줄 것이네. 내일 바닷가를 바라보게나. 바람에 붉은 깃발이 펄럭이는 배가 모두 돈을 실은 배일 터이니, 어디 자네들 마음껏 한 번 가져가 보게."

허생이 도적들과 약조를 하고 떠나자, 도적들이 모두 '미친놈'이라고 비웃었다.

다음 날이 되어 바닷가에 허생이 돈 삼십만 냥을 싣고 나타나자, 모두들 크게 놀라 허생에게 줄을 지어 절을 하였다.
ⓒ"오직 장군의 명령대로 따르겠소이다."

"있는 힘대로 지고 가게나."

그리하여 도적들이 돈을 짊어졌으나, 사람마다 고작 백 금을 넘지 못했다.

허생이 "너희들 힘이란 게 고작 백 금을 들기에도 부족하거늘, 어찌 도적질이라도 변변히 할 수 있겠는가? 지금 너희들은 비록 평민이 되려고 해도 이름이 이미 도적의 명부에 올라 있으니 어디 갈 곳도 없을 것이다. 내가 여기서 너희들을 기다릴 터이니, 각자 백 금씩 가지고 가서 ⓔ아내 한 사람과 소 한 마리씩 장만해 오너라."하자, 군도들이 모두 좋다고 승낙하며 흩어졌다.

그동안 허생은 이천 명이 한 해 동안 먹을 양식을 장만하여 그들을 기다렸다. 도적들이 기한된 날짜에 모두 도착해 뒤에 쳐진 사람이 하나도 없었다. 드디어 모두 배에 싣고, 빈 섬으로 들어갔다. ⓜ허생이 도적을 모두 쓸어 가자 나라 안에는 도적 걱정이 없어졌다.

(라) "그렇다면 너는 바로 나라에서 신임받는 신하가 아니더냐. 내가 응당 재야에 숨어 있는 와룡선생(臥龍先生)을 천거할 터이니, 네가 임금께 아뢰어 그에게 삼고초려(三顧草廬)할 수 있게 하겠는가?"

이 대장은 머리를 숙여 골똘히 생각하더니 한참 만에 대답했다.

"어렵겠습니다. 그 다음의 것을 듣고자 합니다."

"나는 '그 다음'이란 말은 아직 배우지 못했도다."

이 대장이 그래도 굳이 묻자, 허생은 말했다.

"명나라 장군과 병사들은 조선이 예전에 입은 은혜가 있다고 여겨서 그 자손들이 되놈의 나라에서 몸을 빼어 우리나라로 많이 건너왔으나, 이리저리 떠돌며 홀몸으로 외롭게 지내고 있는 이가 많다. [A]네가 임금께 아뢰어 종실의 여자들을 뽑아서 두루 시집을 보내고, 훈척과 권귀들의 집을 몰수하여 그들의 살림집으로 내어줄 수 있겠느냐?"

이 대장이 고개를 숙이고 한참 있다가 대답하였다.

"그것도 어렵겠습니다."

**11** 윗글의 서술방식에 대한 설명으로 적절한 것은?

① 주인공이 자신의 이야기를 시간의 흐름에 따라 돌려주고 있다.

② 인물 간의 대화를 통해 인물이 추구하는 가치를 드러내고 있다.

③ 서술자가 독자에게 직접 인물에 대한 평가를 내려주고 있다.

④ 주변 인물이 주인공을 관찰하여 전달하는 방식으로 서술하고 있다.

⑤ 중심인물의 시점을 이동하며 인물의 내면을 효과적으로 드러내고 있다.

**12** 이 글을 통해 알 수 있는 시대상과 거리가 먼 것은?

① 당시 양반들은 조상을 받드는 차례와 겉치레를 중요하게 생각했다.

② 안성 지방은 각 지방에서 올라오는 물건들이 모이는 물류의 집결지였다.

③ 생계를 유지하기가 어려울 정도로 경제적으로 몰락한 양반들이 있었다.

④ 도적들의 세력이 백성의 생활을 위협할 정도로 당시의 치안이 허술했다.

⑤ 당시에는 훌륭한 인재가 있어도 적극적으로 등용하지 않는 문제가 있었다.

**13** ㉠~㉤에 대한 설명으로 적절하지 않은 것은?

① ㉠ : 유통 구조가 취약한 나라의 현실에 대해 탄식하고 있다.

② ㉡ : 허생이 힘 있는 관리가 아닌 것을 알고 얕잡아 보고 있다.

③ ㉢ : 허생에 대한 호칭 변화를 통해 허생의 능력을 확인한 군도들의 태도 변화가 드러나 있다.

④ ㉣ : 도적들이 가족을 이루고 경제적 기반을 마련할 수 있도록 하기 위한 허생의 의도이다.

⑤ ㉤ : 지배층이 해결하지 못한 군도 문제를 허생이 해결할 것으로, 허생의 영웅적 면모가 드러난다.

**14** 윗글의 등장인물이 할 수 있는 말로 적절하지 않은 것은?

① **허생의 처** : 가난한데도 글만 읽는 남편 때문에 혼자 삯바느질로 생계를 유지하려니, 삶이 너무 힘들어.

② **허생** : 내 비록 가난하지만 돈 많은 사람이나 높은 지위에 있는 이에게 아첨하거나 위축되지 않고 당당하게 행동할 테야.

③ **변 씨** : 간단한 말, 오만한 눈빛을 보니 허생은 분명 재물에 대한 욕심이 없고 큰 뜻을 지닌 인물일 거야.

④ **도적** : 나도 평범하게 살고 싶지만 이미 도적의 명부에 올라있으니 조선 땅에서는 어디 정착해서 살기가 어려워.

⑤ **이완 대장** : 허생이 제시한 대책을 현실적으로 실행하려면 지배층들이 백성들과 화합하려는 태도를 보여야 할 거야.

**15** (라)의 [A]에 담긴 작가의 의도로 가장 적절한 것은?

① 특정 지배 계층의 기득권 비판

② 사대부 계층의 허례허식 풍자

③ 외래문화에 대한 적극적 수용 강조

④ 명나라 사람들을 우대하는 현실 비판

⑤ 예법을 중시하고 매사에 겸손해야 함을 강조

**16** 인물에 대한 설명으로 적절하지 <u>않은</u> 것은?

① 허생은 국가 경제에 어떠한 문제가 있었는지 파악하고 있었다.

② 변 씨는 유능한 인물이 나서서 국가를 위해 일해야 한다고 생각한다.

③ 허생은 자신이 조성기나 유형원과 같은 능력을 가진 인재라고 생각하고 있다.

④ 허생은 능력을 발휘하여 큰 돈을 벌지만 자신이 돈 번 방식이 부적절하다고 생각한다.

⑤ 허생의 아내는 글 읽기보다 먹고 사는 문제가 중요하다고 생각하는 실용주의적 인물이다.

**17** 윗글에 대한 설명으로 옳은 것만을 〈보기〉에서 있는 대로 고른 것은?

┤ 보기 ├

ㄱ. 허생은 자신의 재능이 나라에는 별로 쓸모가 없다고 생각했다.

ㄴ. 허생의 아내는 허생에게 과거에 응시하지 않으려면 도적질을 하라고 강요했다.

ㄷ. 허생은 지배계층이 인재 등용에 관심이 없다며 비판하였다.

ㄹ. 당시에는 연회를 열거나 제사를 지낼 때 과일이 필수품이었다.

① ㄱ, ㄴ          ② ㄱ, ㄷ          ③ ㄷ, ㄹ          ④ ㄱ, ㄴ, ㄹ          ⑤ ㄴ, ㄷ, ㄹ

**18** 윗글을 읽은 학생들이 감상을 나누었다. 〈보기〉의 관점에서 작품을 감상한 학생은 누구인가?

┤ 보기 ├

 문학작품을 감상하는 관점은 여러 가지이다. 그 중 '반영론적 관점'은 작품에 반영되어 있는 현실을 염두에 두고 작품을 감상하는 것이다.

① **민승** : 이 작품을 읽고 나는 어떻게 살아야 하나 고민하게 되었어. 그동안 나만 잘 먹고 잘살면 된다고 생각해왔던 것 같아.

② **정용** : 나는 지식인을 '화근'에 비유한 것이 인상적이었어. 적절한 비유가 작품을 더욱 흥미롭게 만든 것 같아.

③ **아영** : 작가는 작품을 통해 이상적인 나라의 모습을 보여주고 싶어 했던 게 아닐까 싶어.

④ **수진** : 형편이 어려워서 도둑이 된 사람이 많았던 모양이야. 지금 우리가 살고 있는 현실은 어떤지 생각해 보고 싶어졌어.

⑤ **희원** : 짧은 소설이어서 그런지 설득력이 떨어지는 것 같아. 섬에서 농사를 짓는 과정, 장기도에서 무역을 통해 돈 번 과정이 좀 더 자세히 묘사되었다면 좋았을 것 같아.

**[19~26] 다음 글을 읽고 물음에 답하시오.**

(가) 허생은 묵적동에 살았다. 묵적동에서 곧장 남산 아래로 이르는 곳에 우물이 있고, 우물가에는 오래된 살구나무가 서 있었다. ⑤살구나무를 향해서 사립문이 열려 있고, 몇 칸 안 되는 초가집은 비바람도 제대로 가리지 못했다. 그러나 허생은 독서를 좋아하고, 그 아내가 삯바느질을 하여 겨우 입에 풀칠을 하고 살았다.

하루는 아내가 배가 몹시 고파서 눈물을 흘리며,

[A]
"임자는 평생 과거에 응시하지도 않으면서 책을 읽어서 무엇 하려고 그러시오?"
하니 허생이 웃으며 말했다.
"내가 책을 읽는 것이 아직 미숙해서 그렇다오."
"그렇다면 장인바치 일이라도 하지 그러시오?"
"장인바치 일은 본래 배우지 못했으니, 어찌하란 말인가?"
"그럼 장사가 있잖습니까?"
"장사야 본시 밑천이 드는 법인데, 어찌하란 말인가?"
그 아내가 왈칵 화를 내고 버럭 소리를 질렀다.
"ⓒ밤낮으로 책을 읽더니 고작 배운 게 '어찌하란 말인가'라는 말뿐이오? 장인바치 일도 못 한다, 장사도 못 한다면, 어째서 도적질은 못 하는 게요?"
허생이 읽던 책을 덮고는 일어서면서,

"애석하도다. 내 본래 책 읽기를 십 년을 기약했더니, 이제 칠 년 만에 그만 접어야 하다니." 하고 문을 나서서 가 버렸다.

(나) 한편 만 금을 빌린 허생은 다시 집으로 돌아가지 않고, 그 길로 바로 경기도 안성으로 내려가 거기에 머물러 거처를 마련하였다. 안성 지방이 경기도와 충청도의 경계이고, 삼남 지방의 길목이 된다고 생각했기 때문이다. 거기서 대추, 밤, 감, 배, 석류, 귤, 유자 등의 과일들을 모두 시세의 곱절 가격으로 모조리 사들였다.

허생이 과일을 사재기하는 바람에 나라 안에서는 연희를 열거나 제사를 지낼 수 없었다. 얼마 지나자 허생에게 곱절의 가격으로 팔았던 장사치들이 도리어 열 배의 가격으로 되사 가게 되었다. ⓒ허생이 한숨을 쉬며 탄식하였다.

"겨우 만 금으로 한 나라를 휘청하게 만들었으니, 나라의 경제 규모를 짐작할 만하다."

허생은 다시 칼, 호미, 베, 명주, 솜을 사 가지고 제주도로 들어가서 그곳의 말총을 다 거두어들였다.

"몇 해가 지나면 나라 사람들이 머리를 싸매지 못할 것이다."

과연 얼마 있다가 망건 값이 열 배로 치솟았다.

(다) 허생이 탄식하면서,

"이제야 나의 자그마한 시험을 마치게 되었구나."

하고는 남녀 이천 명을 모두 모아 놓고 명을 내렸다.

"내가 처음 너희들과 이 섬에 들어올 때의 계획으로는 먼저 너희들을 풍부하게 만들어 놓은 다음에 따로 문자를 만들고, 의관제도를 새로이 제정하려고 하였느니라. 그런데 여기 땅이 좁고 내 덕이 얇으니, 나는 이제 여기를 떠나련다. 아이들이 태어나 숟가락을 잡게 되면 오른손으로 잡도록 가르치고, 하루라도 나이가 많은 사람이 먼저 먹도록 양보하게 하라."

그러고는 다른 배를 모두 불살라 버리고,

"나가는 사람이 없으면 들어오는 사람도 없을 테지."

하고 은자 오십만 냥을 바닷속에 던지며,

"바다가 마르면 얻는 사람이 생기겠지. 백만 냥이나 되는 돈은 나라 안에서는 놓아둘 곳이 없거늘, 하물며 이 작은 섬에서야."

했다. 글을 아는 사람은 모두 배에 실어서 함께 섬을 빠져나오며,

ⓔ"이 섬에 화근을 없애려 함이네."라고 하였다.

(라) 이 대장이 방에 들어왔으나, 허생은 편안하게 앉아서 일어나지도 않았다. 이 대장은 몸 둘 바를 모르고 엉거주춤하다가 겨우 나라에서 어진 인재를 구하려는 뜻을 설명하였다. 허생이 손을 내저으며 말했다.

"밤은 짧은데 말이 너무 길어서 듣기에 아주 지루하구먼. 그래, 너는 지금 무슨 벼슬을 하느냐?"

"어영청 대장입니다."

"그렇다면 너는 바로 나라에서 신임받는 신하가 아니더냐. 내가 응당 재야에 숨어 있는 와룡 선생을 천거할 터이니, 네가 임금께 아뢰어 그에게 삼고초려(三顧草廬)할 수 있게 하겠는가?"

이 대장은 머리를 숙여 골똘히 생각하더니 한참 만에 대답했다.

"어렵겠습니다. 그다음의 것을 듣고자 합니다."

"나는 '그 다음'이란 말은 아직 배우지 못했도다."

이 대장이 그래도 굳이 묻자, 허생은 말했다.

"명나라 장군과 병사들은 조선이 예전에 입은 은혜가 있다고 여겨서 그 자손들이 되놈의 나라에서 몸을 빼어 우리나라로 많이 건너왔으나, 이리저리 떠돌며 홀몸으로 외롭게 지내고 있는 이가 많다. 네가 임금께 아뢰어 종실의 여자들을 뽑아서 두루 시집을 보내고, 훈척과 권귀들의 집을 몰수하여 그들의 살림집으로 내어줄 수 있겠느냐?"

이 대장이 고개를 숙이고 한참 있다가 대답하였다.

"그것도 어렵겠습니다."

"아니 이것도 어렵다, 저것도 어렵다 한다면 대관절 무슨 일이 가능하겠느냐? 아주 쉬운 일이 있으니, 네가 능히 할 수 있겠느냐?"

"말씀해 주시기 바랍니다."

"대저 천하의 대의를 외치려면 먼저 천하의 호걸들과 사귀어 결탁하지 않고는 되지 않는 법이고, 남의 나라를 정벌하려면 먼저 첩자를 쓰지 않으면 성공을 거둘 수 없는 법이다. 지금 만주족이 갑자기 천하의 주인이 되었으나, 아직 중국을 완전히 손아귀에 넣어 친하게 지내지 못하는 형편이니, 이때 조선이 다른 나라 보다 먼저 솔선해서 복종한다면 저들에게 신뢰를 받을 것이다. 만약 당나라, 원나라 때의 예전 일처럼 우리 자제들을 청나라에 파견하여 학교에 입학하고 벼슬도 할 수 있게 하고, 장사치들의 출입도 금하지 말도록 저들에게 간청한다면, 저들도 자기네에게 친근하고자 하는 우리를 보고 반드시 기뻐하여 이를 허락할 것이다.

이렇게 되면 나라의 자제들을 엄선하여 머리를 깎여 변발을 하게하고 오랑캐 복장을 입히고 선비들은 빈공과에 응시하고, 일반 사람들은 멀리 강남까지 장사를 하게 만들어서 그들의 허실을 엿보고 한족의 호걸들과 결탁한다면, 천하를 도모할 수 있을 것이며 나라의 치욕도 씻을 수 있을 것이다. 만약 명나라 황족의 후손을 찾지 못하면, 천하의 제후들을 인솔해서 하늘에 임금이 될 만한 사람을 천거하여, 잘만 되면 대국의 스승이 될 것이며, 못 되어도 성씨가 다른 제후국가 중에서는 제일 큰 나라로서의 지위는 잃지 않을 것이다."

이 대장이 낙심하고 허탈해서 말했다.

"사대부들이 모두 예법을 삼가 지키고 있거늘, 누가 기꺼이 머리를 깎고 오랑캐 옷을 입으려고 하겠습니까?"

허생이 대갈일성 하며,

"도대체 사대부라는 게 뭐하는 것들이냐. ㉮오랑캐 땅에서 태어난 주제에 자칭 사대부라고 뽐내고 앉았으니, 이렇게 어리석을 데가 있느냐? 입는 옷이란 모두 흰 옷이니 이는 상복이고, 머리는 송곳처럼 뾰족하게 묶었으니 이는 남쪽 오랑캐의 방망이 상투이거늘, 무슨 놈의 예법이란 말인가?

번오기는 원한을 갚기 위해 자신의 머리를 아끼지 않고 내주었고, 무령왕은 자기 나라를 강하게 만들기 위해 오랑캐 복장을 입는 것을 부끄럽게 여기지 않았다.

[B] ┌ 지금 명나라를 위해서 복수를 하려고 하면서도 그까짓 상투 하나를 아까워한단 말이냐. 장차 말을 달려 칼로 치고 창으로 찌르며, 활을 당기고 돌을 던져야 하는 판에 그 따위 너풀거리는 소매를 바꾸지 않고서, 그걸 자기 딴에 예법이라고 한단 말이냐?

내가 처음에 너에게 세 가지 계책을 일러 주었거늘, 도대체 너는 한 가지도 가능한 일이 없다고 하니, 그러면서도 신임을 받는 신하라고 말할 수 있겠느냐? 그래, 신임 받는 신하라는 게 고작 이런 것이냐? 이런 자는 목을 잘라야 └ 옳을 것이니라."

하고 좌우를 둘러보며 칼을 찾아서 찌르려고 하였다. 이 대장은 깜짝 놀라서 일어나 뒷문으로 뛰쳐나가 재빠르게 달아났다.

㉠이튿날 다시 찾아갔더니 집은 이미 텅 비어 있고, 허생은 간 곳이 없었다.

– 박지원, 「허생전」 –

**19** 윗글을 통해 알 수 있는 사회상만을 〈보기〉에서 있는 대로 고른 것은?

┤ 보기 ├

ㄱ. 경제적으로 몰락한 양반들이 있었다.

ㄴ. 과거 시험을 불신하는 풍조가 만연했다.

ㄷ. 상품 화폐 경제가 발달하고 있었다.

ㄹ. 사대부들은 예법을 중시하고 있었다.

ㅁ. 상·공인 계층에 대한 인식은 여전히 부정적이었다.

① ㄱ, ㄴ        ② ㄴ, ㄷ        ③ ㄷ, ㅁ        ④ ㄱ, ㄷ, ㄹ        ⑤ ㄴ, ㄹ, ㅁ

**20** 윗글의 허생에 대한 평가로 적절하지 **않은** 것은?

① 돈을 벌기 위해 안성으로 내려간 것을 보면 단순히 책만 읽고 있었던 것이 아니군.

② 사재기를 통해 돈을 버는 모습을 보니 이익을 위해서는 수단과 방법을 가리지 않는 인물이군.

③ 허생이 예상한 대로 물건 값이 오르는 것을 보니 허생은 당대 사대부들의 의식을 정확히 꿰뚫고 있었군.

④ 섬이 좁은 것을 애석해 하며 자신의 애초 계획을 중도에 수정하는 모습을 보니 융통성 없는 고지식한 사대부는 아니군.

⑤ 현실 문제를 해결할 계획을 제시하거나 무능한 이완 대장을 질책하는 모습을 보면 허생은 능력을 지닌 비판적 지식인으로 볼 수 있군.

**21** [A], [B]에 대한 설명으로 가장 적절한 것은?

① [A]에는 가부장적 권위가 존중되던 사회상이 반영되어 있다.

② [B]에서는 해학적 표현을 통해 독자들의 웃음을 유발하고 있다.

③ [A]에서 허생은 아내에 대한 원망의 심정을 직설적으로 드러내고 있다.

④ [A]에서는 허생이 비판의 대상이, [B]에서는 대상을 비판하는 주체가 되고 있다.

⑤ [A], [B]에서는 현실과 동떨어진 학문에 전념하는 사대부들의 관념적 태도를 비판하고 있다.

**22** ㉠~㉤에 대한 설명으로 적절하지 **않은** 것은?

① ㉠ : 배경 묘사를 통해 허생의 궁핍한 생활상을 표현하고 있다.

② ㉡ : 관념적인 것에만 얽매여 경제적으로는 무능한 사대부를 질책하고 있다.

③ ㉢ : 교통이나 유통구조가 발달하지 않아 많은 문제점을 지닌 현실에 대한 탄식이다.

④ ㉣ : 공리공론(空理空論)만 일삼는 지식인 계층에 대한 부정적 인식을 드러내고 있다.

⑤ ㉤ : 처음 집을 나올 때처럼 허생이 또 다른 실험을 할 것임을 암시하고 있다.

**23** 윗글에 대한 설명으로 옳은 것은?

① 서술자가 사건을 요약적으로 제시한다.
② 인물간의 갈등 해소로 긴장을 완화시킨다.
③ 독백을 통해 인물의 내면 심리를 드러낸다.
④ 역사적 사실과 실존 인물을 통해 사실성을 높인다.
⑤ 서술자 내면의 의식을 떠오르는 대로 나열하여 이야기를 서술하고 있다.

**24** 허생과 이완이 갈등을 일으키는 원인으로 가장 적절한 것은?

① 허생은 실리를 추구하고자 하는 데 반해, 이완은 명분을 추구하고자 한다.
② 이완은 지배 계층을 부정하는데 비해, 허생은 지배 계층을 옹호하고 있다.
③ 허생은 보수적인 태도를 지니고 있는 데 비해, 이완은 진보적인 태도를 지니고 있다.
④ 허생은 논리적으로 문제에 접근하는 데 비해, 이완은 감정적으로 문제에 접근하고 있다.
⑤ 허생은 과거 지향적 태도를 지니고 있는 데 비해, 이완은 미래 지향적 태도를 지니고 있다.

**25** ㉮에 대한 평가로 적절한 것은?

① 허생은 사대부들의 허례허식(虛禮虛飾)적 태도를 비판하고 있군.
② 허생은 사대부들의 이용후생(利用厚生)적 태도를 비판하고 있군.
③ 허생은 사대부들의 자포자기(自暴自棄)적 태도를 비판하고 있군.
④ 허생은 사대부들의 부화뇌동(附和雷同)적 태도를 비판하고 있군.
⑤ 허생은 사대부들의 선공후사(先公後私)적 태도를 비판하고 있군.

**26** 윗글을 통해 알 수 없는 사실은?

① 우리 자제들이 중국에서 벼슬을 하기도 했다.
② 당시 조선에는 중국인들이 상당수 들어와 있었다.
③ 천하의 호걸들이 조선의 호걸들에게 지대한 관심을 갖고 있었다.
④ 당시 사대부들은 대외 정세의 변화에 효율적으로 대처하지 않았다.
⑤ 만주족이 갑자기 천하의 주인이 되었으나, 아직 중국 민족과는 친하게 지내지 못하는 상황이었다.

**[27~29] 다음 글을 읽고 물음에 답하시오.**

(가) 허생은 묵적동에 살았다. 묵적동에서 곧장 남산 아래로 이르는 곳에 우물이 있고, 우물가에는 오래된 살구나무가 서 있었다. 살구나무를 향해서 사립문이 열려 있고, 몇 칸 안 되는 초가집은 비바람도 제대로 가리지 못했다. 그러나 허생은 독서를 좋아하고, 그 아내가 삯바느질을 하여 겨우 입에 풀칠을 하고 살았다.

하루는 아내가 배가 몹시 고파서 눈물을 흘리며,

"임자는 평생 과거에 응시하지도 않으면서 책을 읽어서 무엇 하려고 그러시오?"

하니 허생이 웃으며 말했다.

"내가 책을 읽는 것이 아직 미숙해서 그렇다오."

"그렇다면 장인바치 일이라도 하지 그러시오?"

"장인바치 일은 본래 배우지 못했으니, 어찌하란 말인가?"

"그럼 장사가 있잖습니까?"

"장사야 본시 밑천이 드는 법인데, 어찌하란 말인가?"

그 아내가 왈칵 화를 내고 버럭 소리를 질렀다.

"밤낮으로 책을 읽더니 고작 배운 게 '어찌하란 말인가'라는 말뿐이오? 장인바치 일도 못 한다, 장사도 못 한다면, 어째서 도적질은 못 하는 게요?"

허생이 읽던 책을 덮고는 일어서면서,

"애석하도다. 내 본래 책 읽기를 십 년을 기약했더니, 이제 칠년 만에 그만 접어야 하다니."

하고 문을 나서서 가 버렸다.

(나) 한편 만 금을 빌린 허생은 다시 집으로 돌아가지 않고, 그 길로 바로 경기도 안성으로 내려가 거기에 머물려 거처를 마련하였다. 안성 지방이 경기도와 충청도의 경계이고, 삼남 지방의 길목이 된다고 생각했기 때문이다. 거기서 대추, 밤, 감, 배, 석류, 귤, 유자 등의 과일들을 모두 시세의 곱절 가격으로 모조리 사들였다.

허생이 과일을 사재기하는 바람에 나라 안에서는 연희를 열거나 제사를 지낼 수 없었다. 얼마 지나자 허생에게 곱절의 가격으로 팔았던 장사치들이 도리어 열 배의 가격으로 되사 가게 되었다. 허생이 한숨을 쉬며 탄식하였다.

"겨우 만 금으로 한 나라를 휘청하게 만들었으니, 나라의 경제 규모를 짐작할 만하다."

허생은 다시 칼, 호미, 베, 명주, 솜을 사 가지고 제주도로 들어가서 그곳의 말총을 다 거두어들였다.

"몇 해가 지나면 나라 사람들이 머리를 싸매지 못할 것이다."

과연 얼마 있다가 망건 값이 열 배로 치솟았다.

(다) 한편 섬으로 들어간 허생과 도적들은 나무를 찍어서 집을 짓고, 대나무를 엮어서 울타리를 만들었다. 땅기운이 온전하다 보니 온갖 곡식이 심은 대로 크고 무성하게 자라고, 김을 매고 쟁기질을 하지 않아도 한 줄기에 아홉 이삭이 달렸다. 삼 년 먹을 식량을 비축해 두고 나머지는 모두 배에 싣고 장기도로 가서 팔았다. 장기도는 일본에 속한 고을로, 삼십일만 호가 되는 큰 지방인데 바야흐로 큰 기근이 들어 있었다. 그리하여 굶주린 사람들을 진휼하고 은 백만 냥을 얻게 되었다.

허생이 탄식하면서,

"이제야 나의 자그마한 시험을 마치게 되었구나."

하고는 남녀 이천 명을 모두 모아 놓고 명을 내렸다.

"내가 처음 너희들과 이 섬에 들어올 때의 계획으로는 먼저 너희들을 풍부하게 만들어 놓은 다음에 따로 문자를 만들고, 의관제도를 새로이 제정하려고 하였느니라. 그런데 여기 땅이 좁고 내 덕이 얇으니, 나는 이제 여기를 떠나련다. 아이들이 태어나 숟가락을 잡게 되면 오른손으로 잡도록 가르치고, 하루라도 나이가 많은 사람이 먼저 먹도록 양보하게 하라."

그러고는 다른 배를 모두 불살라 버리고,

"나가는 사람이 없으면 들어오는 사람도 없을 테지."

하고 은자 오십만 냥을 바닷속에 던지며,

"바다가 마르면 얻는 사람이 생기겠지. 백만 냥이나 되는 돈은 나라 안에서는 놓아둘 곳이 없거늘, 하물며 이 작은 섬에서야."

했다. 글을 아는 사람은 모두 배에 실어서 함께 섬을 빠져나오며,

"이 섬에 화근을 없애려 함이네."

**(라)** 허생이 변 씨를 찾아가서 보고는,

"나를 기억하시겠소이까?"

하고 묻자 변 씨는 깜짝 놀라며 말했다.

"그대의 얼굴색이 조금도 나아지지 않은 걸 보니, 혹 만 금을 다 털어먹은 건 아니오?"

허생이 웃으며 말했다.

"재물을 가지고 얼굴이 번드르르해지는 일이야, 당신 같은 장사치들의 일일 뿐이오. 만 금이란 돈이 어찌 사람의 도(道)를 살찌우기야 하겠소?"

이에 은 십만 냥을 변 씨에게 주며,

"내가 순간의 굶주림을 참지 못하여 책 읽기를 마저 끝내지 못하고, 그대에게 만 금을 빌렸던 것이 부끄럽소이다."

하니 변 씨는 깜짝 놀라서 일어나 절을 하고 십만 냥을 다 받을 수 없다고 사양하며, 십분의 일만 이자로 쳐서 받겠다고 하였다. 허생이 버럭 화를 내며,

"당신은 어째서 나를 장사꾼으로 취급하려는 게요?"

하고는 옷자락을 뿌리치고는 휙 가 버렸다.

**(마)** "도대체 사대부라는 게 뭐 하는 것들이냐? 오랑캐 땅에서 태어난 주제에 자칭 사대부라고 뽐내고 앉았으니, 이렇게 어리석을 데가 있느냐? 입는 옷이란 모두 흰 옷이니 이는 상복이고, 머리는 송곳처럼 뾰족하게 묶었으니 이는 남쪽 오랑캐의 방망이 상투이거늘, 무슨 놈의 예법이란 말인가?

번오기는 원한을 갚기 위해 자신의 머리를 아끼지 않고 내주었고, 무령왕은 자기 나라를 강하게 만들기 위해 오랑캐 복장을 입는 것을 부끄럽게 여기지 않았다.

지금 명나라를 위해서 복수를 하려고 하면서도 그까짓 상투 하나를 아까워한단 말이냐. 장차 말을 달려 칼로 치고 창으로 찌르며, 활을 당기고 돌을 던져야 하는 판에 그 따위 너풀거리는 소매를 바꾸지 않고서, 그걸 자기 딴에 예법이라고 한단 말이냐?

내가 처음에 너에게 세 가지 계책을 일러 주었거늘, 도대체 너는 한 가지도 가능한 일이 없다고 하니, 그러면서도 신임을 받는 신하라고 말할 수 있겠느냐? 그래, 신임 받는 신하라는 게 고작 이런 것이냐? 이런 자는 목을 잘라야 옳을 것이니라."

하고 좌우를 둘러보며 칼을 찾아서 찌르려고 하였다. 이 대장은 깜짝 놀라서 일어나 뒷문으로 뛰쳐나가 재빠르게 달아났다.

이튿날 다시 찾아갔더니 집은 이미 텅 비어 있고, 허생은 간 곳이 없었다.

－ 박지원, 「허생전(許生傳)」 －

**27** 윗글의 서술상의 특징으로 가장 적절한 것은?

① 서술자가 개입하여 주관적 판단을 제시하고 있다.

② 대화와 행동을 통해 인물의 성격을 드러내고 있다.

③ 일반적인 고전 소설과 동일한 결말 구조로 끝을 맺는다.

④ 과거와 현재를 교차하여 사건에 입체감을 부여하고 있다.

⑤ 구체적인 배경 묘사를 통해 인물의 심리를 암시하고 있다.

**28** (가)~(마)에 대한 설명으로 가장 적절한 것은?

① (가) : 허생과 아내는 지식인으로서의 특권 의식을 가지고 있다.

② (나) : 허생은 치솟는 물가를 안정시키기 위하여 물건을 사재기하였다.

③ (다) : 허생은 '빈 섬'에서 이상적인 사회를 건설하고, 새로운 신분질서를 만들었다.

④ (라) : 허생은 사대부와 장사꾼의 역할 사이에서 갈등하고 있다.

⑤ (마) : 허생은 자신의 제안이 모조리 거절당하자, 이완에게 불만을 표출한다.

**29** 윗글에서 작가가 비판하고자한 내용으로 적절하지 않은 것은?

① 실속보다는 체면을 중시하는 양반들의 허례허식을 비판하고 있다.

② 조선 경제 규모의 취약성과 유통 구조의 문제점을 비판하고 한다.

③ 북벌을 주장하면서도 실천을 이한 노력을 하지 않는 지배층을 비판한다.

④ 당장의 현실적인 문제도 해결하지 못하는 양반 사대부의 무능을 비판하고 있다.

⑤ 신분질서가 붕괴되고 자본이 큰 힘을 발휘하는 물질만능주의의 세태를 비판하고 있다.

허생은 평소에 알고 지내는 사람도 없고 해서, 곧바로 번화한 운종가로 나아가 시장 사람들에게 물었다.

"한양에서 누가 가장 부자입니까?"

변 씨라고 말해 주는 사람이 있어서, 허생은 드디어 ⓐ그 집을 찾아갔다. 허생은 변 씨를 만나 길게 읍을 하고는,

"내가 집이 가난하여 조그마한 것을 시험해 보려는 것이 있으니, 그대에게 돈 만 금을 빌릴까 하오."

하니 변 씨는 "그러시오."하고는 그 자리에서 만 금을 내주었다. 허생은 끝내 고맙다는 인사도 하지 않고 나가 버렸다.

변 씨 집의 자제들과 와 있던 손님들이 허생의 몰골을 보니, 이건 영락없는 비렁뱅이였다. 허리를 두른 실띠는 술이 빠졌고, 갓신의 뒤축은 자빠졌으며, 갓은 찌그러지고 도포는 그을려 행색이 꾀죄죄한데다가, 코에서는 맑은 콧물이 줄줄 흘렀다. 허생이 가고 나자 모두들 대경실색하여 물었다.

"대인께선 저이를 아십니까?"

"모른다네."

"아니, 지금 평생 알지도 못하는 사람에게 갑자기 만 금의 돈을 함부로 던져 버리시고도 그 이름조차 묻지 않으시다니, 대체 이게 무슨 영문입니까?"

"자네들이 알 수 있는 일이 아니네. 무릇 남에게 무얼 빌리러 오는 사람은 반드시 자기 생각과 뜻을 대단히 떠벌리고 자신의 신의를 먼저 보이려고 자랑하지만, 안색은 부끄러움에 비굴하고 말은 중언부언하게 마련이라네. 그런데 저 손님은 비록 행색은 꾀죄죄하나, 하는 말은 간단하고 눈빛은 오만하게 뜨며 얼굴에 부끄러워하는 기색이 전혀 없으니, 필시 재물을 가지고 만족하는 그런 속물은 아닐 것이네. 그가 시험해 보자는 것이 작은 일이 아닐 것이매, 나 역시 손님에게 시험해 보려는 것이 있네. 주지 않으려면 그만이겠지만 이미 만 금을 주었는데 성명은 물어서 무엇 하겠는가?"

한편, 만 금을 빌린 허생은 다시 집으로 돌아가지 않고, 그 길로 바로 경기도 안성으로 내려가 거기에 머물며 거처를 마련하였다. 안성 지방이 경기도와 충청도의 경계이고, 삼남 지방의 길목이 된다고 생각했기 때문이다. 거기서 대추, 밤, 감, 배, 석류, 유자 등의 과일들을 모두 시세의 곱절 가격으로 모조리 사들였다.

허생이 과일을 사재기하는 바람에 나라 안에서는 연회나 제사를 지낼 수 없었다. 얼마 지나자 허생에게 곱절의 가격으로 팔았던 장사치들이 도리어 열 배의 가격으로 되사 가게 되었다. 허생이 한숨을 쉬며 탄식하였다.

"겨우 만 금으로 한 나라를 휘청하게 만들었으니, 나라의 경제 규모를 짐작할 만하다."

허생은 다시 칼, 호미, 베, 명주, 솜을 사 가지고 제주도로 들어가서 그곳의 말총을 다 거두어들였다.

"몇 해가 지나면 나라 사람들이 머리를 싸매지 못할 것이다."

과연 얼마 있다가 망건값이 열 배로 치솟았다.

그때 전라도 변산반도에는 도적 떼 수천이 우글거리고 있었다. 그 지방의 고을과 군에서 군졸을 풀어서 체포하려고 했으나 잡을 수가 없었다. 도적 떼도 감히 나돌아 다니며 노략질을 함부로 할 수가 없어서 바야흐로 굶주림에 허덕였다. 허생이 도적의 소굴로 들어가서 괴수를 달랬다.

"천 명이 천 금을 털어서 나누면 한 사람 앞으로 얼마의 돈이 돌아가는가?"

"한 사람에 한 냥씩 돌아가지요."

"자네들에게 아내가 있는가?"

"없답니다."

"가진 밭뙈기라도 있는가?"

도적들이 코웃음을 쳤다.

"아니, 밭 있고 아내가 있다면 무엇 때문에 괴롭게 도적이 된단 말이오?"

"자네들이 그렇게 잘 안다면 어째서 장가를 들어 살림을 장만하고, 소를 사서 밭을 갈 생각은 하지 않는 겐가? 그리되면 살아서 도적놈이란 이름도 없을 것이고, 집에 살면서 부부의 즐거움도 있을 것이며, 나돌아 다녀도 관에 붙잡힐 염려가 없을 것이고, 길이길이 의식이 풍요함을 누릴 수 있지 않겠는가?"

"어찌 그런 생활을 원하지 않겠소이까? 다만 돈이 없어서 못하고 있을 뿐입죠."

허생이 웃으며 말했다.

"자네들이 명색이 도적질을 하는 도둑놈이련만 어찌 돈 없다는 걱정을 다 하누? 내가 자네들을 위해 돈을 마련해 줄 것이네. 내일 바닷가를 바라보게나. 바람에 붉은 깃발이 펄럭이는 배가 모두 돈을 실은 배일 터이니, 어디 자네들 마음껏 한 번 가져가 보게."

허생이 도적들과 약조를 하고 떠나자, 도적들이 모두 '미친놈'이라고 비웃었다.

다음 날이 되어 바닷가에 허생이 돈 삼십만 냥을 싣고 나타나자, 모두들 크게 놀라 허생에게 줄을 지어 절을 하였다.

"오직 장군의 명령대로 따르겠소이다."

"있는 힘대로 지고 가게나."

그리하여 도적들이 돈을 짊어졌으나, 사람마다 고작 백 금을 넘지 못했다.

허생이 "너희들 힘이란 게 고작 백 금을 들기에도 부족하거늘, 어찌 도적질이라도 변변히 할 수 있겠는가? 지금 너희들은 비록 평민이 되려고 해도 이름이 이미 도적의 명부에 올라 있으니 어디 갈 곳도 없을 것이다. 내가 여기서 너희들을 기다릴 터이니, 각자 백 금씩 가지고 가서 아내 한 사람과 소 한 마리씩 장만해 오너라."

하자, 군도들이 모두 좋다고 승낙하며 흩어졌다.

그동안 허생은 이천 명이 한 해 동안 먹을 양식을 장만하여 그들을 기다렸다. 도적들이 기한된 날짜에 모두 도착해 뒤에 쳐진 사람이 하나도 없었다. 드디어 모두 배에 싣고, ⓑ빈 섬으로 들어갔다. 허생이 도적을 모두 쓸어 가자 나라 안에는 도적 걱정이 없어졌다.

한편 섬으로 들어간 허생과 도적들은 나무를 찍어서 집을 짓고, 대나무를 엮어서 울타리를 만들었다. 땅기운이 온전하다 보니 온갖 곡식이 심은 대로 크고 무성하게 자라고, 김을 매고 쟁기질을 하지 않아도 한 줄기에 아홉 이삭이 달렸다. 삼 년 먹을 식량을 비축해 두고 나머지는 모두 배에 싣고 장기도로 가서 팔았다. 장기도는 일본에 속한 고을로, 삼십일만 호가 되는 큰 지방인데 바야흐로 큰 기근이 들어 있었다. 그리하여 굶주린 사람들을 진휼하고 은 백만 냥을 얻게 되었다.

허생이 탄식하면서,

"이제야 나의 자그마한 시험을 마치게 되었구나."

하고는 남녀 이천 명을 모두 모아 놓고 명을 내렸다.

"내가 처음 너희들과 이 섬에 들어올 때의 계획으로는 먼저 너희들을 풍부하게 만들어 놓은 다음에 따로 문자를 만들고, 의관제도를 새로이 제정하려고 하였느니라. 그런데 여기 땅이 좁고 내 덕이 얇으니, 나는 이제 여기를 떠나련다. 아이들이 태어나 숟가락을 잡게 되면 오른손으로 잡도록 가르치고, 하루라도 나이가 많은 사람이 먼저 먹도록 양보하게 하라."

그러고는 다른 배를 모두 불살라 버리고,

"나가는 사람이 없으면 들어오는 사람도 없을 테지."

하고 은자 오십만 냥을 바닷속에 던지며,

"바다가 마르면 얻는 사람이 생기겠지. 백만 냥이나 되는 돈은 나라 안에서는 놓아둘 곳이 없거늘, 하물며 이 작은 섬에서야."

했다. 글을 아는 사람은 모두 배에 실어서 함께 섬을 빠져나오며,

"이 섬에 화근을 없애려 함이네."

라고 하였다.

〈중략〉

어느 날 변 씨가 조용한 틈을 봐서 어떻게 오 년 만에 백만 금을 벌어들였는지 물어보았다. 허생이 대답하였다.

"그것이야 아주 알기 쉬운 일이오. 조선이란 나라는 배가 외국으로 통하지 못하고, 수레가 나라 안을 다니질 못하기 때문에, 모든 물품이 이 안에서 생산되고 이 안에서 소비됩니다. 만 금이란 돈은 물건을 모두 모조리 사재기할 수 있으니, 수레에 있는 것은 수레 전부를, 배에 있는 것은 배 전부를, 한 고을에 있는 것은 고을 전부를 마치 촘촘한 그물로 모두 훑어 내는 것처럼 싹쓸이할 수 있지요. 물에서 생산되는 만 가지 물건 중에서 한 가지를 몰래 사재기하고, 바다의 만 가지 어족 중에서 한 가지를 몰래 사재기하고, 약재 만 가지 중에서 하나를 몰래 독점하면, 그 한 가지 물건이 남몰래 잠겨 있는 동안에 모든 장사치의 물건이 말라 버리게 되지요. 이런 사재기 방법은 인민을 해치는 길이 될 것이니, 후세의 당국자들이 만약 내가 써먹었던 이런 사재기를 한다면 반드시 나라를 병들게 하고 말 것이오."

〈중략〉

변 씨는 본시 정승 이완과 각별하게 지내는 사이였다. 이 공(公)은 당시 어영청 대장으로 있었는데, 언젠가 변 씨와 이야기를 하다가 지금 여항이나 일반 민가에 혹 쓸 만한 재주 있는 사람 중에 대사를 함께 도모할 인물이 있는가를 물은 적이 있었다. 변 씨가 허생의 이야기를 하였더니, 이 공은 깜짝 놀라며 물었다.

"기이한 일이로세. 정말 그런 인물이 있단 말입니까? 그래 이름은 뭐라고 부른답디까?"

"소인이 그와 삼 년을 함께 지냈지만, 여태껏 이름도 모르고 있답니다."

"그이는 필시 이인(異人)일 걸세. 자네와 같이 가 보도록 하세."

밤중에 이 대장은 아랫사람을 물리치고 변 씨와 둘이 걸어서 허생의 집에 당도하였다.

〈중략〉

"밤은 짧은데 말이 너무 길어서 듣기에 아주 지루하구먼. 그래, 너는 지금 무슨 벼슬을 하느냐?"

"어영청 대장입니다."

"그렇다면 너는 바로 나라에서 신임받는 신하가 아니더냐. 내가 응당 재야에 숨어 있는 와룡 선생을 천거할 터이니, 네가 임금께 아뢰어 그에게 삼고초려(三顧草廬)할 수 있게 하겠는가?"

이 대장은 머리를 숙여 골똘히 생각하더니 한참 만에 대답했다.

"어렵겠습니다. 그 다음의 것을 듣고자 합니다."

"나는 '그 다음'이란 말은 아직 배우지 못했도다."

이 대장이 그래도 굳이 묻자, 허생은 말했다.

"명나라 장군과 병사들은 조선이 예전에 입은 은혜가 있다고 여겨서 그 자손들이 되놈의 나라에서 몸을 빼어 우리나라로 많이 건너왔으나, 이리저리 떠돌며 홀몸으로 외롭게 지내고 있는 이가 많다. 네가 임금께 아뢰어 종실의 여자들을 뽑아서 두루 시집을 보내고, 훈척과 권귀들의 집을 몰수하여 그들의 살림집으로 내어줄 수 있겠느냐?"

이 대장이 고개를 숙이고 한참 있다가 대답하였다.

"그것도 어렵겠습니다."

"아니 이것도 어렵다, 저것도 어렵다 한다면 대관절 무슨 일이 가능하겠느냐? 아주 쉬운 일이 있으니, 네가 능히 할 수 있겠느냐?"

"말씀해 주시기 바랍니다."

"대저 천하의 대의를 외치려면 먼저 천하의 호걸들과 사귀어 결탁하지 않고는 되지 않는 법이고, 남의 나라를 정벌하려면 먼저 첩자를 쓰지 않으면 성공을 거둘 수 없는 법이다. 지금 만주족이 갑자기 천하의 주인이 되었으나, 아직 중국을 완전히 손아귀에 넣어 친하게 지내지 못하는 형편이니, 이때 조선이 다른 나라 보다 먼저 솔선해서 복종한다면 저들에게 신뢰를 ㉠받을 것이다.

이렇게 되면 나라의 자제들을 엄선하여 머리를 깎여 변발을 하게하고 오랑캐 복장을 입히고 선비들은 빈공과에 응시하고, 일반 사람들은 멀리 강남까지 장사를 하게 만들어서 그들의 허실을 엿보고 한족의 호걸들과 결탁한다면, 천하를 도모할 수 있을 것이며 나라의 치욕도 씻을 수 있을 것이다.

이 대장이 낙심하고 허탈해서 말했다.

"사대부들이 모두 예법을 삼가 지키고 있거늘, 누가 기꺼이 머리를 깎고 오랑캐 옷을 입으려고 하겠습니까?"

허생이 대갈일성 하며,

[가]
"도대체 사대부라는 게 뭐하는 것들이냐. 오랑캐 땅에서 태어난 주제에 자칭 사대부라고 뽐내고 앉았으니, 이렇게 어리석을 데가 있느냐? 입는 옷이란 모두 흰 옷이니 이는 상복이고, 머리는 송곳처럼 뾰족하게 묶었으니 이는 남쪽 오랑캐의 방망이 상투이거늘, 무슨 놈의 예법이란 말인가?

번오기는 원한을 갚기 위해 자신의 머리를 아끼지 않고 내주었고, 무령왕은 자기 나라를 강하게 만들기 위해 오랑캐 복장을 입는 것을 부끄럽게 여기지 않았다.

지금 명나라를 위해서 복수를 하려고 하면서도 그까짓 상투 하나를 아까워한단 말이냐. 장차 말을 달려 칼로 치고 창으로 찌르며, 활을 당기고 돌을 던져야 하는 판에 그 따위 너풀거리는 소매를 바꾸지 않고서, 그걸 자기 딴에 예법이라고 한단 말이냐?

내가 처음에 너에게 세 가지 계책을 일러 주었거늘, 도대체 너는 한 가지도 가능한 일이 없다고 하니, 그러면서도 신임을 받는 신하라고 말할 수 있겠느냐? 그래, 신임 받는 신하라는 게 고작 이런 것이냐. 이런 자는 목을 잘라야 옳을 것이니라."

하고 좌우를 둘러보며 칼을 찾아서 찌르려고 하였다. 이 대장은 깜짝 놀라서 일어나 뒷문으로 뛰쳐나가 재빠르게 달아났다.

이튿날 다시 찾아갔더니 집은 이미 텅 비어 있고, 허생은 간 곳이 없었다.

– 박지원, 「허생전」 –

**30** 윗글의 내용에 대한 이해로 적절하지 <u>않은</u> 것은?

① '변 씨'는 다른 사람과는 다른 기준으로 '허생'의 특성을 파악하고 만 냥을 내어 주었다.

② '허생'은 만 냥으로 특정 물품을 시장에서 모두 사재기하여 돈을 벌었다.

③ '허생'은 '도적 떼'를 만나 빈 섬의 존재와 그 곳에 가는 목적을 설명하여 '도적 떼'를 이주시켰다.

④ '허생'은 굶주린 사람들에게 식량을 파는 방법을 통해 돈을 얻기도 하였다.

⑤ '이완 대장'은 '허생'을 천거하는 '변 씨'의 말을 받아들여 '허생'을 찾아가게 되었다.

**31** 윗글의 ⓐ그 집과 ⓑ빈 섬에 대한 설명으로 가장 적절한 것은?

① ⓐ와 ⓑ에는 모두 그 곳에 간 주인공을 돕는 역할을 하는 존재가 출현한다.

② ⓐ와 ⓑ에서는 모두 주인공이 품은 뜻이 완전히 이루어지고 있다.

③ ⓐ에서 주인공을 도왔던 사람을, ⓑ에서는 주인공이 돕고 있다.

④ ⓐ에서 주인공은 할 일의 기초가 되는 것을 얻고, ⓑ에서 자신의 능력을 시험해 보고 있다.

⑤ ⓐ에서 주인공은 자신의 뜻이 좌절될 위기에 처하지만, ⓑ에서 자신의 뜻을 결국 이루고 있다.

**32** ㉠의 문맥적 의미와 가장 가까운 것은?

① 수학 시험에서 100점을 <u>받고</u> 말았구나.

② 그 아이는 막내로 집에서 귀여움을 <u>받았지</u>.

③ 농수산물 시장에서 물건을 <u>받아다가</u> 팔았어요.

④ 그 가수는 팬들에게 편지를 많이 <u>받고</u> 있어요.

⑤ 정부는 국민들로부터 세금을 <u>받아</u> 나라를 운영한다.

**33** '[가]'에서의 허생의 말하기 방식을 탐구하였다. 올바르게 서술한 것을 〈보기〉에서 고르면?

┤ 보기 ├

ㄱ. '흰 옷'과 '상투'를 예로 들어 비판하며 상대방이 내세우는 가치를 꼬집으려 한 것 같아.

ㄴ. '번오기'나 '무령왕'과 같은, 상대방과 비슷한 태도를 보이는 예를 고사에서 찾아 말하고자 하는 바를 뒷받침하는군.

ㄷ. '~느냐? ~단 말이냐'와 같이 질문의 방식으로 말을 던져 말하고자 하는 바를 강조하고 있어.

ㄹ. 인신공격이나 감정을 드러냄을 절제함으로써 상대방의 논리에 대한 반박에 집중하고 있구나.

① ㄱ, ㄴ    ② ㄱ, ㄷ    ③ ㄴ, ㄷ    ④ ㄴ, ㄹ    ⑤ ㄷ, ㄹ

허생은 평소에 알고 지내는 사람도 없고 해서, 곧바로 운종가로 나아가 시장 사람들에게 물었다.

"한양에서 누가 가장 부자입니까?"

변 씨라고 말해 주는 사람이 있어서, 허생은 드디어 그 집을 찾아갔다. 허생은 변 씨를 만나 길게 읍을 하고는,

"내가 집이 가난하여 조그마한 것을 시험해 보려는 것이 있으니, 그대에게 돈 만 금을 빌릴까 하오."

하니 변 씨는 "그러시오."하고는 그 자리에서 만 금을 내주었다. 허생은 끝내 고맙다는 인사도 하지 않고 나가 버렸다.

변 씨 집의 자제들과 와 있던 손님들이 허생의 몰골을 보니, 이건 영락없는 비렁뱅이였다. 허리를 두른 실띠는 술이 빠졌고, 갖신의 뒤축은 자빠졌으며, 갓은 찌그러지고 도포는 그을려 행색이 꾀죄죄한데다가, 코에서는 맑은 콧물이 줄줄 흘렀다. 허생이 가고 나자 모두들 대경실색하여 물었다.

"대인께선 저이를 아십니까?"

"모른다네."

"아니, 지금 평생 알지도 못하는 사람에게 갑자기 만 금의 돈을 함부로 던져 버리시고도 그 이름조차 묻지 않으시다니, 대체 이게 무슨 영문입니까?"

"자네들이 알 수 있는 일이 아니네. 무릇 남에게 무얼 빌리러 오는 사람은 반드시 자기 생각과 뜻을 대단히 떠벌리고 자신의 신의를 먼저 보이려고 자랑하지만, 안색은 부끄러움에 비굴하고 말은 중언부언하게 마련이라네. 그런데 저 손님은 비로 행색은 꾀죄죄하나, 하는 말은 간단하고 눈빛은 오만하게 뜨며 얼굴에 부끄러워하는 기색이 전혀 없으니, 필시 재물을 가지고 만족하는 그런 속물은 아닐 것이네. 그가 시험해 보자는 것이 작은 일이 아닐 것이매, 나 역시 손님에게 시험해 보려는 것이 있네. 주지 않으려면 그만이겠지만 이미 만 금을 주었는데 성명은 물어서 무엇 하겠는가?"

한편, 만 금을 빌린 허생은 다시 집으로 돌아가지 않고, 그 길로 바로 경기도 안성으로 내려가 거기에 머물며 거처를 마련하였다. 안성 지방이 경기도와 충청도의 경계이고, 삼남 지방의 길목이 된다고 생각했기 때문이다. 거기서 대추, 밤, 감, 배, 석류, 유자 등의 과일들을 모두 시세의 곱절 가격으로 모조리 사들였다.

허생이 과일을 사재기하는 바람에 나라 안에서는 연회나 제사를 지낼 수 없었다. 얼마 지나자 허생에게 곱절의 가격으로 팔았던 장사치들이 도리어 열 배의 가격으로 되사 가게 되었다. 허생이 한숨을 쉬며 탄식하였다.

"겨우 만 금으로 한 나라를 휘청하게 만들었으니, 나라의 경제 규모를 짐작할 만하다."

허생은 다시 칼, 호미, 베, 명주, 솜을 사 가지고 제주도로 들어가서 그곳의 말총을 다 거두어들였다.

"몇 해가 지나면 나라 사람들이 머리를 싸매지 못할 것이다."

과연 얼마 있다가 망건값이 열 배로 치솟았다.

그때 전라도 변산반도에는 도적 떼 수천이 우글거리고 있었다. 그 지방의 고을과 군에서 군졸을 풀어서 체포하려고 했으나 잡을 수가 없었다. 도적 떼도 감히 나돌아 다니며 노략질을 함부로 할 수가 없어서 바야흐로 굶주림에 허덕였다. 허생이 도적의 소굴로 들어가서 괴수를 달랬다.

"자네들이 그렇게 잘 안다면 어째서 장가를 들어 살림을 장만하고, 소를 사서 밭을 갈 생각은 하지 않는 겐가? 그리되면 살아서 도적놈이란 이름도 없을 것이고, 집에 살면서 부부의 즐거움도 있을 것이며, 나돌아 다녀도 관에 붙잡힐 염려가 없을 것이고, 길이길이 의식이 풍요함을 누릴 수 있지 않겠는가?"

"어찌 그런 생활을 원하지 않겠소이까? 다만 돈이 없어서 못하고 있을 뿐입죠."

허생이 웃으며 말했다.

"자네들이 명색이 도적질을 하는 도둑놈이련만 어찌 돈 없다는 걱정을 다 하누? 내가 자네들을 위해 돈을 마련해 줄 것이네. 내일 바닷가를 바라보게나. 바람에 붉은 깃발이 펄럭이는 배가 모두 돈을 실은 배일 터이니, 어디 자네들 마음껏 한 번 가져가 보게."

허생이 도적들과 약조를 하고 떠나자, 도적들이 모두 '미친놈'이라고 비웃었다.

다음 날이 되어 바닷가에 허생이 돈 삼십만 냥을 싣고 나타나자, 모두들 크게 놀라 허생에게 줄을 지어 절을 하였다.

"오직 장군의 명령대로 따르겠소이다."

"있는 힘대로 지고 가게나."

그리하여 도적들이 돈을 짊어졌으나, 사람마다 고작 백 금을 넘지 못했다.

허생이

"너희들 힘이란 게 고작 백 금을 들기에도 부족하거늘, 어찌 도적질이라도 변변히 할 수 있겠는가? 지금 너희들은 비록 ⓐ평민이 되려고 해도 이름이 이미 도적의 명부에 올라 있으니 어디 갈 곳도 없을 것이다. 내가 여기서 너희들을 기다릴 터이니, 각자 백 금씩 가지고 가서 아내 한 사람과 소 한 마리씩 장만해 오너라."

하자, 군도들이 모두 좋다고 승낙하며 흩어졌다.

그동안 허생은 이천 명이 한 해 동안 먹을 양식을 장만하여 그들을 기다렸다. 도적들이 기한된 날짜에 모두 도착해 뒤에 쳐진 사람이 하나도 없었다. 드디어 모두 배에 싣고, 빈 섬으로 들어갔다. 허생이 도적을 모두 쓸어 가자 나라 안에는 도적 걱정이 없어졌다.

한편 섬으로 들어간 허생과 도적들은 나무를 찍어서 집을 짓고, 대나무를 엮어서 울타리를 만들었다. 땅기운이 온전하다 보니 온갖 곡식이 심은 대로 크고 무성하게 자라고, 김을 매고 쟁기질을 하지 않아도 한 줄기에 아홉 이삭이 달렸다. ㉠삼 년 먹을 식량을 비축해 두고 나머지는 모두 배에 싣고 장기도로 가서 팔았다. 장기도는 일본에 속한 고을로, 삼십일만 호가 되는 큰 지방인데 바야흐로 큰 기근이 들어 있었다. 그리하여 굶주린 사람들을 진휼하고 은 백만 냥을 얻게 되었다.

허생이 탄식하면서,

"이제야 나의 자그마한 시험을 마치게 되었구나."

하고는 남녀 이천 명을 모두 모아 놓고 명을 내렸다.

"내가 처음 너희들과 이 섬에 들어올 때의 계획으로는 먼저 너희들을 풍부하게 만들어 놓은 다음에 따로 문자를 만들고, 의관제도를 새로이 제정하려고 하였느니라. 그런데 여기 땅이 좁고 내 덕이 얇으니, 나는 이제 여기를 떠나련다. 아이들이 태어나 숟가락을 잡게 되면 오른손으로 잡도록 가르치고, 하루라도 나이가 많은 사람이 먼저 먹도록 양보하게 하라."

그리고는 다른 배를 모두 불살라 버리고,

"나가는 사람이 없으면 들어오는 사람도 없을 테지."

하고 은자 오십만 냥을 바닷속에 던지며,

"바다가 마르면 얻는 사람이 생기겠지. 백만 냥이나 되는 돈은 나라 안에서는 놓아둘 곳이 없거늘, 하물며 이 작은 섬에서야."

했다. 글을 아는 사람은 모두 배에 실어서 함께 섬을 빠져나오며,

"이 섬에 ⓑ화근을 없애려 함이네."

라고 하였다.

뭍으로 나온 허생은 나라 안을 두루 돌아다니며 가난하고 의지할 곳이 없는 사람들을 구제하였다. 돈을 그렇게 써도 아직 은자 십만 냥이 남았다.

"이 돈이면 변씨에게 빌린 돈을 갚을 수 있겠군."

허생이 변씨를 찾아가서 보고는,

"나를 기억하시겠소이까?"

하고 묻자 변씨는 깜짝 놀라며 말했다.

"그대의 얼굴색이 조금도 나아지지 않은 걸 보니, 혹 만 금을 다 털어먹은 건 아니오?"

허생이 웃으며 말했다.

"재물을 가지고 얼굴이 번드르르해지는 일이야, 당신 같은 ⓒ장사치들의 일일 뿐이오. 만 금이란 돈이 어찌 사람의 도(道)를 살찌우기야 하겠소?"

이에 은 십만 냥을 변 씨에게 주며,

"내가 순간의 굶주림을 참지 못하여 책 읽기를 마저 끝내지 못하고, 그대에게 만 금을 빌렸던 것이 부끄럽소이다."

하니 변씨는 깜짝 놀라서 일어나 절을 하고 십만 냥을 다 받을 수 없다고 사양하며, 십분의 일만 이자로 쳐서 받겠다고 하였다. 허생이 버럭 화를 내며,

"당신은 어째서 나를 장사꾼으로 취급하려는 게요?"

하고는 옷자락을 뿌리치고는 휙 가 버렸다.

변씨가 몰래 그의 뒤를 밟아서 쫓아가니, 허생이 남산 아래로 향하더니 작은 오두막집으로 들어가는 것이 보였다. 한 늙은 할미가 우물가에서 빨래를 하고 있기에, 변씨가 물어보았다.

"저기 보이는 오두막이 누구의 집이요?"

ⓛ"허 생원 댁이랍니다. 가난한 형편에 글 읽기를 좋아했는데, 어느 날 아침 훌쩍 집을 나가더니 돌아오지 않은 지 벌써 오 년이나 됩니다. 부인이 혼자 집에 있으면서 허 생원이 집 나간 날짜에 제사를 지낸답니다."

변 씨는 그제야 그의 성씨가 허씨라는 것을 알고 탄식하며 돌아갔다.

이튿날 변씨는 허생에게 받은 은자를 모두 가지고 가서 그에게 돌려주었다. 허생은 사양하였다.

"내가 부자가 되려고 했다면 백만 금을 버리고 이까짓 십만 금을 취하려고 하겠소? 내가 지금부터는 그대의 도움을 받아 가며 살아갈 터이니, 그대가 나를 자주 들여다보고 먹는 입을 따져서 양식을 보내 주고, 몸을 헤아려 옷감이나 보내 주구려. 한평생 그렇게 살아간다면 충분할 것이니, 어찌 재물로 정신을 괴롭히고 싶겠소이까?"

변 씨가 백방으로 허생을 달래 보았지만 끝내 어찌할 수가 없었다. 변 씨는 그때부터 허생의 양식과 옷가지가 떨어질 만한 때를 헤아렸다가 자신이 직접 찾아가서 가져다주었다. 그러면 허생도 흔연히 받아들였고, 만약 조금이라도 많이 가져오면 언짢아하면서,

"그대는 어째서 내게 ⓐ재앙을 안겨 주려는 것이오?"

하였다.

변 씨는 본시 정승 이완과 각별하게 지내는 사이였다. 이 공(公)은 당시 어영청 대장으로 있었는데, 언젠가 변 씨와 이야기를 하다가 지금 여항이나 일반 민가에 혹 쓸 만한 재주 있는 사람 중에 대사를 함께 도모할 인물이 있는가를 물은 적이 있었다. 변 씨가 허생의 이야기를 하였더니, 이 공은 깜짝 놀라며 물었다.

"기이한 일이로세. 정말 그런 인물이 있단 말입니까? 그래 이름은 뭐라고 부른답디까?"

"소인이 그와 삼 년을 함께 지냈지만, 여태껏 이름도 모르고 있답니다."

"그이는 필시 이인(異人)일 걸세. 자네와 같이 가 보도록 하세."

밤중에 이 대장은 아랫사람을 물리치고 변 씨와 둘이 걸어서 허생의 집에 당도하였다. 변 씨는 이 공을 문밖에 기다리게 하고, 혼자 먼저 들어가서 허생을 만나 보고 이공이 찾아온 연유를 이야기했다. 허생은 짐짓 못 들은 척하며,

"그만, 자네가 차고 온 ⓒ술병이나 이리 풀어 놓으시게."

하고는 서로 즐겁게 마셨다. 변 씨는 이공을 밖에 기다리게 해 놓은 것이 민망하여 여러 차례 말을 꺼내 보았으나, 허생은 대꾸도 하지 않았다. 밤이 깊어지자 허생이 말했다.

"손님을 불러도 되겠소."

ⓒ이 대장이 방에 들어왔으나, 허생은 편안하게 앉아서 일어나지도 않았다. 이 대장은 몸 둘 바를 모르고 엉거주춤하다가 겨우 나라에서 어진 인재를 구하려는 뜻을 설명하였다. 허생이 손을 내저으며 말했다.

"밤은 짧은데 말이 너무 길어서 듣기에 아주 지루하구면. 그래, 너는 지금 무슨 벼슬을 하느냐?"

"어영청 대장입니다."

"그렇다면 너는 바로 나라에서 신임받는 신하가 아니더냐. 내가 응당 재야에 숨어 있는 와룡 선생을 천거할 터이니, 네가 임금께 아뢰어 그에게 삼고초려(三顧草廬)할 수 있게 하겠는가?"

이 대장은 머리를 숙여 골똘히 생각하더니 한참 만에 대답했다.

"어렵겠습니다. 그 다음의 것을 듣고자 합니다."

"나는 '그 다음'이란 말은 아직 배우지 못했도다."

이 대장이 그래도 굳이 묻자, 허생은 말했다.

"명나라 장군과 병사들은 조선이 예전에 입은 은혜가 있다고 여겨서 ㉮그 자손들이 되놈의 나라에서 몸을 빼어 우리나라로 많이 건너왔으나, 이리저리 떠돌며 홀몸으로 외롭게 지내고 있는 이가 많다. 네가 임금께 아뢰어 종실의 여자들을 뽑아서 두루 시집을 보내고, ㉣훈척과 권귀들의 집을 몰수하여 그들의 살림집으로 내어줄 수 있겠느냐?"

이 대장이 고개를 숙이고 한참 있다가 대답하였다.

"그것도 어렵겠습니다."

"아니 이것도 어렵다, 저것도 어렵다 한다면 대관절 무슨 일이 가능하겠느냐? 아주 쉬운 일이 있으니, 네가 능히 할 수 있겠느냐?"

"말씀해 주시기 바랍니다."

"대저 천하의 대의를 외치려면 먼저 천하의 호걸들과 사귀어 결탁하지 않고는 되지 않는 법이고, 남의 나라를 정벌하려면 먼저 첩자를 쓰지 않으면 성공을 거둘 수 없는 법이다. 지금 만주족이 갑자기 천하의 주인이 되었으나, 아직 중국을 완전히 손아귀에 넣어 친하게 지내지 못하는 형편이니, 이때 조선이 다른 나라 보다 먼저 솔선해서 복종한다면 저들에게 신뢰를 받을 것이다. 만약 당나라, 원나라 때의 예전 일처럼 우리 자제들을 청나라에 파견하여 학교에 입학하고 벼슬도 할 수 있게 하고, 장사치들의 출입도 금하지 말도록 저들에게 간청한다면, 저들도 자기네에게 친근하고자 하는 우리를 보고 반드시 기뻐하여 이를 허락할 것이다.

이렇게 되면 나라의 자제들을 엄선하여 머리를 깎아 변발을 하게하고 오랑캐 복장을 입히고 선비들은 빈공과에 응시하고, 일반 사람들은 멀리 강남까지 장사를 하게 만들어서 그들의 허실을 엿보고 한족의 호걸들과 결탁한다면, 천하를 도모할 수 있을 것이며 나라의 치욕도 씻을 수 있을 것이다. 만약 명나라 황족의 후손을 찾지 못하면, 천하의 제후들을 인솔해서 하늘에 임금이 될 만한 사람을 천거하여, 잘만 되면 대국의 스승이 될 것이며, 못 되어도 성씨가 다른 제후국가 중에서는 제일 큰 나라로서의 지위는 잃지 않을 것이다."

이 대장이 낙심하고 허탈해서 말했다.

"사대부들이 모두 예법을 삼가 지키고 있거늘, 누가 기꺼이 머리를 깎고 오랑캐 옷을 입으려고 하겠습니까?"

허생이 대갈일성 하며,

"도대체 사대부라는 게 뭐하는 것들이냐. 오랑캐 땅에서 태어난 주제에 자칭 사대부라고 뽐내고 앉았으니, 이렇게 어리석을 데가 있느냐? 입는 옷이란 모두 흰 옷이니 이는 상복이고, 머리는 송곳처럼 뾰족하게 묶었으니 이는 남쪽 오랑캐의 방망이 상투이거늘, 무슨 놈의 예법이란 말인가?

ⓒ번오기는 원한을 갚기 위해 자신의 머리를 아끼지 않고 내주었고, 무령왕은 자기 나라를 강하게 만들기 위해 오랑캐 복장을 입는 것을 부끄럽게 여기지 않았다.

지금 명나라를 위해서 복수를 하려고 하면서도 그까짓 상투 하나를 아까워한단 말이냐. 장차 말을 달려 칼로 치고 창으로 찌르며, 활을 당기고 돌을 던져야 하는 판에 그 따위 너풀거리는 소매를 바꾸지 않고서, 그걸 자기 딴에 예법이라고 한단 말이냐?

내가 처음에 너에게 세 가지 계책을 일러 주었거늘, 도대체 너는 한 가지도 가능한 일이 없다고 하니, 그러면서도 신임을 받는 신하라고 말할 수 있겠느냐? 그래, 신임 받는 신하라는 게 고작 이런 것이냐. 이런 자는 목을 잘라야 옳을 것이니라."

하고 좌우를 둘러보며 칼을 찾아서 찌르려고 하였다. 이 대장은 깜짝 놀라서 일어나 뒷문으로 뛰쳐나가 재빠르게 달아났다.

이튿날 다시 찾아갔더니 집은 이미 텅 비어 있고, 허생은 간 곳이 없었다.

**01** 윗글의 서술상 특징에 대한 설명으로 가장 적절한 것은?

① 서술자가 상황을 요약적으로 제시한다.
② 인물간의 대화를 통해 사건을 전개한다.
③ 독백을 통해 인물의 내적 성찰이 드러난다.
④ 과거와 현재를 교차하여 사건의 정황을 드러낸다.
⑤ 초월적 공간을 설정하여 신비한 분위기를 조성한다.

**02** '허생'이 언급한 내용으로 적절하지 <u>않은</u> 것은?

① 재야의 인재를 등용하기 위해 임금이 나서야 한다.
② 훈척과 권귀들의 집을 몰수하여 조선에 온 명나라 사람들을 도와야 한다.
③ 다른 나라를 정벌하기 위해서는 먼저 첩자를 쓰지 않으면 성공을 거둘 수 없다.
④ 선비는 빈공과에 응시하고 일반 사람들은 장사를 하여 청나라와 가깝게 지낼 필요가 있다.
⑤ 만주족이 지금 천하를 완전히 장악했으니, 솔선수범하여 따르면 청나라의 신임을 받을 수 있다.

**03** ㉠~㉤에 대한 설명으로 적절하지 <u>않은</u> 것은?

① ㉠ : 작가의 해외 진출 사상이 표현되었다.
② ㉡ : 과거의 사건을 요약적으로 제시하였다.
③ ㉢ : 당시 신분 질서에 따른 보편적인 반응이 나타나 있다.
④ ㉣ : 기득권층에 대한 비판 의식이 내포하고 있다.
⑤ ㉤ : 목적을 이루기 위해서는 명분에 얽매이지 않아야 함을 강조하였다.

**04** 허생의 입장에서 ㉮의 처지를 나타낼 수 있는 말로 가장 적절한 것은?

① 고립무원(孤立無援)
② 연목구어(緣木求魚)
③ 수주대토(守株待兔)
④ 정저지와(井底之蛙)
⑤ 소탐대실(小貪大失)

**05** 윗글을 통해 알 수 있는 당대 사회상으로 보기 <u>어려운</u> 것은?

① 인재 등용이 제대로 이루어지지 않았다.
② 사대부들은 대의를 위해 자신의 가문을 돌보지 않았다.
③ 지배 계층이 무능하여 피폐해진 민생을 해결하지 못했다.
④ 구체적인 계획이나 실천 의지가 없는 북벌론을 주장했다.
⑤ 제사나 옷차림 등과 관련하여 예법이란 이름의 허례허식이 심했다.

**06** 윗글의 ⓐ~ⓔ 중 대상에 대한 허생의 부정적 인식이 담긴 것끼리 묶인 것은?

① ⓐ, ⓑ      ② ⓐ, ⓒ, ⓓ      ③ ⓐ, ⓑ, ⓒ      ④ ⓑ, ⓒ, ⓓ      ⑤ ⓑ, ⓒ, ⓓ, ⓔ

**07** 〈보기〉를 바탕으로 하여 윗글의 인물에 대해 평가한 내용으로 적절하지 <u>않은</u> 것은?

> ┤ 보기 ├
>
> 　문학 작품은 독자의 관점에 따라 다양하게 해석·평가될 수 있는데, 작품을 읽는 관점은 독자의 경험과 지식, 가치관, 독서 목적 등에 따라 달라진다. 문학 작품의 주체적 수용은 타당한 근거를 들어 자신의 관점에서 작품의 의미를 해석하고 평가하는 것을 말한다. 그런데 그 해석과 평가가 타당성을 지니려면 적절한 근거를 갖추어야 한다.

① 장사를 해서 번 돈을 도적들과 나라의 빈민을 구제하기 위해 쓴 허 생은 개인의 이익에 초연한 인물이다.

② 이완 대장과 대화를 나눈 다음날 갑자기 사라진 허생의 행동으로 미루어 볼 때 허생은 무책임한 성격을 지녔다고 할 수 있다.

③ 행색이 초라한 허생에게 선뜻 만 냥을 빌려준 것을 볼 때, 변 씨는 사람을 보는 안목이 뛰어난 사람이라 할 수 있다.

④ 과거의 인습에 얽매여 나라를 개혁하기 위한 제안을 받아들이지 않는 이완 대장은 말과 행동이 일치하지 않는 인물이다.

⑤ 집을 나간 후 돌아오지 않는 남편의 제사를 지내는 모습을 볼 때, 허생의 아내는 가부장적인 현실에서 자유롭지 못했다고 할 수 있다.

**08** 윗글을 읽고 난 후의 반응으로 적절하지 <u>않은</u> 것은?

① 허생은 선비로서의 자존감이 높은 사람이군.

② 허생은 백성들이 경제적으로 안정된 세상을 꿈꾸었군.

③ 허생의 생각은 당대 현실에서 받아들여지기 힘들었겠군.

④ 허생이 빈 섬에 세운 이상국은 백성들이 주도적으로 세운 것이라 할 수 있겠군.

⑤ 허생의 매점매석 행위에는 나라의 경제 규모를 짐작하려고 한 의도도 있었군.

(가) 허생은 묵적동에 살았다. 묵적동에서 곧장 남산 아래로 이르는 곳에 우물이 있고, 우물가에는 오래된 살구나무가 서 있었다. 살구나무를 향해서 사립문이 열려 있고, 몇 칸 안 되는 초가집은 비바람도 제대로 가리지 못했다. 그러나 허생은 독서를 좋아하고, 그 아내가 삯바느질을 하여 겨우 입에 풀칠을 하고 살았다.

하루는 아내가 배가 몹시 고파서 눈물을 흘리며,

"임자는 평생 과거에 응시하지도 않으면서 책을 읽어서 무엇 하려고 그러시오?"

하니 허생이 웃으며 말했다.

"내가 책을 읽는 것이 아직 미숙해서 그렇다오."

"그렇다면 장인바치 일이라도 하지 그러시오?"

"장인바치 일은 본래 배우지 못했으니, 어찌하란 말인가?"

"그럼 장사가 있잖습니까?"

"장사야 본시 밑천이 드는 법인데, 어찌하란 말인가?"

ⓐ그 아내가 왈칵 화를 내고 버럭 소리를 질렀다.

"밤낮으로 책을 읽더니 고작 배운 게 '어찌하란 말인가'라는 말뿐이오? 장인바치 일도 못 한다, 장사도 못 한다면, 어째서 도적질은 못 하는 게요?"

허생이 읽던 책을 덮고는 일어서면서,

"애석하도다. 내 본래 책 읽기를 십 년을 기약했더니, 이제 칠년 만에 그만 접어야 하다니."

하고 문을 나서서 가 버렸다.

(나) ⓑ변 씨 집의 자제들과 와 있던 손님들이 허생의 몰골을 보니, 이건 영락없는 비렁뱅이였다. 허리를 두른 실띠는 술이 빠졌고, 갖신의 뒤축은 자빠졌으며, 갓은 찌그러지고 도포는 그을려 행색이 꾀죄죄한데다가, 코에서는 맑은 콧물이 줄줄 흘렀다. 허생이 가고 나자 모두들 대경실색하여 물었다.

"대인께선 저이를 아십니까?"

"모른다네."

"아니, 지금 평생 알지도 못하는 사람에게 갑자기 만 금의 돈을 함부로 던져 버리시고도 그 이름조차 묻지 않으시다니, 대체 이게 무슨 영문입니까?"

"ⓒ자네들이 알 수 있는 일이 아니네. 무릇 남에게 무얼 빌리러 오는 사람은 반드시 자기 생각과 뜻을 대단히 떠벌리고 자신의 신의를 먼저 보이려고 자랑하지만, 안색은 부끄러움에 비굴하고 말은 중언부언하게 마련이라네. 그런데 저 손님은 비로 행색은 꾀죄죄하나, 하는 말은 간단하고 눈빛은 오만하게 뜨며 얼굴에 부끄러워하는 기색이 전혀 없으니, 필시 재물을 가지고 만족하는 그런 속물은 아닐 것이네. 그가 시험해 보자는 것이 작은 일이 아닐 것이매, 나 역시 손님에게 시험해 보려는 것이 있네. 주지 않으려면 그만이겠지만 이미 만 금을 주었는데 성명은 물어서 무엇 하겠는가?"

(다) 허생이 탄식하면서,

"이제야 나의 자그마한 시험을 마치게 되었구나."

하고는 남녀 이천 명을 모두 모아 놓고 명을 내렸다.

"내가 처음 너희들과 이 섬에 들어올 때의 계획으로는 먼저 너희들을 풍부하게 만들어 놓은 다음에 따로 문자를 만들고, 의관제도를 새로이 제정하려고 하였느니라. 그런데 여기 땅이 좁고 내 덕이 얇으니, 나는 이제 여기를 떠나련다. 아이들이 태어나 숟가락을 잡게 되면 오른손으로 잡도록 가르치고, 하루라도 나이가 많은 사람이 먼저 먹도록 양보하게 하라."

그러고는 다른 배를 모두 불살라 버리고,

"나가는 사람이 없으면 들어오는 사람도 없을 테지."

하고 은자 오십만 냥을 바닷속에 던지며,

"바다가 마르면 얻는 사람이 생기겠지. 백만 냥이나 되는 돈은 나라 안에서는 놓아둘 곳이 없거늘, 하물며 이 작은 섬에서야."

했다. 글을 아는 사람은 모두 배에 실어서 함께 섬을 빠져나오며,

"이 섬에 ⑦화근을 없애려 함이네." 라고 하였다.

**(라)** 이튿날 변씨는 허생에게 받은 은자를 모두 가지고 가서 그에게 돌려주었다. 허생은 사양하였다.

"내가 부자가 되려고 했다면 백만 금을 버리고 이까짓 십만 금을 취하려고 하겠소? ㉠내가 지금부터는 그대의 도움을 받아 가며 살아갈 터이니, 그대가 나를 자주 들여다보고 먹는 입을 따져서 양식을 보내 주고, 몸을 헤아려 옷감이나 보내 주구려. 한평생 그렇게 살아간다면 충분할 것이니, 어찌 재물로 정신을 괴롭히고 싶겠소이까?"

변 씨가 백방으로 허생을 달래 보았지만 끝내 어찌할 수가 없었다. 변 씨는 그때부터 허생의 양식과 옷가지가 떨어질 만한 때를 헤아렸다가 자신이 직접 찾아가서 가져다주었다. 그러면 허생도 흔연히 받아들였고, 만약 조금이라도 많이 가져오면 언짢아하면서,

"그대는 어째서 내게 재앙을 안겨 주려는 것이오?"

하였다.

술을 가지고 가면 더욱 기뻐하며 서로 취하도록 실컷 마셨다.

**(마)** "도대체 사대부라는 게 뭐하는 것들이냐. 오랑캐 땅에서 태어난 주제에 자칭 사대부라고 뽐내고 앉았으니, 이렇게 어리석을 데가 있느냐? 입는 옷이란 모두 흰 옷이니 이는 상복이고, 머리는 송곳처럼 뾰족하게 묶었으니 이는 남쪽 오랑캐의 방망이 상투이거늘, 무슨 놈의 예법이란 말인가?

㉡번오기는 원한을 갚기 위해 자신의 머리를 아끼지 않고 내주었고, 무령왕은 자기 나라를 강하게 만들기 위해 오랑캐 복장을 입는 것을 부끄럽게 여기지 않았다.

지금 명나라를 위해서 복수를 하려고 하면서도 그까짓 상투 하나를 아까워한단 말이냐. 장차 말을 달려 칼로 치고 창으로 찌르며, 활을 당기고 돌을 던져야 하는 판에 그 따위 너풀거리는 소매를 바꾸지 않고서, 그걸 자기 딴에 예법이라고 한단 말이냐?

내가 처음에 너에게 세 가지 계책을 일러 주었거늘, 도대체 너는 한 가지도 가능한 일이 없다고 하니, 그러면서도 신임을 받는 신하라고 말할 수 있겠느냐? 그래, 신임 받는 신하라는 게 고작 이런 것이냐? 이런 자는 목을 잘라야 옳을 것이니라."

하고 좌우를 둘러보며 칼을 찾아서 찌르려고 하였다. 이 대장은 깜짝 놀라서 일어나 뒷문으로 뛰쳐나가 재빠르게 달아났다.

이튿날 다시 찾아갔더니 집은 이미 텅 비어 있고, 허생은 간 곳이 없었다.

**09** 위 글에 관한 내용이다. 가장 적절한 것은?

① 묵적동 선비 얘기로 보아 삼국시대가 배경이다.
② 상인의 남다른 인품을 내세워 사대부를 비판한다.
③ 7년의 독서 행위는 자신의 합리화를 불러일으킨다.
④ 조선 후기 새롭게 성장한 '신흥 상인'의 모습이 등장한다.
⑤ 장인바치나 장사치를 하찮게 여기는 사회 풍조가 두드러진다.

**10** 첫머리의 배경 묘사가 이 작품에서 하는 기능으로 가장 적절한 것은?

　① 허생의 신분과 처지를 암시한다.
　② 경제적 빈곤 때문에 허생이 학업을 포기하게 된다.
　③ 유실수 재배로 곧 상업적 성공 내용이 전개되게 한다.
　④ 삯바느질이 힘겨워 아내와 심한 갈등을 일으키게 만든다.
　⑤ 오늘날 서울 중구에 해당하는 묵적동 거주는 정계 진출과 연결되게 한다.


**11** (가)～(마)에 대한 설명으로 적절하지 않은 것은?

　① (가) : 배경묘사를 통해 인물의 처지를 암시하고 있다.
　② (나) : 변씨가 인물을 바라보는 관점이 드러나 있다.
　③ (다) : 허생이 도적들을 데리고 빈 섬으로 들어간 의도가 드러나 있다.
　④ (라) : 허생의 상업과 경제를 중요시하는 재물관이 드러나 있다.
　⑤ (마) : 인물들 대립이 해소되는 일반적인 고전 소설과는 다른 구조를 취하고 있다.


**12** Ⓐ에서 아내가 허생에게 화를 내는 이유로 가장 적절한 것은?

　① 적절한 생계 수단 추천을 허생이 무시했기 때문에
　② 남존여비의 부당함을 몸소 실천할 생각이었기 때문에
　③ 허생의 실용적이고 실리적인 사고에 분노했기 때문에
　④ 무능한 가장을 대신해 생계를 유지하는 처지를 비관했기 때문에
　⑤ 허생이 가장으로서 생계에 무관심한 채 독서만 좋아했기 때문에


**13** Ⓑ이 본 허생에 대한 설명으로 적절하지 않은 것은?

　① 영락없는 비렁뱅이다.
　② 갓과 도포로 보아 행색이 꾀죄죄하다.
　③ 만 금의 돈을 함부로 줄 만한 사람이 아니다.
　④ 눈빛을 오만하게 뜨고 부끄러움이 없어 속물이 아니다.
　⑤ 허리를 두른 실띠가 술이 빠진 걸 보아 형편없는 선비다.

**14** ⓒ에 관한 내용이다. 가장 적절한 것은?

① 허생에 관한 변 씨의 실수담이다.
② 변 씨는 허생처럼 자신의 판단을 시험해 보고자 한다.
③ 허생은 부끄러움을 모르는 사람이라 교류하기 어렵다.
④ 허생은 자기의 생각과 뜻을 확고하게 내세우는 사람이다.
⑤ 성명을 묻는 것은 신의를 모르는 행위라고 변 씨가 판단한다.

**15** ㉠에 드러난 허생의 태도와 가장 거리가 먼 것은?

① 장부로 삼겨 나서 입신양명(立身揚名)을 못할지면
　차라리 다 떨치고 일 업시 늘그리라.
　이 밖에 녹록(碌碌)흔 영위(營爲)에 거릴낄 줄 이시랴.

*영위 : 실제로 행하거나 꾸리다.

② 추강에 밤이 드니 물결이 차노매라.
　낙시 드리치니 고기 아니 무노매라.
　무심(無心)한 달빛만 싣고 빈 배 저어 오노매라.

③ 십 년을 경영하여 초려삼간 지어 내니,
　나 한 칸 달 한 칸 청풍 한 칸 맡겨 두고,
　강산은 들일 데 없으니 둘러 두고 보리라.

④ 짚 방석 내지 마라, 낙엽엔들 못 앉으랴.
　솔불 켜지 마라. 어제 진 달 돋아 온다.
　아이야, 박주산챌망정 없다 말고 내어라.

⑤ 보리밥 풋나물을 알맞게 먹은 후에,
　바횟긋 믉가의 슬ㅋ지 노니노라.

**16** ㉡을 통해서 말하고자 하는 것과 거리가 먼 것은?

① 부국강병의 방법
② 집권층의 무능 비판
③ 현실 개혁의 필요성
④ 실용적 태도의 필요성
⑤ 임기응변 자세의 필요성

**17** 윗글에서 추리할 수 있는 사실로 적절하지 <u>않은</u> 것은?

① 허생은 재물로는 변하지 않는 인물이다.
② 허생의 아내는 학문을 입신양명의 수단으로 보고 있다.
③ 변씨는 허생에게 만 냥을 빌려준 대가로 더 큰 부자가 되었다.
④ 허생은 가장 먼저 경제적 풍요가 선행된 후에 문물과 제도가 필요하다고 보고 있다.
⑤ 빈섬은 올바른 정치의 표본이 되는 곳으로 허생이 자신의 계획을 모두 실행한 공간이다.

**18** 다음은 허생이 사라진 이후의 이야기를 어떤 학생이 상상하여 쓴것이다. 이를 참고할 때 작가가 허생을 사라지게 한 이유로 적절한 것은?

> 지배계층의 무능함에 실망한 허생은 다시 빈 섬으로 들어갔다. 허생은 직접 세상을 바꿀 수밖에 없겠다고 생각하고 빈 섬에 살고 있던 사람들을 데리고 나왔다. 빈 섬에서 나온 사람들과 함께 변산에서 새로운 세상을 만들기 위한 실험을 하였다. 점점 더 많은 사람들이 변산으로 모여들었다. 허생의 세력이 커지는 것에 두려움을 느낀 지배계층은 허생과 그 무리들을 모두 잡아 가두려 하였다.

① 허생 역시 현실 개혁의 의지가 부족한 인물임을 보여주기 위해서이다.
② 허생에게 앙심을 품은 이대장이 허생을 죽이려 했을 것이기 때문이다.
③ 이대장이 계속 찾아와 벼슬을 하도록 부탁할 것이 걱정되어서 사라진 것이다.
④ 아무리 좋은 개혁 정책이 있더라도 지배 계층이 무능하다면 실현시킬 수 없다는 작가의 절망감 때문이다.
⑤ 허생의 주장이 수용되기 어려운 현실에서 허생이 이상을 펼치도록 이야기를 전개하는 것이 쉽지 않았기 때문이다.

**[19~26] 다음 글을 읽고 물음에 답하시오.**

"너희들 힘이란 게 고작 백 금을 들기에도 부족하거늘, 어찌 도적질이라도 변변히 할 수 있겠는가? 지금 너희들은 비록 평민이 되려고 해도 이름이 이미 도적의 명부에 올라 있으니 어디 갈 곳도 없을 것이다. 내가 여기서 너희들을 기다릴 터이니, 각자 백 금씩 가지고 가서 아내 한 사람과 소 한 마리씩 장만해 오너라."

하자, 군도들이 모두 좋다고 승낙하며 흩어졌다.

그동안 허생은 이천 명이 한 해 동안 먹을 양식을 장만하여 그들을 기다렸다. 도적들이 기한된 날짜에 모두 도착해 뒤에 쳐진 사람이 하나도 없었다. 드디어 모두 배에 싣고, 빈 섬으로 들어갔다. 허생이 도적을 모두 쓸어 가자 나라 안에는 도적 걱정이 없어졌다.

한편 섬으로 들어간 허생과 도적들은 나무를 찍어서 집을 짓고, 대나무를 엮어서 울타리를 만들었다. 땅 기운이 온전하다 보니 온갖 곡식이 심은 대로 크고 무성하게 자라고, 김을 매고 쟁기질을 하지 않아도 한 줄기에 아홉 이삭이 달렸다. 삼 년 먹을 식량을 비축해 두고 나머지는 모두 배에 싣고 장기도로 가서 팔았다. 장기도는 일본에 속한 고을로, 삼십일만 호가 되는 큰 지방인데 바야흐로 큰 기근이 들어 있었다. 그리하여 굶주린 사람들을 진휼하고 은 백만 냥을 얻게 되었다.

허생이 탄식하면서,

"이제야 나의 ㉮자그마한 시험을 마치게 되었구나."

하고는 남녀 이천 명을 모두 모아 놓고 명을 내렸다.

"내가 처음 너희들과 이 섬에 들어올 때의 계획으로는 먼저 너희들을 풍부하게 만들어 놓은 다음에 따로 문자를 만들고, 의관제도를 새로이 제정하려고 하였느니라. 그런데 여기 땅이 좁고 내 덕이 얇으니, 나는 이제 여기를 떠나련다. 아이들이 태어나 숟가락을 잡게 되면 오른손으로 잡도록 가르치고, 하루라도 나이가 많은 사람이 먼저 먹도록 양보하게 하라."

그러고는 다른 배를 모두 불살라 버리고,

"나가는 사람이 없으면 들어오는 사람도 없을 테지."

하고 은자 오십만 냥을 바닷속에 던지며,

"바다가 마르면 얻는 사람이 생기겠지. 백만 냥이나 되는 돈은 나라 안에서는 놓아둘 곳이 없거늘, 하물며 이 작은 섬에서야."

했다.

글을 아는 사람은 모두 배에 실어서 함께 섬을 빠져나오며,

ⓐ"이 섬에 화근을 없애려 함이네."

라고 하였다.

뭍으로 나온 허생은 나라 안을 두루 돌아다니며 가난하고 의지할 곳이 없는 사람들을 구제하였다. 돈을 그렇게 써도 아직 은자 십만 냥이 남았다.

"이 돈이면 변 씨에게 빌린 돈을 갚을 수 있겠군."

허생이 변 씨를 찾아가서 보고는,

"나를 기억하시겠소이까?"

하고 묻자 변 씨는 깜짝 놀라며 말했다.

"그대의 얼굴색이 조금도 나아지지 않은 걸 보니, 혹 만 금을 다 털어먹은 건 아니오?"

허생이 웃으며 말했다.

ⓑ"재물을 가지고 얼굴이 번드르르해지는 일이야, 당신 같은 장사치들의 일일 뿐이오. 만 금이란 돈이 어찌 사람의 도(道)를 살찌우기야 하겠소?"

이에 은 십만 냥을 변 씨에게 주며,

"내가 순간의 굶주림을 참지 못하여 책 읽기를 마저 끝내지 못하고, 그대에게 만 금을 빌렸던 것이 부끄럽소이다."

하니 변 씨는 깜짝 놀라서 일어나 절을 하고 십만 냥을 다 받을 수 없다고 사양하며, 십분의 일만 이자로 쳐서 받겠다고 하였다. 허생이 버럭 화를 내며,

"당신은 어째서 나를 장사꾼으로 취급하려는 게요?"

하고는 옷자락을 뿌리치고는 휙 가 버렸다.

변 씨가 몰래 그의 뒤를 밟아서 쫓아가니, 허생이 남산 아래로 향하더니 작은 오두막집으로 들어가는 것이 보였다. 한 늙은 할미가 우물가에서 빨래를 하고 있기에, 변 씨가 물어보았다.

"저기 보이는 오두막이 누구의 집이요?"

"허 생원 댁이랍니다. 가난한 형편에 글 읽기를 좋아했는데, 어느 날 아침 훌쩍 집을 나가더니 돌아오지 않은 지 벌써 오 년이나 됩니다. 부인이 혼자 집에 있으면서 허 생원이 집 나간 날짜에 제사를 지낸답니다."

변 씨는 그제야 그의 성씨가 허 씨라는 것을 알고 탄식하며 돌아갔다. 이튿날 변 씨는 허생에게 받은 은자를 모두 가지고 가서 그에게 돌려주었다. 허생은 사양하였다.

"내가 부자가 되려고 했다면 백만 금을 버리고 이까짓 십만 금을 취하려고 하겠소? 내가 지금부터는 그대의 도움을 받아 가며 살아갈 터이니, 그대가 나를 자주 들여다보고 먹는 입을 따져서 양식을 보내 주고, 몸을 헤아려 옷감이나 보내 주구려. 한평생 그렇게 살아간다면 충분할 것이니, 어찌 재물로 정신을 괴롭히고 싶겠소이까?"

변 씨가 백방으로 허생을 달래 보았지만 끝내 어찌할 수가 없었다. 변 씨는 그때부터 허생의 양식과 옷가지가 떨어질 만한 때를 헤아렸다가 자신이 직접 찾아가서 가져다주었다. 그러면 허생도 흔연히 받아들였고, 만약 조금이라도 많이 가져오면 언짢아하면서,

"그대는 어째서 내게 재앙을 안겨 주려는 것이오?"

하였다.

변 씨가 몰래 그의 뒤를 밟아서 쫓아가니, 허생이 남산 아래로 향하더니 작은 오두막집으로 들어가는 것이 멀리 보였다. 한 늙은 할미가 우물가에서 빨래를 하고 있기에, 변 씨가 물어보았다. "저기 보이는 오두막이 누구의 집이요?" "허 생원 댁이랍니다. 가난한 형편에 글 읽기를 좋아했는데, 어느 날 아침 훌쩍 집을 나가더니 돌아오지 않은 지 벌써 오 년이나 됩니다. 부인이 혼자 집에 있으면서 허 생원이 집 나간 날짜에 제사를 지낸답니다." 변 씨는 그제야 그의 성씨가 허 씨라는 것을 알고 탄식하며 돌아갔다.

이튿날 변 씨는 허생에게 받은 은자를 모두 가지고 가서 그에게 돌려주었다. 허생은 사양하였다. "내가 부자가 되려고 했다면 백만 금을 버리고 이까짓 십만 금을 취하려고 하겠소? 내가 지금부터는 그대의 도움을 받아 가며 살아갈 터이니, 그대가 나를 자주 들여다보고 ㉠먹는 입을 따져서 양식을 보내 주고, 몸을 헤아려 옷감이나 보내 주구려. 한평생 그렇게 살아간다면 충분할 것이니, 어찌 재물로 정신을 괴롭히고 싶겠소이까?" 변 씨가 백방으로 허생을 달래 보았지만 끝내 어찌할 수가 없었다. 변 씨는 그때부터 허생의 양식과 옷가지가 떨어질 만한 때를 헤아렸다가 자신이 직접 찾아가서 가져다주었다. 그러면 허생도 흔연히 받아들였고, 만약 조금이라도 많이 가져오면 언짢아하면서, "그대는 어째서 내게 재앙을 안겨 주려는 것이오?" 하였다. 술을 가지고 가면 더욱 기뻐하며 서로 취하도록 실컷 마셨다. 이렇게 몇 년을 지내자 두 사람의 정분이 날로 두터워졌다.

어느 날 변 씨가 조용한 틈을 타서 어떻게 오 년 만에 백만 금을 벌어들였는지 물어보았다. 허생이 대답하였다.

"그것이야 아주 알기 쉬운 일이오. 조선이란 나라는 배가 외국으로 통하지 못하고, 수레가 나라 안을 다니질 못하기 때문에, 모든 물품이 이 안에서 생산되고 이 안에서 소비됩니다. 대저 천 금이란 돈은 작은 돈이므로 물건을 모두 사들일 수가 없지만, 그러나 이를 열로 쪼개면 백 금이 열 개가 되어서 열 가지 물건이야 충분히 살 수가 있겠지요. 물건의 단위가 가벼우면 굴리기 쉽기 때문에 설령 한 가지 물건이 밑진다 하더라도 나머지 아홉 개의 물건으로 재미를 볼 수 있답니다. 이런 장사 방법은 정상적으로 이익을 취하는 방법이고, 작은 장사꾼이나 하는 수단이지요. 그러나 만 금이란 돈은 물건을 모조리 사재기할 수 있으니, 수레에 있는 것은 수레 전부를, 배에 있는 것은 배 전부를, 한 고을에 있는 것은 고을 전부를 마치 촘촘한 그물로 모두 훑어 내는 것처럼 싹쓸이할 수 있지요. 뭍에서 생산되는 만 가지 물건 중에서 한 가지를 몰래 사재기하고, 바다의 만 가지 어족 중에서 한 가지를 슬며시 사재기하고, 약재 만 가지 중에서 하나를 몰래 독점하면, 그 한 가지 물건이 남몰래 잠겨 있는 동안에 모든 장사치들의 물건이 말라 버리게 되지요. ㉡이런 사재기 방법은 인민을 해치는 길이 될 것이니, 후세의 당국자들이 만약 내가 써먹었던 이런 사재기를 한다면 반드시 나라를 병들게 하고 말 것이오." 〈중략〉

"시방 사대부들이 남한산성에서 오랑캐에게 당했던 치욕을 씻어 내려고 하니, 지금이야말로 뜻있는 선비들이 팔을 걷어붙이고 지혜를 떨쳐 볼 때입니다. 당신은 그런 재주를 가지고 어찌 괴롭게 어둠에 파묻혀서 일생을 마치려고 합니까?"

"자고로 어둠에 파묻혔던 분들이 어디 한두 분이었소? ㉢졸수재 조성기 같은 분은 적국에 사신으로 보낼 만한 인물이었건만 평생 벼슬 없이 베잠방이를 걸친 채 늙어 죽었고, 반계 유형원 같은 분은 군량미를 조달할 능력이 있었건만 바다 한 귀퉁이에서 일생을 배회하였습니다.

㉣지금 나라의 정치를 도모한다는 인물들을 알 만하지 않겠습니까? 나 같은 사람이야 그저 장사나 잘하는 사람입니다. 장사를 해서 번 은자로는 구왕(九王)의 모가지라도 사기에 충분한 돈이지만, 그러나 바다에 던져버리고 온 까닭은 이 나라 안에서는 도대체 쓸 데가 없기 때문이었지요."

변씨는 '휴우'하고 크게 탄식을 하고는 돌아갔다.

변 씨는 본시 정승 이완(李浣)과 각별하게 지내는 사이였다. 이 공(公)은 당시 어영청 대장으로 있었는데, 언젠가 변 씨와 이야기를 하다가 지금 여항이나 일반 민가에 혹 쓸 만한 재주 있는 사람 중에 대사를 함께 도모할 인물이 있는가를 물은 적이 있었다. 변 씨가 허생의 이야기를 하였더니, 이 공은 깜짝 놀라며 물었다.

"기이한 일이로세. 정말 그런 인물이 있단 말입니까? 그래 이름은 뭐라고 부른답디까?"

"소인이 그와 삼 년을 함께 지냈지만, 여태껏 이름도 모르고 있답니다."

"그이는 필시 이인(異人)일 걸세. 자네와 같이 가 보도록 하세."

〈중략〉

"밤은 짧은데 말이 너무 길어서 듣기에 아주 지루하구먼. 그래, 너는 지금 무슨 벼슬을 하느냐?"

"어영청 대장입니다."

"그렇다면 너는 바로 나라에서 신임 받는 신하가 아니더냐. 내가 응당 재야에 숨어 있는 와룡 선생을 천거할 터이니, 네가 임금께 아뢰어 그에게 삼고초려(三顧草廬)할 수 있게 하겠는가?"

이 대장은 머리를 숙여 골똘히 생각하더니 한참 만에 대답했다.

"어렵겠습니다. 그 다음의 것을 듣고자 합니다."

"나는 '그 다음'이란 말은 아직 배우지 못했도다."

이 대장이 그래도 굳이 묻자, 허생은 말했다.

"명나라 장군과 병사들은 조선이 예전에 입은 은혜가 있다고 여겨서 그 자손들이 되놈의 나라에서 몸을 빼어 우리나라로 많이 건너왔으나, 이리저리 떠돌며 홀몸으로 외롭게 지내고 있는 이가 많다. 네가 임금께 아뢰어 ⓓ종실의 여자들을 뽑아서 두루 시집을 보내고, 훈척과 권귀들의 집을 몰수하여 그들의 살림집으로 내어줄 수 있겠느냐?"

이 대장이 고개를 숙이고 한참 있다가 대답하였다.

"그것도 어렵겠습니다."

"아니 이것도 어렵다, 저것도 어렵다 한다면 대관절 무슨 일이 가능하겠느냐? 아주 쉬운 일이 있으니, 네가 능히 할 수 있겠느냐?"

"말씀해 주시기 바랍니다."

"대저 천하의 대의를 외치려면 먼저 천하의 호걸들과 사귀어 결탁하지 않고는 되지 않는 법이고, 남의 나라를 정벌하려면 먼저 첩자를 쓰지 않으면 성공을 거둘 수 없는 법이다. 지금 만주족이 갑자기 천하의 주인이 되었으나, 아직 중국을 완전히 손아귀에 넣어 친하게 지내지 못하는 형편이니, 이때 조선이 다른 나라 보다 먼저 솔선해서 복종한다면 저들에게 신뢰를 받을 것이다. 만약 당나라, 원나라 때의 예전 일처럼 우리 자제들을 청나라에 파견하여 학교에 입학하고 벼슬도 할 수 있게 하고, 장사치들의 출입도 금하지 말도록 저들에게 간청한다면, 저들도 자기네에게 친근하고자 하는 우리를 보고 반드시 기뻐하여 이를 허락할 것이다.

이렇게 되면 ⓔ나라의 자제들을 엄선하여 머리를 깎여 변발을 하게하고 오랑캐 복장을 입히고 선비들은 빈공과에 응시하고, 일반 사람들은 멀리 강남까지 장사를 하게 만들어서 그들의 허실을 엿보고 한족의 호걸들과 결탁한다면, 천하를 도모할 수 있을 것이며 나라의 치욕도 씻을 수 있을 것이다. 만약 명나라 황족의 후손을 찾지 못하면, 천하의 제후들을 인솔해서 하늘에 임금이 될 만한 사람을 천거하여, 잘만 되면 대국의 스승이 될 것이며, 못 되어도 성씨가 다른 제후국가 중에서는 제일 큰 나라로서의 지위는 잃지 않을 것이다."

이 대장이 낙심하고 허탈해서 말했다.

"사대부들이 모두 예법을 삼가 지키고 있거늘, 누가 기꺼이 머리를 깎고 오랑캐 옷을 입으려고 하겠습니까?"

허생이 대갈일성하며,

"도대체 사대부라는 게 뭐하는 것들이냐. 오랑캐 땅에서 태어난 주제에 자칭 사대부라고 뽐내고 앉았으니, 이렇게 어리석을 데가 있느냐? 입는 옷이란 모두 흰 옷이니 이는 상복이고, 머리는 송곳처럼 뾰족하게 묶었으니 이는 남쪽 오랑캐의 방망이 상투이거늘, 무슨 놈의 예법이란 말인가? 번오기는 원한을 갚기 위해 자신의 머리를 아끼지 않고 내주었고, 무령왕은 자기 나라를 강하게 만들기 위해 오랑캐 복장을 입는 것을 부끄럽게 여기지 않았다. 지금 명나라를 위해서 복수를 하려고 하면서도 그까짓 상투 하나를 아까워한단 말이냐. 장차 말을 달려 칼로 치고 창으로 찌르며, 활을 당기고 돌을 던져야 하는 판에 그 따위 너풀거리는 소매를 바꾸지 않고서, 그걸 자기 딴에 예법이라고 한단 말이냐? 내가 처음에 너에게 세 가지 계책을 일러 주었거늘, 도대체 너는 한 가지도 가능한 일이 없다고 하니, 그러면서도 신임을 받는 신하라고 말할 수 있겠느냐? 그래, 신임 받는 신하라는 게 고작 이런 것이냐. 이런 자는 목을 잘라야 옳을 것이니라."

하고 좌우를 둘러보며 칼을 찾아서 찌르려고 하였다. 이 대장은 깜짝 놀라서 일어나 뒷문으로 뛰쳐나가 재빠르게 달아났다.

이튿날 다시 찾아갔더니 집은 이미 텅 비어 있고, 허생은 간 곳이 없었다.

---

**19** 허생이 ㉮를 통해 건설하고자 했던 사회의 모습과 가장 거리가 먼 것은?

① 경제적 안정을 통해 치안이 유지되는 사회

② 외국과의 교역으로 효율적인 경제 활동이 이루어지는 사회

③ 유교적 덕치를 중심으로 한 기본적인 질서가 유지되는 사회

④ 굶주리는 빈민이 없고 웃어른에 대한 예의범절이 지켜지는 사회

⑤ 새롭게 정비된 문화를 바탕으로 이윤을 창출하여 부를 유지하는 사회

**20** ⓐ~ⓔ에 대한 설명으로 가장 적절하지 <u>않은</u> 것은?

① ⓐ : 무능한 당대 지식인들에 대한 허생의 부정적 인식을 알 수 있다.

② ⓑ : 허생은 변 씨와 자신이 돈을 번 목적이 다르다는 것을 강조하고 있다.

③ ⓒ : 위정자들이 숨어있는 진정한 인재를 등용하는 일에 관심이 없다는 증거이다.

④ ⓓ : 능력이 뛰어난 명나라 장졸들을 등용하여 국가의 인재로 활용할 것을 제안하고 있다.

⑤ ⓔ : 상대를 제압하기 위해서는 상대를 먼저 알아야함을 강조하고 있다.

**21** 윗글을 읽고 난 후 나눈 '허생'에 대한 비판적 의견으로 가장 타당하지 <u>않은</u> 것은?

① 아무리 시험이라지만 사재기로 돈을 번 행위는 나라의 경제를 혼란에 빠뜨린 행위이기 때문에 부당한 방법으로 목적을 달성한 것은 옳지 않다고 생각해.

② 나라의 경제 규모가 작음을 탄식했으면서 섬을 오가는 유일한 교통수단인 배를 불살랐기 때문에 빈 섬 또는 자급자족의 협소한 경제 구조를 갖게 될 거야.

③ 도적들에게는 아내와 소를 중요하게 이야기하면서 정작 자신의 아내를 돌보지 않고 오 년 동안이나 연락을 취하지 않은 행위는 이해할 수 없어.

④ 사대부로서의 지위를 내려놓고자 하면서도 변 씨를 포함한 상인 계층을 낮추어 보는 듯한 태도는 이해할 수 없어.

⑤ 당대 사회의 문제점을 제기하고 대안을 제시하고 있기는 하지만 끝까지 해결하지 않고 잠적해 버린 결말은 아쉬움이 남아.

**22** 윗글에서 추리할 수 있는 것으로 적절하지 <u>않은</u> 것은?

① '허생'은 자신의 상술에 자신감을 가지고 있군.

② '허생'은 인재 등용 제도가 잘못되어 있다고 인식하고 있군.

③ '변 씨'는 허생을 내세워 자신의 재산을 더 늘리려 하고 있군.

④ '변 씨'는 북벌론의 성공을 위해 '허생' 정치에 참여하기를 원하고 있군.

⑤ '허생'이 집을 나가 있는 동안 '허생'의 아내는 남편이 죽었다고 여기고 있었군.

**23** '허생'의 말하기 방식에 대한 설명으로 가장 적절한 것은?

① 구체적 사례를 들어 당시 지배층을 비판하고 있다.

② 자신의 내면적 갈등을 풍자적 방식으로 말하고 있다.

③ '변 씨'의 의견에 동조하면서 분위기를 조성하고 있다.

④ '변 씨의 질문에 대답하기 곤란해서 논점을 흐리고 있다.

⑤ 자신의 의견을 마치 다른 사람의 의견인 양 말하고 있다.

**24** ⑦과 삶의 태도가 가장 유사한 것은?

① 오백년 도읍지를 말을 타고 돌아드니
  산천은 그대로 있는데 인재는 사라지고 없네
  아, 좋았던 시절이 꿈인가 하네.

② 쟁반에 붉은 감이 고와도 보이는구나.
  유자가 아니더라도 품어가고 싶지만은
  품어가도 반길 어버이 없으니 그것을 슬퍼하노라.

③ 천만 리 머나먼 길에 사랑하는 임과 헤어지고
  내 마음 둘 데 없어 냇가에 앉았으니
  저 물도 내 마음과 같아 울면서 밤길 가는구나.

④ 어버이 살아계실 때 섬기는 일을 다 하여라.
  지나간 후이면 슬프다 어찌하겠는가.
  평생에 다시 하지 못할 일이 이뿐인가 하노라.

⑤ 자연 속 바위 아래에 초가집을 짓노라 하니,
  그것을 모르는 사람들은 비웃고들 있지만
  어리석은 시골뜨기인 생각에 내 분수인가 하노라.

**25** ⓒ에 대한 '허생'의 견해로 적절하지 않은 것은?

① 취약한 경제 구조가 개선되어야 할 것이다.
② 상행위에도 정당하고 합리적인 태도가 필요하다.
③ 자신이 사용했던 상행위의 폐해를 경계하고 있다.
④ 소규모로 여러 물품을 취급하여 이익을 보아야 한다.
⑤ 교통수단이 발달되지 않아 국내 유통 구조가 빈약하다.

**26** 다음을 참고할 때, ⓒ이 비판하는 것으로 적절하지 않은 것은?

> "그렇다면 너는 바로 나라에서 신임 받는 신하가 아니더냐. 내가 응당 재야에 숨어 있는 와룡 선생을 천거할 터이니 네가 임금께 아뢰어 그에게 삼고초려(三顧草廬) 할 수 있게 하겠는가?"
> 이 대장은 머리를 숙여 골똘히 생각하더니 한참 만에 대답했다. "어렵겠습니다. 그 다음의 것을 듣고자 합니다."
>
> 〈중략〉
>
> "도대체 사대부라는 게 뭐 하는 것들이냐. 오랑캐 땅에서 태어난 주제에 자칭 사대부라고 뽐내고 앉았으니, 이렇게 어리석을 데가 있느냐? 입는 옷이란 모두 흰옷이니 이는 상복이고, 머리는 송곳처럼 뾰족하게 묶었으니 이는 남쪽 오랑캐의 방망이 상투이거늘, 무슨 놈의 예법이란 말인가?"

① 정치적으로 몰락한 양반층　　　　② 허위의식이 가득한 사대부
③ 인재 등용을 못하는 위정자　　　　④ 허례에만 신경 쓰는 집권층
⑤ 실천 의지가 부족한 지배층

(가) 허생은 묵적동에 살았다. 묵적동에서 곧장 남산 아래로 이르는 곳에 우물이 있고, 우물가에는 오래된 살구나무가 서 있었다. 살구나무를 향해서 사립문이 열려 있고, 몇 칸 안 되는 초가집은 비바람도 제대로 가리지 못했다. 그러나 허생은 독서를 좋아하고, 그 아내가 삯바느질을 하여 겨우 입에 풀칠을 하고 살았다.

하루는 아내가 배가 몹시 고파서 눈물을 흘리며,

"임자는 평생 과거에 응시하지도 않으면서 책을 읽어서 무엇 하려고 그러시오?"

하니 허생이 웃으며 말했다.

"내가 책을 읽는 것이 아직 미숙해서 그렇다오."

"그렇다면 장인바치 일이라도 하지 그러시오?"

"장인바치 일은 본래 배우지 못했으니, 어찌하란 말인가?"

"그럼 장사가 있잖습니까?"

"장사야 본시 밑천이 드는 법인데, 어찌하란 말인가?"

그 아내가 왈칵 화를 내고 버럭 소리를 질렀다.

"밤낮으로 책을 읽더니 고작 배운 게 '어찌하란 말인가'라는 말뿐이오? 장인바치 일도 못 한다, 장사도 못 한다면, 어째서 도적질은 못 하는 게요?"

허생이 읽던 책을 덮고는 일어서면서,

"애석하도다. 내 본래 책 읽기를 십 년을 기약했더니, 이제 칠년 만에 그만 접어야 하다니."

하고 문을 나서서 가 버렸다.

(나) 한편, 만 금을 빌린 허생은 다시 집으로 돌아가지 않고, 그 길로 바로 경기도 안성으로 내려가 거기에 머물며 거처를 마련하였다. 안성 지방이 경기도와 충청도의 경계이고, 삼남 지방의 길목이 된다고 생각했기 때문이다. 거기서 대추, 밤, 감, 배, 석류, 유자 등의 과일들을 모두 시세의 곱절 가격으로 모조리 사들였다.

허생이 과일을 사재기하는 바람에 나라 안에서는 연회나 제사를 지낼 수 없었다. 얼마 지나자 허생에게 곱절의 가격으로 팔았던 장사치들이 도리어 열 배의 가격으로 되사 가게 되었다. 허생이 한숨을 쉬며 탄식하였다.

"겨우 만 금으로 한 나라를 휘청하게 만들었으니, 나라의 경제 규모를 짐작할 만하다."

허생은 다시 칼, 호미, 베, 명주, 솜을 사 가지고 제주도로 들어가서 그곳의 말총을 다 거두어들였다.

"몇 해가 지나면 나라 사람들이 머리를 싸매지 못할 것이다."

과연 얼마 있다가 망건값이 열 배로 치솟았다.

(다) 그때 전라도 변산반도에는 도적 떼 수천이 우글거리고 있었다. 그 지방의 고을과 군에서 군졸을 풀어서 체포하려고 했으나 잡을 수가 없었다. 도적 떼도 감히 나돌아 다니며 노략질을 함부로 할 수가 없어서 바야흐로 굶주림에 허덕였다. 허생이 도적의 소굴로 들어가서 괴수를 달랬다.

"천 명이 천 금을 털어서 나누면 한 사람 앞으로 얼마의 돈이 돌아가는가?"

"한 사람에 한 냥씩 돌아가지요."

"자네들에게 아내가 있는가?"

"없답니다."

"가진 밭뙈기라도 있는가?"

도적들이 코웃음을 쳤다.

"아니, 밭 있고 아내가 있다면 무엇 때문에 괴롭게 도적이 된단 말이오?"

"자네들이 그렇게 잘 안다면 어째서 장가를 들어 살림을 장만하고, 소를 사서 밭을 갈 생각은 하지 않는 겐가? 그리되면 살아서 도적놈이란 이름도 없을 것이고, 집에 살면서 부부의 즐거움도 있을 것이며, 나돌아 다녀도 관에 붙잡힐 염려가 없을 것이고, 길이길이 의식이 풍요함을 누릴 수 있지 않겠는가?"

"어찌 그런 생활을 원하지 않겠소이까? 다만 돈이 없어서 못하고 있을 뿐입죠." 〈중략〉

한편 섬으로 들어간 허생과 도적들은 나무를 찍어서 집을 짓고, 대나무를 엮어서 울타리를 만들었다. 땅 기운이 온전하다 보니 온갖 곡식이 심은 대로 크고 무성하게 자라고, 김을 매고 쟁기질을 하지 않아도 한 줄기에 아홉 이삭이 달렸다. 삼 년 먹을 식량을 비축해 두고 나머지는 모두 배에 싣고 장기도로 가서 팔았다. 장기도는 일본에 속한 고을로, 삼십일만 호가 되는 큰 지방인데 바야흐로 큰 기근이 들어 있었다. 그리하여 굶주린 사람들을 진휼하고 은 백만 냥을 얻게 되었다.

허생이 탄식하면서,

"이제야 나의 자그마한 시험을 마치게 되었구나."

하고는 남녀 이천 명을 모두 모아 놓고 명을 내렸다.

"내가 처음 너희들과 이 섬에 들어올 때의 계획으로는 먼저 너희들을 풍부하게 만들어 놓은 다음에 따로 문자를 만들고, 의관제도를 새로이 제정하려고 하였느니라. 그런데 여기 땅이 좁고 내 덕이 얇으니, 나는 이제 여기를 떠나련다. 아이들이 태어나 숟가락을 잡게 되면 오른손으로 잡도록 가르치고, 하루라도 나이가 많은 사람이 먼저 먹도록 양보하게 하라."

그리고는 다른 배를 모두 불살라 버리고,

"나가는 사람이 없으면 들어오는 사람도 없을 테지."

하고 은자 오십만 냥을 바닷속에 던지며,

"⊙바다가 마르면 얻는 사람이 생기겠지. 백만 냥이나 되는 돈은 나라 안에서는 놓아둘 곳이 없거늘, 하물며 이 작은 섬에서야." / 했다.

글을 아는 사람은 모두 배에 실어서 함께 섬을 빠져나오며,

ⓐ"이 섬에 화근을 없애려 함이네." / 라고 하였다.

(라) 허생이 웃으며 말했다.

"재물을 가지고 얼굴이 번드르르해지는 일이야, 당신 같은 장사치들의 일일 뿐이오. 만 금이란 돈이 어찌 사람의 도(道)를 살찌우기야 하겠소?"

이에 은 십만 냥을 변 씨에게 주며,

"내가 순간의 굶주림을 참지 못하여 책 읽기를 마저 끝내지 못하고, 그대에게 만 금을 빌렸던 것이 부끄럽소이다."

하니 변씨는 깜짝 놀라서 일어나 절을 하고 십만 냥을 다 받을 수 없다고 사양하며, 십분의 일만 이자로 쳐서 받겠다고 하였다.

허생이 버럭 화를 내며,

"당신은 어째서 나를 장사꾼으로 취급하려는 게요?"

하고는 옷자락을 뿌리치고는 휙 가 버렸다.

변 씨가 몰래 그의 뒤를 밟아서 쫓아가니, 허생이 남산 아래로 향하더니 작은 오두막집으로 들어가는 것이 보였다. 한 늙은 할미가 우물가에서 빨래를 하고 있기에, 변씨가 물어보았다.

"저기 보이는 오두막이 누구의 집이요?"

"허 생원 댁이랍니다. 가난한 형편에 글 읽기를 좋아했는데, 어느 날 아침 훌쩍 집을 나가더니 돌아오지 않은 지 벌써 오 년이나 됩니다. 부인이 혼자 집에 있으면서 허 생원이 집 나간 날짜에 제사를 지낸답니다."

변 씨는 그제야 그의 성씨가 허씨라는 것을 알고 탄식하며 돌아갔다.

이튿날 변씨는 허생에게 받은 은자를 모두 가지고 가서 그에게 돌려주었다. 허생은 사양하였다.

"내가 부자가 되려고 했다면 백만 금을 버리고 이까짓 십만 금을 취하려고 하겠소? 내가 지금부터는 그대의 도움을 받아 가며 살아갈 터이니, 그대가 나를 자주 들여다보고 먹는 입을 따져서 양식을 보내 주고, 몸을 헤아려 옷감이나 보내 주구려. 한평생 그렇게 살아간다면 충분할 것이니, 어찌 재물로 정신을 괴롭히고 싶겠소이까?"

변 씨가 백방으로 허생을 달래 보았지만 끝내 어찌할 수가 없었다. 변 씨는 그때부터 허생의 양식과 옷가지가 떨어질 만한 때를 헤아렸다가 자신이 직접 찾아가서 가져다주었다. 그러면 허생도 흔연히 받아들였고, 만약 조금이라도 많이 가져오면 언짢아하면서,

"그대는 어째서 내게 재앙을 안겨 주려는 것이오?"

하였다.

(마) "밤은 짧은데 말이 너무 길어서 듣기에 아주 지루하구면. 그래, 너는 지금 무슨 벼슬을 하느냐?"

"어영청 대장입니다."

"그렇다면 너는 바로 나라에서 신임 받는 신하가 아니더냐. ⓑ내가 응당 재야에 숨어 있는 와룡 선생을 천거할 터이니, 네가 임금께 아뢰어 그에게 삼고초려(三顧草廬)할 수 있게 하겠는가?"

이 대장은 머리를 숙여 골똘히 생각하더니 한참 만에 대답했다.

"어렵겠습니다. 그 다음의 것을 듣고자 합니다."

"나는 '그 다음'이란 말은 아직 배우지 못했도다."

이 대장이 그래도 굳이 묻자, 허생은 말했다.

"명나라 장군과 병사들은 조선이 예전에 입은 은혜가 있다고 여겨서 그 자손들이 되놈의 나라에서 몸을 빼어 우리나라로 많이 건너왔으나, 이리저리 떠돌며 홀몸으로 외롭게 지내고 있는 이가 많다. 네가 임금께 아뢰어 종실의 여자들을 뽑아서 두루 시집을 보내고, 훈척과 권귀들의 집을 몰수하여 그들의 살림집으로 내어줄 수 있겠느냐?"

이 대장이 고개를 숙이고 한참 있다가 대답하였다.

"그것도 어렵겠습니다."

"아니 이것도 어렵다, 저것도 어렵다 한다면 대관절 무슨 일이 가능하겠느냐? 아주 쉬운 일이 있으니, 네가 능히 할 수 있겠느냐?"

"말씀해 주시기 바랍니다."

"〈중략〉 ⓒ나라의 자제들을 엄선하여 머리를 깎여 변발을 하게하고 오랑캐 복장을 입히고 선비들은 빈공과에 응시하고, 일반 사람들은 멀리 강남까지 장사를 하게 만들어서 그들의 허실을 엿보고 한족의 호걸들과 결탁한다면, 천하를 도모할 수 있을 것이며 나라의 치욕도 씻을 수 있을 것이다. 만약 명나라 황족의 후손을 찾지 못하면, 천하의 제후들을 인솔해서 하늘에 임금이 될 만한 사람을 천거하여, 잘만 되면 대국의 스승이 될 것이며, 못 되어도 성씨가 다른 제후국가 중에서는 제일 큰 나라로서의 지위는 잃지 않을 것이다."

이 대장이 낙심하고 허탈해서 말했다.

"사대부들이 모두 예법을 삼가 지키고 있거늘, 누가 기꺼이 머리를 깎고 오랑캐 옷을 입으려고 하겠습니까?"

허생이 대갈일성 하며,

"도대체 사대부라는 게 뭐하는 것들이냐. 오랑캐 땅에서 태어난 주제에 자칭 사대부라고 뽐내고 앉았으니, 이렇게 어리석을 데가 있느냐? 입는 옷이란 모두 흰 옷이니 이는 상복이고, 머리는 송곳처럼 뾰족하게 묶었으니 이는 남쪽 오랑캐의 방망이 상투이거늘, 무슨 놈의 예법이란 말인가?

ⓓ번오기는 원한을 갚기 위해 자신의 머리를 아끼지 않고 내주었고, 무령왕은 자기 나라를 강하게 만들기 위해 오랑캐 복장을 입는 것을 부끄럽게 여기지 않았다.

지금 명나라를 위해서 복수를 하려고 하면서도 그까짓 상투 하나를 아까워한단 말이냐. 장차 말을 달려 칼로 치고 창으로 찌르며, 활을 당기고 돌을 던져야 하는 판에 그 따위 너풀거리는 소매를 바꾸지 않고서, 그걸 자기 딴에 예법이라고 한단 말이냐?

내가 처음에 너에게 세 가지 계책을 일러 주었거늘, 도대체 너는 한 가지도 가능한 일이 없다고 하니, 그러면서도 신임을 받는 신하라고 말할 수 있겠느냐? 그래, 신임 받는 신하라는 게 고작 이런 것이냐. 이런 자는 목을 잘라야 옳을 것이니라."

하고 좌우를 둘러보며 칼을 찾아서 찌르려고 하였다. 이 대장은 깜짝 놀라서 일어나 뒷문으로 뛰쳐나가 재빠르게 달아났다.

ⓔ이튿날 다시 찾아갔더니 집은 이미 텅 비어 있고, 허생은 간 곳이 없었다.

– 박지원, 「허생전」 –

**27** 윗글의 내용과 일치하는 것은?

① 변 씨는 만 금을 빌려주면서 허생의 이름을 알게 되었다.

② 허생은 신분 제도의 벽을 허물어보려는 선구적 자세를 보여 주었다.

③ 당대 집권 사대부들은 주체성을 중시하며 우리 문화에 대해 긍지를 갖고 있었다.

④ 당대 집권 사대부들은 오랑캐에게 당한 치욕을 씻는 것을 당면 과제로 내세우고 있었다.

⑤ 빈 섬을 통해 글쓴이가 궁극적으로 강조하는 것은 균등한 분배가 실현되는 이상 국가의 건설이다.

**28** 윗글에 나타난 당대 현실과 거리가 먼 것은?

① 신분 제도의 동요

② 외래 문물의 무분별한 수용

③ 극도로 취약한 국가 경제 구조

④ 지배층의 무능으로 인한 민생의 피폐

⑤ 이용후생의 실학사상과 북학론의 대두

**29** 다음 중 발상과 표현이 ㉠과 가장 유사한 것은?

① 호미도 날이지만 낫같이 들 리도 없습니다.

② 구슬이 바위에 떨어진들 끈이야 끊어지겠습니까.

③ 임을 그리워하며 울며 지내더니 두견새와 나는 비슷합니다.

④ 4월을 잊지 않고 오는구나, 꾀꼬리 새여. 어찌하여 임은 나를 잊고 계신가.

⑤ 무쇠로 큰 소를 만들어다 쇠나무 산에 놓습니다. 그 소가 쇠풀을 다 먹어야 임과 이별하겠습니다.

**30** ⓐ~ⓔ에 대한 설명으로 적절하지 않은 것은?

① ⓐ : 공리공론을 일삼는 사대부에 대한 비판이 담겨 있다.

② ⓑ : 적극적인 인재 등용을 제안하고 있다.

③ ⓒ : 청나라 사람으로 위장해야 한다는 점을 강조하고 있다.

④ ⓓ : 두 인물을 통해 사대부의 허례허식을 비판하고 명분보다 실리가 중요함을 강조하고 있다.

⑤ ⓔ : 허생의 개혁안이 현실적으로 수용되기 어려운 것이었음을 암시하고 있다.

**31** 윗글의 서술상 특징으로 가장 적절한 것은?

① 인물의 외양을 묘사하여 인물을 희화화하고 있다.
② 빈번한 장면 전환을 통해 긴박한 분위기를 형성하고 있다.
③ 인물의 행적을 시간 순서대로 서술하면서 서사를 전개하고 있다.
④ 시간적 배경을 묘사하여 인물의 성격 변화를 암시하고 있다.
⑤ 소설 속 서술자가 인물의 행위에 대해 직접적으로 논평하고 있다.

**32** 등장인물들에 대한 평가로 적절하지 않은 것은?

① 아내 : 생계에는 관심이 없고 오직 글공부가 더 중요하다고 여기는 인물이다.
② 도둑들 : 백성에 대한 정책이 부재하여 어쩔 수 없이 도둑이 된 양민들이다.
③ 허생 : 백성들의 삶이 안정된 사회를 만들어야 한다는 사대부로서의 책임감을 지닌 인물이다.
④ 변 씨 : 자신의 이익만을 위해 허생을 대하지 않고, 허생의 비범함을 알아보는 인물이다.
⑤ 이 대장 : 당시 사대부들이 추진하던 북벌론을 대변하는 인물이다.

**33** 윗글에 대한 감상으로 적절하지 않은 것은?

① 허생의 '책 읽기'는 실생활보다는 자기수양을 위주로 학문하는 태도를 보여주는군.
② 허생이 '빈 섬'에서 하고자 한 것은 백성들을 풍부하게 하는 이용후생 정책을 시험하고자 한 것이군.
③ 허생이 글 아는 사람을 '화근'이라 생각한 것으로 보아 후손에게 글을 가르치지 않는 제도를 마련하려 했군.
④ '배가 외국으로 통하지 못하고'는 당시 나라가 외국과의 교류가 원활하지 못한 경제구조를 지녔음을 보여 주는군.
⑤ 허생이 정상적 장사 방법이 아니라고 생각한 '사재기'를 한 것은 나라의 경제구조가 취약함을 보여주려는 의도가 숨어 있겠군.

**34** 〈보기〉를 바탕으로 (마)를 이해한 것으로 가장 적절한 것은?

┤ 보기 ├

「허생전」은 연암 박지원이 쓴 소설 가운데 「호질」·「양반전」과 함께 그의 실학사상이 가장 집약되어 있는 것으로 평가되는 작품이다. 이 작품은 연암의 중국 기행문 『열하일기』(熱河日記)에 실려 있는데, 시대적 배경은 효종 연간(17세기 중반)으로 당시 사대부 지식인들의 반청(反淸) 의식에 기반한 현실성 없는 북벌 정책이 추진되고 있는 상황을 작품에서 신랄하게 비판하고 있다.

① 명나라 후손을 잘 돌보고 대접해야 한다.
② 명나라의 문화 및 예법을 후손에게 잘 가르쳐야 한다.
③ 임금이 삼고초려 하여 숨어 있는 인재를 등용해야 한다.
④ 청나라의 호걸들과 결탁하여 천하를 도모할 때를 기다려야 한다.
⑤ 청나라와 교류를 확대하여 그들의 허실을 엿봐야 나라의 힘을 키울 수 있다.

[35~37] 다음 글을 읽고 물음에 답하시오.

(가) 허생은 묵적동에 살았다. 묵적동에서 곧장 남산 아래로 이르는 곳에 우물이 있고, 우물가에는 오래된 살구나무가 서 있었다. 살구나무를 향해서 사립문이 열려 있고, 몇 칸 안 되는 초가집은 비바람도 제대로 가리지 못했다. 그러나 허생은 독서를 좋아하고, 그 아내가 삯바느질을 하여 겨우 입에 풀칠을 하고 살았다.
하루는 아내가 배가 몹시 고파서 눈물을 흘리며,
"임자는 평생 과거에 응시하지도 않으면서 책을 읽어서 무엇 하려고 그러시오?"
하니 허생이 웃으며 말했다.
"내가 책을 읽는 것이 아직 미숙해서 그렇다오."
"그렇다면 장인바치 일이라도 하지 그러시오?"
"장인바치 일은 본래 배우지 못했으니, 어찌하란 말인가?"
"그럼 장사가 있잖습니까?"
"장사야 본시 밑천이 드는 법인데, 어찌하란 말인가?"
그 아내가 왈칵 화를 내고 버럭 소리를 질렀다.
"밤낮으로 책을 읽더니 고작 배운 게 '어찌하란 말인가'라는 말뿐이오? 장인바치 일도 못 한다, 장사도 못 한다면, 어째서 도적질은 못 하는 게요?"

(나) 그때 전라도 변산반도에는 도적 떼 수천이 우글거리고 있었다. 그 지방의 고을과 군에서 군졸을 풀어서 체포하려고 했으나 잡을 수가 없었다. 도적 떼도 감히 나돌아 다니며 노략질을 함부로 할 수가 없어서 바야흐로 굶주림에 허덕였다. 허생이 도적의 소굴로 들어가서 괴수를 달랬다.

"천 명이 천 금을 털어서 나누면 한 사람 앞으로 얼마의 돈이 돌아가는가?"

"한 사람에 한 냥씩 돌아가지요."

"자네들에게 아내가 있는가?"

"없답니다."

"가진 밭뙈기라도 있는가?"

도적들이 코웃음을 쳤다.

"아니, 밭 있고 아내가 있다면 무엇 때문에 괴롭게 도적이 된단 말이오?"

(다) 한편 섬으로 들어간 허생과 도적들은 나무를 찍어서 집을 짓고, 대나무를 엮어서 울타리를 만들었다. 땅 기운이 온전하다 보니 온갖 곡식이 심은 대로 크고 무성하게 자라고, 김을 매고 쟁기질을 하지 않아도 한 줄기에 아홉 이삭이 달렸다. 삼 년 먹을 식량을 비축해 두고 나머지는 모두 배에 싣고 장기도로 가서 팔았다. 장기도는 일본에 속한 고을로, 삼십일만 호가 되는 큰 지방인데 바야흐로 큰 기근이 들어 있었다. 그리하여 굶주린 사람들을 진휼하고 은 백만 냥을 얻게 되었다.

허생이 탄식하면서,

"이제야 나의 자그마한 시험을 마치게 되었구나."하고는 남녀 이천 명을 모두 모아 놓고 명을 내렸다.

"내가 처음 너희들과 이 섬에 들어올 때의 계획으로는 먼저 너희들을 풍부하게 만들어 놓은 다음에 따로 문자를 만들고, 의관제도를 새로이 제정하려고 하였느니라.

그런데 여기 땅이 좁고 내 덕이 얇으니, 나는 이제 여기를 떠나련다. 아이들이 태어나 숟가락을 잡게 되면 오른손으로 잡도록 가르치고, 하루라도 나이가 많은 사람이 먼저 먹도록 양보하게 하라."

(라) "재물을 가지고 얼굴이 번드르르해지는 일이야, 당신 같은 장사치들의 일일 뿐이오. 만 금이란 돈이 어찌 사람의 도(道)를 살찌우기야 하겠소?"

이에 은 십만 냥을 변씨에게 주며,

"내가 순간의 굶주림을 참지 못하여 책 읽기를 마저 끝내지 못하고, 그대에게 만 금을 빌렸던 것이 부끄럽소이다."

하니 변씨는 깜짝 놀라서 일어나 절을 하고 십만 냥을 다 받을 수 없다고 사양하며, 십분의 일만 이자로 쳐서 받겠다고 하였다. 허생이 버럭 화를 내며,

"당신은 어째서 나를 장사꾼으로 취급하려는 게요?"하고는 옷자락을 뿌리치고는 휙 가 버렸다.

(마) "밤은 짧은데 말이 너무 길어서 듣기에 아주 지루하구먼. 그래, 너는 지금 무슨 벼슬을 하느냐?"

"어영청 대장입니다."

"그렇다면 너는 바로 나라에서 신임 받는 신하가 아니더냐. 내가 응당 재야에 숨어 있는 와룡 선생을 천거할 터이니, 네가 임금께 아뢰어 그에게 삼고초려(三顧草廬)할 수 있게 하겠는가?"

이 대장은 머리를 숙여 골똘히 생각하더니 한참 만에 대답했다.

"어렵겠습니다. 그 다음의 것을 듣고자 합니다."

"나는 '그 다음'이란 말은 아직 배우지 못했도다."

이 대장이 그래도 굳이 묻자, 허생은 말했다.

"명나라 장군과 병사들은 조선이 예전에 입은 은혜가 있다고 여겨서 그 자손들이 되놈의 나라에서 몸을 빼어 우리나라로 많이 건너왔으나, 이리저리 떠돌며 홀몸으로 외롭게 지내고 있는 이가 많다. 네가 임금께 아뢰어 종실의 여자들을 뽑아서 두루 시집을 보내고, 훈척과 권귀들의 집을 몰수하여 그들의 살림집으로 내어줄 수 있게 하겠느냐?"

이 대장이 고개를 숙이고 한참 있다가 대답하였다.

"그것도 어렵겠습니다."

(중략)

이 대장이 낙심하고 허탈해서 말했다.

"사대부들이 모두 예법을 삼가 지키고 있거늘, 누가 기꺼이 머리를 깎고 오랑캐 옷을 입으려고 하겠습니까?"

허생이 대갈일성하며,

"도대체 사대부라는 게 뭐하는 것들이냐. 오랑캐 땅에서 태어난 주제에 자칭 사대부라고 뽐내고 앉았으니, 이렇게 어리석을 데가 있느냐? 입는 옷이란 모두 흰 옷이니 이는 상복이고, 머리는 송곳처럼 뾰족하게 묶었으니 이는 남쪽 오랑캐의 방망이 상투이거늘, 무슨 놈의 예법이란 말인가?

번오기는 원한을 갚기 위해 자신의 머리를 아끼지 않고 내주었고, 무령왕은 자기 나라를 강하게 만들기 위해 오랑캐 복장을 입는 것을 부끄럽게 여기지 않았다.

지금 명나라를 위해서 복수를 하려고 하면서도 그까짓 상투 하나를 아까워한단 말이냐. 장차 말을 달려 칼로 치고 창으로 찌르며, 활을 당기고 돌을 던져야 하는 판에 그 따위 너풀거리는 소매를 바꾸지 않고서, 그걸 자기 딴에 예법이라고 한단 말이냐?

내가 처음에 너에게 세 가지 계책을 일러 주었거늘, 도대체 너는 한 가지도 가능한 일이 없다고 하니, 그러면서도 신임을 받는 신하라고 말할 수 있겠느냐? 그래, 신임 받는 신하라는 게 고작 이런 것이냐. 이런 자는 목을 잘라야 옳을 것이니라."

– 박지원, 「허생전」 –

---

**35** 〈보기1〉, 〈보기2〉를 참고하여 (가)~(나)를 이해한 것으로 적절하지 <u>않은</u> 것은?

> ┤ 보기 1 ├
>
> **1781년 9월 14일 어느 선비의 일기**
>  지금 사람들 대부분이 생계의 방도가 군색하고 쪼들려 근심한다고들 한다. 한 톨의 곡기도 없이 오장이 텅 빈 자는 그저 깜깜한 방 안에서 탄식을 하고, 어떤 가난한 자의 집에서는 그 가족들이 여러 날 굶주린 나머지 깨진 바가지까지 몽땅 씹어 먹고 죽었다고 한다. 참혹할 따름이다.

> ┤ 보기 2 ├
>
>  연암 박지원은 〈열하일기〉에서 "이용(利用)이 된 뒤에야 삶을 넉넉하게 할 수 있고, 삶이 넉넉해진 뒤에야 그 덕을 바르게 할 수 있으니, 이용을 하지 않고서 삶을 넉넉하게 하는 것은 어렵다. 삶도 스스로 넉넉하게 하지 못하면서 어찌 능히 덕을 바르게 할 수 있겠는가?"라고 하였다.

① 사회 구조적 모순으로 최소한의 삶의 기반조차 갖추지 못한 백성들이 도적이 되는 경우도 있었음을 알 수 있다.

② 문제의 근원적 해결을 모색하지 않고 도둑들을 토벌의 대상으로만 여기는 지배층을 비판하는 작가의 생각을 엿볼 수 있다.

③ 나라가 해결하지 못한 도둑 문제를 허생이 해결하는 것으로 허생의 비범함을 부각하는 한편 나라와 지배층의 무능을 비판하고 있다.

④ 허생이 '문자'와 '의관'보다 '너희들을 풍부하게 만드는 것'을 우선시하는 모습을 통해 작가가 가장 중요하게 생각하는 것이 무엇인지 알 수 있다.

⑤ 민생을 피폐하게 만든 사대부의 지식을 사회의 화근으로 규정하며 지식 그 자체의 가치를 우회적으로 비판하고 있다.

**36** 시적 화자의 태도가 (가)의 '아내'와 가장 유사한 것은?

① 오늘 아침을 다소 행복하다고 생각하는 것은
한 잔 커피와 갑 속의 두둑한 담배,
해장을 하고도 버스값이 남았다는 것.

② 가난이야 한낱 남루(襤褸)에 지나지 않는다.
저 눈부신 햇빛 속에 갈매빛의 등성이를 드러내고 서 있는 여름 산(山) 같은 우리들의 타고난 살결, 타고 난 마음씨까지야 다 가릴 수 있으랴.

③ 땅에 무릎을/ 수백 번 꿇지 않고서야
어찌 밥상을 차릴 수 있으랴.
땅에 허리를/ 수천 번 숙이지 않고서야
어찌 먹고 살 수 있으랴.

④ 가난하여 발 벗고 들에 나무를 줍기로소니
소년이여 너는/ 좋은 햇빛과 비로 사는 초목 모양
끝내 옳고 바르게 자라거라.

⑤ 가난도 잘만 길들이면 지낼 만하다네.
매일 아침 눈길 주고 마음 주어 문지르고 닦으면
반질반질 윤까지 난다네.
고려청자나 이조백자는 되지 못해도
그런 대로 바라보고 지낼 만하다네.

**37** 〈보기〉를 참고하여 (나)~(라)를 해석한 내용으로 가장 적절한 것은?

┤ 보기 ├

사회 계약은 사회가 만들어지기 전 자연 상태에서 자유롭고 평등한 삶을 누렸던 사람들의 자유와 평등을 실현하기 위한 근본적인 원리이다. 사회 계약은 구성원 전체의 자발적 참여와 동의에 기초하는데, 루소는 특히 최초의 계약은 모든 사람이 모인 가운데, 만장일치에 의해 이루어져야 한다고 보았다. 왜냐하면 차후에 발생하는 계약이 설령 만장일치가 아니더라도 부분적 일치만 있어도 실효성을 지닌다는 것을 최초에 만장일치로 결정하면 문제가 없게 되기 때문이다.

(중략)

루소는 사람들이 사회 계약을 맺어 국가를 직접 건설하고 운영하면서 '일반 의지'를 실현하는 것을 이상적으로 보았다. 여기서의 '일반 의지'는 공동의 권리와 이익을 추구하는 구성원 모두의 암묵적인 약속을 뜻한다.
따라서 루소가 추구하는 이상 사회는 빈부의 격차가 거의 없는 소농(小農)으로 구성된 정치 공동체가 직접 민주주의에 의해 스스로를 다스리는 사회라고 할 수 있다.

– 루소, 「사회계약설」 –

① 빈 섬에 들어가기 전의 도적들은 자연 상태의 자유로운 생활을 하고 있었군.
② 나이가 많은 사람에게 양보하게 되는 규칙은 직접 민주주의에 의해 정해진 것이겠군.
③ 빈 섬에서의 최초의 사회 계약은 섬 안 사람들이 모두 모인 가운데 결정되어야 실효성이 있겠군.
④ 천금을 털어 한 냥씩 나누어 갖는 행위를 보니 섬에서도 풍요로운 사회를 이루게 되기는 어렵겠군.
⑤ 변 씨가 십만 냥이나 되는 재물을 마다한 것은 공동의 권리를 추구하는 암묵적인 약속에 의한 행동이겠군.

[38~41] 다음 〈보기〉는 〈허생전〉을 패러디한 작품이다. 〈보기〉를 읽고, 물음에 답하시오.

┌─┤ 보기 ├─
　　⊙사람들은 남편은 뛰어난 인재라고 했다. 능히 천하를 경영할 재주가 있다고 칭찬하는 이도 있었다. 그러나 ⓒ남편이 죽는지 사는지 아내가 모르고, 아내가 죽는지 사는지 남편이 몰라야만 뛰어난 인재가 되는 거라면 그 뛰어난 인재라는 말은 분명 이 세상에서 쓸모없는 존재라는 뜻이리라. 이 세상이 돌아가는 법칙이란 성현들이 주장하는 것처럼 그렇게 복잡하고 어려운 것은 아닐 것이다. 사람이 행복하게 살며, 자식을 낳고, 그 자식에게 보다 좋은 세상을 살도록 해 주는 것, 그것 말고 무엇이겠는가.
〈중략〉

　　저녁 밥상을 부엌으로 내가려는데 남편이 불렀다.
　　"잠시만 이리 와 앉으오. 내가 할 이야기가 있소."
　　남편은 말을 꺼내기가 어려운 듯 잠시 묵묵히 있었다.
　　"내 또다시 출유하려 하오. 그러니 당신은 이 집을 정리하고 수래벌 큰댁에 몸을 의탁해 있으시오. 이미 사촌 큰형님과 상의해 두었소."
　　"이 집을 정리하려고 하신다면…… 아주 안 돌아오실 겁니까?"
　　"나도 모르오. 내 뜻이 이곳에 있지 않으니 장담하기가 어렵소."
　　ⓒ"그렇다면 차라리 저와 절연하시지요."
　　"무슨 해괴망측한 소리를 하오? 우리는 혼인한 사이인데 그걸 어찌 쉽게 깨뜨릴 수 있단 말이오. 사람에게는 신의가 중요한 것이오."
　　"남자들은 저 편리한 대로 신의니 뭐니 잘도 갖다 대더군요. 우리가 혼인한 것이 약속이니 지켜야 한다고 합시다. 하지만 어찌 그 약속이 여자 홀로 지켜야 할 것입니까? ②당신이 그 약속을 저버리고 저를 돌보지 않으니 제가 약속을 지켜야 할 상대는 어디 있는 겁니까? 차라리 전 팔자를 고쳤으면 합니다."
　　"사대부 집 아녀자가 어찌 입에 담아선 안 될 험한 소리를 하오? 당신이 인륜을 저버리고 예의, 염치도 모르는 행동을 하리라곤 생각할 수 없소."
　　"인륜? 예의? 염치? 그게 무엇이지요? ⓜ하루 종일 무릎이 시도록 웅크리고 앉아 삯바느질을 하는 게 인륜입니까? 남편이야 무슨 짓을 하든 서속이라도 꾸어다 조석 봉양을 하고, 그것도 부족해 술친구 대접까지 해야 그게 예의라는 말입니까? 하루에도 열두 번도 더 청소하고 빨래하고 설거지하는 게 염치를 아는 겁니까? 아무리 굶주려도 끽 소리도 못하고 눈이 짓무르도록 바느질을 하고 그러다 아무 쓸모없는 노파가 되어 죽는 게 인륜이라는 거지요? 난 터무니없는 짓 않겠습니다. 분명 하늘이 사람을 내실 때 행복하게 살며 번성하라고 내셨지, 어찌 누구는 밤낮 서럽게 기다리고 굶주리다 자식도 없이 죽어 버리라고 하셨겠는가 말이에요?"
　　"기다리는 게 우리네 부녀자들의 아름다운 미덕이 아니오……."
　　"미덕요? 난 꼬박 5년이나 당신을 기다렸지요. 그 전엔 굶기를 밥 먹듯 한 것이 몇 해였지요? 우리가 입에 풀칠이라도 할 수 있었던 것은 오로지 내 두 손이 바삐 움직이고 두 눈이 호롱불 빛에 짓물렀기 때문이에요. 그런데 전 뭔가요? 앞으로도 뒤로도 어둠뿐이에요. 〈중략〉
　　그래요. 당신은 봉새예요. 그렇지만 난 참새여서 당신의 높은 경지를 따를 수가 없어요. 난 단 한 가지만 알고 있는데 앞으로는 그것을 따라서 살 거예요. 나는 열 살 때 청국과의 전쟁을 겪었고, 그 와중에서 뼈저리게 느꼈어요. 당신은 무엇 때문에 10년이나 기약하고 독서하셨죠? 당신은 대답할 수 없으시지요. 난 말할 수 있어요! 그건 사람이 살고 자식을 낳고 그 자식을 보다 좋은 세상에서 살게 하려는 때문이라고요. 난 그렇게 하고 싶고 꼭 할 거예요……."
　　　　　　　　　　　　　　　　　　　　　　　　　　　　- 이남희, 「허생의 처」 -

**38** 원작인 〈허생전〉과 〈보기〉의 공통점에 대한 설명으로 적절한 것은?
　　① 대화를 활용하여 인물 간의 갈등을 드러내고 있다.
　　② 서술자를 작중 인물로 설정하여 사건의 현장감을 높이고 있다.
　　③ 등장인물 간에 학문의 목적에 대한 관점이 같음을 상징적 소재를 사용하여 드러내고 있다.
　　④ 다양한 일화를 나열하는 방식으로 인물의 성격을 나타내고 있다.
　　⑤ 공간적 배경에 대한 묘사를 통해 시대적 상황을 드러내고 있다.

**39** 원작과 〈보기〉를 비교한 것으로 적절하지 <u>않은</u> 것은?

① 원작에 등장했던 중심인물이 그대로 등장하고 있군.
② '허생'에 대한 서술자의 태도를 볼 때 원작을 비판적 관점에서 패러디하고 있군.
③ 시대적 배경을 바꾸어서 독자들이 당연하게 받아들였던 것을 의심하고 비판하게 만들고 있군.
④ '허생의 아내'는 새로운 시각으로 작중 상황을 바라보는 역할을 담당하고 있군.
⑤ 원작에 비해 남성 중심의 유교적 사회에서 여성이 겪는 고통을 구체적으로 드러내고 있군.

**40** ㉠~㉤에 대한 이해로 적절하지 <u>않은</u> 것은?

① ㉠ : 아내는 허생에 대한 사람들의 긍정적인 평가를 알고 있다.
② ㉡ : 아내는 남편과 소통이 되지 않는 상황을 불만스럽게 생각하고 있다.
③ ㉢ : 허생과의 관계를 유지할 생각이 없음을 직접적으로 말하고 있다.
④ ㉣ : 허생의 태도에 대한 문제점을 이유를 들어 지적하고 있다.
⑤ ㉤ : 설의법을 사용하여 가난 속에서도 끈질기게 삶을 이어가는 아녀자들의 삶을 칭송하고 있다.

**41** 〈허생의 처〉와 〈양반전〉을 비교하여 비교하여 감상한 내용으로 가장 적절한 것은?

┤ 보기 ├

　양반이란, 사족(士族)들을 높여서 부르는 말이다.
　정선군(旌善郡)에 한 양반이 살았다. 이 양반은 어질고 글읽기를 좋아하여 매양 군수가 새로 부임하면 으레 몸소 그 집을 찾아와서 인사를 드렸다. 그런데 이 양반은 집이 가난하여 해마다 고을의 환자를 타다 먹은 것이 쌓여서 천 석에 이르렀다. 강원도 감사(監使)가 군읍(郡邑)을 순시하다가 정선에 들러 환곡(還穀)의 장부를 열람하고 대노해서,
　"어떤 놈의 양반이 이처럼 군량(軍糧)을 축냈단 말이냐?"
　하고, 곧 명해서 그 양반을 잡아 가두게 했다. 군수는 그 양반이 가난해서 갚을 힘이 없는 것을 딱하게 여기고 차마 가두지 못했지만 무슨 도리가 없었다.
　양반 역시 밤낮 울기만 하고 해결할 방도를 차리지 못했다. 그 부인이 역정을 냈다.
　"당신은 평생 글읽기만 좋아하더니 고을의 환곡을 갚는 데는 아무런 도움이 안 되는군요. 쯧쯧 양반, 양반이란 한 푼어치도 안 되는 걸."
　그 마을에 사는 한 부자가 가족들과 의논하기를,
　"(중략) 이제 동네 양반이 가난해서 타먹은 환자를 갚지 못하고 시방 아주 난처한 판이니 그 형편이 도저히 양반을 지키지 못할 것이다. 내가 장차 그의 양반을 사서 가져보겠다."
　부자는 곧 양반을 찾아가 보고 자기가 대신 환자를 갚아 주겠다고 청했다. 양반은 크게 기뻐하며 승낙했다.

－ 박지원, 「양반전」 －

① 윗글은 〈보기〉에서와 달리 사건의 발단이 가난으로부터 비롯되고 있다.
② 윗글과 달리 〈보기〉에서는 실학사상을 가진 새로운 선비상을 제시하고 있다.
③ 윗글과 〈보기〉에서는 모두 선비로서의 정체성을 부정하며 현실의 문제를 해결하고자 하고 있다.
④ 윗글과 〈보기〉에서는 모두 아내들은 남편의 글읽기를 실리 없는 행동으로 보며 비판하고 있다.
⑤ 윗글과는 세속적 욕망에 대한 내적 갈등이, 〈보기〉에는 양반의 신분을 돈으로 사려는 부자와의 외적 갈등이 드러나고 있다.

[42~47] 다음 글을 읽고 물음에 답하시오.

(가) 허생은 묵적동에 살았다. 묵적동에서 곧장 남산 아래로 이르는 곳에 우물이 있고, 우물가에는 오래된 살구나무가 서 있었다. 살구나무를 향해서 사립문이 열려 있고, 몇 칸 안 되는 초가집은 비바람도 제대로 가리지 못했다. 그러나 허생은 독서를 좋아하고, 그 아내가 삯바느질을 하여 겨우 입에 풀칠을 하고 살았다.

하루는 ⓐ아내가 배가 몹시 고파서 눈물을 흘리며,

"임자는 평생 과거에 응시하지도 않으면서 책을 읽어서 무엇 하려고 그러시오?"

하니 ⓑ허생이 웃으며 말했다.

"내가 책을 읽는 것이 아직 미숙해서 그렇다오."

"그렇다면 장인바치 일이라도 하지 그러시오?"

"장인바치 일은 본래 배우지 못했으니, 어찌하란 말인가?"

"그럼 장사가 있잖습니까?"

"장사야 본시 밑천이 드는 법인데, 어찌하란 말인가?"

그 아내가 왈칵 화를 내고 버럭 소리를 질렀다.

"밤낮으로 책을 읽더니 고작 배운 게 '어찌하란 말인가'라는 말뿐이오? 장인바치 일도 못 한다, 장사도 못 한다면, 어째서 도적질은 못 하는 게요?"

허생이 읽던 책을 덮고는 일어서면서,

"애석하도다. 내 본래 책 읽기를 십 년을 기약했더니, 이제 칠 년 만에 그만 접어야 하다니."

하고 문을 나서서 가 버렸다.

허생은 평소에 알고 지내는 사람도 없고 해서, 곧바로 번화한 운종가로 나아가 시장 사람들에게 물었다.

"한양에서 누가 가장 부자입니까?"

변 씨라고 말해 주는 사람이 있어서, 허생은 드디어 그 집을 찾아갔다. 허생은 변 씨를 만나 길게 읍을 하고는,

"내가 집이 가난하여 조그마한 것을 시험해 보려는 것이 있으니, 그대에게 돈 만 금을 빌릴까 하오."

하니 ⓒ변 씨는 "그러시오."하고는 그 자리에서 만 금을 내주었다. 허생은 끝내 고맙다는 인사도 하지 않고 나가 버렸다.

(나) 한편 만 금을 빌린 허생은 다시 집으로 돌아가지 않고, 그 길로 바로 경기도 안성으로 내려가 거기에 머물려 거처를 마련하였다. 안성 지방이 경기도와 충청도의 경계이고, 삼남 지방의 길목이 된다고 생각했기 때문이다. 거기서 대추, 밤, 감, 배, 석류, 귤, 유자 등의 과일들을 모두 시세의 곱절 가격으로 모조리 사들였다.

허생이 과일을 사재기하는 바람에 나라 안에서는 연회를 열거나 제사를 지낼 수 없었다. 얼마 지나자 허생에게 곱절의 가격으로 팔았던 장사치들이 도리어 열 배의 가격으로 되사 가게 되었다. 허생이 한숨을 쉬며 탄식하였다.

"겨우 만 금으로 한 나라를 휘청하게 만들었으니, 나라의 경제 규모를 짐작할 만하다."

허생은 다시 칼, 호미, 베, 명주, 솜을 사 가지고 제주도로 들어가서 그곳의 말총을 다 거두어들였다.

"몇 해가 지나면 나라 사람들이 머리를 싸매지 못할 것이다."

과연 얼마 있다가 망건 값이 열 배로 치솟았다.

(다) 한편 섬으로 들어간 허생과 도적들은 나무를 찍어서 집을 짓고, 대나무를 엮어서 울타리를 만들었다. 땅기운이 온전하다 보니 온갖 곡식이 심은 대로 크고 무성하게 자라고, 김을 매고 쟁기질을 하지 않아도 한 줄기에 아홉 이삭이 달렸다. 삼 년 먹을 식량을 비축해 두고 나머지는 모두 배에 싣고 장기도로 가서 팔았다. 장기도는 일본에 속한 고을로, 삼십일만 호가 되는 큰 지방인데 바야흐로 큰 기근이 들어 있었다. 그리하여 굶주린 사람들을 진휼하고 은 백만 냥을 얻게 되었다.

허생이 탄식하면서,

"이제야 나의 자그마한 시험을 마치게 되었구나."

하고는 남녀 이천 명을 모두 모아 놓고 명을 내렸다.

"내가 처음 너희들과 이 섬에 들어올 때의 계획으로는 먼저 너희들을 풍부하게 만들어 놓은 다음에 따로 문자를 만들고, 의관제도를 새로이 제정하려고 하였느니라. 그런데 여기 땅이 좁고 내 덕이 얇으니, 나는 이제 여기를 떠나련다. 아이들이 태어나 숟가락을 잡게 되면 오른손으로 잡도록 가르치고, 하루라도 나이가 많은 사람이 먼저 먹도록 양보하게 하라."

그러고는 다른 배를 모두 불살라 버리고,

"나가는 사람이 없으면 들어오는 사람도 없을 테지."

하고 은자 오십만 냥을 바닷속에 던지며,

"바다가 마르면 얻는 사람이 생기겠지. 백만 냥이나 되는 돈은 나라 안에서는 놓아둘 곳이 없거늘, 하물며 이 작은 섬에서야."

했다. 글을 아는 사람은 모두 배에 실어서 함께 섬을 빠져나오며,

"이 섬에 화근을 없애려 함이네."

라고 하였다.


**(라)** "시방 사대부들이 남한산성에서 오랑캐에게 당했던 치욕을 씻어 내려고 하니, 지금이야말로 뜻있는 선비를 팔을 걷어붙이고 지혜를 떨쳐 볼 때입니다. 당신은 그런 재주를 가지고 어찌 괴롭게 어둠에 파묻혀서 일생을 마치려고 합니까?"

"자고로 어둠에 파묻혔던 분들이 어디 한두 분이었소? 졸수재 조성기 같은 분은 적국에 사신으로 보낼 만한 인물이었건만 병생 벼슬 없이 베잠방이를 걸친 채 늙어 죽었고, 반계 유형원 같은 분은 군량미를 조달할 능력이 있었건만 바다 한 귀퉁이에서 일생을 배회하였습니다. 지금 나라의 정치를 도모한다는 인물들을 알 만하지 않겠습니까? 나 같은 사람이야 그저 장사나 잘하는 사람입니다. 장사를 해서 번 은자로는 구왕(九王)의 모가지라도 사기에 충분한 돈이지만, 그러나 바다에 던져 버리고 온 까닭은 이 나라 안에서는 도대체 쓸 데가 없기 때문이었지요."

변 씨는 "휴우."하고 크게 탄식을 하고는 돌아갔다.

변 씨는 본시 정승 이완과 각별하게 지내는 사이였다. 이 공(公)은 당시 어영청 대장으로 있었는데, 언젠가 변 씨와 이야기를 하다가 지금 여항이나 일반 민가에 혹 쓸 만한 재주가 있어 대사를 함께 도모할 인물이 있는가를 물은 적이 있었다. 변 씨가 허생의 이야기를 하였더니, 이 공은 깜짝 놀라며 물었다.

"기이한 일이로세. 정말 그런 인물이 있단 말입니까? 그래 이름은 뭐라고 부른답디까?"

"소인이 그와 삼 년을 함께 지냈지만, 여태껏 이름도 모르고 있답니다."

"그이는 필시 이인(異人)일 걸세. 자네와 같이 가 보도록 하세."


**(마)** "손님을 불러도 되겠소."

이 대장이 방에 들어왔으나, 허생은 편안하게 앉아서 일어나지도 않았다. 이 대장은 몸 둘 바를 모르고 엉거주춤하다가 겨우 나라에서 어진 인재를 구하려는 뜻을 설명하였다. 허생이 손을 내저으며 말했다.

"밤은 짧은데 말이 너무 길어서 듣기에 아주 지루하구먼. 그래, 너는 지금 무슨 벼슬을 하느냐?"

"어영청 대장입니다."

"그렇다면 너는 바로 나라에서 신임받는 신하가 아니더냐. 내가 응당 재야에 숨어 있는 와룡 선생을 천거할 터이니, 네가 임금께 아뢰어 그에게 삼고초려(三顧草廬)할 수 있게 하겠는가?"

이 대장은 머리를 숙여 골똘히 생각하더니 한참 만에 대답했다.

"어렵겠습니다. 그다음의 것을 듣고자 합니다."

"나는 '그 다음'이란 말은 아직 배우지 못했도다."

"명나라 장군과 병사들은 조선이 예전에 입은 은혜가 있다고 여겨서 그 자손들이 되놈의 나라에서 몸을 빼어 우리나라로 많이 건너왔으나, 이리저리 떠돌며 홀몸으로 외롭게 지내고 있는 이가 많다. 네가 임금께 아뢰어 종실의 여자들을 뽑

아서 두루 시집을 보내고, 훈척과 권귀들의 집을 몰수하여 그들의 살림집으로 내어줄 수 있겠느냐?"

이 대장이 고개를 숙이고 한참 있다가 대답하였다.

"그것도 어렵겠습니다."

"아니 이것도 어렵다, 저것도 어렵다 한다면 대관절 무슨 일이 가능하겠느냐? 아주 쉬운 일이 있으니, 네가 능히 할 수 있겠느냐?"

"말씀해 주시기 바랍니다."

"대저 천하의 대의를 외치려면 먼저 천하의 호걸들과 사귀어 결탁하지 않고는 되지 않는 법이고, 남의 나라를 정벌하려면 먼저 첩자를 쓰지 않으면 성공을 거둘 수 없는 법이다. 지금 만주족이 갑자기 천하의 주인이 되었으나, 아직 중국을 완전히 손아귀에 넣어 친하게 지내지 못하는 형편이니, 이때 조선이 다른 나라보다 먼저 솔선해서 복종한다면 저들에게 신뢰를 받을 것이다. 만약 당나라, 원나라 때의 예전 일처럼 우리 자제들을 청나라에 파견하여 학교에 입학하고 벼슬도 할 수 있게 하고, 장사치들의 출입도 금하지 말도록 저들에게 간청한다면, 저들도 자기네에게 친근하고자 하는 우리를 보고 반드시 기뻐하여 이를 허락할 것이다.

이렇게 되면 나라의 자제들을 엄선하여 머리를 깎여 변발을 하게 하고 오랑캐 복장을 입히고 선비들은 빈공과에 응시하고, 일반 사람들은 멀리 강남까지 장사를 하게 만들어서 그들의 허실을 엿보고 한족의 호걸들과 결탁한다면, 천하를 도모할 수 있을 것이며 나라의 치욕도 씻을 수 있을 것이다. 만약 명나라 황족의 후손을 찾지 못하면, 천하의 제후들을 인솔해서 하늘에 임금이 될 만한 사람을 천거하여, 잘만 되면 대국의 스승이 될 것이며, 못 되어도 성씨가 다른 제후국가 중에서는 제일 큰 나라로서의 지위는 잃지 않을 것이다."

이 대장이 낙심하고 허탈해서 말했다.

"사대부들이 모두 예법을 삼가 지키고 있거늘, 누가 기꺼이 머리를 깎고 오랑캐 옷을 입으려고 하겠습니까?"

허생이 대갈일성하며,

"도대체 사대부라는 게 뭐 하는 것들이냐? 오랑캐 땅에서 태어난 주제에 자칭 사대부라고 뽐내고 앉았으니, 이렇게 어리석을 데가 있느냐? 입는 옷이란 모두 흰 옷이니 이는 상복이고, 머리는 송곳처럼 뾰족하게 묶었으니 이는 남쪽 오랑캐의 방망이 상투이거늘, 무슨 놈의 예법이란 말인가? 번오기는 원한을 갚기 위해 자신의 머리를 아끼지 않고 내주었고, ⓓ무령왕은 자기 나라를 강하게 만들기 위해 오랑캐 복장을 입는 것을 부끄럽게 여기지 않았다.

지금 명나라를 위해서 복수를 하려고 하면서도 그까짓 상투 하나를 아까워한단 말이냐. 장차 말을 달려 칼로 치고 창으로 찌르며, 활을 당기고 돌을 던져야 하는 판에 그 따위 너풀거리는 소매를 바꾸지 않고서, 그걸 자기 딴에 예법이라고 한단 말이냐?

내가 처음에 너에게 ㉠세 가지 계책을 일러 주었거늘, 도대체 너는 한 가지도 가능한 일이 없다고 하니, 그러면서도 신임을 받는 신하라고 말할 수 있겠느냐? 그래, 신임 받는 신하라는 게 고작 이런 것이냐? 이런 자는 목을 잘라야 옳을 것이니라."

하고 좌우를 둘러보며 칼을 찾아서 찌르려고 하였다. ㉢이 대장은 깜짝 놀라서 일어나 뒷문으로 뛰쳐나가 재빠르게 달아났다.

**42** 윗글의 인물 관계에 대한 설명으로 적절하지 않은 것은?

① 도적 떼와 허생은 빈 섬에서 서로에게 이익이 되는 결과를 얻었다.

② 이완대장과 허생은 나라의 발전이라는 동일한 목적을 가지고 대화를 나누었다.

③ 변씨는 대의를 위해 이완대장에게 허생을 천거한 인물로 두 사람을 매개하고 있다.

④ 허생의 아내는 허생을 일방적으로 질책하고 무능을 비판하며 허생이 집을 나가는 원인을 제공하고 있다.

⑤ 변씨와 허생은 서로의 비범함을 알아보고 각자 자신이 시험하는 바를 위해 상대의 능력을 이용하고 있다.

**43** 〈보기〉를 바탕으로 (가)~(다)를 감상한 것으로 적절하지 <u>않은</u> 것은?

┤ 보기 ├

　　연암은 《열하일기》〈도강록〉에서 "이용(利用)이 된 뒤에야 삶을 넉넉하게 할 수 있고, 삶이 넉넉해진 뒤에야 그 덕을 바르게 할 수 있으니, 이용을 하지 않고서 삶을 넉넉하게 하는 것은 어렵다. 삶도 스스로 넉넉하게 하지 못하면서 어찌 능히 덕을 바르게 할 수 있겠는가."라고 하였다. 연암이 '이용→후생→정덕'이라는 현실론의 입장에서 삶이 넉넉하게 된 뒤에라야 덕이 바르게 될 수 있다는 관점을 취했음을 알 수 있다.

　　　　　　　　　　　　　　　　　　　　　　　　　　　　　　　－ 이원수, 「'허생전'의 구조와 의미」 －

① **수진** : (가)에서 허생이 생계를 잇지도 못하며 독서만 하고 있는 모습이 허생의 아내에 의해 비판 받는 것은 후생이 정덕보다 우선한 가치라는 것을 말하고 있군.

② **희원** : (나)에서 허생이 나라의 경제규모에 대해 탄식하는 부분에서 작가는 작은 경제규모가 후생에 부정적 요인이 됨을 말하고자 한다고 볼 수 있어.

③ **아영** : (나)에서 허생이 매점매석의 대상으로 삼은 과일과 말총을 통해 작가는 실리보다는 예법을 중시하는 당대의 사대부계층을 비판하며 이용후생의 가치관을 드러낸 것이군.

④ **민승** : (다)에서 빈 섬에서 비축하고 남은 농산물을 장기도에 가서 파는 모습은 작가가 말하고자 하는 이용후생의 구체적인 방법일 수 있다고 봐.

⑤ **정용** : (다)에서 도적 떼를 빈 섬에 데려가 풍요로운 삶을 살게 한 뒤 글을 아는 사람들을 모두 데리고 나온 부분에서 작가가 후생을 최종적인 가치로 여긴 것을 알 수 있어.

**44** 〈보기〉를 바탕으로 ㉠을 이해한 내용으로 가장 적절한 것은?

┤ 보기 ├

　　조선후기 북벌론은 병자호란 이후 청에게 당한 치욕을 씻고 임진왜란 당시 조선을 도와준 명에 대한 의리를 지키기 위해 청을 정벌하자는 주장이다. 실제로 봉림 대군(1649년 효종으로 즉위)은 이완을 훈련대장에 임명해 비밀리에 군사를 훈련시키도록 하는 등 북벌을 위한 계획을 세웠다. 그러나 당시 조선의 국력은 청나라와 맞설 수 있는 수준이 아니었다는 점에서 북벌은 청에 대한 사대부들의 반감에서 비롯된 현실성 없는 정책이라는 평가가 지배적이었다.

① 첫 번째로 제시한 인재 등용의 방법은 조선의 국력 신장을 위한 가장 시급한 사안으로서 허생의 통찰력을 드러낸 것으로 볼 수 있다.

② 두 번째로 제시한 명나라 자손들에 대한 대책은 명에 대한 의리를 지키기 위한 것으로서 당대 사대부들의 호응을 얻은 정책이라 할 수 있다.

③ 세 번째로 제시한 청나라에 첩자를 보내는 계책은 청나라를 이기기 위한 방법으로서 조선의 국력이 청나라와 맞설 수준이 아니었음을 보여주는 정책이라 할 수 있다.

④ 세 번째 중 '우리의 자제들을 청나라에 파견'하도록 한 방법은 비밀리에 진행한 군사 훈련에 맞선 계책으로서 사대부의 사회적 책임을 강조한 것이라 할 수 있다.

⑤ 허생이 세 가지 계책을 모두 받아들이지 못하는 이완대장을 꾸짖는 것은 실리보다는 예법에 얽매여 현실성 없는 북벌 정책을 주장한 사대부들을 비판한 것으로 볼 수 있다.

**45** 〈보기〉는 '허생전'의 내용을 바꾸어 재창작한 소설이다. 두 작품에 대한 감상으로 적절하지 <u>않은</u> 것은?

┌─ 보기 ┤

　　그때 나는 똑똑히 알았다. 남편은 언제까지나 저렇게 책을 끼고 신선놀음을 할 터이고, 나는 언제까지나 굶주려야 할 것이라는 걸. 〈중략〉 양식이 없어 하루 종일 굶은 다음 날이었다. 수를 놓고 있었는데, 흉배 앞뒤 짝을 완성해야 삯을 받을 터였으므로 마음이 급했다. 〈중략〉

　　"당신은 밤낮없이 글을 읽는데, 과거에 응시하지 않으니 어찌 된 것입니까?" / 남편은 여전히 책에 시선을 둔 채 가볍게 대꾸했다. "공부가 미숙한 때문이오." / "그럼 장사라도 하여 먹고살아야지요." "장사는 밑천이 없는데 어찌하겠소." / "그럼 공장(工匠)이 일이라도 하시지요." / "공장이는 기술이 없으니 어찌하겠소."

　　"당신은 주야로 독서하더니 배운 것이 고작 어찌하겠소 타령입니까? 〈중략〉 "남편은 대답이 궁해지자 책을 탁 덮고 일어나 딴소리를 했다. / "애석하구나. 겨우 7년이라니……."

　　그러고는 집을 나가 5년 동안이나 돌아오지 않았던 것이다.

　　**중간 부분 줄거리** : 떠난 지 5년 만에 떠날 때와 다름없는 초라한 행색으로 남편이 돌아왔지만 그동안의 일에 대해서는 아무 말도 없다.

　　남편은 말을 꺼내기가 어려운 듯 잠시 묵묵히 있었다.

　　"내 또다시 출유하려 하오." 〈중략〉 "그렇다면 차라리 저와 절연 하시지요." 〈중략〉 "남자들은 저 편리한 대로 신의니 뭐니 잘도 갖다 대더군요. 우리가 혼인한 것이 약속이니 지켜야 한다고 합시다. 하지만 어찌 그 약속을 여자 홀로 지켜야 하는 것입니까? 〈중략〉 차라리 전 팔자를 고쳤으면 합니다."

① 〈보기〉는 '허생전'에서 부수적 인물이었던 허생의 아내를 주인공으로 설정하고 있군.
② '허생전'에서 전형적인 현모양처였던 허생의 아내는 〈보기〉에서 적극적인 인물로 변모했어.
③ '허생전'이 허생을 통해 조선 후기 사회의 문제를 주로 비판했다면, 〈보기〉에서는 허생이 주된 비판의 대상이 되고 있어.
④ '허생전'과 〈보기〉에서 모두 허생의 아내는 무능한 남편을 대신해 생계를 꾸려온 것으로 설정되어 있군.
⑤ '허생전'을 패러디한 〈보기〉는 남성 중심의 가부장적 이데올로기를 비판하는 작품이 되었어.

**46** 〈보기〉를 참고하여 윗글을 감상한 내용으로 가장 적절한 것은?

┌─ 보기 ┤

　　박지원은 〈허생전〉이 실린 〈열하일기〉 〈도강록〉에서 삶을 바라보는 현실주의적 관점을 보여준다. 그는 "물건을 편리하게 쓴 뒤에야 삶을 넉넉하게 할 수 있으니, 삶이 넉넉해진 뒤에야 그 덕을 바르게 할 수 있다. 물건을 편리하게 쓰지 않고서 삶을 넉넉하게 하는 것은 어렵다. 삶도 스스로 넉넉하게 하지 못하면서 어찌 능히 덕을 바르게 할 수 있겠는가"라고 하였다. 결국 삶이 넉넉하게 된 뒤에라야 덕이 바르게 될 수 있다는 관점을 취했음을 알 수 있다.

① 허생이 사재기를 한 것을 통해, 일단 사는 형편을 넉넉하게 하는 과정을 보여주고 있군.
② 도적들이 돈을 짊어지기 힘들어하는 모습을 통해 사용하는 물건을 편리하게 개선해야 함을 주장하려고 한 것이군.
③ 허생이 도적들을 다 데려가 나라에 도적들이 없어져 평안해졌다는 것은, 결국 덕을 바르게 하는 것이 선비가 나아가야 할 바임을 보여준 것이군.
④ 허생이 빈 섬에서 제도를 제정하기에 앞서 도적들을 잘 살게 한 것은, 덕을 바르게 하는 것보다 삶이 넉넉한 것이 앞선다는 관점을 보여준 것이군.
⑤ 허생이 변 씨에게 자신을 장사꾼으로 아느냐고 화를 낸 것은, 삶을 넉넉하게 하는 방법이 아니라 물건을 편리하게 개선하는 데 있음을 보여주는 것이군.

**47** 윗글의 등장인물 및 과 〈보기〉의 '화자'를 비교하여 감상한 내용으로 가장 적절한 것은?

┌─ 보기 ┐

새로 거른 막걸리 젖빛처럼 뿌옇고
큰 사발에 보리밥 높기가 한 자로서
밥 먹자 도리깨 잡고 마당에 나서니
검게 탄 두 어깨 햇볕 받아 번쩍이네

옹헤야 소리 내며 발맞추어 두드리니
삽시간에 보리 낟알 온 마당에 가득하네
주고받는 노랫가락 점점 높아지는데
보이느니 지붕 위에 보리티끌뿐이로다

그 기색 살펴보니 즐겁기 짝이 없어
마음이 몸의 노예 되지 않았네

낙원이 먼 곳에 있는 게 아닌데
무엇하러 벼슬길에 헤매고 있으리오

– 정약용, 「보리타작」 –

이 시는 조선 후기 실학 정신을 바탕으로 한 다산의 사실주의적 시 정신이 잘 드러난 작품이다. 원제는 '타맥행(打麥行)'이라는 한시로, 보리타작하는 농민들의 모습을 사실적으로 노래하였다. 농민들의 삶에 대한 이해를 통해 자아를 성찰하는 화자의 진지한 태도가 잘 나타나 있다.

① Ⓐ와 〈보기〉의 '화자'는 생산적인 활동을 긍정적으로 인식한다.
② Ⓑ와 〈보기〉의 '화자'는 모두 과거와 벼슬길에 집착했던 자신의 삶을 반성하고 있다.
③ Ⓒ는 〈보기〉의 '화자'와 달리 서민들의 경제적 지위가 향상되는 현실을 비판적으로 바라보고 있다.
④ Ⓓ과 〈보기〉의 '화자'는 모두 나라의 번성과 백성의 안녕을 위해 자신을 희생하는 실천적인 인물이다.
⑤ Ⓔ과 〈보기〉의 '화자'는 모두 대상과의 만남을 통해 삶의 태도가 변화되었다.

**[48~50] 다음 글을 읽고 물음에 답하시오.**

　밤중에 이 대장은 아랫사람을 물리치고 변 씨와 둘이 걸어서 허생의 집에 당도했다. 변 씨는 이 공을 문밖에서 기다리게 하고, 혼자 먼저 들어가서 허생을 만나 보고 이곳에 찾아온 연유를 이야기했다. 허생은 짐짓 못 들은 척하며,

　"그만, 자네가 차고 온 술병이나 이리 풀어 놓으시게."

　하고는 서로 즐겁게 마셨다. 변 씨는 이공을 밖에서 기다리게 해 놓은 것이 민망하여 여러 차례 말을 꺼내 보았으나, 허생은 대꾸도 하지 않았다. 밤이 깊어지자 허생이 말했다.

　"손님을 불러도 되겠소."

　이 대장이 방에 들어왔으나, 허생은 편안하게 앉아서 일어나지도 않았다. 이 대장은 몸 둘 바를 모르고 엉거주춤하다가 겨우 나라에서 어진 인재를 구하려는 뜻을 설명하였다. 허생이 손을 내저으며 말했다.

　"밤은 짧은데 말이 너무 길어서 듣기에 아주 지루하구먼. 그래, 너는 지금 무슨 벼슬을 하느냐?"

　"어영청 대장입니다."

　"그렇다면 너는 바로 나라에서 신임받는 신하가 아니더냐. 내가 응당 재야에 숨어 있는 와룡 선생을 천거할 터이니, 네가 임금께 아뢰어 그에게 삼고초려(三顧草廬)할 수 있게 하겠는가?"

　이 대장은 머리를 숙여 골똘히 생각하더니 한참 만에 대답했다.

　"어렵겠습니다. 그다음의 것을 듣고자 합니다."

　"나는 '그 다음'이란 말은 아직 배우지 못했도다."

　"명나라 장군과 병사들은 조선이 예전에 입은 은혜가 있다고 여겨서 그 자손들이 되놈의 나라에서 몸을 빼어 우리나라로 많이 건너왔으나, 이리저리 떠돌며 홀몸으로 외롭게 지내고 있는 이가 많다. 네가 임금께 아뢰어 종실의 여자들을 뽑아서 두루 시집을 보내고, 훈척과 권귀들의 집을 몰수하여 그들의 살림집으로 내어줄 수 있겠느냐?"

　이 대장이 고개를 숙이고 한참 있다가 대답하였다.

　"그것도 어렵겠습니다."

　"아니 이것도 어렵다, 저것도 어렵다 한다면 대관절 무슨 일이 가능하겠느냐? 아주 쉬운 일이 있으니, 네가 능히 할 수 있겠느냐?"

　"말씀해 주시기 바랍니다."

　"대저 천하의 대의를 외치려면 먼저 천하의 호걸들과 사귀어 결탁하지 않고는 되지 않는 법이고, 남의 나라를 정벌하려면 먼저 첩자를 쓰지 않으면 성공을 거둘 수 없는 법이다. 지금 만주족이 갑자기 천하의 주인이 되었으나, 아직 중국을 완전히 손아귀에 넣어 친하게 지내지 못하는 형편이니, 이때 조선이 다른 나라보다 먼저 솔선해서 복종한다면 저들에게 신뢰를 받을 것이다. 만약 당나라, 원나라 때의 예전 일처럼 우리 자제들을 청나라에 파견하여 학교에 입학하고 벼슬도 할 수 있게 하고, 장사치들의 출입도 금하지 말도록 저들에게 간청한다면, 저들도 자기네에게 친근하고자 하는 우리를 보고 반드시 기뻐하여 이를 허락할 것이다.

　이렇게 되면 나라의 자제들을 엄선하여 머리를 깎여 변발을 하게하고 오랑캐 복장을 입히고 선비들은 빈공과에 응시하고, 일반 사람들은 멀리 강남까지 장사를 하게 만들어서 그들의 허실을 엿보고 한족의 호걸들과 결탁한다면, 천하를 도모할 수 있을 것이며 나라의 치욕도 씻을 수 있을 것이다. 만약 명나라 황족의 후손을 찾지 못하면, 천하의 제후들을 인솔해서 하늘에 임금이 될 만한 사람을 천거하여, 잘만 되면 대국의 스승이 될 것이며, 못 되어도 성씨가 다른 제후국 중에서는 제일 큰 나라로서의 지위는 잃지 않을 것이다."

　이 대장이 낙심하고 허탈해서 말했다.

　"사대부들이 모두 예법을 삼가 지키고 있거늘, 누가 기꺼이 머리를 깎고 오랑캐 옷을 입으려고 하겠습니까?"

　허생이 대갈일성하며,

　"도대체 사대부라는 게 뭐 하는 것들이냐? 오랑캐 땅에서 태어난 주제에 자칭 사대부라고 뽐내고 앉았으니, 이렇게 어리석을 데가 있느냐? 입는 옷이란 모두 흰 옷이니 이는 상복이고, 머리는 송곳처럼 뾰족하게 묶었으니 이는 남쪽 오랑캐의 방망이 상투이거늘, 무슨 놈의 예법이란 말인가?

번오기는 원한을 갚기 위해 자신의 머리를 아끼지 않고 내주었고, 무령왕은 자기 나라를 강하게 만들기 위해 오랑캐 복장을 입는 것을 부끄럽게 여기지 않았다.

지금 명나라를 위해서 복수를 하려고 하면서도 그까짓 상투 하나를 아까워한단 말이냐. 장차 말을 달려 칼로 치고 창으로 찌르며, 활을 당기고 돌을 던져야 하는 판에 그 따위 너풀거리는 소매를 바꾸지 않고서, 그걸 자기 딴에 예법이라고 한단 말이냐?

내가 처음에 너에게 세 가지 계책을 일러 주었거늘, 도대체 너는 한 가지도 가능한 일이 없다고 하니, 그러면서도 신임을 받는 신하라고 말할 수 있겠느냐? 그래, 신임 받는 신하라는 게 고작 이런 것이냐? 이런 자는 목을 잘라야 옳을 것이니라."

하고 좌우를 둘러보며 칼을 찾아서 찌르려고 하였다. 이 대장은 깜짝 놀라서 일어나 뒷문으로 뛰쳐나가 재빠르게 달아났다.

이튿날 다시 찾아갔더니 집은 이미 텅 비어 있고, 허생은 간 곳이 없었다.

– 박지원, 「허생전」 –

---

**48** 윗글의 내용에 대한 이해로 적절한 것은?

① 조선인들이 청나라에 가 학교에 입학하고 벼슬도 할 수 있었다.
② 허생이 이완을 대하는 태도에서 그의 지배계층에 대한 반감을 알 수 있다.
③ 명나라 장군과 병사들의 자손들이 조선과 많은 교류를 하기 위해 들어 왔다.
④ 당시 나라에서는 인재를 구하기 위해 삼고초려(三顧草廬)할 준비가 되어 있었다.
⑤ 허생의 사회적 지위가 이완보다 훨씬 높다는 것을 '이 대장은 몸둘 바를 모르고'에서 알 수 있다.

**49** 〈보기〉와 윗글을 비교한 내용으로 적절하지 <u>않은</u> 것은?

┤ 보기 ├

조(趙)나라는 춘추시대에는 존재하지 않았던 나라이다. 이 나라는 춘추시대의 최강대국이었던 진(晉) 나라를 3등분 한 한(韓)씨 · 위(魏)씨 · 조(趙)씨 가문 중 조(趙)씨가 세운 나라이다. 중국 역사에서는 이들 한씨 · 위씨 · 조씨가 진(晉)나라를 3등분한 시기부터 춘추시대가 끝나고 전국시대가 시작되는 것으로 본다.

어쨌든 진(晉)나라를 3등분하여 나라를 세운 조(趙)씨가 차지한 영토는 중국 대륙의 서북방에 위치해 있었다. 동쪽으로는 연나라 · 제나라, 서쪽으로는 진(秦)나라, 남쪽으로는 위(魏)나라와 국경을 맞대고 있어 끊임없이 전쟁에 시달려야 했다. 또한 동쪽과 서쪽으로 동호 · 누번 · 임호 등과 같은 유목민족의 침략과 약탈에 놓여 있었다. 그럼에도 불구하고 오랑캐의 풍속을 멀리하는 중원의 문화와 문물에 빠져 부국강병을 소홀히 했다.

이와 같은 위기 상황에서 즉위한 이가 조나라 제6대 임금인 무령왕(武寧王 : 재위 기원전 326년~299년)이다. 그는 즉위와 동시에 부국강병책을 일으켰는데, 이때 가장 먼저 개혁하고자 한 것이 복장(服裝)이었다. 즉, 생활이 간편하고 말 타기와 활쏘기 같은 군사훈련에 적합한 호복(胡服 : 유목 민족의 옷)으로 복장을 개혁하고자 한 것이다. 그러나 중원의 문화와 문물을 선진적이라 여기고, 유목민족의 풍속과 문화를 오랑캐의 것이라 업신여긴 조나라 사람들의 사고방식이 이것을 용납할 리 만무했다. 그들은 무령왕의 호복 개혁에 쌍수를 들고 반대했다.

그러나 무령왕은 호복(胡服) 착용을 단순한 복장 개혁이 아니라, 부국강병을 위해서 반드시 거쳐야 할 풍속과 의식의 개혁으로 이해했기 때문에 조정과 백성들이 반대에도 불구하고 강력하게 이를 밀어붙였다. 그리고 마침내 호복(胡服)을 보급하고 기병과 사수(射手)를 모집해 훈련시킨 결과, 막강한 군대를 갖춤과 동시에 영토 확장을 이룰 수 있었다.

– 2천 년을 살아남은 명문(名文), 2006. 7. 27 포럼 –

① 허생과 무령왕은 실리를 추구하는 면에서 비슷한 점이 있군.
② 이완과 〈보기〉의 조정, 백성들은 명분을 중요시 하고 있군.
③ 이완은 새로운 변화를 수용할 의지가 있는 인물이지만 〈보기〉의 왕과 조정은 그렇지 못했군.
④ 허생이 변발과 오랑캐 복장을 〈보기〉의 조나라 백성들에게 권유하였다면 순순히 받아들이지 않았겠군.
⑤ 〈보기〉의 무령왕이 부국강병을 위해 반드시 풍속을 개혁해야한다고 제안했다면 허생은 적극적으로 받아들였겠군.

**50** 〈보기〉를 참고하여 윗글을 감상한 내용으로 적절하지 <u>않은</u> 것은?

┤ 보기 ├

이완은 효종조(孝宗朝)의 신신(信臣)으로 그가 북벌 계획 수립자의 일원이라는 사실에 주목하면 시사 삼책은 북벌론만을 문제 삼은 것으로 인식될 수 있다. 그러나 1세기 전에 제기되었던 북벌론 문제를 〈허생전〉에 끌어들인 것은 작가가 자기 시대를 비판하기 위한 소재로써 이용하려는 의도도 포함되어 있다. 그리고 이완 또한 역사적 실체로서의 특정한 개인이 아닌 불특정한 다수의 사대부를 대표하는 인물로 설정된 것이다. 달리 말하면 병리적 사회 구조 전체를 대표하는 존재라 하겠다. 이런 점에서 허생이 제시한 시사 삼책은 현실적인 대책도 없이 명분만으로 북벌을 외치는 사대부들의 허식을 외연(外延)으로 하고, 그 내면에는 당시 집권 사대부들의 허위와 무능을 폭로하고 비판한 것이라 하겠으며, 이완은 그것을 겨냥한 표적에 불과하다.

① 작가는 이완을 내세워 당시 사회의 병리적 사회 구조 전체를 비판하고 싶은 것이군.
② 작가가 자기 시대를 비판하기 위한 소재로 사용하기 위해 〈허생전〉에서 북벌론을 문제 삼고 있군.
③ 허생이 시사 삼책을 제안하는 것은 당시 명분을 우선시하는 사대부의 허위와 무능을 비판하는 것이군.
④ 효종조(孝宗朝)의 신신(信臣)인 이완을 등장시킨 것은 역사적 실체로서 비판하고 싶은 인물이라 그렇군.
⑤ '훈척과 권귀들의 집을 몰수하여' 명나라 자손들에게 주기를 제안하는 것은 집권 사대부의 허위를 비판하려는 의도로 볼 수 있군.

**[01~11] 다음 글을 읽고 물음에 답하시오.**

**(가)** 그때 전라도 변산반도에는 도적 떼 수천이 우글거리고 있었다. 그 지방의 고을과 군에서 군졸을 풀어서 체포하려고 했으나 잡을 수가 없었다. 도적 떼도 감히 나돌아 다니며 노략질을 함부로 할 수가 없어서 바야흐로 굶주림에 허덕였다. 허생이 도적의 소굴로 들어가서 괴수를 달랬다.

"천 명이 천 금을 털어서 나누면 한 사람 앞으로 얼마의 돈이 돌아가는가?"

"한 사람에 한 냥씩 돌아가지요."

"자네들에게 아내가 있는가?"

"없답니다."

"가진 밭뙈기라도 있는가?"

도적들이 코웃음을 쳤다.

"아니, 밭 있고 아내가 있다면 무엇 때문에 괴롭게 도적이 된단 말이오?"

"자네들이 그렇게 잘 안다면 어째서 장가를 들어 살림을 장만하고, 소를 사서 밭을 갈 생각은 하지 않는 겐가? 그리되면 살아서 도적놈이란 이름도 없을 것이고, 집에 살면서 부부의 즐거움도 있을 것이며, 나돌아 다녀도 관에 붙잡힐 염려가 없을 것이고, 길이길이 의식이 풍요함을 누릴 수 있지 않겠는가?"

"어찌 그런 생활을 원하지 않겠소이까? 다만 돈이 없어서 못하고 있을 뿐이죠."

허생이 웃으며 말했다.

"자네들이 명색이 도적질을 하는 도둑놈이련만 어찌 돈 없다는 걱정을 다 하누? 내가 자네들을 위해 돈을 마련해 줄 것이네. 내일 바닷가를 바라보게나. 바람에 붉은 깃발이 펄럭이는 배가 모두 돈을 실은 배일 터이니, 어디 자네들 마음껏 한번 가져가 보게."

허생이 도적들과 약조를 하고 떠나자, 도적들이 모두 '미친놈'이라고 비웃었다.

다음 날이 되어 바닷가에 허생이 돈 삼십만 냥을 싣고 나타나자, 모두들 크게 놀라 허생에게 줄을 지어 절을 하였다.

"오직 장군의 명령대로 따르겠소이다."

"있는 힘대로 지고 가게나."

그리하여 도적들이 돈을 짊어졌으나, 사람마다 고작 백 금을 넘지 못했다.

허생이 "너희들 힘이란 게 고작 백 금을 들기에도 부족하거늘, 어찌 도적질이라도 변변히 할 수 있겠는가? 지금 너희들은 비록 평민이 되려고 해도 이름이 이미 도적의 명부에 올라 있으니 어디 갈 곳도 없을 것이다. 내가 여기서 너희들을 기다릴 터이니, 각자 백 금씩 가지고 가서 아내 한 사람과 소 한 마리씩 장만해 오너라."하자, 군도들이 모두 좋다고 승낙하며 흩어졌다.

그동안 허생은 이천 명이 한 해 동안 먹을 양식을 장만하여 그들을 기다렸다. 도적들이 기한된 날짜에 모두 도착해 뒤에 쳐진 사람이 하나도 없었다. 드디어 모두 배에 싣고, 빈 섬으로 들어갔다. 허생이 도적을 모두 쓸어 가자 나라 안에는 도적 걱정이 없어졌다.

한편 섬으로 들어간 허생과 도적들은 나무를 찍어서 집을 짓고, 대나무를 엮어서 울타리를 만들었다. 땅기운이 온전하다 보니 온갖 곡식이 심은 대로 크고 무성하게 자라고, 김을 매고 쟁기질을 하지 않아도 한 줄기에 아홉 이삭이 달렸다. 삼 년 먹을 식량을 비축해 두고 나머지는 모두 배에 싣고 장기도로 가서 팔았다. 장기도는 일본에 속한 고을로, 삼십일만 호가 되는 큰 지방인데 바야흐로 큰 기근이 들어 있었다. 그리하여 굶주린 사람들을 진휼하고 은 백만 냥을 얻게 되었다.

허생이 탄식하면서,

"이제야 나의 자그마한 시험을 마치게 되었구나."

하고는 남녀 이천 명을 모두 모아 놓고 명을 내렸다.

"내가 처음 너희들과 이 섬에 들어올 때의 계획으로는 먼저 너희들을 풍부하게 만들어 놓은 다음에 따로 문자를 만들고, 의관제도를 새로이 제정하려고 하였느니라. 그런데 여기 땅이 좁고 내 덕이 얇으니, 나는 이제 여기를 떠나련다. 아이들이 태어나 숟가락을 잡게 되면 오른손으로 잡도록 가르치고, 하루라도 나이가 많은 사람이 먼저 먹도록 양보하게 하라."

그러고는 다른 배를 모두 불살라 버리고,

"나가는 사람이 없으면 들어오는 사람도 없을 테지."

하고 은자 오십만 냥을 바닷속에 던지며,

"바다가 마르면 얻는 사람이 생기겠지. 백만 냥이나 되는 돈은 나라 안에서는 놓아둘 곳이 없거늘, 하물며 이 작은 섬에서야."

했다.

글을 아는 사람은 모두 배에 실어서 함께 섬을 빠져나오며,

"이 섬에 ㉠화근을 없애려 함이네."

라고 하였다.


**(나)** 어느 날 변 씨가 조용한 틈을 타서 어떻게 오 년 만에 백만 금을 벌어들였는지 물어보았다. 허생이 대답하였다.

"그것이야 아주 알기 쉬운 일이오. 조선이란 나라는 배가 외국으로 통하지 못하고, 수레가 나라 안을 다니질 못하기 때문에, 모든 물품이 이 안에서 생산되고 이 안에서 소비됩니다.

대저 천 금이란 돈은 작은 돈이므로 물건을 모두 사들일 수가 없지만, 그러나 이를 열로 쪼개면 백 금이 열 개가 되어서 열 가지 물건이야 충분히 살 수가 있겠지요. 물건의 단위가 가벼우면 굴리기 쉽기 때문에 설령 한 가지 물건이 밑진다 하더라도 나머지 아홉 개의 물건으로 재미를 볼 수 있답니다. 이런 장사 방법은 정상적으로 이익을 취하는 방법이고, 작은 장사꾼이나 하는 수단이지요.

그러나 만 금이란 돈은 물건을 모조리 사재기할 수 있으니, 수레에 있는 것은 수레 전부를, 배에 있는 것은 배 전부를, 한 고을에 있는 것은 고을 전부를 마치 촘촘한 그물로 모두 훑어 내는 것처럼 싹쓸이할 수 있지요. 뭍에서 생산되는 만 가지 물건 중에서 한 가지를 몰래 사재기하고, 바다의 만 가지 어족 중에서 한 가지를 슬며시 사재기하고, 약재 만 가지 중에서 하나를 몰래 독점하면, 그 한 가지 물건이 남몰래 잠겨 있는 동안에 모든 장사치들의 물건이 말라 버리게 되지요.

이런 사재기 방법은 인민을 해치는 길이 될 것이니, 후세의 당국자들이 만약 내가 써먹었던 이런 사재기를 한다면 반드시 나라를 병들게 하고 말 것이오."

"그대는 처음에 내가 돈을 꾸어 줄 것을 어떻게 알고서 나를 찾아와서 돈을 빌리려고 했던 겁니까?"

"꼭 그대만 내게 돈을 빌려 줄 뿐 아니라 만 금을 가진 사람이라면 누구라고 모두 빌려 주었을 것이오. 내 스스로 요량해 보아도 내 재주가 백만 금이란 거금을 벌어들이기에는 부족합니다. 그러나 되고 안 되고는 하늘에 달린 것이니, 낸들 어찌 미리 알 수 있겠습니까?'그러므로 나를 능히 활용하는 사람은 복이 있는 사람일 것이고, 그 부자를 더 큰 부자로 만드는 것은 하늘이 명하는 것이지요. 그러니 돈을 빌려 주지 않을 수 있겠습니까?

만 금을 얻고 나서는 그 사람의 복에 의지해서 장사를 했기 때문에 하는 일마다 성공을 했던 겁니다. 만약 내가 내 돈을 가지고 사사로이 뭔가를 하려고 했다면 그 성패는 역시 알 수 없었겠지요."


**(다)** 이 대장이 방에 들어왔으나, 허생은 편안하게 앉아서 일어나지도 않았다.

이 대장은 몸 둘 바를 모르고 엉거주춤하다가 겨우 나라에서 어진 인재를 구하려는 뜻을 설명하였다. 허생이 손을 내저으며 말했다.

"밤은 짧은데 말이 너무 길어서 듣기에 아주 지루하구먼. 그래, 너는 지금 무슨 벼슬을 하느냐?"

"어영청 대장입니다."

"그렇다면 너는 바로 나라에서 신임 받는 신하가 아니더냐. 내가 응당 재야에 숨어 있는 와룡선생(臥龍先生)을 천거할 터이니, 네가 임금께 아뢰어 그에게 삼고초려(三顧草廬)할 수 있게 하겠는가?"

이 대장은 머리를 숙여 곰곰히 생각하더니 한참 만에 대답했다.

"어렵겠습니다. 그 다음의 것을 듣고자 합니다."

"나는'그 다음'이란 말은 아직 배우지 못했도다."

이 대장이 그래도 굳이 묻자, 허생은 말했다.

"명나라 장군과 병사들은 조선이 예전에 입은 은혜가 있다고 여겨서 그 자손들이 되놈의 나라에서 몸을 빼어 우리나라로 많이 건너왔으나, 이리저리 떠돌며 홀몸으로 외롭게 지내고 있는 이가 많다. 네가 임금께 아뢰어 종실의 여자들을 뽑아서 두루 시집을 보내고, 훈척과 권귀들의 집을 몰수하여 그들의 살림집으로 내어줄 수 있겠느냐?"

이 대장이 고개를 숙이고 한참 있다가 대답하였다.

"그것도 어렵겠습니다."

"아니 이것도 어렵다, 저것도 어렵다 한다면 대관절 무슨 일이 가능하겠느냐? 아주 쉬운 일이 있으니, 네가 능히 할 수 있겠느냐?"

"말씀해 주시기 바랍니다."

㉠ ["대저 천하의 대의를 외치려면 먼저 천하의 호걸들과 사귀어 결탁하지 않고는 되지 않는 법이고, 남의 나라를 정벌하려면 먼저 첩자를 쓰지 않으면 성공을 거둘 수 없는 법이다. 지금 만주족이 갑자기 천하의 주인이 되었으나, 아직 중국을 완전히 손아귀에 넣어 친하게 지내지 못하는 형편이니, 이때 조선이 다른 나라 보다 먼저 솔선해서 복종한다면 저들에게 신뢰를 받을 것이다. 만약 당나라, 원나라 때의 예전 일처럼 우리 자제들을 청나라에 파견하여 학교에 입학하고 벼슬도 할 수 있게 하고, 장사치들의 출입도 금하지 말도록 저들에게 간청한다면, 저들도 자기네에게 친근하고자 하는 우리를 보고 반드시 기뻐하여 이를 허락할 것이다. 이렇게 되면 나라의 자제들을 엄선하여 머리를 깎여 변발을 하게 하고 오랑캐 복장을 입히고 선비들은 빈공과에 응시하고, 일반 사람들은 멀리 강남까지 장사를 하게 만들어서 그들의 허실을 엿보고 한족의 호걸들과 결탁한다면, 천하를 도모할 수 있을 것이며 나라의 치욕도 씻을 수 있을 것이다. 만약 명나라 황족의 후손을 찾지 못하면, 천하의 제후들을 인솔해서 하늘에 임금이 될 만한 사람을 천거하여, 잘만 되면 대국의 스승이 될 것이며, 못 되어도 성씨가 다른 제후국가 중에서는 제일 큰 나라로서의 지위는 잃지 않을 것이다."]

이 대장이 낙심하고 허탈해서 말했다.

"사대부들이 모두 예법을 삼가 지키고 있거늘, 누가 기꺼이 머리를 깎고 오랑캐 옷을 입으려고 하겠습니까?"

허생이 대갈일성하며,

"도대체 사대부라는 게 뭐하는 것들이냐. 오랑캐 땅에서 태어난 주제에 자칭 사대부라고 뽐내고 앉았으니, 이렇게 어리석을 데가 있느냐? 입는 옷이란 모두 흰 옷이니 이는 상복이고, 머리는 송곳처럼 뾰족하게 묶었으니 이는 남쪽 오랑캐의 방망이 상투이거늘, 무슨 놈의 예법이란 말인가?

번오기는 원한을 갚기 위해 자신의 머리를 아끼지 않고 내주었고, 무령왕은 자기 나라를 강하게 만들기 위해 오랑캐 복장을 입는 것을 부끄럽게 여기지 않았다.

지금 명나라를 위해서 복수를 하려고 하면서도 그까짓 상투 하나를 아까워한단 말이냐. 장차 말을 달려 칼로 치고 창으로 찌르며, 활을 당기고 돌을 던져야 하는 판에 그 따위 너풀거리는 소매를 바꾸지 않고서, 그걸 자기 딴에 예법이라고 한단 말이냐?

내가 처음에 너에게 세 가지 계책을 일러 주었거늘, 도대체 너는 한 가지도 가능한 일이 없다고 하니, 그러면서도 신임을 받는 신하라고 말할 수 있겠느냐? 그래, 신임 받는 신하라는 게 고작 이런 것이냐. 이런 자는 목을 잘라야 옳을 것이니라."

하고 좌우를 둘러보며 칼을 찾아서 찌르려고 하였다. 이 대장은 깜짝 놀라서 일어나 뒷문으로 뛰쳐나가 재빠르게 달아났다.

㉡이튿날 다시 찾아갔더니 집은 이미 텅 비어 있고, 허생은 간 곳이 없었다.

― 박지원, 「허생전」 ―

**01** 다음은 위 글의 창작 배경을 정리한 것이다. 빈칸을 채우시오.

| 창작 배경 | 근거 | 내용 |
|---|---|---|
| 사회·제도적 배경 | ㉠ | 신분 질서의 동요가 보임. |
| 경제적 배경 | (다)에서 수천의 도적 떼들이 등장함. | ㉡ |
| 사상적 배경 | (다)에서 청나라의 문물을 받아들여야 한다는 주장이 보임. | 실학사상과 북학론이 대두됨. |

**02** 〈보기〉는 위 글의 등장인물 중 하나인 변 씨와 허생이 만나는 장면이다. 두 사람의 공통된 성격을 적되, 근거를 들어 서술하시오.

┤ 보기 ├

"한양에서 누가 가장 부자입니까?"

변 씨라고 말해 주는 사람이 있어서, 허생은 드디어 그 집을 찾아갔다. 허생은 변 씨를 만나 길게 읍을 하고는, "내가 집이 가난하여 조그마한 것을 시험해 보려는 것이 있으니, 그대에게 돈 만 금을 빌릴까 하오." 하니 변 씨는 "그러시오." 하고는 그 자리에서 만 금을 내주었다. 허생은 끝내 고맙다는 인사도 하지 않고 나가 버렸다.

**03** ㉮에서 허생이 당대 사회의 문제를 개선하기 위해 제시한 계책을 쓰고, 이를 통해 비판하고자 한 점을 서술하시오.

**04** 〈보기〉의 밑줄 친 부분에 해당하는 부분을 (나)에서 찾아 〈조건〉에 맞게 쓰시오.

┤ 보기 ├

허생의 사재기는 돈 그 자체가 목적이 아니라 사재기를 스스로 시범함으로 당시 조선 사회의 유통구조의 취약성을 폭로하고 위정자들의 이용후생에 대한 정책 부재를 비판한 것이다.

┤ 조건 ├

• (나)에서 한 문장을 찾아 그대로 찾아 쓸 것.

**05** (1)㉠의 원관념을 <u>3어절</u>로 쓰고, (2)㉠로 표현한 이유를 〈조건〉에 맞게 서술하시오

┤ 조건 ├
• 대상을 조선 사회에서 찾아 쓰고, 허생의 비판적인 생각이 드러나도록 한 문장으로 쓸 것.

**06** 제시된 〈사건〉을 근거로 하여 소설에 나타난 당대 사회상을 정리하는 표의 빈칸을 채우시오.

┤ 사건 ├
'허생'이 '이완 대장'에게 나라의 정책에 관한 세 가지 제안을 하였으나 모두 거절당함.

┤ 당대의 사회상 ├
• 인재 등용이 제대로 이루어지지 않았음.
• 지배계층이 북벌론을 주장했지만, _____.

**07** ㉡이 〈보기〉를 고쳐 쓴 것이라 가정할 때, ㉡과 같이 쓴 작가의 의도에 대해 〈조건〉에 맞게 서술하시오.

┤ 보기 ├
**【'허생전'의 원래 결말】**
　그 후 허생은 전과 다름없이 책을 읽으며 변 씨가 챙겨주는 식량과 의복으로 남은 생을 다른 평범한 이들과 다를 바 없이 지내다가 늙어 죽었다.

┤ 조건 ├
'허생'의 성격과 관련하여 서술하시오.

**08** 다음은 허생과 기자의 가상 대화이다. ⓐ와 ⓑ에 들어갈 말을 〈조건〉에 맞게 서술하시오.

> **기자** : 선비님 안녕하세요. 시공간을 초월하여 이렇게 대화를 나누게 된 것을 기쁘게 생각합니다. 선비님은 변 부자에게서 만 냥을 빌린 후 사재기를 통해서 많은 이익을 얻으셨는데 현대 사회 속에서도 사재기는 불법으로 규정하고 있습니다. 이 점에 대해서 어떻게 생각하십니까?
>
> **허생** : 맞습니다. 사재기는 인민을 해치는 길이고 당국자들이 만약 사재기를 한다면 반드시 나라를 병들게 할 것입니다.
>
> **기자** : 그렇군요. 그런데 사재기 품목 중에서 굳이 과일과 말총을 선택하셨는데 어떤 특별한 이유가 있습니까?
>
> **허생** : 네. 사재기를 위해서는 나름대로 이 품목이 가장 적절했다고 봅니다. 이 품목을 선택한 것은, 우선 이 품목이 양반들의 경우에는 (     ⓐ     )는/은 것이고, 서민들의 경우에는 (     ⓑ     )는/은 것이 고려된 것입니다.
>
> **기자** : 그렇군요. 결국 ⓐ를 통해 양반들을 비판한 것이고, ⓑ를 통해 서민들을 나름대로 배려한 것이라고 볼 수 있겠네요.

┤ 조건 ├
- ⓐ와 ⓑ 각각 '~때문에 ~있다(없다)'의 형태로 진술할 것.
- 원인과 결과의 형태로 진술할 것.

**09** 〈보기〉는 '허생'의 '재물'에 대한 생각을 짐작할 수 있는 구절들이다. 윗글과 〈보기〉를 바탕으로 '허생'의 '재물'에 대한 이중적인 생각을 〈조건〉에 맞게 서술하시오.

┤ 보기 ├
- 먼저 너희들을 풍부하게 만들어 놓은 다음에 ~
- 허생은 나라 안을 두루 돌아다니며 가난하고 의할 곳이 없는 사람들을 구제하였다.
- 당신은 어째서 나를 장사꾼으로 취급하려는 게요?
- 그대는 어째서 내게 재앙을 안겨 주려는 것이오?

┤ 조건 ├
- 재물의 쓰임에 따른 '긍정적'인 측면과 '부정적'인 측면을 대비하여 서술할 것.

**10** 〈보기1〉의 작가가 윗글을 읽고 조선 시대의 경제 문제에 대해 〈보기2〉와 같이 정리한다고 할 때 〈보기2〉의 ( ⓐ )에 들어갈 알맞은 말을 〈보기1〉에서 찾아 한 단어로 쓰시오.

┤ 보기 1 ├

　　사람들은 쌀밥을 먹고 비단옷을 입고 있으면 그 나머지 물건은 모두 쓸모없는 줄 안다. 그러나 무용지물을 사용하여 유용한 물건을 유통하고 거래하지 않는다면, 이른바 유용하다는 물건은 거의 대부분이 한곳에 묶여서 유통되지 않거나 그것만이 홀로 돌아다니다 쉽게 고갈될 것이다.

　　따라서 옛날의 성인과 제왕께서는 이를 위하여 주옥(珠玉)과 화폐 등의 물건을 조성하여 가벼운 물건으로 무거운 물건을 교환할 수 있도록 하셨고, 무용한 물건으로 유용한 물건을 살 수 있도록 하셨다. 게다가 다시 배와 수레를 만드셔서 험한 지역까지도 물건을 유통하게 하셨는데, 그렇게 하고도 천리만 리 먼 곳에 혹시 물건이 이르지 못할까 봐 염려하셨다. 민생을 위하여 폭넓게 노력하신 그분들의 정성이 이런 정도였다.

　　지금 총각이 있는 종로 네거리에는 시장 점포가 연이어 있다고 하지만 그것은 채 1리도 안 된다. 중국에서 내가 지나갔던 시골 마을은 거의 몇 리에 걸쳐 점포로 뒤덮여 있었다. 그곳으로 운반되는 물건의 양이 우리나라 곳곳에서 유통되는 것보다 많았는데, 이는 그곳 가게가 우리나라보다 더 부유해서 그러한 것이 아니고 재물이 유통되느냐 유통되지 못하느냐에 따른 결과인 것이다.

－ 박제가, 「시장과 우물」 －

┤ 보기 2 ├

조선 사회는 ( ⓐ )이/가 제대로 이루어지지 않아 경제 구조가 취약한 것이다.

**11** 〈보기〉는 최시한의 '허생전을 배우는 시간'의 일부이다. 윗글에 나타난 허생의 이중적 재물관에 대해 [B]에 '허생은~'으로 시작하는 적절한 문장을 써 넣으시오. ('수단'과 '목적' 두 단어를 활용할 것.)

┤ 보기 ├

　　"자, 먼저 허생전에 나와 있는 사실들을 근거 삼으면서, 허생이 어떤 사람인가를 나름대로 얘기해 봐요."
　　"배짱이 두두욱한 사람 같습니다."
　　누군가 걸찍하게 말하자 아이들이 와아 웃었다. 〈중략〉
　　"돈과 재물을 하찮게 여깁니다."
　　"아닙니다. 허생은 돈을 굉장히 중요시하는데요?" 아이들이 웅성거렸다. "또 돈이 문제군요. 아무래도 여러분이 돈에 관해 너무 관심이 많거나, 좀 잘못된 생각을 가지고 있는 듯합니다. 지난 시간에 그 문제는 다소 정리되지 않았나요? 그 문제 하고 씨름했던 동철이가 해결해 보는 게 어떨까?" / "네." 동철이가 일어서려다 도로 앉았다. "허생은 돈을 벌어 가난한 백성들을 위해 썼는데, 거기에는 무능하고 허례허식에 빠진 벼슬아치들과 양반계층을 비판하는 뜻이 담겨 있습니다. 그러니까 허생은, 돈을 중요시했다기보다……."
　　"[B]＿＿＿＿＿＿＿＿＿＿＿＿＿＿＿＿＿＿＿＿＿＿＿" 선생님은 고쳐서 마저 말씀하셨다.

[01~08] 다음 글을 읽고, 물음에 답하시오.

**(가)** 가시리 가시리잇고 ㉠나ᄂᆞᆫ
　　　ᄇᆞ리고 가시리잇고 나ᄂᆞᆫ
　　　위 증즐가 大平聖代(대평셩ᄃᆡ)

　　　날러는 엇디 살라 ᄒᆞ고
　　　ᄇᆞ리고 가시리잇고 나ᄂᆞᆫ
　　　위 증즐가 大平聖代(대평셩ᄃᆡ)

　　　잡ᄉᆞ와 두어리마ᄂᆞᄂᆞᆫ
　　　㉡선ᄒᆞ면 아니 올셰라.
　　　위 증즐가 大平聖代(대평셩ᄃᆡ)

　　　㉢셜온 님 보내ᄋᆞᆸ노니 나ᄂᆞᆫ
　　　가시ᄂᆞᆫ 듯 도셔 오쇼셔 나ᄂᆞᆫ
　　　위 증즐가 大平聖代(대평셩ᄃᆡ)

　　　　　　　　　　　　　　　　－ 작자 미상, 「가시리」 －


**(나)** 나 보기가 역겨워
　　　가실 때에는
　　　말없이 고이 보내 드리우리다.

　　　영변(寧邊)에 약산(藥山)
　　　ⓐ진달래꽃,
　　　아름 따다 가실 길에 뿌리우리다.

　　　가시는 걸음 걸음
　　　놓인 그 꽃을
　　　사뿐히 즈려밟고 가시옵소서.

　　　나 보기가 역겨워
　　　가실 때에는
　　　㉭죽어도 아니 눈물 흘리우리다.

　　　　　　　　　　　　　　　　－ 김소월, 「진달래꽃」 －


**(다)** 이화(梨花)에 월백(月魄)하고 은한(銀漢)이 삼경(三更)인 제
　　　㉣일지춘심(一枝春心)을 자규(子規)야 알랴마는
　　　㉤다정(多情)도 병인 양하여 잠 못 들어 하노라

　　　　　　　　　　　　　　　　－ 이조년 －


**(라)** 하늘은 날더러 구름이 되라 하고
　　　땅은 날더러 바람이 되라 하네
　　　청룡 흑룡 흩어져 비 개인 나루
　　　잡초나 일깨우는 잔바람이 되라네.

　　　　　　　　　　　　　　　　－ 신경림, 「목계 장터」에서 －

**01** (가)의 시적화자가 처한 상황이나 정서를 노래한 것으로 적절하지 <u>않은</u> 것은?

① 묏버들 갈히 것거 보내로라 님의 손딕/ 자시는 창(窓) 밧긔 심거 두고 보쇼셔/ 밤비예 새 닙곳 나거든 날인가도 너기쇼셔

– 홍랑 –

② 님 글인 상사몽(相思夢)이 실솔(蟋蟀)의 넉시 되야/ 추야장(秋夜長) 깁픈 밤에 님의 방(房)에 드럿다가/ 날 닛고 깁히 든 줌을 씨와 볼가 ㅎ노라.

– 박효관 –

③ 바람도 쉬여 넘는 고개, 구름이라도 쉬여 넘는 고개/ 산진이 수진이 해동청 바라매라도 다 쉬여 넘는 고봉 장성령 고개/ 그 너머 님이 왔다 하면 나는 아니 한 번도 쉬여 넘어가리라

– 작자 미상 –

④ 두터비 푸리를 물고 두험 우희 치ᄃ라 안자/ 것넌 산(山) 부라보니 백송골(白松骨)이 쎠잇거늘, 가슴이 금즉ㅎ여 풀덕 쎠여 내ᄃ다가 두험아래 잣바지거고,/ 모쳐라 늘낸 낼싀만졍 에헐질 번ㅎ괘라.

– 작자 미상 –

⑤ 귀쏘리 져 귀쏘리 어엿부다 져 귀쏘리 / 여인 귀쏘리 지는 돌 새는 밤의 긴 소릭 쟈른 소릭 절절(節節)이 슬픈 소릭 제 혼자 우러 녜어 紗窓(사창) 여윈 줌을 슬쓰리도 씨오는고야. / 두어라, 제 비록 미물이나 無人洞房(무인동방)에 내 뜻 알리는 너뿐인가 ㅎ노라.

– 작자 미상 –

**02** (가), (나)와 〈보기〉를 낭독하고 발표한 내용으로 적절하지 <u>않은</u> 것은?

> **┤ 보기 ├**
>
> (A) 이화(梨花)에 월백(月白)하고 은한(銀漢)이 삼경(三更)인 제
> 　　일지 춘심(一枝春心)을 자규(子規)야 알랴마는
> 　　㉠다정(多情)도 병인 양하여 잠 못 들어 하노라.
>
> – 이조년 –
>
> (B) 하늘은 날더러 구름이 되라 하고
> 　　㉡땅은 날더러 바람이 되라 하네.
> 　　청룡 흑룡 흩어져 비 개인 나루
> 　　잡초나 일깨우는 잔바람이 되라네.
>
> – 신경림, 「목계 장터」에서 –

① (가), (나)는 세 마디씩 끊어 읽기의 반복을 기본으로 하고 있어.
② (나)는 민족적인 한의 정서를 민요조의 전통적 운율과 결합하여 한국적 미의식을 이었다고 평가할 수 있어.
③ 〈보기〉의 (B)는 4음보 율격으로, 끊임없이 반복되며 광막하게 이어지는 장돌뱅이의 발걸음을 표현한다고도 볼 수 있어.
④ 〈보기〉의 ㉠은 '다정도∨병인∨양하여∨잠 못 들어∨하노라.'로 끊어 읽는데, 1~6음보까지 다양하게 나타나는 민요의 음보를 알 수 있어.
⑤ 〈보기〉의 ㉡에서 '바람이 되라'는 의미상 하나의 덩어리이긴 하지만, 시 전체의 운율을 고려하였을 때 '땅은∨날더러∨바람이∨되라 하네'처럼 끊어서 읽어야 해.

**03** (가)~(라)에 대해 이해한 내용으로 적절하지 <u>않은</u> 것은?

① (가)는 후렴구를 통해 연장체의 특징이 드러난다.

② (가)와 (나)는 이별의 정한을 공통적으로 노래하고 있다.

③ (가)는 주로 고려시대를 (다)는 주로 조선시대를 대표하는 문학의 갈래이다.

④ (나), (라)를 통해 현대시에서도 음보율이 계승되고 있음을 알 수 있다.

⑤ (다)와 (라)는 자연 속에서 살아가고자 하는 삶의 가치관을 드러내고 있다.

**04** (나)의 ⓐ와 〈보기〉의 ⓑ를 이해한 내용으로 가장 적절한 것은?

┤ 보기 ├
ⓑ묏버들 갈히 것거 보내노라 님에게
자시는 창(窓) 밧긔 심거 두고 보쇼셔
밤비예 새 닙곳 나거든 날인가도 너기쇼셔

– 홍랑 –

① ⓐ와 ⓑ 모두 화자의 소망이 내포되어 있다.

② ⓐ와 ⓑ 모두 상황에 대한 긍정적 인식이 나타나 있다.

③ ⓐ와 ⓑ 모두 화자와 대상 상호간의 그리움이 드러난다.

④ ⓐ와 달리 ⓑ는 화자를 대신하는 분신을 의미한다.

⑤ ⓑ와 달리 ⓐ는 화자의 사랑을 전하는 매개체이다.

**05** Ⓐ와 같은 표현 기법이 쓰이지 <u>않는</u> 것은?

① 배앓이를 하던 날 잡작 엎드렸던/ 아랫목이 차디찬 물살에 갇힌다 해도/ 나는 나는 서럽지 않아

– 진이현, 「수몰민」 –

② 얇은 사(紗) 하이얀 고깔은/ 고이 접어서 나빌레라/ 파르라니 깎은 머리/ 박사(薄紗) 고깔에 감추오고/ 두 볼에 흐르는 빛이 정작으로 고와서 서러워라.

– 조지훈, 「승무」 –

③ 해마다 첫눈으로 내리고/ 새벽보다 깊은 새벽 섬 기슭에 앉아/ 오늘도 그대를 사랑하는 일보다/ 기다리는 일이 더 행복하였습니다.

– 정호승, 「또 기다리는 편지」 –

④ 먼 후일 당신이 찾으시면/ 그때에 내 말이 '잊었노라'
당신이 속으로 나무라면/ '무척 그리다가 잊었노라'
그대로 당신이 나무라면/ '믿기지 않아서 잊었노라'

– 김소월, 「먼 후일」 –

⑤ 내 그대를 생각함은 항상 그대가 앉아 있는 배경에서 해가 지고 바람이 부는 것처럼 사소한 일일 것이나 언젠가 그대가 한없이 괴로움 속을 헤매일 때에 오랫동안 전해 오던 그 사소함으로 그대를 불러 보리라

– 황동규, 「즐거운 편지」 –

**06** ○~◎에 대한 이해로 가장 적절한 것은?

① ○ : '나는'의 뜻으로 화자를 표면에 드러내어 표현하고 있다.
② ○ : '섭섭하면 아니올까 두려워'의 뜻으로 떠나는 님의 심정을 드러내고 있다.
③ ○ : '셜온'의 주체에 따라 '이별을 서러워하는 임' 혹은 '서럽게 하는 임'으로 해석이 가능하다.
④ ○ ; '자규'가 봄밤에 느끼는 정서를 집약하여 드러내고 있다.
⑤ ○ : 영탄을 통해 이별의 정한을 드러내고 있다.

**07** (가), (나)를 이해한 내용으로 적절하지 <u>않은</u> 것은?

① (가)와 달리 (나)는 화자의 속마음을 진솔하게 드러내고 있다.
② (나)와 달리 (가)는 의미 없는 여음을 사용하여 흥을 돋우고 있다.
③ (가)의 경우 1연에서 2연으로 이어지면서 원망의 정서는 고조되고 있다.
④ (나)의 경우 구체적 지명을 사용하여 향토성을 드러내고 있다.
⑤ (가)와 (나) 모두 3음보 율격이다.

**08** 〈(나)의 1연~4연에 대해 이해한 내용으로 적절하지 <u>않은</u> 것은?

① 1연 '말없이', '고이'를 사용하여 상황을 수용하는 태도를 드러내고 있다.
② 2연 '아름 따다'를 사용하여 화자의 사랑을 구체화하여 표현하고 있다.
③ 3연 '사뿐히'와 '즈려 밟고'를 사용하여 이별로 인한 상처를 역설적으로 강조하여 드러내고 있다.
④ 4연의 '아니'를 사용하여 고통을 참아내는 화자의 의지를 강조하고 있다.
⑤ 1연과 4연에 유사한 문장 구조를 반복함으로써 이별로 인한 화자의 체념적 태도를 강화하고 있다.

**[09~10] 다음 글을 읽고, 물음에 답하시오.**

뎨 가는 뎌 각시 본 듯도 흐뎌이고
ⓐ텬샹(天上) 빅옥경(白玉京)을 엇디흐야 니별(離別)흐고
힛 다 뎌 져믄 날의 눌을 보라 가시는고
어와 네여이고 이내 스셜 드러 보오
내 얼굴 이 거동이 님 괴얌즉 흔가마는
엇딘디 날 보시고 네로다 녀기실시
나도 님을 미더 군쁘디 전혀 업서

이리야 교틱야 어즈러이 ᄒᆞ돗썬디
반기시는 ᄂᆞᆺ비치 녜와 엇디 다ᄅᆞ신고
누어 싱각ᄒᆞ고 니러 안자 혜여ᄒᆞ니
ⓑ내 몸의 지은 죄 뫼ᄀᆞ티 빠혀시니
하ᄂᆞᆯ히라 원망ᄒᆞ며 사ᄅᆞᆷ이라 허믈ᄒᆞ랴
셜워 플텨혜니 조믈(造物)의 타시로다
글란 싱각 마오 미친 일이 이셔이다
님을 뫼셔 이셔 님의 일을 내 알거니
믈 ᄀᆞ튼 얼굴이 편ᄒᆞ실 적 몃 날일고
츈한고열(春寒苦熱)은 엇디ᄒᆞ야 디내시며
츄일동텬(秋日冬天)은 뉘라셔 뫼셧ᄂᆞᆫ고
죽조반(粥早飯) 죠셕(朝夕) 뫼 녜와 ᄀᆞᆺ티 셰시ᄂᆞᆫ가
기나긴 밤의 줌은 엇디 자시ᄂᆞᆫ고
ⓒ님 다히 쇼식(消息)을 아므려나 아쟈 ᄒᆞ니
오늘도 거의로다 ᄂᆡ일이나 사ᄅᆞᆷ 올가
내 ᄆᆞᄋᆞᆷ 둘 ᄃᆡ 업다 어드러로 가쟛 말고
잡거니 밀거니 놉픈 뫼히 올라가니
구롬은 ᄏᆞ니와 안개ᄂᆞᆫ 므스 일고
산쳔(山川)이 어둡거니 일월(日月)을 엇디 보며
지쳑(咫尺)을 모ᄅᆞ거든 쳔 리(千里)ᄅᆞᆯ ᄇᆞ라보랴
ⓓ출하리 믈ᄀᆞ의 가 ᄇᆡ길히나 보랴 ᄒᆞ니
ᄇᆞ람이야 믈결이야 어둥졍 된뎌이고
샤공은 어ᄃᆡ 가고 븬 ᄇᆡ만 걸렷ᄂᆞᆫ고
강텬(江天)의 혼자 셔셔 디ᄂᆞᆫ 히ᄅᆞᆯ 구버보니
님 다히 쇼식(消息)이 더옥 아득ᄒᆞ뎌이고
모쳠(茅簷) 춘 자리의 밤듕만 도라오니
반벽쳥등(半壁靑燈)은 눌 위ᄒᆞ야 볼갓ᄂᆞᆫ고
오ᄅᆞ며 ᄂᆞ리며 헤쓰며 바자니니
져근덧 녁진(力盡)ᄒᆞ야 픗줌을 잠간 드니
졍셩(精誠)이 지극ᄒᆞ야 꿈의 님을 보니
옥(玉) ᄀᆞ튼 얼굴이 반(半)이 나마 늘거셰라
ⓔᄆᆞᄋᆞᆷ의 머근 말ᄉᆞᆷ 슬ᄏᆞ장 ᅀᆞ로쟈 ᄒᆞ니
눈믈이 바라 나니 말ᄉᆞᆷ인들 어이 ᄒᆞ며
졍(情)을 못다 ᄒᆞ야 목이조차 몌여 ᄒᆞ니
오뎐된 계셩(鷄聲)의 줌은 엇디 ᄭᆡ돗던고
어와 허ᄉᆞ(虛事)로다 이 님이 어ᄃᆡ 간고
결의 니러 안자 창(窓)을 열고 ᄇᆞ라보니
어엿븐 그림재 날 조출 ᄲᅮᆫ이로다
출하리 싀여디여 낙월(落月)이나 되야이셔
님 겨신 창(窓) 안히 번드시 비최리라
각시님 ᄃᆞᆯ이야 ᄏᆞ니와 구준비나 되쇼셔

– 정철, 「속미인곡」 –

**09** 윗글의 ⓐ~ⓔ에 대한 이해로 적절하지 않은 것은?

① ⓐ : 임이 계시는 공간을 천상계로 나타내고 있으며, 화자의 쓸쓸한 처지를 강조하는 시간적 배경을 제시하고 있다.

② ⓑ : 임과 이별한 이유가 자신의 잘못 때문임을 강조하고 있으며, 임과의 이별을 운명적인 것으로 인식하는 태도를 드러내고 있다.

③ ⓒ : 임을 그리워하며 지내는 처지에 대한 화자의 탄식이 드러나고 있으며, 임의 소식을 기다리는 간절한 태도를 드러내고 있다.

④ ⓓ : 임의 소식을 알 수 없게 되어 허탈해 하는 화자의 모습을 제시하고 있으며, 정경을 통해 화자의 쓸쓸한 심정을 부각하고 있다.

⑤ ⓔ : 꿈과 현실의 상황을 대비하여 임을 만나고 싶은 마음을 강조하고 있으며, 자연물에 의탁하여 화자의 절망적인 심정을 나타내고 있다.

**10** 윗글과 〈보기〉의 공통점으로 적절하지 않은 것은?

┤ 보기 ├

이보소 저 각시님 설운 말씀 그만 하오.
말씀을 들어하니 설운 줄을 다 모르겠네.
인연인들 한가지며 이별인들 같을손가
광한전 백옥경의 님을 뫼셔 즐기더니
이별을 하였거니 재앙인들 없을손가
해 다 저문 날에 가는 것을 설워 마소
어떻다 이내 몸이 견줄 데 전혀 없네
광한전 어디메오 백옥경 내 알던가
원앙침 비취금에 뫼셔본 적 전혀 없네
내 얼굴 이 거동이 무얼로 님 사랑할고
길쌈을 모르거니 가무야 더 이를가
엇언지 님 향한 한 조각 이 마음을
하늘이 삼기시고 성현이 가르치셔
　　　　　　〈중략〉
님을 뫼셔 그러한 각시님 같았던들
설음이 이러하며 생각인들 이러한가
차생이 이렇거든 후생을 어이 알고
차라리 싀어져 구름이나 되어 이셔
상광 오색이 님 계신 데 덮었으면
그도 마다하면 바람이나 되어 이셔
한여름 청음(晴陰)의 님 계신 데 불고지고

– 김춘택, 「별사미인곡」 –

* 청음 : 시원한 그늘

① 임이 계신 곳을 천상계로 설정하고 있다.
② 두 여인이 이야기하는 형식을 사용하고 있다.
③ 중심 화자는 임을 모시고 지내던 시절로 돌아가고 싶어 한다.
④ 중심 화자는 임을 그리워하는 여인으로 설정되어 있다.
⑤ 중심 화자는 죽어서도 임을 따르고자 하는 의지를 드러내고 있다.

[11~17] 다음 글을 읽고, 물음에 답하시오.

(가) 허생은 독서를 좋아하고, 그 아내가 삯바느질을 하여 겨우 입에 풀칠을 하고 살았다.

하루는 아내가 배가 몹시 고파서 눈물을 흘리며,

"임자는 평생 과거에 응시하지도 않으면서 책을 읽어서 무엇 하려고 그러시오?"

하니 허생이 웃으며 말했다.

"내가 책을 읽는 것이 아직 미숙해서 그렇다오."

"그렇다면 장인바치 일이라도 하지 그러시오?"

"장인바치 일은 본래 배우지 못했으니, 어찌하란 말인가?"

"그럼 장사가 있잖습니까?"

"장사야 본시 밑천이 드는 법인데, 어찌하란 말인가?"

그 아내가 왈칵 화를 내고 버럭 소리를 질렀다.

"㉠밤낮으로 책을 읽더니 고작 배운 게 '어찌하란 말인가'라는 말뿐이오? 장인바치 일도 못 한다, 장사도 못 한다면, 어째서 도적질은 못 하는 게요?"

허생이 읽던 책을 덮고는 일어서면서,

"애석하도다. 내 본래 책 읽기를 십 년을 기약했더니, 이제 칠 년 만에 그만 접어야 하다니."

하고 문을 나서서 가 버렸다.

(나) 한편, 만 금을 빌린 허생은 다시 집으로 돌아가지 않고, 그 길로 바로 경기도 안성으로 내려가 거기에 머물며 거처를 마련하였다. 안성 지방이 경기도와 충청도의 경계이고, 삼남 지방의 길목이 된다고 생각했기 때문이다. 거기서 대추, 밤, 감, 배, 석류, 유자 등의 과일들을 모두 시세의 곱절 가격으로 모조리 사들였다.

허생이 과일을 사재기하는 바람에 나라 안에서는 연회나 제사를 지낼 수 없었다. 얼마 지나자 허생에게 곱절의 가격으로 팔았던 장사치들이 도리어 열 배의 가격으로 되사 가게 되었다. 허생이 한숨을 쉬며 탄식하였다.

㉡"겨우 만 금으로 한 나라를 휘청하게 만들었으니, 나라의 경제 규모를 짐작할 만하다."

허생은 다시 칼, 호미, 베, 명주, 솜을 사 가지고 제주도로 들어가서 그곳의 말총을 다 거두어들였다.

"몇 해가 지나면 나라 사람들이 머리를 싸매지 못할 것이다."

과연 얼마 있다가 망건값이 열 배로 치솟았다.

(다) 한편 ⓐ섬으로 들어간 허생과 도적들은 나무를 찍어서 집을 짓고, 대나무를 엮어서 울타리를 만들었다. 땅 기운이 온전하다 보니 온갖 곡식이 심은 대로 크고 무성하게 자라고, 김을 매고 쟁기질을 하지 않아도 한 줄기에 아홉 이삭이 달렸다. ⓐ삼 년 먹을 식량을 비축해 두고 나머지는 모두 배에 싣고 장기도로 가서 팔았다. 장기도는 일본에 속한 고을로, 삼십일만 호가 되는 큰 지방인데 바야흐로 큰 기근이 들어 있었다. 그리하여 굶주린 사람들을 진휼하고 은 백만 냥을 얻게 되었다.

허생이 탄식하면서,

"이제야 나의 자그마한 시험을 마치게 되었구나."

하고는 남녀 이천 명을 모두 모아 놓고 명을 내렸다.

"내가 처음 너희들과 이 섬에 들어올 때의 계획으로는 먼저 너희들을 풍부하게 만들어 놓은 다음에 따로 문자를 만들고, 의관제도를 새로이 제정하려고 하였느니라. 그런데 여기 땅이 좁고 내 덕이 얇으니, 나는 이제 여기를 떠나련다. 아이들이 태어나 숟가락을 잡게 되면 오른손으로 잡도록 가르치고, 하루라도 나이가 많은 사람이 먼저 먹도록 양보하게 하라."

그리고는 다른 배를 모두 불살라 버리고,

"나가는 사람이 없으면 들어오는 사람도 없을 테지."

하고 은자 오십만 냥을 바닷속에 던지며,

"바다가 마르면 얻는 사람이 생기겠지. Ⓑ백만 냥이나 되는 돈은 나라 안에서는 놓아둘 곳이 없거늘, 하물며 이 작은 섬에서야." 했다.

글을 아는 사람은 모두 배에 실어서 함께 섬을 빠져나오며,

"이 섬에 화근을 없애려 함이네." 라고 하였다.

**(라)** 허생이 웃으며 말했다.

"재물을 가지고 얼굴이 번드르르해지는 일이야, 당신 같은 장사치들의 일일 뿐이오. 만 금이란 돈이 어찌 사람의 도(道)를 살찌우기야 하겠소?"

이에 은 십만 냥을 변 씨에게 주며,

"내가 순간의 굶주림을 참지 못하여 책 읽기를 마저 끝내지 못하고, 그대에게 만 금을 빌렸던 것이 부끄럽소이다."

하니 변씨는 깜짝 놀라서 일어나 절을 하고 십만 냥을 다 받을 수 없다고 사양하며, 십분의 일만 이자로 쳐서 받겠다고 하였다.

허생이 버럭 화를 내며,

ⓒ"당신은 어째서 나를 장사꾼으로 취급하려는 게요?"

하고는 옷자락을 뿌리치고는 획 가 버렸다.

이튿날 변 씨는 허생에게 받은 은자를 모두 가지고 가서 그에게 돌려주었다. 허생은 사양하였다.

"내가 부자가 되려고 했다면 백만 금을 버리고 이까짓 십만 금을 취하려고 하겠소? 내가 지금부터는 그대의 도움을 받아 가며 살아갈 터이니, 그대가 나를 자주 들여다보고 먹는 입을 따져서 양식을 보내 주고, 몸을 헤아려 옷감이나 보내 주구려. 한평생 그렇게 살아간다면 충분할 것이니, 어찌 재물로 정신을 괴롭히고 싶겠소이까?"

변 씨가 백방으로 허생을 달래 보았지만 끝내 어찌할 수가 없었다. 변 씨는 그때부터 허생의 양식과 옷가지가 떨어질 만한 때를 헤아렸다가 자신이 직접 찾아가서 가져다주었다. 그러면 허생도 흔연히 받아들였고, 만약 조금이라도 많이 가져오면 언짢아하면서,

ⓔ"그대는 어째서 내게 재앙을 안겨 주려는 것이오?"

하였다.

**(마)** 어느 날 변 씨가 조용한 틈을 타서 어떻게 오 년 만에 백만 금을 벌어들였는지 물어보았다. 허생이 대답하였다.

"그것이야 아주 알기 쉬운 일이오. 조선이란 나라는 배가 외국으로 통하지 못하고, 수레가 나라 안을 다니질 못하기 때문에, 모든 물품이 이 안에서 생산되고 이 안에서 소비됩니다.

대저 천 금이란 돈은 작은 돈이므로 물건을 모두 사들일 수가 없지만, 그러나 이를 열로 쪼개면 백 금이 열 개가 되어서 열 가지 물건이야 충분히 살 수가 있겠지요. 물건의 단위가 가벼우면 굴리기 쉽기 때문에 설령 한 가지 물건이 밑진다 하더라도 나머지 아홉 개의 물건으로 재미를 볼 수 있답니다. 이런 장사 방법은 정상적으로 이익을 취하는 방법이고, 작은 장사꾼이나 하는 수단이지요.

그러나 만 금이란 돈은 물건을 모조리 사재기할 수 있으니, 수레에 있는 것은 수레 전부를, 배에 있는 것은 배 전부를, 한 고을에 있는 것은 고을 전부를 마치 촘촘한 그물로 모두 훑어 내는 것처럼 싹쓸이할 수 있지요. 뭍에서 생산되는 만 가지 물건 중에서 한 가지를 몰래 사재기하고, 바다의 만 가지 어족 중에서 한 가지를 슬며시 사재기하고, 약재 만 가지 중에서 하나를 몰래 독점하면, 그 한 가지 물건이 남몰래 잠겨 있는 동안에 모든 장사치들의 물건이 말라 버리게 되지요.

ⓒ이런 사재기 방법은 인민을 해치는 길이 될 것이니, 후세의 당국자들이 만약 내가 써먹었던 이런 사재기를 한다면 반드시 나라를 병들게 하고 말 것이오."

ⓓ"그대는 처음에 내가 돈을 꾸어 줄 것을 어떻게 알고서 나를 찾아와서 돈을 빌리려고 했던 겁니까?"

"꼭 그대만 내게 돈을 빌려 줄 뿐 아니라 만 금을 가진 사람이라면 누구라고 모두 빌려 주었을 것이오. 내 스스로 요량해 보아도 내 재주가 백만 금이란 거금을 벌어들이기에는 부족합니다. ⓔ그러나 되고 안 되고는 하늘에 달린 것이니, 낸들 어찌 미리 알 수 있겠습니까?"그러므로 나를 능히 활용하는 사람은 복이 있는 사람일 것이고, 그 부자를 더 큰 부자로 만드는 것은 하늘이 명하는 것이지요. 그러니 돈을 빌려 주지 않을 수 있겠습니까?

만 금을 얻고 나서는 그 사람의 복에 의지해서 장사를 했기 때문에 하는 일마다 성공을 했던 겁니다. 만약 내가 내 돈을

가지고 사사로이 뭔가를 하려고 했다면 그 성패는 역시 알 수 없었겠지요."

(바) "그렇다면 너는 바로 나라에서 신임 받는 신하가 아니더냐. 내가 응당 재야에 숨어 있는 와룡선생(臥龍先生)을 천거할 터이니, 네가 임금께 아뢰어 그에게 삼고초려(三顧草廬)할 수 있게 하겠는가?"

이 대장은 머리를 숙여 골똘히 생각하더니 한참 만에 대답했다.

"어렵겠습니다. 그 다음의 것을 듣고자 합니다."

"나는 '그 다음'이란 말은 아직 배우지 못했도다."

이 대장이 그래도 굳이 묻자, 허생은 말했다.

"명나라 장군과 병사들은 조선이 예전에 입은 은혜가 있다고 여겨서 그 자손들이 되놈의 나라에서 몸을 빼어 우리나라로 많이 건너왔으나, 이리저리 떠돌며 홀몸으로 외롭게 지내고 있는 이가 많다. 네가 임금께 아뢰어 종실의 여자들을 뽑아서 두루 시집을 보내고, 훈척과 권귀들의 집을 몰수하여 그들의 살림집으로 내어줄 수 있겠느냐?"

이 대장이 고개를 숙이고 한참 있다가 대답하였다.

"그것도 어렵겠습니다."

"아니 이것도 어렵다, 저것도 어렵다 한다면 대관절 무슨 일이 가능하겠느냐? 아주 쉬운 일이 있으니, 네가 능히 할 수 있겠느냐?"

"말씀해 주시기 바랍니다."

"대저 천하의 대의를 외치려면 먼저 천하의 호걸들과 사귀어 결탁하지 않고는 되지 않는 법이고, 남의 나라를 정벌하려면 먼저 첩자를 쓰지 않으면 성공을 거둘 수 없는 법이다. 지금 만주족이 갑자기 천하의 주인이 되었으나, 아직 중국을 완전히 손아귀에 넣어 친하게 지내지 못하는 형편이니, 이때 조선이 다른 나라 보다 먼저 솔선해서 복종한다면 저들에게 신뢰를 받을 것이다. 만약 당나라, 원나라 때의 예전 일처럼 우리 자제들을 청나라에 파견하여 학교에 입학하고 벼슬도 할 수 있게 하고, 장사치들의 출입도 금하지 말도록 저들에게 간청한다면, 저들도 자기네에게 친근하고자 하는 우리를 보고 반드시 기뻐하여 이를 허락할 것이다.

이렇게 되면 나라의 자제들을 엄선하여 머리를 깎여 변발을 하게하고 오랑캐 복장을 입히고 선비들은 빈공과에 응시하고, 일반 사람들은 멀리 강남까지 장사를 하게 만들어서 그들의 허실을 엿보고 한족의 호걸들과 결탁한다면, 천하를 도모할 수 있을 것이며 나라의 치욕도 씻을 수 있을 것이다. 만약 명나라 황족의 후손을 찾지 못하면, 천하의 제후들을 인솔해서 하늘에 임금이 될 만한 사람을 천거하여, 잘만 되면 대국의 스승이 될 것이며, 못 되어도 성씨가 다른 제후국가 중에서는 제일 큰 나라로서의 지위는 잃지 않을 것이다."

이 대장이 낙심하고 허탈해서 말했다.

"사대부들이 모두 예법을 삼가 지키고 있거늘, 누가 기꺼이 머리를 깎고 오랑캐 옷을 입으려고 하겠습니까?"

허생이 대갈일성 하며,

[A]
"도대체 사대부라는 게 뭐하는 것들이냐. 오랑캐 땅에서 태어난 주제에 자칭 사대부라고 뽐내고 앉았으니, 이렇게 어리석을 데가 있느냐? 입는 옷이란 모두 흰 옷이니 이는 상복이고, 머리는 송곳처럼 뾰족하게 묶었으니 이는 남쪽 오랑캐의 방망이 상투이거늘, 무슨 놈의 예법이란 말인가? 번오기는 원한을 갚기 위해 자신의 머리를 아끼지 않고 내주었고, 무령왕은 자기 나라를 강하게 만들기 위해 오랑캐 복장을 입는 것을 부끄럽게 여기지 않았다. ⓜ지금 명나라를 위해서 복수를 하려고 하면서도 그까짓 상투 하나를 아까워한단 말이냐. 장차 말을 달려 칼로 치고 창으로 찌르며, 활을 당기고 돌을 던져야 하는 판에 그 따위 너풀거리는 소매를 바꾸지 않고서, 그걸 자기 딴에 예법이라고 한단 말이냐? 내가 처음에 너에게 세 가지 계책을 일러 주었거늘, 도대체 너는 한 가지도 가능한 일이 없다고 하니, 그러면서도 신임을 받는 신하라고 말할 수 있겠느냐? 그래, 신임 받는 신하라는 게 고작 이런 것이냐. 이런 자는 목을 잘라야 옳을 것이니라."

하고 좌우를 둘러보며 칼을 찾아서 찌르려고 하였다. 이 대장은 깜짝 놀라서 일어나 뒷문으로 뛰쳐나가 재빠르게 달아났다.

이튿날 다시 찾아갔더니 집은 이미 텅 비어 있고, 허생은 간 곳이 없었다.

**11** 윗글에 대한 설명으로 가장 적절한 것은?

① 배경 묘사를 통해 사건에 현실성을 부여하고 있다.
② 현재와 과거를 교차 서술하여 갈등을 부각하고 있다.
③ 인물간의 갈등이 심화되며 심각한 분위기가 조성되고 있다.
④ 공간 이동에 따른 인물의 행위를 중심으로 사건이 전개되고 있다.
⑤ 특정 인물의 시각에서 서술하여 인물의 내면에 공감하게 유도하고 있다.

**12** 〈보기〉를 참고하여 ㉠~㉤에 대해 이해한 것으로 적절하지 않은 것은?

> **보기**
>
> 조선 시대의 실학자인 연암 박지원은 당대의 관습적 사고에서 벗어나 주체적 관점에서 도덕규범이나 사회 문제에 대한 비판적 태도를 보이고 있다. 이러한 비판과 풍자는 허생전에서 잘 드러나고 있는데 이는 작품 속의 다양한 인물들의 말과 행동, 그리고 사건들을 통해서 확인할 수 있다.

① ㉠ : 사대부의 경제적 무능을 비판하고 있다.
② ㉡ : 당대의 취약한 경제구조를 풍자하고 있다.
③ ㉢ : 계급 신분 사회의 모순을 풍자하고 있다.
④ ㉣ : 재물을 취하는 것에 대해 부정적 인식이 드러난다.
⑤ ㉤ : 지배계층의 명분만 앞세우는 태도를 비판하고 있다.

**13** Ⓐ~Ⓔ에 대한 설명으로 적절하지 않은 것은?

① Ⓐ : 해외 무역을 통한 부국(富國)의 가능성을 제시한 것이라 볼 수 있다.
② Ⓑ : 나라의 경제 규모가 백만 냥을 수용하기도 어려울 만큼 작음을 비판하고 있다.
③ Ⓒ : 허생이 일부러 시장 질서를 혼란스럽게 만들어 개인의 이익을 취하려 했던 것은 아님을 알 수 있다.
④ Ⓓ : 변씨가 허생이 자신에게 돈을 빌리러 올 것을 어느 정도 짐작하고 있었음을 알 수 있다.
⑤ Ⓔ : 큰 돈을 벌 수 있었던 것을 하늘의 뜻이었다는 허생의 운명론적 사유를 보여 주고 있다.

**14** '돈(재물)'에 관한 허생의 관점으로 가장 적절한 것은?

① 재물에 욕심을 버릴 때 재물을 소유할 수 있는 진정한 자격이 있음을 강조한다.
② 막대한 부를 얻었음에도 정신의 살찌움을 중시하며 장사치로 여겨지는 것을 불쾌해한다.
③ 사회적·공적 측면에서의 재물은 필요하므로 사대부들의 적극적인 경제활동을 촉구한다.
④ 선비에게 있어서의 재물은 명분의 실현을 위한 가치로서만 의미를 지닌다고 생각한다.
⑤ 돈의 가치를 무시하여 사회의 경제, 상업 등의 문제를 돈이 아닌 다른 방법으로 해결하려 한다.

**15** ⓐ에 대한 설명으로 적절하지 <u>않은</u> 것은?

① 봉건제의 질서가 유지되는 공간
② 예의범절을 중시하는 도덕적인 공간
③ 포부를 실현하려고 선택한 시험의 공간
④ 도적이 된 가난한 양민들을 위한 새로운 공간
⑤ 농업을 기본으로 외국과 교역을 하는 풍요의 공간

**16** [A]에 나타난 말하기 방식으로 적절하지 <u>않은</u> 것은?

① 중국 고사를 들어 자신의 주장을 강화하고 있다.
② 의문문의 형식을 통해 사회 현실을 비판하고 있다.
③ 고압적 태도로 상대의 행동 변화를 촉구하고 있다.
④ 다른 사람의 말을 인용하여 상대방을 꾸짖고 있다.
⑤ 자신의 생각을 직설적으로 표현하여 강하게 주장하고 있다.

**17** 〈보기〉의 관점을 적용하여 윗글을 이해한 사람으로 가장 적절한 것은?

┤ 보기 ├

　작가는 당시 집권층이 주장하는 북벌론이 겉으로는 명분을 내세우지만 속으로는 전시 체제의 긴장감을 조성해 권력을 유지하려는 불순한 의도와 관련있음을 간파하고 이완이라는 인물을 등장시켜 이를 비판하려 했던 것으로 보인다.

① **정용** : 허생은 적극적인 인재의 등용으로 기존 인재만으로는 부족한 상황을 보충하려 했구나.
② **수진** : 북벌론자들은 자신들의 기득권을 지키기 위해 청나라의 원수를 갚는 것을 명분으로 내세웠구나.
③ **민승** : 당시 명나라 후손들은 조선을 떠돌면서 사회적 물의를 일으켜 북벌론의 허구성을 드러나게 했구나.
④ **희원** : 허생이 명나라 후손에게 종실의 딸을 시집보내라고 한 것은 결국 말뿐인 북벌론을 비판하기 위해서였구나.
⑤ **아영** : 허생이 청나라와의 문물교류를 요구한 것은 당시 지배층이 주장한 북벌론을 보강할 최선의 방법이었겠구나.

# 9

## 문제를
## 해결하는 힘

# 옷 한 벌로 세상 보기

- 이민정 -

어제 입었던 옷이 오늘 입은 옷에 밀려나고, 오늘 입은 옷은 다시 내일 입을 옷에 밀려난다. 우리가 유행이라고 부
<sub>유행에 민감한 의류 시장의 속성을 나타냄</sub>
르는 이와 같은 연속된 과정은 지금도 끊임없이 이어지고 있다. 요즘은 유행의 속도가 점점 더 빨라져 거의 매일 새

로운 옷이 쏟아져 나오고, 온갖 광고는 소비자에게 새로운 유행을 따르라고 유혹한다. 하지만 새 옷을 입는 즐거움도

잠시, 유행은 어느새 바뀌고 몇 번 입지도 않은 옷은 더 이상 입지 못할 옷이 되어 버려진다. 미국에서 발간한 한 잡

지의 보도에 따르면, 2010년대에 들어 미국인이 구입한 옷은 1980년대와 비교했을 때 다섯 배나 더 많다고 한다. 우

리나라도 이와 다르지 않게 옷 구매 횟수와 구매량이 빠르게 증가하였다. 소비자가 이렇게 많은 옷을 쉽게 소비할 수
<sub>질문을 통해 이어질 내용 제시</sub>
있게 된 이유는 무엇일까?

옷 소비가 증가하는 현상의 원인은 여러 가지가 있지만, 가장 주요한 원인은 의류 업체 간의 치열한 가격 경쟁으로
<sub>옷 소비가 증가하는 원인 ①</sub>
점점 내려가는 옷 가격이다. A 기업이 청바지 한 벌을 5만 원에 시장에 내놓았는데, B 기업이 같은 품질의 청바지를
<sub>가격 경쟁의 예를 들어 내용의 이해를 도움</sub>
4만 5천 원에 판다면 소비자는 A 기업보다는 B 기업의 청바지를 살 것이다. 의류 업체 입장에서는 '어떻게 가격을 낮

출 것인가?'에 사업의 성패가 달려 있다고 할 수 있다. 그런데 여기에서 주목해야 할 점은 의류 산업이 대표적인 노동
<sub>옷 가격을 낮추기 위해서는 노동 비용 절감이 핵심임</sub>
집약 산업이라는 것이다. 의류 산업은 제품을 만드는 데 노동력이 많이 필요하므로 전체 생산 비용에서 노동 비용이

차지하는 비중이 높다. 따라서 제품 가격을 낮추려면 노동 비용을 줄이는 것이 가장 효과적이다. 많은 의류 업체가

캄보디아, 방글라데시 등 임금이 낮은 나라에서 제품을 생산하는 이유가 여기에 있다. 우리가 입은 옷의 원산지 표시
<sub>노동 비용을 줄일 수 있기 때문</sub>
를 살펴보면 많은 옷이 이들 나라에서 생산되었다는 것을 쉽게 확인할 수 있다.

가격이 싼데도 최신 유행에 뒤처지지 않는 옷을 우리가 살 수 있는 또 다른 이유는 의류 업체 간의 속도 경쟁 때문
<sub>옷 소비가 증가하는 원인 ②</sub>
이다. 얼마 전까지만 해도 새로운 유행을 반영한 옷을 만들어 가게에 전시하기까지는 6개월가량 걸리는 것이 일반적

이었다. 그런데 최신 유행을 반영한 제품을 시장에 빨리 내놓을수록 경쟁에서 유리하다는 것을 알게 된 몇몇 의류 업

체는 그 기간을 줄일 방안을 모색하였다. 그리하여 제품을 만드는 과정에서 중요도가 낮은 부분을 축소하거나 없애

제작 기간을 줄이고, 가능한 온갖 운송 방법을 사용하여 운송 시간도 단축하였다. 그 결과, 현재는 단 2주 만에 제품

을 생산해서 매장에 선보이는 의류 업체까지 등장하였다.

신상품을 최대한 빨리 만들어서 싼 가격으로 파는 것은 이제 하나의 사업 전략으로 자리 잡았고, 이 전략을 선택한

많은 의류 업체가 승승장구하고 있다. 이런 놀랄 만한 성장의 원동력은 무엇보다도 소비자의 열렬한 호응이다. 최신 유행을 반영한 옷을 싼 가격에 살 수 있게 된 소비자는 이러한 옷을 마다할 이유가 없고, 더 많은 제품을 판매하여 이익을 얻게 된 의류 업체도 함박웃음을 짓는다. 그런데 좀 더 깊이 살펴보면 이러한 변화가 과연 반가워만 할 일인가라는 의문이 든다.

<small>긍정적으로 보이는 변화의 이면에 문제가 있음을 암시</small>

우선 디자인이 도용되는 사태가 발생하고 있다. 일부 의류 업체는 옷을 빠르게 생산하는 것에만 초점을 맞추고, 옷을 디자인하는 데에는 충분한 시간을 투자하지 않는다. 하지만 새로운 옷은 계속 제작해야 하니 결국 이런 업체는 남

<small>옷을 쉽게 소비하는 것의 문제점 ①</small>

의 디자인을 도용하여 불법 복제품을 만든다. 실제로 세계적인 규모의 한 의류 업체는 디자인 도용 혐의로 50번 넘게 고발당했고, 이 때문에 언론으로부터 수차례 비판을 받았지만 이를 개선하려는 의지를 보이지 않고 있다. 디자인 도용으로 얻을 수 있는 이익이 처벌로 입게 될 손해보다 더 크기 때문이다.

<small>의류 업체가 디자인 도용 문제를 개선하지 않는 이유</small>

디자인 도용에 대응하기 위해 원작 디자이너는 지적 재산권 소송을 하기도 한다. 하지만 디자인과 관련된 지적 재산권 소송의 경우, 창조와 모방의 경계가 모호한 경우가 많아서 소송 과정이 길고 복잡하다. 게다가 소송에 드는 비

<small>원작 디자이너가 디자인 도용 문제를 해결하기 어려운 경우</small>

용 또한 만만치가 않아서 어쩔 수 없이 소송 자체를 포기하는 디자이너도 많다. 상황이 이렇다 보니 원작 디자이너의 지적 재산권을 침해하는 불법 복제품은 쉽사리 사라지지 않고 있다. 이렇게 디자인 도용이 계속되는 현실 속에서는 디자이너가 창의성을 발휘하기 어려울 수밖에 없다.

<small>디자인 도용의 부정적 영향</small>

다음으로 환경이 오염되고 있다. 그린피스(Green Peace)의 2016년도 보도 자료에 따르면 한 해에 생산되는 의류

<small>옷을 쉽게 소비하는 것의 문제점 ②</small>

의 양은 약 800억 점이다. 전 세계 인구가 75억 명 남짓이니 한 사람당 10점 이상 가질 수 있는 엄청난 양이다. 그러

<small>한 해 생산, 폐기되는 의류와 직물의 양을 알기 쉽게 설명함</small>

나 그중 4분의 3, 즉 600억 점의 의류는 결국 소각되거나 매립된다. 옷의 원재료인 직물은 한 해에 약 40만 제곱킬로미터가 생산되는데, 이는 우리나라 국토를 약 네 번 덮을 수 있는 넓이이다. 그중 생산 과정에서 버려지는 직물의 양은 약 6만 제곱킬로미터로, 제주도를 약 서른두 번 덮을 수 있는 넓이이다. 버려지는 옷과 직물 중 65퍼센트는 합성 섬유로 만들어진 것이기에 매립해도 좀처럼 썩지 않고, 태우면 유해 물질을 내뿜어 환경 오염을 가속화한다.

자원의 생산 과정에서도 환경이 오염된다. 대표적인 천연 섬유 재료인 면화는 전 세계 경작지의 약 2.5퍼센트에 해당하는 토지에서 생산되고 있는데, 여기에 사용되는 살충제의 양이 전 세계 살충제 사용량의 약 16퍼센트에 달한다. 작물로서는 단위 면적당 살충제 사용량이 최고인 셈이다. 맹독성 살충제는 토양에 스며들어 지하수를 타고 강으

<small>면화 생산이 초래한 환경오염</small>

로 흘러들어 가 동식물을 병들게 한다. 더 많이 생산하고 더 많이 버리는 과정에서 자연이 고통받는 것이다.

<small>옷의 생산과 처분 과정에서 환경이 오염됨</small>

자연 못지않게 사람도 고통받고 있다. 많은 의류 업체가 제품 제작에 드는 비용을 줄이려 시간당 임금이 낮은 개발

<small>옷을 쉽게 소비하는 것의 문제점 ③</small>

도상국의 공장에서 제품을 만든다. 현재 세계에서 두 번째로 많은 옷을 만들고 수출하는 나라는 방글라데시로, 약

<small>노동 비용을 줄이기 위함</small>

400만 명의 노동자가 의류 공장에서 일하고 있다. 일부 의류 업체는 옷을 더 빨리, 더 많이 판매하기 위해 이들 공장에 납품 기한을 최소한으로 준다. 납품 기한을 지키기 위해 노동자는 늦은 시간까지 노동을 강요당하고 쉬는 시간도 빼앗기는 등 부당한 대우를 받고 있다. 이런 환경에서 노동자가 일하고 받는 임금은 2014년 기준으로 한 달에 약 7만 원 남짓에 불과하다.

`기업의 이익을 최대화하기 위해 착취당하는 노동자`

소비자가 부담 없이 살 수 있는 싼 옷을 만들기 위해 개발 도상국의 노동자는 악조건 속에서 일하고 있다. 더욱 안타까운 것은 이런 현실을 개선하기가 쉽지 않을 것이라는 점이다. 싼 가격으로 경쟁하는 옷, 더 빠르게 유행을 따라가는 옷을 만들어야만 살아남을 수 있는 시장에서, 기업이 노동자의 임금을 인상하거나 근로 환경을 개선하는 데 적극적으로 투자하지는 않을 것이기 때문이다.

`현재의 의류 소비 풍조와 시장 상황이 바뀌지 않으면 현실을 개선하기 어려움`

의류 업체는 이윤을 내는 데 열중하고, 소비자는 유행을 좇아 옷을 구매하다 보니 기업 윤리나 소비 윤리는 지켜지지 않고 있다. 이러한 상황을 변화시키기 위해 우리는 어떻게 해야 할까? 다른 무엇보다도 옷을 불필요하게 소비하지 않아야 한다. 필요 이상으로 옷을 여러 벌 산 적은 없는지, 일회용품처럼 옷을 쉽게 사고 쉽게 버린 적은 없는지 우리의 소비 생활을 돌아볼 필요가 있다. 옷을 일회용품이 아니라 필수품이라고 인식해야 과도하게 옷을 소비하지 않을 수 있다.

`지나친 옷 소비 현상의 원인은 의류 업체뿐 아니라 소비자들에게도 있음`

`글쓴이가 제시한 문제 해결 방안 ①`

또한 내가 입는 옷을 누가, 어떤 과정을 거쳐 만들었는지에 관심을 기울여야 한다. 옷을 만드는 과정에서 지적 재산권 침해, 환경 오염, 기업의 노동력 착취와 같은 일이 발생했는지 안다면 우리가 어떤 옷을 입을지 선택할 때에 도움이 될 것이다. 옷의 정보를 알기 어렵다면 소비자는 해당 기업에 관련 정보를 공개하라고 요구할 수 있다. 소비자는 자신이 사용하는 제품의 상세한 정보를 알 권리가 있기 때문이다.

`글쓴이가 제시한 문제 해결 방안 ②`

옷의 정보를 확인한 후에는 이를 고려하여 옷을 소비해야 한다. 바로 여기에 어려운 점이 있다. 공정한 과정을 거쳐 옷을 생산한 경우에는 그렇게 하지 않은 경우에 비해 더 많은 비용이 들고, 당연히 그 비용은 옷 가격에 반영된다. 옷이 더 비싸지는 것이다. 하지만 옷에 싼 가격을 매기기 위해 불공정한 방법을 사용하였다면 그 가격 역시 불공정하다는 것을 알아야 한다.

`글쓴이가 제시한 문제 해결 방안 ③`

`옷의 가격이 높더라도 공정한 방법을 사용하여 만든 옷을 소비해야 함`

일일이 옷의 정보를 확인하고, 생산 과정이 공정했는지를 따져 보는 것은 번거로운 일일지도 모른다. 하지만 어떤 과정으로 만들어진 옷을 입을 것인지 결정하는 우리의 작은 선택은 전 세계 의류 산업과 이에 종사하는 사람들, 나아가 지구 환경에도 영향을 미칠 수 있다. 따라서 이제는 이를 깨닫고, 공존과 상생의 가치를 바탕으로 한 옷 입기를 실천해야 할 때이다.

`생산 과정을 고려하여 옷을 소비해야 하는 이유`

⊙ **어휘**

- **성패(成敗)** : 성공과 실패를 아울러 이르는 말.
- **노동 집약 산업(勞動集約産業)** : 생산 요소에서 자본이 차지하는 비중이 낮고, 주로 노동력에 의존하여 상품을 생산하는 산업.
- **모색(摸索)하였다** : 일이나 사건 따위를 해결할 수 있는 방법이나 실마리를 더듬어 찾았다.
- **승승장구(乘勝長驅)하고** : 싸움에 이긴 형세를 타고 계속 몰아치고.
- **도용(盜用)되는** : 물건이나 명의가 몰래 쓰이는.

- **복제품(複製品)** : 본디의 것과 똑같이 본떠 만든 물품.
- **그린피스(Green Peace)** : 핵무기 반대와 환경 보호를 목표로 국제적 활동을 벌이고 있는 단체.
- **소각(燒却)되거나** : 불에 타 없어지게 되거나.
- **필수품(必需品)** : 일상생활에 없어서는 안 되는 반드시 필요한 물건.
- **상생(相生)** : 둘 이상이 서로 북돋우며 다 같이 잘 살아감.

⊙ **핵심정리**

| 갈래 | 논설문 |
|---|---|
| 성격 | 논리적, 분석적, 현실 비판적 |
| 제재 | 현대 사회의 빠른 옷 소비 현상. |
| 주제 | 공존과 상생의 가치를 바탕으로 한 옷 입기의 필요성. |
| 특징 | • 사회 현상의 원인을 다양한 측면에서 분석하고 설명함.<br>• 구체적인 사례와 객관적인 자료를 제시해 주장의 신뢰성을 높임.<br>• 일상 속의 현상에서 사회적인 문제점을 도출하여 독자의 관심과 참여를 유도함. |

**확인학습**

01 이와 같은 글은 글쓴이의 주장과 근거가 제시되며, 글쓴이의 의견이 타당한지를 판단하며 읽어야 하는 글이다.
　　　　　　　　　　　　　　　　O☐ ×☐

02 이와 같은 글은 글쓴이의 생각에 대해 수용적으로 받아들이는 자세가 필요한 글이다.　　O☐ ×☐

03 이 글은 권위 있는 전문가의 말과 보도 자료를 인용하고 있다.　　O☐ ×☐

04 이 글은 질문을 통해 옷 소비량이 빠르게 증가한 현상에 대한 문제를 제기하고 있다.　　O☐ ×☐

05 이 글은 외국의 사례를 소개하며 옷 소비가 증가하는 현상이 우리나라만의 일이 아님을 드러내고 있다.　O☐ ×☐

06 이 글의 글쓴이는 옷 가격이 비싸더라도 공정한 방법을 사용하여 만들어진 옷을 소비해야 한다고 주장한다.　O☐ ×☐

07 의류업체는 디자인 도용으로 얻을 수 있는 이익 때문에 디자인과 관련된 소송이 끊이지 않고 있다.　O☐ ×☐

08 이 글의 글쓴이는 옷에 대한 정보를 확인하여 옷을 만드는 과정에서 지적 재산권 침해, 환경 오염, 기업의 노동력 착취와 같은 일이 발생했는지 알아야 한다고 하였다.
　　　　　　　　　　　　　　　　O☐ ×☐

**[01~11]** 다음 글을 읽고 물음에 답하시오.

　어제 입었던 옷이 오늘 입은 옷에 밀려나고, 오늘 입은 옷은 다시 내일 입을 옷에 밀려난다. 우리가 유행이라고 부르는 이와 같은 연속된 과정은 지금도 끊임없이 이어지고 있다. 요즘은 유행의 속도가 점점 더 빨라져 거의 매일 새로운 옷이 쏟아져 나오고, 온갖 광고는 소비자에게 새로운 유행을 따르라고 유혹한다. 하지만 새 옷을 입는 즐거움도 잠시, 유행은 어느새 바뀌고 몇 번 입지도 않은 옷은 더 이상 입지 못할 옷이 되어 버려진다. 미국에서 발간한 한 잡지의 보도에 따르면, 2010년대에 들어 미국인이 구입한 옷은 1980년대와 비교했을 때 다섯 배나 더 많다고 한다. 우리나라도 이와 다르지 않게 옷 구매 횟수와 구매량이 빠르게 증가하였다. 소비자가 이렇게 많은 옷을 쉽게 소비할 수 있게 된 이유는 무엇일까?

　옷 소비가 증가하는 현상의 원인은 여러 가지가 있지만, 가장 주요한 원인은 의류 업체 간의 치열한 경쟁으로 점점 내려가는 옷 가격이다. A 기업이 청바지 한 벌을 5만 원에 시장에 내놓았는데, B 기업이 같은 품질의 청바지를 4만 5천 원에 판다면 소비자는 A 기업보다는 B 기업의 청바지를 살 것이다. 의류 업체 입장에서는 '어떻게 가격을 낮출 것인가?'에 사업의 성패가 달려 있다고 할 수 있다. 그런데 여기에서 주목해야 할 점은 의류 산업이 대표적인 노동 집약 산업이라는 것이다. 의류 산업은 제품을 만드는 데 노동력이 많이 필요하므로 전체 생산 비용에서 노동 비용이 차지하는 비중이 높다. 따라서 제품 가격을 낮추려면 노동 비용을 줄이는 것이 가장 효과적이다. 많은 의류 업체가 캄보디아, 방글라데시 등 임금이 낮은 나라에서 제품을 생산하는 이유가 여기에 있다. 우리가 입은 옷의 원산지 표시를 살펴보면 많은 옷이 이들 나라에서 생산되었다는 것을 쉽게 확인할 수 있다.

　가격이 싼데도 최신 유행에 뒤처지지 않는 옷을 우리가 살 수 있는 또 다른 이유는 의류 업체 간의 속도 경쟁 때문이다. 얼마 전까지만 해도 새로운 유행을 반영한 옷을 만들어 가게에 전시하기까지는 6개월가량 걸리는 것이 일반적이었다. 그런데 최신 유행을 반영한 제품을 시장에 빨리 내놓을수록 경쟁에서 유리하다는 것을 알게 된 몇몇 의류 업체는 그 기간을 줄일 방안을 ⓐ<u>모색하였다</u>. 그리하여 제품을 만드는 과정에서 중요도가 낮은 부분을 축소하거나 없애 제작 기간을 줄이고, 가능한 온갖 운송 방법을 사용하여 운송 시간도 ⓑ<u>단축하였다</u>. 그 결과, 현재는 단 2주 만에 제품을 생산해서 매장에 선보이는 의류 업체까지 등장하였다.

　신상품을 최대한 빨리 만들어서 싼 가격으로 파는 것은 이제 하나의 사업 전략으로 자리 잡았고, 이 전략을 선택한 많은 의류 업체가 승승장구하고 있다. 이런 놀랄 만한 성장의 원동력은 무엇보다도 소비자의 열렬한 호응이다. 최신 유행을 반영한 옷을 싼 가격에 살 수 있게 된 소비자는 이러한 옷을 마다할 이유가 없고, 더 많은 제품을 판매하여 이익을 얻게 된 의류 업체도 함박웃음을 짓는다. 그런데 좀 더 깊이 살펴보면 이러한 변화가 과연 반가워만 할 일인가라는 의문이 든다.

　우선 디자인이 ⓒ<u>도용되는</u> 사태가 발생하고 있다. 일부 의류 업체는 옷을 빠르게 생산하는 것에만 초점을 맞추고, 옷을 디자인하는 데에는 충분한 시간을 투자하지 않는다. 하지만 새로운 옷은 계속 제작해야 하니 결국 이런 업체는 남의 디자인을 도용하여 불법 복제품을 만든다. 실제로 세계적인 규모의 한 의류 업체는 디자인 도용 혐의로 50번 넘게 고발당했고, 이 때문에 언론으로부터 수차례 비판을 받았지만 이를 개선하려는 의지를 보이지 않고 있다. 디자인 도용으로 얻을 수 있는 이익이 처벌로 입게 될 손해보다 더 크기 때문이다.

　디자인 도용에 대응하기 위해 원작 디자이너는 지적 재산권 소송을 하기도 한다. 하지만 디자인과 관련된 지적 재산권 소송의 경우, 창조와 모방의 경계가 ⓓ<u>모호한</u> 경우가 많아서 소송 과정이 길고 복잡하다. 게다가 소송에 드는 비용 또한 만만치가 않아서 어쩔 수 없이 소송 자체를 포기하는 디자이너도 많다. 상황이 이렇게 보니 원작 디자이너의 지적 재산권을 침해하는 불법 복제품은 쉽사리 사라지지 않고 있다. 이렇게 디자인 도용이 계속되는 현실 속에서는 디자이너가 창의성을 발휘하기 어려울 수밖에 없다.

　다음으로 환경이 오염되고 있다. 그린피스(Green Peace)의 2016년도 보도 자료에 따르면 한 해에 생산되는 의류의 양은 약 800억 점이다. 전 세계 인구가 75억 명 남짓이니 한 사람 당 10점 이상 가질 수 있는 엄청난 양이다. 그러나 그중 4분의 3, 즉 600억 점의 의류는 결국 ⓔ<u>소각되거나</u> 매립된다. 옷의 원재료인 직물은 한 해에 약 40만 제곱킬로미터가 생산되는데, 이는 우리나라 국토를 약 네 번 덮을 수 있는 넓이이다. 그중 생산 과정에서 버려지는 직물의 양은 약 6만 제곱킬로미터로, 제주도를 약 서른두 번 덮을 수 있는 넓이이다. 버려지는 옷과 직물 중 65퍼센트는 합성 섬유로 만들어진 것이기에 매립해도 좀처럼 썩지 않고, 태우면 유해 물질을 내뿜어 환경오염을 가속화한다.

자원의 생산 과정에서도 환경이 오염된다. 대표적인 천연 섬유 재료인 면화는 전 세계 경작지의 약 2.5퍼센트에 해당하는 토지에서 생산되고 있는데, 여기에 사용되는 살충제의 양이 전 세계 살충제 사용량의 약 16퍼센트에 달한다. 작물로서는 단위 면적당 살충제 사용량이 최고인 셈이다. 맹독성 살충제는 토양에 스며들어 지하수를 타고 강으로 흘러들어 가 동식물을 병들게 한다. 더 많이 생산하고 더 많이 버리는 과정에서 자연이 고통받는 것이다.

자연 못지않게 사람도 고통 받고 있다. 많은 의류 업체가 제품 제작에 드는 비용을 줄이려 시간당 임금이 낮은 개발도상국의 공장에서 제품을 만든다. 현재 세계에서 두 번째로 많은 옷을 만들고 수출하는 나라는 방글라데시로, 약 400만 명의 노동자가 의류 공장에서 일하고 있다. 일부 의류 업체는 옷을 더 빨리, 더 많이 판매하기 위해 이들 공장에 납품 기한을 최소한으로 준다. 납품 기한을 지키기 위해 노동자는 늦은 시간까지 노동을 강요당하고 쉬는 시간도 빼앗기는 등 부당한 대우를 받고 있다. 이런 환경에서 노동자가 일하고 받는 임금은 2014년 기준으로 한 달에 약 7만 원 남짓에 불과하다.

소비자가 부담 없이 살 수 있는 싼 옷을 만들기 위해 개발도상국의 노동자는 악조건 속에서 일하고 있다. 더욱 안타까운 것은 이런 현실을 개선하기가 쉽지 않을 것이라는 점이다. 싼 가격으로 경쟁하는 옷, 더 빠르게 유행을 따라가는 옷을 만들어야만 살아남을 수 있는 시장에서, 기업이 노동자의 임금을 인상하거나 근로 환경을 개선하는 데 적극적으로 투자하지는 않을 것이기 때문이다.

---

**01** 윗글의 내용과 일치하는 것은?

① 일부 의류 업체가 디자인을 도용하는 것은 처벌보다 이익이 크기 때문이다.
② 의류 업체 간의 경쟁으로 옷 가격이 처음에는 하락하나, 나중에는 치솟는다.
③ 외국과 달리 우리나라만 옷 소비 현상이 증가하는 것은 한국인의 성격에 기인한다.
④ 많은 옷을 소비하게 된 것은 의류 업체 간의 속도 경쟁보다는 가격 경쟁에 기인한다.
⑤ 개발도상국의 의류 공장의 노동자들에게 부당한 대우를 하지 않기 위해 많은 기업들이 적극적으로 힘쓰고 있다.

**02** 윗글에서 글쓴이의 논리전개방식으로 가장 적절한 것은?

① 글쓴이가 문제 상황을 밝힌 후 그 문제점을 시간적 순서에 따라 설명하고 있다.
② 글쓴이가 문제 상황을 제시하고 그 문제 상황이 우리 삶에 미친 영향을 살펴보고 있다.
③ 글쓴이가 제시한 문제점을 열거한 후 그 문제점을 해결하기 위한 방안을 살펴보고 있다.
④ 글쓴이가 제시한 문제점을 권위 있는 사람의 말을 인용하여 자신의 주장을 강화하고 있다.
⑤ 글쓴이가 인식하는 문제 상황에 대해 다양한 의견을 종합하여 최적의 해결 방안을 이끌어 내고 있다.

## 03 ⓐ~ⓔ의 사전적 의미로 옳지 않은 것은?

① ⓐ : 방법이나 실마리를 더듬어 찾다.
② ⓑ : 시간이나 거리 따위를 짧게 줄이다.
③ ⓒ : 판단이나 결론 따위를 이끌어 내다.
④ ⓓ : 말이나 태도가 흐리터분하여 분명하지 않다.
⑤ ⓔ : 불에 타 없어지게 되다.

## 04 〈보기〉에서 윗글의 서술상의 특징을 모두 고른 것은?

┤ 보기 ├
ㄱ. 구체적인 사례를 제시해 신뢰성을 높이고 있다.
ㄴ. 질문을 통해 앞으로 이어질 내용을 안내하고 있다.
ㄷ. 외국과 우리나라의 사례를 대조하여 제시하고 있다.
ㄹ. 문제 상황을 해결할 수 있는 방법을 제시하고 있다.
ㅁ. 정보 전달을 목적으로 하여 문제의 원인을 다양한 측면에서 분석하고 있다.

① ㄱ, ㄴ, ㄹ     ② ㄱ, ㄴ, ㅁ     ③ ㄱ, ㄷ, ㄹ     ④ ㄴ, ㄷ, ㄹ     ⑤ ㄴ, ㄹ, ㅁ

## 05 윗글의 내용과 일치하지 않는 것은?

① 디자이너가 창의성을 발휘하기 위해서는 충분한 시간을 투자하는 것이 필요하다.
② 전 세계 사람들 한 사람당 연간 7~8점에 해당하는 옷이 버려져 환경이 오염되고 있다.
③ 많은 의류 업체들이 가격 경쟁력을 갖추기 위하여 임금이 낮은 나라에서 제품을 만든다.
④ 소비자가 많은 옷을 쉽게 소비하게 된 원인은 의류 업체 간의 치열한 가격과 속도 경쟁 때문이다.
⑤ 최신 유행을 반영한 제품을 빨리 출시하기 위해서 디자이너는 지적 재산권 소송을 포기하기도 한다.

**06** 윗글의 생각을 보완할 수 있는 내용으로 적절하지 <u>않은</u> 것은?

① 면화 생산 과정에서 토양이 오염된다면 어떤 직물이 환경오염을 유발하지 않는지 알아봐야겠어.

② 옷을 만드는 과정이 공정한지 불공정한지 구분하기가 힘들어. 구체적으로 제시할 필요가 있어.

③ 소비자 개개인이 기업에 옷의 정보를 요구하는 방법은 시간이 오래 걸리고 복잡할 것 같아. 이러한 문제를 해결하기 위해 기업이나 국가가 해야 할 일은 없을까?

④ 개발도상국에서 생산된 옷이라도 정당한 방법으로 만들었다면 나쁘게만 볼 수 없을 것 같아. 원산지를 확인하는 것보다는 생산 과정을 확인해야 할 것 같아.

⑤ 옷을 빠르게 생산하기 위한 속도 경쟁이 있기 이전에도 디자인 도용은 있었던 것 같아. 디자인 도용이 옷 대량 소비가 일반화된 최근에 와서 발생한 문제인지 조사해 볼 필요가 있어.

**07** 〈보기〉는 글쓴이가 세운 글쓰기 계획이다. 실제 글쓰기에 반영되지 <u>않은</u> 것은?

┤ 보기 ├

ㄱ. 일상 속 현상에서 사회적인 문제점을 도출해야겠어.

ㄴ. 구체적인 사례를 제시하여 독자의 흥미를 유발해야겠어.

ㄷ. 전문가의 연구 결과를 인용하여 문제의 심각성을 알려야겠어.

ㄹ. 질문을 통해 이어질 내용을 제시하면서 독자의 관심을 유도해야겠어.

ㅁ. 다른 나라의 사례를 가져와서 우리나라와 비교하면서 글을 시작해야겠어.

① ㄱ          ② ㄴ          ③ ㄷ          ④ ㄹ          ⑤ ㅁ

**08** 윗글을 읽고 확인할 수 있는 내용으로 적절하지 <u>않은</u> 것은?

① 자원의 생산 과정에서 노동자들은 살충제에 노출되겠군.

② 디자인 도용은 창의적인 디자인 개발에 걸림돌이 되겠군.

③ 의류 산업은 대표적인 노동 집약 산업이라고 할 수 있겠군.

④ 공생의 가치를 바탕으로 한 소비자들의 실천이 필요하겠군.

⑤ 생산 과정이 불공정하면 개발도상국의 노동력이 착취하겠군.

**09** 윗글에 대한 설명으로 적절하지 <u>않은</u> 것은?

① 출처를 밝힌 객관적인 자료를 인용하여 주장의 신뢰성을 높인다.

② 구체적인 사례를 열거하며 글쓴이의 주장을 뒷받침할 근거로 사용한다.

③ 한 견해의 관점에서 일관된 다른 견해를 비판하며 내용을 전개한다.

④ 사회 현상의 원인을 다양한 측면에서 분석하며 각각의 문제점을 지적한다.

⑤ 글쓴이의 관점을 제시하고 그에 따른 해결책을 내놓으며 이를 따르도록 설득한다.

**10** 윗글을 통해 알 수 있는 내용만을 〈보기〉에서 있는 대로 고른 것은?

┌─ 보기 ┐
ㄱ. 유행을 좇아 옷을 구매하는 일은 노동자의 근로 환경 개선에 영향을 미치지 않는다.
ㄴ. 지적 재산권의 복잡한 소송 과정은 불법 복제품을 생산하는 것에 영향을 미친다.
ㄷ. 싼 옷은 불공정한 방법을 거치기 때문에 비싼 옷을 구입하는 것이 보다 현명한 소비이다.
ㄹ. 소비자는 자신이 입는 옷을 만드는 과정에서 개발도상국의 노동자가 착취를 당했는지 알 권리가 있다.

① ㄱ      ② ㄱ, ㄴ      ③ ㄴ, ㄹ      ④ ㄷ, ㄹ      ⑤ ㄴ, ㄷ, ㄹ

**11** 윗글을 통해 알 수 있는 내용이 <u>아닌</u> 것은?

① 패스트 패션 업체가 성장세를 보이는 가장 큰 원인은 소비자들의 호응 때문이다.

② 시민사회와 언론의 비판으로 불법복제에 대해 처벌을 강화하는 법안이 제출되었다.

③ 디자인 도용과 관련한 소송 과정이 길고 복잡한 이유는 창조와 모방의 경계가 모호하기 때문이다.

④ 의류의 생산 과정뿐 아니라 폐기 과정에서도 심각한 환경오염이 유발된다.

⑤ 의류업체가 개발도상국으로 공장을 옮기는 이유는 제작비용을 절감하기 위해서이다.

**[01~02] 다음 글을 읽고, 물음에 답하시오.**

**(가)** 옷 소비가 증가하는 현상의 원인은 여러 가지가 있지만, 가장 주요한 원인은 의류 업체 간의 치열한 가격 경쟁으로 점점 내려가는 옷 가격이다. A 기업이 청바지 한 벌을 5만 원에 시장에 내놓았는데, B 기업이 같은 품질의 청바지를 4만 5천 원에 판다면 소비자는 A기업보다는 B기업의 청바지를 살 것이다. 의류 업체 입장에서는 '어떻게 가격을 낮출 것인가?'에 사업의 성패가 달려 있다고 할 수 있다. 그런데 여기에서 주목해야 할 점은 ⓐ의류 산업이 대표적인 노동 집약 산업이라는 것이다. 의류 산업은 제품을 만드는 데 노동력이 많이 필요하므로 전체 생산 비용에서 노동 비용이 차지하는 비중이 높다. 따라서 제품 가격을 낮추려면 노동 비용을 줄이는 것이 가장 효과적이다. 많은 의류 업체가 캄보디아, 방글라데시 등 임금이 낮은 나라에서 제품을 생산하는 이유가 여기에 있다. 우리가 입은 옷의 원산지 표시를 살펴보면 많은 옷이 이들 나라에서 생산되었다는 것을 쉽게 확인할 수 있다.

**(나)** 가격이 싼데도 최신 유행에 뒤처지지 않는 옷을 우리가 살 수 있는 또 다른 이유는 의류 업체 간의 속도 경쟁 때문이다. 얼마 전까지만 해도 새로운 유행을 반영한 옷을 만들어 가게에 전시하기까지는 6개월가량 걸리는 것이 일반적이었다. 그런데 최신 유행을 반영한 제품을 시장에 빨리 내놓을수록 경쟁에서 유리하다는 것을 알게 된 몇몇 의류 업체는 그 기간을 줄일 방안을 모색하였다. 그리하여 제품을 만드는 과정에서 중요도가 낮은 부분을 축소하거나 없애 제작 기간을 줄이고, 가능한 온갖 운송 방법을 사용하여 운송 시간도 단축하였다. 그 결과, 현재는 단 2주 만에 제품을 생산해서 매장에 선보이는 의류 업체까지 등장하였다.

**(다)** 신상품을 최대한 빨리 만들어서 싼 가격으로 파는 것은 이제 하나의 사업 전략으로 자리 잡았고, 이 전략을 선택한 많은 의류 업체가 승승장구하고 있다. 이런 놀랄 만한 성장의 원동력은 무엇보다도 소비자의 열렬한 호응이다. 최신 유행을 반영한 옷을 싼 가격에 살 수 있게 된 소비자는 이러한 옷을 마다할 이유가 없고, 더 많은 제품을 판매하여 이익을 얻게 된 의류 업체도 함박웃음을 짓는다. 그런데 좀 더 깊이 살펴보면 이러한 변화가 과연 반가워만 할 일인가라는 의문이 든다.

**(라)** 우선 디자인이 도용되는 사태가 발생하고 있다. 일부 의류 업체는 옷을 빠르게 생산하는 것에만 초점을 맞추고, 옷을 디자인하는 데에는 충분한 시간을 투자하지 않는다. 하지만 새로운 옷은 계속 제작해야 하니 결국 이런 업체는 남의 디자인을 도용하여 불법 복제품을 만든다. 실제로 세계적인 규모의 한 의류 업체는 디자인 도용 혐의로 50번 넘게 고발당했고, 이 때문에 언론으로부터 수차례 비판을 받았지만 이를 개선하려는 의지를 보이지 않고 있다. 디자인 도용으로 얻을 수 있는 이익이 처벌로 입게 될 손해보다 더 크기 때문이다.

**(마)** 디자인 도용에 대응하기 위해 원작 디자이너는 지적 재산권 소송을 하기도 한다. 하지만 디자인과 관련된 지적 재산권 소송의 경우, 창조와 모방의 경계가 모호한 경우가 많아서 소송 과정이 길고 복잡하다. 게다가 소송에 드는 비용 또한 만만치가 않아서 어쩔 수 없이 소송 자체를 포기하는 디자이너도 많다. 상황이 이렇다 보니 원작 디자이너의 지적 재산권을 침해하는 불법 복제품은 쉽사리 사라지지 않고 있다. 이렇게 디자인 도용이 계속되는 현실 속에서는 디자이너가 창의성을 발휘하기 어려울 수밖에 없다.

**(바)** 다음으로 환경이 오염되고 있다. 그린피스(Green Peace)의 2016년도 보도 자료에 따르면 한 해에 생산되는 의류의 양은 약 800억 점이다. 전 세계 인구가 75억 명 남짓이니 한 사람 당 10점 이상 가질 수 있는 엄청난 양이다. 그러나 그중 4분의 3, 즉 600억 점의 의류는 결국 소각되거나 매립된다. 옷의 원재료인 직물은 한 해에 약 40만 제곱킬로미터가 생산되는 데, 이는 우리나라 국토를 약 네 번 덮을 수 있는 넓이이다. 그중 생산 과정에서 버려지는 직물의 양은 약 6만 제곱킬로미터로, 제주도를 약 서른두 번 덮을 수 있는 넓이이다. 버려지는 옷과 직물 중 65퍼센트는 합성 섬유로 만들어진 것이기에 매립해도 좀처럼 썩지 않고, 태우면 유해 물질을 내뿜어 환경 오염을 가속화한다.

(사) 자연 못지않게 사람도 고통받고 있다. 많은 의류 업체가 제품 제작에 드는 비용을 줄이려 시간당 임금이 낮은 개발 도상국의 공장에서 제품을 만든다. 현재 세계에서 두 번째로 많은 옷을 만들고 수출하는 나라는 방글라데시로, 약 400만 명의 노동자가 의류 공장에서 일하고 있다. 일부 의류 업체는 옷을 더 빨리, 더 많이 판매하기 위해 이들 공장에 납품 기한을 최소한으로 준다. 납품 기한을 지키기 위해 노동자는 늦은 시간까지 노동을 강요당하고 쉬는 시간도 빼앗기는 등 부당한 대우를 받고 있다. 이런 환경에서 노동자가 일하고 받는 임금은 2014년 기준으로 한 달에 약 7만 원 남짓에 불과하다.

## 01 윗글에 대한 설명으로 적절하지 않은 것은?

① (가)에서는 의류 산업체의 생산지가 임금이 낮은 국가로 정해지는 이유를 설명하였다.
② (나)에서는 유행이 바뀔 때마다 수익을 크게 얻기 위해 가격을 매기는 방법을 설명하였다.
③ (다)에서는 현상에 대한 이면을 살필 것임을 암시하고 있다.
④ (바)에서는 구체적 자료를 통해 주장의 신뢰성을 높이고 있다.
⑤ (사)의 내용은 ⓐ의 사실과 밀접한 관계가 있다.

## 02 아래 〈보기〉는 윗글 (사)에서 이어지는 내용이다. 밑줄 친 부분의 이유가 무엇인지, 개발도상국 노동자의 처우를 개선했을 때 나타날 수 있는 현상으로 적절하지 못한 것은?

> ┤ 보기 ├
>
> 소비자가 부담 없이 살 수 있는 싼 옷을 만들기 위해 개발도상국의 노동자는 악조건 속에서 일하고 있다. 더욱 안타까운 것은 이런 현실을 개선하기가 쉽지 않을 것이라는 점이다.

① 옷값이 인상될 것이다.
② 옷 생산 속도가 느려질 것이다.
③ 생산 공장 내에서 사고 발생 비율이 높아질 것이다.
④ 해당 의류 없체의 수익이 악화될 것이다.
⑤ 많은 의류회사들이 노동자 처우 개선을 꺼리게 될 것이다.

어제 입었던 옷이 오늘 입은 옷에 밀려나고, 오늘 입은 옷은 다시 내일 입을 옷에 밀려난다. 우리가 유행이라고 부르는 이와 같은 연속된 과정은 지금도 끊임없이 이어지고 있다. 요즘은 유행의 속도가 점점 더 빨라져 거의 매일 새로운 옷이 쏟아져 나오고, 온갖 광고는 소비자에게 새로운 유행을 따르라고 유혹한다. 하지만 새 옷을 입는 즐거움도 잠시, 유행은 어느새 바뀌고 몇 번 입지도 않은 옷은 더 이상 입지 못할 옷이 되어 버려진다. 미국에서 발간한 한 잡지의 보도에 따르면, 2010년대에 들어 미국인이 구입한 옷은 1980년대와 비교했을 때 다섯 배나 더 많다고 한다. 우리나라도 이와 다르지 않게 옷 구매 횟수와 구매량이 빠르게 증가하였다. 소비자가 이렇게 많은 옷을 쉽게 소비할 수 있게 된 이유는 무엇일까?

옷 소비가 증가하는 현상의 원인은 여러 가지가 있지만, 가장 주요한 원인은 의류 업체 간의 치열한 경쟁으로 점점 내려가는 옷 가격이다. A 기업이 청바지 한 벌을 5만 원에 시장에 내놓았는데, B 기업이 같은 품질의 청바지를 4만 5천 원에 판다면 소비자는 A 기업보다는 B 기업의 청바지를 살 것이다. 의류 업체 입장에서는 '어떻게 가격을 낮출 것인가?'에 사업의 성패가 달려 있다고 할 수 있다. 그런데 여기에서 주목해야 할 점은 의류 산업이 대표적인 노동 집약 산업이라는 것이다. 의류 산업은 제품을 만드는 데 노동력이 많이 필요하므로 전체 생산 비용에서 노동 비용이 차지하는 비중이 높다. 따라서 제품 가격을 낮추려면 노동 비용을 줄이는 것이 가장 효과적이다. 많은 의류 업체가 캄보디아, 방글라데시 등 임금이 낮은 나라에서 제품을 생산하는 이유가 여기에 있다. 우리가 입은 옷의 원산지 표시를 살펴보면 많은 옷이 이들 나라에서 생산되었다는 것을 쉽게 확인할 수 있다.

가격이 싼데도 최신 유행에 뒤처지지 않는 옷을 우리가 살 수 있는 또 다른 이유는 의류 업체 간의 속도 경쟁 때문이다. 얼마 전까지만 해도 새로운 유행을 반영한 옷을 만들어 가게에 전시하기까지는 6개월가량 걸리는 것이 일반적이었다. 그런데 최신 유행을 반영한 제품을 시장에 빨리 내놓을수록 경쟁에서 유리하다는 것을 알게 된 몇몇 의류 업체는 그 기간을 줄일 방안을 모색하였다. 그리하여 제품을 만드는 과정에서 중요도가 낮은 부분을 축소하거나 없애 제작 기간을 줄이고, 가능한 온갖 운송 방법을 사용하여 운송 시간도 단축하였다. 그 결과, 현재는 단 2주 만에 제품을 생산해서 매장에 선보이는 의류 업체까지 등장하였다.

신상품을 최대한 빨리 만들어서 싼 가격으로 파는 것은 이제 하나의 사업 전략으로 자리 잡았고, 이 전략을 선택한 많은 의류 업체가 승승장구하고 있다. 이런 놀랄 만한 성장의 원동력은 무엇보다도 소비자의 열렬한 호응이다. 최신 유행을 반영한 옷을 싼 가격에 살 수 있게 된 소비자는 이러한 옷을 마다할 이유가 없고, 더 많은 제품을 판매하여 이익을 얻게 된 의류 업체도 함박웃음을 짓는다. 그런데 좀 더 깊이 살펴보면 이러한 변화가 과연 반가워만 할 일인가라는 의문이 든다.

우선 디자인이 도용되는 사태가 발생하고 있다. 일부 의류 업체는 옷을 빠르게 생산하는 것에만 초점을 맞추고, 옷을 디자인하는 데에는 충분한 시간을 투자하지 않는다. 하지만 새로운 옷은 계속 제작해야 하니 결국 이런 업체는 남의 디자인을 도용하여 불법 복제품을 만든다. 실제로 세계적인 규모의 한 의류 업체는 디자인 도용 혐의로 50번 넘게 고발당했고, 이 때문에 언론으로부터 수차례 비판을 받았지만 이를 개선하려는 의지를 보이지 않고 있다. 디자인 도용으로 얻을 수 있는 이익이 처벌로 입게 될 손해보다 더 크기 때문이다.

디자인 도용에 대응하기 위해 원작 디자이너는 지적 재산권 소송을 하기도 한다. 하지만 디자인과 관련된 지적 재산권 소송의 경우, 창조와 모방의 경계가 모호한 경우가 많아서 소송 과정이 길고 복잡하다. 게다가 소송에 드는 비용 또한 만만치가 않아서 어쩔 수 없이 소송 자체를 포기하는 디자이너도 많다. 상황이 이렇데 보니 원작 디자이너의 지적 재산권을 침해하는 불법 복제품은 쉽사리 사라지지 않고 있다. 이렇게 디자인 도용이 계속되는 현실 속에서는 디자이너가 창의성을 발휘하기 어려울 수밖에 없다.

[가]
다음으로 환경이 오염되고 있다. 그린피스(Green Peace)의 2016년도 보도 자료에 따르면 한 해에 생산되는 의류의 양은 약 800억 점이다. 전 세계 인구가 75억 명 남짓이니 한 사람 당 10점 이상 가질 수 있는 엄청난 양이다. 그러나 그중 4분의 3, 즉 600억 점의 의류는 결국 소각되거나 매립된다. 옷의 원재료인 직물은 한 해에 약 40만 제곱킬로미터가 생산되는 데, 이는 우리나라 국토를 약 네 번 덮을 수 있는 넓이이다. 그중 생산 과정에서 버려지는 직물의 양은 약 6만 제곱킬로미터로, 제주도를 약 서른두 번 덮을 수 있는 넓이이다. 버려지는 옷과 직물 중 65퍼센트는 합성 섬유로 만들어진 것이기에 매립해도 좀처럼 썩지 않고, 태우면 유해 물질을 내뿜어 환경 오염을 가속화한다.

자원의 생산 과정에서도 환경이 오염된다. 대표적인 천연 섬유 재료인 면화는 전 세계 경작지의 약 2.5퍼센트에 해당하는 토지에서 생산되고 있는데, 여기에 사용되는 살충제의 양이 전 세계 살충제 사용량의 약 16퍼센트에 달한다. 작물로서는 단위 면적당 살충제 사용량이 최고인 셈이다. 맹독성 살충제는 토양에 스며들어 지하수를 타고 강으로 흘러들어 가 동식물을 병들게 한다. 더 많이 생산하고 더 많이 버리는 과정에서 자연이 고통받는 것이다.

[나] 자연 못지않게 사람도 고통받고 있다. 많은 의류 업체가 제품 제작에 드는 비용을 줄이려 시간당 임금이 낮은 개발 도상국의 공장에서 제품을 만든다. 현재 세계에서 두 번째로 많은 옷을 만들고 수출하는 나라는 방글라데시로, 약 400만 명의 노동자가 의류 공장에서 일하고 있다. 일부 의류 업체는 옷을 더 빨리, 더 많이 판매하기 위해 이들 공장에 납품 기한을 최소한으로 준다. 납품 기한을 지키기 위해 노동자는 늦은 시간까지 노동을 강요당하고 쉬는 시간도 빼앗기는 등 부당한 대우를 받고 있다. 이런 환경에서 노동자가 일하고 받는 임금은 2014년 기준으로 한 달에 약 7만 원 남짓에 불과하다.

소비자가 부담 없이 살 수 있는 싼 옷을 만들기 위해 개발도상국의 노동자는 악조건 속에서 일하고 있다. 더욱 안타까운 것은 이런 현실을 개선하기가 쉽지 않을 것이라는 점이다. 싼 가격으로 경쟁하는 옷, 더 빠르게 유행을 따라가는 옷을 만들어야만 살아남을 수 있는 시장에서, 기업이 노동자의 임금을 인상하거나 근로 환경을 개선하는 데 적극적으로 투자하지는 않을 것이기 때문이다.

의류 업체는 이윤을 내는 데 열중하고, 소비자는 유행을 좇아 옷을 구매하다 보니 기업 윤리나 소비 윤리는 지켜지지 않고 있다. 이러한 상황을 변화시키기 위해 우리는 어떻게 해야 할까? 다른 무엇보다도 옷을 불필요하게 소비하지 않아야 한다. 필요 이상으로 옷을 여러 벌 산적은 없는지, 일회용품처럼 옷을 쉽게 사고 쉽게 버린 적은 없는지 우리의 소비 생활을 돌아볼 필요가 있다. 옷을 일회용품이 아니라 필수품이라고 인식해야 과도하게 옷을 소비하지 않을 수 있다.

또한 내가 입는 옷을 누가, 어떤 과정을 거쳐 만들었는지에 관심을 기울여야 한다. 옷을 만드는 과정에서 지적 재산권 침해, 환경 오염, 기업의 노동력 착취와 같은 일이 발생했는지 안다면 우리가 어떤 옷을 입을지 선택할 때에 도움이 될 것이다. 옷의 정보를 알기 어렵다면 소비자는 해당 기업에 관련 정보를 공개하라고 요구할 수 있다. 소비자는 자신이 사용하는 제품의 상세한 정보를 알 권리가 있기 때문이다.

옷의 정보를 확인한 후에는 이를 고려하여 옷을 소비해야 한다. 바로 여기에 어려운 점이 있다. 공정한 과정을 거쳐 옷을 생산한 경우에는 그렇게 하지 않은 경우에 비해 더 많은 비용이 들고, 당연히 그 비용은 옷 가격에 반영된다. 옷이 더 비싸지는 것이다. 하지만 옷에 싼 가격을 메기기 위해 불공정한 방법을 사용하였다면 그 가격 역시 불공정하다는 것을 알아야 한다.

일일이 옷의 정보를 확인하고, 생산 과정이 공정했는지를 따져 보는 것은 번거로운 일일지도 모른다. 하지만 어떤 과정으로 만들어진 옷을 입을 것인지 결정하는 우리의 작은 선택은 전 세계 의류 산업과 이에 종사하는 사람들, 나아가 지구 환경에도 영향을 미칠 수 있다. 따라서 이제는 이를 깨닫고, 공존과 상생의 가치를 바탕으로 한 옷 입기를 실천해야 할 때이다.

**03** 윗글에서 옷 가격을 낮추기 위한 가장 효과적인 방법으로 제시하고 있는 것은?

① 옷의 유행 속도를 늦추는 방법을 모색한다.
② 합성 섬유가 아닌 천연 섬유 재료로 옷을 생산한다.
③ 시간당 임금이 낮은 나라의 공장에서 제품을 만든다.
④ 가능한 온갖 운송 방법을 사용하여 운송 시간을 단축한다.
⑤ 의류 업체만이 아니라 소비자의 인식 또한 변화시켜야 한다.

**04** 윗글의 내용을 〈보기〉와 같이 정리할 때, ㉠에 해당하지 <u>않는</u> 것은?

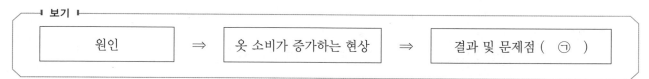

┤ 보기 ├

| 원인 | ⇒ | 옷 소비가 증가하는 현상 | ⇒ | 결과 및 문제점 ( ㉠ ) |

① 개발도상국의 노동자가 악조건 속에서 일을 하게 된다.

② 600억 점의 의류가 소각되거나 매립되면서 환경을 오염시킨다.

③ 남의 디자인을 도용하여 불법 복제품을 만드는 사태가 발생한다.

④ 경쟁에서 유리해지기 위해 의류 업체 간에 속도 경쟁을 하게 되었다.

⑤ 더 많은 면화를 생산하는 과정에서 다량의 살충제가 사용되고 이 과정에서 자연이 고통받게 된다.

**05** [가]가 [나]에 비해 설득력이 높다고 할 때, 그 이유를 모두 고른 것은?

┤ 보기 ├

A. 자료의 출처를 밝히고 있다.

B. 권위자의 말을 인용하고 있다.

C. 시각 자료를 잘 활용하고 있다.

D. 구체적인 수치를 제시하고 있다.

E. 통계 수치를 인구 및 국토로 치환하여 실감하기 쉽게 표현하고 있다.

① A, E        ② B, C        ③ B, D        ④ A, D, E        ⑤ C, D, E

**06** 다음은 윗글을 읽고 나눈 학생들의 대화이다. 윗글에 대한 감상으로 가장 적절하지 <u>않은</u> 것은?

① **학생 A** : 나는 글쓴이의 문제의식에 공감해. 옷 입기가 타인과 자연, 환경에도 영향을 미칠 수 있음을 우리 모두가 알아야 한다고 생각해.

② **학생 B** : 그런데 디자인 도용으로 원작 디자이너의 지적 재산권이 보장받지 못하는 문제는 단지 값싼 옷을 빠르게 소비하는 최근의 현상 때문에 발생한 것만으로는 보기 어려워.

③ **학생 C** : 맞아. 디자인 도용이 빠른 옷 소비가 일반화된 최근에 와서 발생한 문제인지 조사해 보고 관련 내용을 글에 추가하면 좋을 것 같아. 디자인 도용으로 입게 될 손해가 이익보다 더 크다는 내용도 같이 추가해야 해.

④ **학생 D** : 그리고 글쓴이는 옷에 대한 정보를 알기 위해 해당 기업에 옷에 대한 정보를 요청하라고 했는데 이 방법을 시간이 오래 걸리고 복잡해.

⑤ **학생 E** : 맞아. 해당 기업에 정보 공개를 요청하는 것 외에 옷에 대한 정보를 얻을 수 있는 방법이 있는지 찾아보고, 좀 더 쉬운 방법이 있다면 글에 추가하는 것이 좋겠어.

**07** 윗글을 읽고 〈보기〉와 같이 정리하였다. 밑줄 친 ㉠～㉤ 가운데 적절하지 **않은** 것은?

> ┤ 보기 ├
>
> 1. 문제상황
> : ㉠현대 사회에서 많은 사람들이 유행을 따르기 위해 옷을 쉽게 사고 쉽게 버린다.
>
> 2. 우리 삶에 미친 영향
> 2-1. 디자인 도용 측면
> • ㉡일부 의류 업체들은 새로운 옷을 빨리 생산하기 위해 남의 디자인을 도용하고, 고발당해도 도용으로 인한 이익이 크기 때문에 도용이 사라지지 않는다.
> • ㉢원작 디자이너가 지적 재산권 소송을 하더라도, 디자인 도용을 입증하기가 어렵다.
> 2-2. 환경오염 측면
> • 한 해에 생산되는 옷 중에서 4분의 3 정도가 버려져 소각되거나 매립된다.
> • ㉣합성 섬유를 만들기 위해 살충제가 사용되어 토양이 오염되고 지하수를 타고 물까지 오염시킨다.
> 2-3. 노동력 착취 측면
> • ㉤의류 제작에 종사하는 개발도상국 노동자들은 저임금을 받고 과도한 노동을 강요당하는 등 부당한 대우를 받고 있다.

① ㉠        ② ㉡        ③ ㉢        ④ ㉣        ⑤ ㉤

**08** 윗글에 대한 설명으로 적절하지 **않은** 것은?

① 옷 소비가 증가하는 현상의 단점을 지적하고 있다.
② 옷 소비가 증가하는 원인을 구체적 예를 통해 설명하고 있다.
③ 옷 소비가 증가하는 현상을 통계자료를 근거로 들어 설명하고 있다.
④ 옷 소비가 증가하는 현상을 개선하기 위한 해결방안들의 타당성을 검증하고 있다.
⑤ 옷 소비가 증가하는 현상이 지속된다면 개발도상국의 노동자들이 처한 상황은 쉽게 개선되지 않을 것으로 보고 있다.

[09～12] 다음 글을 읽고, 물음에 답하시오.

　어제 입었던 옷이 오늘 입은 옷에 밀려나고. 오늘 입은 옷은 다시 내일 입을 옷에 밀려난다. 우리가 유행이라고 부르는 이와 같은 연속된 과정은 지금도 끊임없이 이어지고 있다. 요즘은 유행의 속도가 점점 더 빨라져 거의 매일 새로운 옷이 쏟아져 나오고, 온갖 광고는 소비자에게 새로운 유행을 따르라고 유혹한다. 하지만 새 옷을 입는 즐거움도 잠시, 유행은 어느새 바뀌고 몇 번 입지도 않은 옷은 더 이상 입지 못할 옷이 되어 버려진다. 미국에서 발간한 한 잡지의 보도에 따르면, 2010년대에 들어 미국인이 구입한 옷은 1980년대와 비교했을 때 다섯 배나 더 많다고 한다. 우리나라도 이와 다르지 않게 옷 구매 횟수와 구매량이 빠르게 증가하였다. 소비자가 이렇게 많은 옷을 쉽게 소비할 수 있게 된 이유는 무엇일까?
　옷 소비가 증가하는 현상의 원인은 여러 가지가 있지만, 가장 주요한 원인은 의류 업체 간의 치열한 경쟁으로 점점 내려가는 옷 가격이다. A 기업이 청바지 한 벌을 5만 원에 시장에 내놓았는데, B 기업이 같은 품질의 청바지를 4만 5천 원에 판다면 소비자는 A 기업보다는 B 기업의 청바지를 살 것이다. 의류 업체 입장에서는 '어떻게 가격을 낮출 것인가?'에 사업의 성패가 달려 있다고 할 수 있다. 그런데 여기에서 주목해야 할 점은 의류 산업이 대표적인 노동 집약 산업이라는 것이다. 의류 산업은 제품을 만드는 데 노동력이 많이 필요하므로 전체 생산 비용에서 노동 비용이 차지하는 비중이 높다. 따라서 제품 가격을 낮추려면 노동 비용을 줄이는 것이 가장 효과적이다. 많은 의류 업체가 캄보디아, 방글라데시 등 임금이 낮은 나라에서 제품을 생산하는 이유가 여기에 있다. 우리가 입은 옷의 원산지 표시를 살펴보면 많은 옷이 이들 나라에서 생산되었다는 것을 쉽게 확인할 수 있다.

가격이 싼데도 최신 유행에 뒤처지지 않는 옷을 우리가 살 수 있는 또 다른 이유는 의류 업체 간의 속도 경쟁 때문이다. 얼마 전까지만 해도 새로운 유행을 반영한 옷을 만들어 가게에 전시하기까지는 6개월가량 걸리는 것이 일반적이었다. 그런데 최신 유행을 반영한 제품을 시장에 빨리 내놓을수록 경쟁에서 유리하다는 것을 알게 된 몇몇 의류 업체는 그 기간을 줄일 방안을 모색하였다. 그리하여 제품을 만드는 과정에서 중요도가 낮은 부분을 축소하거나 없애 제작 기간을 줄이고, 가능한 온갖 운송 방법을 사용하여 운송 시간도 단축하였다. 그 결과, 현재는 단 2주 만에 제품을 생산해서 매장에 선보이는 의류 업체까지 등장하였다.

신상품을 최대한 빨리 만들어서 싼 가격으로 파는 것은 이제 하나의 사업 전략으로 자리 잡았고, 이 전략을 선택한 많은 의류 업체가 승승장구하고 있다. 이런 놀랄 만한 성장의 원동력은 무엇보다도 소비자의 열렬한 호응이다. 최신 유행을 반영한 옷을 싼 가격에 살 수 있게 된 소비자는 이러한 옷을 마다할 이유가 없고, 더 많은 제품을 판매하여 이익을 얻게 된 의류 업체도 함박웃음을 짓는다. 그런데 좀 더 깊이 살펴보면 이러한 변화가 과연 반가워만 할 일인가라는 의문이 든다.

우선 디자인이 도용되는 사태가 발생하고 있다. 일부 의류 업체는 옷을 빠르게 생산하는 것에만 초점을 맞추고, 옷을 디자인하는 데에는 충분한 시간을 투자하지 않는다. 하지만 새로운 옷은 계속 제작해야 하니 결국 이런 업체는 남의 디자인을 도용하여 불법 복제품을 만든다. 실제로 세계적인 규모의 한 의류 업체는 디자인 도용 혐의로 50번 넘게 고발당했고, 이 때문에 언론으로부터 수차례 비판을 받았지만 이를 개선하려는 의지를 보이지 않고 있다. 디자인 도용으로 얻을 수 있는 이익이 처벌로 입게 될 손해보다 더 크기 때문이다.

디자인 도용에 대응하기 위해 원작 디자이너는 지적 재산권 소송을 하기도 한다. 하지만 디자인과 관련된 지적 재산권 소송의 경우, 창조와 모방의 경계가 모호한 경우가 많아서 소송 과정이 길고 복잡하다. 게다가 소송에 드는 비용 또한 만만치가 않아서 어쩔 수 없이 소송 자체를 포기하는 디자이너도 많다. 상황이 이렇게 보니 원작 디자이너의 지적 재산권을 침해하는 불법 복제품은 쉽사리 사라지지 않고 있다. 이렇게 디자인 도용이 계속되는 현실 속에서는 디자이너가 창의성을 발휘하기 어려울 수밖에 없다.

다음으로 환경이 오염되고 있다. 그린피스(Green Peace)의 2016년도 보도 자료에 따르면 한 해에 생산되는 의류의 양은 약 800억 점이다. 전 세계 인구가 75억 명 남짓이니 한 사람당 10점 이상 가질 수 있는 엄청난 양이다. 그러나 그중 4분의 3, 즉 600억 점의 의류는 결국 소각되거나 매립된다. 옷의 원재료인 직물은 한 해에 약 40만 제곱킬로미터가 생산되는데, 이는 우리나라 국토를 약 네 번 덮을 수 있는 넓이이다. 그중 생산 과정에서 버려지는 직물의 양은 약 6만 제곱킬로미터로, 제주도를 약 서른두 번 덮을 수 있는 넓이이다. 버려지는 옷과 직물 중 65퍼센트는 합성 섬유로 만들어진 것이기에 매립해도 좀처럼 썩지 않고, 태우면 유해 물질을 내뿜어 환경오염을 가속화한다.

자원의 생산 과정에서도 환경이 오염된다. 대표적인 천연 섬유 재료인 면화는 전 세계 경작지의 약 2.5퍼센트에 해당하는 토지에서 생사되고 있는데, 여기에 사용되는 살충제의 양이 전 세계 살충제 사용량의 약 16퍼센트에 달한다. 작물로서는 단위 면적당 살충제 사용량이 최고인 셈이다. 맹독성 살충제는 토양에 스며들어 지하수를 타고 강으로 흘러들어 가 동식물을 병들게 한다. 더 많이 생산하고 더 많이 버리는 과정에서 자연이 고통받는 것이다.

자연 못지않게 사람도 고통 받고 있다. 많은 의류 업체가 제품 제작에 드는 비용을 줄이려 시간당 임금이 낮은 개발도상국의 공장에서 제품을 만든다. 현재 세계에서 두 번째로 많은 옷을 만들고 수출하는 나라는 방글라데시로, 약 400만 명의 노동자가 의류 공장에서 일하고 있다. 일부 의류 업체는 옷을 더 빨리, 더 많이 판매하기 위해 이들 공장에 납품 기한을 최소한으로 준다. 납품 기한을 지키기 위해 노동자는 늦은 시간까지 노동을 강요당하고 쉬는 시간도 빼앗기는 등 부당한 대우를 받고 있다. 이런 환경에서 노동자가 일하고 받는 임금은 2014년 기준으로 한 달에 약 7만원 남짓에 불과하다.

소비자가 부담 없이 살 수 있는 싼 옷을 만들기 위해 개발 도상국의 노동자는 악조건 속에서 일하고 있다. 더욱 안타까운 것은 이런 현실을 개선하기가 쉽지 않을 것이라는 점이다. 싼 가격으로 경쟁하는 옷, 더 빠르게 유행을 따라가는 옷을 만들어야만 살아남을 수 있는 시장에서, 기업이 노동자의 임금을 인상하거나 근로 환경을 개선하는 데 적극적으로 투자하지는 않을 것이기 때문이다.

의류 업체는 이윤을 내는 데 열중하고, 소비자는 유행을 좇아 옷을 구매하다 보니 기업 윤리나 소비 윤리는 지켜지지 않고 있다. 이러한 상황을 변화시키기 위해 우리는 어떻게 해야 할까? 다른 무엇보다도 옷을 불필요하게 소비하지 않아야 한다. 필요 이상으로 옷을 여러 벌 산적은 없는지, 일회용품처럼 옷을 쉽게 사고 쉽게 버린 적은 없는지 우리의 소비 생활을 돌아볼 필요가 있다. 옷을 일회용품이 아니라 필수품이라고 인식해야 과도하게 옷을 소비하지 않을 수 있다.

또한 내가 입는 옷을 누가, 어떤 과정을 거쳐 만들었는지에 관심을 기울여야 한다. 옷을 만드는 과정에서 지적 재산권 침해, 환경 오염, 기업의 노동력 착취와 같은 일이 발생했는지 안다면 우리가 어떤 옷을 입을지 선택할 때에 도움이 될 것이다. 옷의 정보를 알기 어렵다면 소비자는 해당 기업에 관련 정보를 공개하라고 요구할 수 있다. 소비자는 자신이 사용하는 제품의 상세한 정보를 알 권리가 있기 때문이다.

옷의 정보를 확인한 후에는 이를 고려하여 옷을 소비해야 한다. 바로 여기에 어려운 점이 있다. 공정한 과정을 거쳐 옷을 생산한 경우에는 그렇게 하지 않은 경우에 비해 더 많은 비용이 들고, 당연히 그 비용은 옷 가격에 반영된다. 옷이 더 비싸지는 것이다. 하지만 옷에 싼 가격을 메기기 위해 불공정한 방법을 사용하였다면 그 가격 역시 불공정하다는 것을 알아야 한다.

일일이 옷의 정보를 확인하고, 생산 과정이 공정했는지를 따져 보는 것은 번거로운 일일지도 모른다. 하지만 어떤 과정으로 만들어진 옷을 입을 것인지 결정하는 우리의 작은 선택은 전 세계 의류 산업과 이에 종사하는 사람들, 나아가 지구 환경에도 영향을 미칠 수 있다. 따라서 이제는 이를 깨닫고, 공존과 상생의 가치를 바탕으로 한 옷 입기를 실천해야 할 때이다.

– 이민정, 「옷 한 벌로 세상 보기」 –

---

**09** 윗글에 통해 알 수 있는 내용으로 적절하지 <u>않은</u> 것은?

① 의류 산업은 노동집약적 산업이기 때문에 숙련된 기술자가 많은 캄보디아, 방글라데시 등의 나라에서 주로 제품을 생산한다.

② 최신제품을 싸게 시장에 빨리 출시하는 것이 하나의 사업 전략으로 자리 잡아서 어떤 업체는 2주 만에 제품을 생산하여 매장에 선보인다.

③ 빠르고 싸게 옷을 소비하는 현상은 의류 업체들이 과도한 경쟁을 하게 만들어 디자인 도용 사태를 불러온다.

④ 빠르고 싸게 옷을 소비하는 현상은 옷을 불필요하게 많이 생산하게 하여 소비되지 못한 옷들을 소각하고 매립하여 환경오염을 유발한다.

⑤ 옷을 만들기 위한 자원을 생산하는 과정에서도 과도한 살충제 사용 같은 환경오염을 유발한다.

---

**10** 다음은 이 글의 작문 맥락을 분석하여 정리한 것이다. 그 내용으로 적절하지 <u>않은</u> 것은?

| 글의 목적 | 설득 ······················································································································· ⓐ |
|---|---|
| 예상독자 | 소비자 ···················································································································· ⓑ |
| 글의주제 | 공존과 상생을 바탕으로 한 한 옷 입기의 필요성 ······································· ⓒ |
| 예상반응 | • 현대인의 옷 소비 생활에 대한 성찰을 통하여 불필요한 소비를 지양해야 함을 인식해야 한다. ⓓ<br>• 공정한 과정을 거쳐 만들어진 옷에 대한 소비의 중요성을 느끼고 옷을 저렴하고 합리적으로 구입할 수 있음을 인식하게 된다. ······································································································· ⓔ |

① ⓐ      ② ⓑ      ③ ⓒ      ④ ⓓ      ⑤ ⓔ

**11** 〈보기〉는 이 글을 쓰기 전 글쓴이가 적은 메모이다. 이 글에 반영된 것을 모두 고른 것은?

┤ 보기 ├

ㄱ. 대구법을 사용하여 유행에 민감한 의류시장의 속성을 강조하자.

ㄴ. 외국의 사례와 우리나라의 사례를 대조해 이 문제가 우리나라의 특수한 상황 때문에 벌어진 일임을 부각하자.

ㄷ. 공신력 있는 기관의 조사 결과를 구체적인 수치와 함께 제시하여 글의 내용에 신뢰성을 주도록 하자.

ㄹ. 여러 가지 문제점을 다양한 관점에서 제시하여 과도한 옷 소비 현상이 단순한 문제가 아님을 인지시키도록 하자.

ㅁ. 남의 디자인을 도용한 사례를 제시하여 디자인 도용이 사라지지 않는 이유까지 살펴보도록 하자.

ㅂ. 옷이 생산되고 폐기되는 양이 너무 큰 단위라서 체감하지 못할 수 있으니 우리에게 익숙한 대상에 견주어서 알기 쉽게 표현하도록 하자

ㅅ. 도표나 그래프를 사용하여 빠르고 싸게 옷을 소비하는 현상이 노동력을 착취하고 환경을 오염하는지 설명하자.

① ㄱ, ㄷ, ㄹ, ㅁ　　　② ㄱ, ㄹ, ㅁ, ㅂ　　　③ ㄴ, ㄷ, ㄹ, ㅂ
④ ㄱ, ㄷ, ㄹ, ㅁ, ㅂ　　⑤ ㄴ, ㄷ, ㅁ, ㅂ, ㅅ

**12** 이 글을 바탕으로 〈보기〉를 이해한 내용으로 적절하지 <u>않은</u> 것은?

┤ 보기 ├

　한동안 '패스트(fast) 패션'이 유행했다. 패스트 패션은 최신 유행을 즉각 반영해 빠르게 제작하고 빠르게 유통시키는 의류로, 대량 생산과 대량 소비를 전제로 한다. 따라서 값이 저렴하고, 세계 어디에서나 같은 옷을 구할 수 있다. 그러나 쉽게 구입한 만큼 금방 버리게 되어 엄청난 양의 의류 쓰레기가 생긴다. 또 면화와 인조 섬유를 혼합해 사용하다 보니 재활용도 어렵다 / 최근 이 패스트 패션에 대한 반감으로 슬로우(slow) 패션이라는 개념이 대두되었다. 슬로우 패션은 '오래 입고 다시 쓰자'는 데 그 취지가 있는데, 굳이 유행에 맞춰 입지 않아도 좋은 재료로 만든 옷을 입는다면 오래 만족할 수 있다는 것이다. 그러다 보니 슬로우 패션은 환경을 해치는 합성 섬유가 사용되었는지, 가난한 나라 사람들의 노동을 착취하였는지, 공정하게 거래되었는지를 따진다. 또 대량 생산으로 인해 재고가 남아 의류 쓰레기가 되지 않는지도 고려한다.

① 저렴한 가격에 빠르게 유행을 따라가는 옷을 만들어야만 살아남을 수 있는 시장으로 인해 패스트 패션이 만들어진 것이지요.

② 그러다 보니 패스트 패션은 환경을 오염시키는 문제점을 드러내고 있지요.

③ 패스트 패션에 대한 반감으로의 슬로우 패션은 환경은 물론 기업의 노동력 착취 등을 고려한 개념이군.

④ 합성섬유가 아닌 유기농 면화로 만든 옷을 입자는 주장은 이 글의 글쓴이의 의견과 일치하고 있지요.

⑤ 결국 이 글의 글쓴이와 〈보기〉의 글쓴이는 공정한 과정을 거쳐 만들어진 옷을 입자는 데 의견을 일치하고 있지요.

# 서술형 심화문제

[01~03] 다음 글을 읽고, 물음에 답하시오.

어제 입었던 옷이 오늘 입은 옷에 밀려나고, 오늘 입은 옷은 다시 내일 입을 옷에 밀려난다. 우리가 유행이라고 부르는 이와 같은 연속된 과정은 지금도 끊임없이 이어지고 있다. 요즘은 유행의 속도가 점점 더 빨라져 거의 매일 새로운 옷이 쏟아져 나오고, 온갖 광고는 소비자에게 새로운 유행을 따르라고 유혹한다. 하지만 새 옷을 입는 즐거움도 잠시, 유행은 어느새 바뀌고 몇 번 입지도 않은 옷은 더 이상 입지 못할 옷이 되어 버려진다. 미국에서 발간한 한 잡지의 보도에 따르면, 2010년대에 들어 미국인이 구입한 옷은 1980년대와 비교했을 때 다섯 배나 더 많다고 한다. 우리나라도 이와 다르지 않게 옷 구매 횟수와 구매량이 빠르게 증가하였다. 소비자가 이렇게 많은 옷을 쉽게 소비할 수 있게 된 이유는 무엇일까?

옷 소비가 증가하는 현상의 원인은 여러 가지가 있지만, 가장 주요한 원인은 의류 업체 간의 치열한 경쟁으로 점점 내려가는 옷 가격이다. A 기업이 청바지 한 벌을 5만 원에 시장에 내놓았는데, B 기업이 같은 품질의 청바지를 4만 5천 원에 판다면 소비자는 A 기업보다는 B 기업의 청바지를 살 것이다. 의류 업체 입장에서는 ⓐ'어떻게 가격을 낮출 것인가?'에 사업의 성패가 달려 있다고 할 수 있다. 그런데 여기에서 주목해야 할 점은 의류 산업이 대표적인 노동 집약 산업이라는 것이다. 의류 산업은 제품을 만드는 데 노동력이 많이 필요하므로 전체 생산 비용에서 노동 비용이 차지하는 비중이 높다. 따라서 제품 가격을 낮추려면 노동 비용을 줄이는 것이 가장 효과적이다. 많은 의류 업체가 캄보디아, 방글라데시 등 임금이 낮은 나라에서 제품을 생산하는 이유가 여기에 있다. 우리가 입은 옷의 원산지 표시를 살펴보면 많은 옷이 이들 나라에서 생산되었다는 것을 쉽게 확인할 수 있다.

가격이 싼데도 최신 유행에 뒤처지지 않는 옷을 우리가 살 수 있는 또 다른 이유는 의류 업체 간의 속도 경쟁 때문이다. 얼마 전까지만 해도 새로운 유행을 반영한 옷을 만들어 가게에 전시하기까지는 6개월가량 걸리는 것이 일반적이었다. 그런데 최신 유행을 반영한 제품을 시장에 빨리 내놓을수록 경쟁에서 유리하다는 것을 알게 된 몇몇 의류 업체는 그 기간을 줄일 방안을 모색하였다. 그리하여 제품을 만드는 과정에서 중요도가 낮은 부분을 축소하거나 없애 제작 기간을 줄이고, 가능한 온갖 운송 방법을 사용하여 운송 시간도 단축하였다. 그 결과, 현재는 단 2주 만에 제품을 생산해서 매장에 선보이는 의류 업체까지 등장하였다.

신상품을 최대한 빨리 만들어서 싼 가격으로 파는 것은 이제 하나의 사업 전략으로 자리 잡았고, 이 전략을 선택한 많은 의류 업체가 승승장구하고 있다. 이런 놀랄 만한 성장의 원동력은 무엇보다도 소비자의 열렬한 호응이다. 최신 유행을 반영한 옷을 싼 가격에 살 수 있게 된 소비자는 이러한 옷을 마다할 이유가 없고, 더 많은 제품을 판매하여 이익을 얻게 된 의류 업체도 함박웃음을 짓는다. 그런데 좀 더 깊이 살펴보면 이러한 변화가 과연 반가워만 할 일인가라는 의문이 든다.

우선 디자인이 도용되는 사태가 발생하고 있다. 일부 의류 업체는 옷을 빠르게 생산하는 것에만 초점을 맞추고, 옷을 디자인하는 데에는 충분한 시간을 투자하지 않는다. 하지만 새로운 옷은 계속 제작해야 하니 결국 이런 업체는 남의 디자인을 도용하여 불법 복제품을 만든다. 실제로 세계적인 규모의 한 의류 업체는 디자인 도용 혐의로 50번 넘게 고발당했고, 이 때문에 언론으로부터 수차례 비판을 받았지만 이를 개선하려는 의지를 보이지 않고 있다. 디자인 도용으로 얻을 수 있는 이익이 처벌로 입게 될 손해보다 더 크기 때문이다.

디자인 도용에 대응하기 위해 원작 디자이너는 지적 재산권 소송을 하기도 한다. 하지만 디자인과 관련된 지적 재산권 소송의 경우, 창조와 모방의 경계가 모호한 경우가 많아서 소송 과정이 길고 복잡하다. 게다가 소송에 드는 비용 또한 만만치가 않아서 어쩔 수 없이 소송 자체를 포기하는 디자이너도 많다. 상황이 이렇게 보니 원작 디자이너의 지적 재산권을 침해하는 불법 복제품은 쉽사리 사라지지 않고 있다. 이렇게 디자인 도용이 계속되는 현실 속에서는 디자이너가 창의성을 발휘하기 어려울 수밖에 없다.

다음으로 환경이 오염되고 있다. 그린피스(Green Peace)의 2016년도 보도 자료에 따르면 한 해에 생산되는 의류의 양은 약 800억 점이다. 전 세계 인구가 75억 명 남짓이니 한 사람 당 10점 이상 가질 수 있는 엄청난 양이다. 그러나 그중 4분의 3, 즉 600억 점의 의류는 결국 소각되거나 매립된다. 옷의 원재료인 직물은 한 해에 약 40만 제곱킬로미터가 생산되는 데, 이는 우리나라 국토를 약 네 번 덮을 수 있는 넓이이다. 그중 생산 과정에서 버려지는 직물의 양은 약 6만 제곱킬로미터로, 제주도를 약 서른두 번 덮을 수 있는 넓이이다. 버려지는 옷과 직물 중 65퍼센트는 합성 섬유로 만들어진 것이기에 매립해도 좀처럼 썩지 않고, 태우면 유해 물질을 내뿜어 환경오염을 가속화한다.

자원의 생산 과정에서도 환경이 오염된다. 대표적인 천연 섬유 재료인 면화는 전 세계 경작지의 약 2.5퍼센트에 해당하는 토지에서 생산되고 있는데, 여기에 사용되는 살충제의 양이 전 세계 살충제 사용량의 약 16퍼센트에 달한다. 작물로서는 단위 면적당 살충제 사용량이 최고인 셈이다. 맹독성 살충제는 토양에 스며들어 지하수를 타고 강으로 흘러들어 가 동식물을 병들게 한다. 더 많이 생산하고 더 많이 버리는 과정에서 자연이 고통받는 것이다.

자연 못지않게 사람도 고통받고 있다. 많은 의류 업체가 제품 제작에 드는 비용을 줄이려 시간당 임금이 낮은 개발 도상국의 공장에서 제품을 만든다. 현재 세계에서 두 번째로 많은 옷을 만들고 수출하는 나라는 방글라데시로, 약 400만 명의 노동자가 의류 공장에서 일하고 있다.

[A]

일부 의류 업체는 옷을 더 빨리, 더 많이 판매하기 위해 이들 공장에 납품 기한을 최소한으로 준다. 납품 기한을 지키기 위해 노동자는 늦은 시간까지 노동을 강요당하고 쉬는 시간도 빼앗기는 등 부당한 대우를 받고 있다. 이런 환경에서 노동자가 일하고 받는 임금은 2014년 기준으로 한 달에 약 7만 원 남짓에 불과하다.

소비자가 부담 없이 살 수 있는 싼 옷을 만들기 위해 개발도상국의 노동자는 악조건 속에서 일하고 있다. 더욱 안타까운 것은 이런 현실을 개선하기가 쉽지 않을 것이라는 점이다. 싼 가격으로 경쟁하는 옷, 더 빠르게 유행을 따라가는 옷을 만들어야만 살아남을 수 있는 시장에서, 기업이 노동자의 임금을 인상하거나 근로 환경을 개선하는 데 적극적으로 투자하지는 않을 것이기 때문이다.

---

**01** 의류 업체들이 ㉠을 실천하는 과정에서 생겨난 문제점 <u>3가지</u>를 본문에서 찾아 서술하시오.

**02** 윗글에서 글쓴이가 제시한 문제 해결 방안을 <u>3가지</u> 쓰시오.

**03** 윗글의 [A]를 통하여, 소비자가 많은 옷을 소비하게 된 원인을 찾아서 〈보기〉의 조건 대로 서술하시오.

┤ 보기 ├

(1) [A]에 있는 단어를 활용하시오.

(2) '소비자가 많은 옷을 쉽게 소비하게 된 원인은 ~ , ~ 때문이다.' (원인을 <u>두 가지</u>로 제시할 것.)

(3) 제시된 (2)의 조건에 따라 한 문장으로 서술하시오.

# 교내 휴대 전화 사용을 허용해야 한다

✿ 다음 영상물을 보고, 영상물에서 다루고 있는 문제가 무엇인지 파악해 보자.

청소년에게도 없어서는 안 될 소통 수단인 휴대 전화. 교실에서의 휴대 전화 사용을 어떻게 생각하십니까?

2014년 뉴욕 교육 당국은 교내 휴대 전화 소지에 관한 새로운 입장을 밝혔습니다. 뉴욕 교육 당국은 2007년부터
<sub>어떤 일을 직접 맡아 하는 기관</sub>

교내에서의 휴대 전화 사용을 엄격하게 금지했는데요. 그런데 이 조치가 시대에 맞지 않는다는 것입니다. 교내에서

휴대 전화를 사용하면 금지하는 것보다 훨씬 더 많은 것을 얻을 수 있다는 것이죠.

<u>부모는 언제나 자녀와 연락을 할 수 있어서 자녀의 안전을 덜 걱정할 수 있고,</u> <u>수업 중에도 휴대 전화를 적극 활용</u>
<sub>뉴욕 교육 당국이 교내 휴대 전화 사용을 허용한 이유 ①</sub>   <sub>뉴욕 교육 당국이 교내 휴대 전화 사용을 허용한 이유 ②</sub>

하면 학생들의 학업 흥미도 높일 수 있다는 것입니다. 이런 이유로 교내에서의 휴대 전화 사용을 허용하겠다고 밝힌

뉴욕 교육 당국.

그러나 영국에서는 교내 휴대 전화 사용을 금지해야 한다는 여론이 더 우세합니다. 영국 청소년의 휴대 전화 소지

율은 약 90퍼센트. 청소년의 휴대 전화 소지율이 높아질수록 교내에서의 휴대 전화 사용을 금지하는 학교들 또한 점

점 늘어났습니다. 그리고 <u>2015년에 영국 연구진은 교내에서 휴대 전화 사용을 금지하는 것의 효과에 관한 연구 결과</u>
<sub>주장을 뒷받침하는 과학적 근거</sub>

<u>를 발표했는데요. 교내에서 휴대 전화 사용을 금지했더니 학생들의 성적이 향상되었다는 것입니다.</u>

교내에서 휴대 전화 사용을 금지한 후, 원래 성적이 우수한 학생은 성적에 별다른 변화가 없었습니다. 그러나 성적

이 낮았던 학생은 성적이 크게 향상되었죠. 성적이 무려 14퍼센트나 높아진 것입니다. 학생들 간의 성적 차이가 줄어

든 것인데요. <u>영국 연구진은 교내에서 휴대 전화 사용을 금지하면 성적 차이로 생기는 학생들의 불평등을 해소할 수</u>
<sub>영국 연구진이 교내 휴대 전화 사용을 금지하자고 하는 이유</sub>

<u>있을 것이라고 봅니다.</u>

학생을 위해 교내에서 휴대 전화 사용을 허용해야 한다는 입장과, 마찬가지로 학생을 위해 금지해야 한다는 입장.

여러분은 어떤 입장에 더 공감하시는지요?

예시 답안 : 제시된 영상물에서는 교내에서의 휴대 전화 사용에 대한 문제를 다루고 있다. 2014년 뉴욕 교육 당국은 교내에서 휴대
전화 사용을 허용하면 많은 장점이 있다고 발표하였고, 2015년 영국 연구진은 교내 휴대 전화 사용을 금지한 후, 학생
들의 성적이 향상되었다는 연구 결과를 발표했다고 말하고 있다.

✿ 다음 토론을 읽으며 필수 쟁점을 파악하고, 필수 쟁점별로 찬성 측과 반대 측의 주장은 무엇이며 논증 구성 방법은 어떠한지 알아보자.

- 논제: 교내 휴대 전화 사용을 허용해야 한다.
- 참가자: 찬성 측 토론자 2명, 반대 측 토론자 2명, 사회자.
- 토론 형식: 반대 신문식 토론.
- 토론 순서: 2 대 2 토론의 경우.

| 찬성 측 | | 반대 측 | |
| --- | --- | --- | --- |
| 제1 토론자(찬성 1) | 제2 토론자(찬성 2) | 제1 토론자(반대 1) | 제2 토론자(반대 2) |
| ① 입론 | | | ② 반대 신문 |
| ④ 반대 신문 | | ③ 입론 | |
| | ⑤ 입론 | ⑥ 반대 신문 | |
| | ⑧ 반대 신문 | | ⑦ 입론 |
| ⑩ 반론 | | ⑨ 반론 | |
| | ⑫ 반론 | | ⑪ 반론 |

[ 논제 제시 ]

**사회자** 휴대 전화를 사용하는 학생 수가 단기간에 빠른 속도로 늘면서 학교 안에서 휴대 전화를 사용하는 일과 관련한
논제 선정의 배경
다양한 갈등이 발생하고 있습니다. 우리 학교를 포함한 상당수 학교에서는 등교 시에 휴대 전화를 거두어 갔다가 하

교 시에 돌려주는데, 선생님께 휴대 전화를 내지 않는 학생은 벌점을 받기도 합니다. 최근 한 학생이 학교 누리집에

교내에서 휴대 전화를 사용하지 못하도록 하는 것은 부당하다는 글을 올린 이후 학생들 사이에서 의견이 분분합니

다. 그래서 이번 시간에는 '교내 휴대 전화 사용을 허용해야 한다.'라는 논제로 토론해 보겠습니다. 양측 토론자는
토론 논제 제시
토론 규칙을 잘 지키며 적극적으로 토론해 주시기 바랍니다. 그럼 먼저 찬성 측 제1 토론자의 입론을 듣겠습니다.

[ 입론과 반대 신문 ]

[반대 신문식 토론 순서 ① – '찬성 1'의 입론]
**찬성 1** 휴대 전화 사용이 일상화된 요즘, 상당수 학교에서는 수업에 방해가 된다는 이유로 학교 안에서 학생들의 휴

대 전화 소지 및 사용을 금지하고 있습니다. 하지만 학생들은 독립된 존재이므로 어디에서든지 휴대 전화를 가지
'찬성 1'의 근거 ①
고 있을 수 있고, 이를 사용할 자유가 있습니다. 유독 학교에서만 개인의 소지품인 휴대 전화를 사용하지 못하는

것은 부당합니다. 그리고 이러한 강제적인 규제는 학생들의 반발을 불러일으킬 뿐만 아니라 휴대 전화 사용을 자
'찬성 1'의 근거 ②
율적으로 절제하려는 학생들의 의지마저 꺾고 있습니다. 교내에서 휴대 전화를 사용하도록 하되 학생 스스로 휴대
'찬성 1'의 주장
전화 사용을 조절하는 태도를 기르고, 휴대 전화 사용 시 다른 사람을 배려하는 지혜로운 선택을 하게끔 이끌어 주

어야 한다고 생각합니다.

**사회자** 반대 측 제2 토론자, 반대 신문해 주십시오.

[반대 신문식 토론 순서 ② – '반대 2'의 반대 신문]
**반대 2** 학교는 친구, 선생님과 소통하며 여러 지식을 배우고 다양한 경험을 하는 곳입니다. 친구, 선생님과 얼굴을 맞대고 직접 대화할 수 있는 학교에서 굳이 휴대 전화를 사용해야 하나요?

**찬성 1** 지식이나 경험뿐만 아니라 올바른 휴대 전화 사용 태도를 익힐 수 있는 곳이 학교라고 생각합니다. 그리고 교내에서는 대화로 의사소통할 수 있지만, <u>응급 상황이 발생하거나 부모님과 긴급하게 연락해야 할 때에는 휴대 전</u>
휴대 전화가 필요한 구체적인 상황을 제시함.
<u>화가 필요합니다.</u>

**사회자** 반대 측 제1 토론자, 입론해 주십시오.

[반대 신문식 토론 순서 ③ – '반대 1'의 입론]
**반대 1** 요즘 등·하굣길을 보면 많은 학생들이 휴대 전화를 사용하며 길을 걷고 있습니다. 이뿐만 아니라 친구와 함께 있으면서도 대화는 하지 않고 각자 휴대 전화만 들여다보는 모습도 자주 볼 수 있습니다. 학교는 여러 사람과 함께 생활하며 공동의 규범과 예의범절을 익히는 곳입니다. 따라서 학교에서만큼은 학생들이 휴대 전화를 사용할 자유를 내세우기보다는 바른 생활 태도를 익히는 것이 다른 것에 우선해야 합니다. 찬성 측 토론자는 교내에서 휴대 전화 사용을 규제하는 조치가 학생들의 자율적인 조절 의지를 꺾고 있다고 하였습니다. 하지만 <u>한국 정보화 진</u>
<u>흥원에서 2015년에 발표한 조사 내용을 보면, 청소년의 휴대 전화 중독률은 29.2퍼센트로 전체 성인의 휴대 전화</u>
'반대 1'의 두 번째 근거로, '찬성 1'이 근거로 든 교내 휴대 전화 사용을 규제하는 조치가 학생들의 자율적 조절 의지를 꺾고 있다는 내용에 대한 반박이다. 청소년의 휴대 전화 중독률이 매우 높다는
<u>중독률 11.3퍼센트보다 훨씬 높습니다.</u> 이는 전년에 비해 3.7퍼센트포인트 증가한 수치로, 휴대 전화를 과도하게
것을 구체적인 통계 수치를 통해 제시하고 있다.
사용하는 학생들이 늘었다는 사실을 보여 줍니다. 이러한 상황인데도 <u>학교에서 휴대 전화 사용을 통제하지 않는다</u>
'반대 1'의 주장
<u>면, 청소년의 과도한 휴대 전화 사용을 막는 일은 더 힘들어질 것입니다.</u>

**사회자** 찬성 측 제1 토론자, 반대 신문해 주십시오.

[반대 신문식 토론 순서 ④ – '찬성 1'의 반대 신문]
**찬성 1** <u>이미 학생들은 휴대 전화를 일상적으로 사용하고 있습니다. 학교에서 휴대 전화 사용을 제한한다고 해서 청소</u>
'반대 1'의 입론 중 교내 휴대 전화 사용 규제가 청소년의 휴대 전화 사용 중독을 막을 수 있다는 주장을 논리적으로 반박한 것이다.
<u>년의 휴대 전화 중독을 막을 수 있을까요?</u>

**반대 1** 최근에는 각 가정에서도 휴대 전화 사용 규칙을 정하는 등 휴대 전화 사용을 줄이기 위해 노력하고 있습니다. 그러나 학생들이 많은 시간을 보내는 학교에서 휴대 전화 사용을 줄이기 위해 노력하지 않는다면 휴대 전화 중독을 예방하기 어렵습니다. 휴대 전화는 중독성이 강한 매체입니다. <u>청소년의 휴대 전화 중독률이 성인에 비해 상대</u>
구체적인 통계 수치를 활용하여 휴대 전화 제한의 필요성을 뒷받침 함
<u>적으로 높다는 점을 볼 때, 청소년의 판단력과 절제력이 성인에 비해 부족하다는 것을 알 수 있습니다.</u> 교내에서 휴대 전화 사용을 제한한다면 청소년의 휴대 전화 중독을 예방하는 데 도움이 될 것입니다.

**사회자** 찬성 측의 주장과 반대 측의 주장이 첨예하게 맞서고 있습니다. 이제 찬성 측 제2 토론자가 입론해 주십시오.

[반대 신문식 토론 순서 ⑤ – '찬성 2'의 입론]
**찬성 2** 오늘날에 휴대 전화와 같은 매체를 사용하는 것은 정보화 시대의 흐름에 따른 자연스러운 현상입니다. 다양한 디지털 기기를 활용한 수업이 가능해졌고 학생들이 주체가 되어 참여하는 형태의 수업도 늘고 있습니다. 이러한 수업에서 휴대 전화를 유용하게 활용할 수 있습니다. 휴대 전화의 정보 검색 기능, 쌍방향 소통 기능, 동영상
'찬성 2'의 근거 – 휴대 전화는 다양한 방식의 수업을 하는 데 도움이 됨
및 사진 촬영 기능 등은 다양한 방식의 수업을 하는 데 도움이 됩니다. 예를 들어…….

**반대 1** 그렇지 않습니다. 휴대 전화를 수업에서 유용하게 사용하기보다는 그 반대인 경우가 더 많습니다.
'반대 1'의 잘못된 의사소통 태도 ① – 상대방의 발언 중에 끼어들어 말하고 있음

**찬성 2** 제 발언이 아직 끝나지 않았습니다.

**사회자** 반대 신문은 찬성 측의 입론 후에 듣겠습니다. 찬성 측 토론자께서는 입론을 계속해 주십시오.

**찬성 2** 예를 들어 휴대 전화로 수학 시간에 칠판의 글씨를 사진으로 찍거나, 과학 시간에 실험 과정을 영상으로 촬영
휴대 전화의 교육적 용도에 대한 구체적 사례
하여 복습할 때 활용하면 학습 효과를 높일 수 있습니다. 국어 시간에는 인터넷 검색을 통해 모르는 단어의 뜻을 확인할 수도 있습니다. 이처럼 휴대 전화의 교육적 활용도는 그 범위가 날로 확장되고 있습니다.

**사회자** 이제 반대 측 제1 토론자, 반대 신문해 주십시오.

[반대 신문식 토론 순서 ⑥ – '반대 1'의 반대 신문]
**반대 1** 찬성 측 토론자는 현실을 너무 모르는 것 아닙니까? 휴대 전화 사용이 학생들의 학습 태도와 성적에 좋지 않
'반대 1'의 잘못된 의사소통 태도 ② – 구체적인 근거 없이 '찬성 2' 토론자를 무시하며 말함
은 영향을 끼친다는 것은 누구나 다 아는 사실이지 않습니까?

**찬성 2** 저는 그렇게 생각하지 않습니다. 실제로 휴대 전화를 활용한 수업이 이루어지고 있고, 교육 현장에서 휴대 전
사례를 통해 '반대 1'의 반대 신문을 반박함
화를 활용하는 방법을 자신의 블로그에 소개한 선생님도 계십니다. 이제는 학교에서 휴대 전화 사용을 규제만 할 것이 아니라, 수업에 활용하는 방안을 적극적으로 모색할 필요가 있다고 생각합니다.

**사회자** 이제 반대 측 제2 토론자가 입론을 하겠습니다.

[반대 신문식 토론 순서 ⑦ – '반대 2'의 입론]

**반대 2** 저는 휴대 전화를 교육적 용도로 활용하는 것에 과장된 측면이 많다고 생각합니다. 실제로 우리가 휴대 전화를 사용할 때를 떠올려 보면, 화면을 진득하게 보지 않고 다음 화면으로 금방 넘겨 버리는 것을 알 수 있습니다. 이처럼 휴대 전화를 사용할 때에는 한 가지 자극에 오랫동안 집중하지 못하고 계속 새로운 자극을 찾기 때문에 오히려

'반대 2'는 휴대 전화의 교육적 활용도가 높지 않으므로 교내 휴대 전화를 규제해야 한다는 입론을 펼치고 있다. 그 근거로 휴대 전화의 사용양상 때문에 휴대 전화는 주로 유희적 용도로 사용된다는

집중력이 저하됩니다. 또 주어진 문제를 스스로 해결하려 하기보다 정보를 검색하여 쉽게 해결하려는 경향이 나타

점을 들고 있다.

나기도 합니다. 이러한 사용 양상 때문에 휴대 전화는 학습보다는 주로 유희적 용도로 사용됩니다. 따라서 학생들이 수업과 학습에 집중하고 친구와 직접적으로 소통할 수 있도록 교내에서 휴대 전화 사용을 규제해야 합니다.

**사회자** 그러면 찬성 측 제2 토론자 반대 신문을 해 주십시오.

[반대 신문식 토론 순서 ⑧ – '찬성 2'의 반대 신문]

**찬성 2** 청소년이 휴대 전화를 주로 유희적인 용도로 사용하고 있다는 근거가 있습니까?

'찬성 2'의 반대 신문 – '반대 2'가 근거를 제시하지 않은 부분을 지적함

**반대 2** 한국 정보화 진흥원이 2015년에 발표한 조사 내용에 따르면, 청소년이 휴대 전화를 이용하는 용도는 누리소

권위 있는 기관의 조사 결과를 근거로 제시함

통망(SNS)을 이용한 의사소통, 인터넷 검색, 게임, 음악 감상 순입니다. 이렇게 주로 유희적 용도로 사용하는 휴대 전화를 교내에서 사용할 수 있게 한다면 학생들이 제대로 수업에 집중할 수 있을까요?

> **반론**

**사회자** 지금까지 양측의 입론을 들어 보았습니다. 이제부터 반론을 진행하겠습니다. 반대 측 제1 토론자부터 반론을 시작해 주십시오.

[반대 신문식 토론 순서 ⑨ – '반대 1'의 반론]

**반대 1** 찬성 측에서는 학생들이 휴대 전화를 사용할 자유가 있기 때문에 학교에서 이를 규제하는 것은 부당하다고 하였습니다. 하지만 학교는 친구, 선생님과 관계를 형성하며 더불어 생활하는 곳입니다. 학생들이 학교에서의 생활

반대 측 주장 강화 ①

에 집중할 수 있도록 휴대 전화 사용을 규제할 필요가 있습니다. 또한 청소년은 이미 일상생활에서 휴대 전화와 밀접한 관계를 맺고 있으며, 청소년의 휴대 전화 중독률은 해마다 증가하고 있습니다. 청소년의 휴대 전화 중독을 예

반대 측 주장 강화 ②

방하기 위해서라도 교내에서의 휴대 전화 사용을 규제해야 합니다.

[반대 신문식 토론 순서 ⑩ – '찬성 1'의 반론]

**찬성 1** 학생이기 이전에 하나의 인격체로서 존중받아야 하는 학생들이 학교에서 개인 물품 사용을 규제당하는 것은

찬성 측 주장 강화

부당한 일입니다. 반대 측에서 청소년의 휴대 전화 중독이 심각하며 이를 예방해야 한다고 하신 점에는 저희도 동의합니다. 그러나 교내에서 휴대 전화 사용을 규제한다고 해서 청소년의 휴대 전화 중독을 막을 수는 없습니다. 공

반대 측 주장에 대한 반론

연이나 영화를 볼 때 관객 스스로 휴대 전화를 끄게 하는 것처럼, 학교에서도 학생 스스로 휴대 전화 사용을 절제할 수 있는 기회를 주어야 합니다.

**반대 2** <u>휴대 전화를 활용한 교육 기반이 구축되지 않은 상황에서, 교육적인 활용 가능성이 높다는 이유만으로 교내</u>
반대 측 주장 강화
<u>에서 휴대 전화 사용을 허용한다면 얻는 것보다 잃는 것이 더 많습니다.</u> 또한 요즘 청소년은 직접적인 소통보다 휴대 전화를 이용한 간접적인 소통에 익숙해지고 있습니다. 학교에서만이라도 휴대 전화 사용을 규제하여 실제로 얼굴을 맞대고 소통하는 것의 중요성을 깨닫도록 해야 합니다.

**찬성 2** 인터넷 강의가 일상화된 것처럼 앞으로는 다양한 매체를 활용한 교육이 활발하게 이루어질 것입니다. <u>따라서 휴대 전화의 교육적인 활용 가능성을 폄하고 사용을 제재하는 데만 급급하는 것은 시대의 흐름에 맞지 않습니</u>
찬성 측 주장 강화
<u>다.</u> 일상 깊숙이 들어온 휴대 전화를 학생들이 사용하지 못하게 규제하기보다는 학습에 활용하는 방안을 모색해야 합니다.

**사회자** 지금까지 양측의 의견을 들어 보았습니다. 찬성 측과 반대 측 토론자 모두 수고하셨습니다. 이제부터 평가 기준을 참고하여 어느 편의 주장이 더 타당했는지 토론을 평가해 보겠습니다.

⊙ **핵심정리**

| 갈래 | 토론(반대 신문식 토론) | 성격 | 논리적, 설득적, 분석적 |
|---|---|---|---|
| 제재 | 교내 휴대 전화 사용. | 논제 | 교내 휴대 전화 사용을 허용해야 한다. |
| 특징 | • 질문을 하여 상대방의 논지를 논리적으로 반박함.<br>• 구체적인 사례를 근거로 주장의 타당성과 신뢰성을 높임. | | |

**확인학습** ....................................................................................................................................................

**01** 이와 같은 글은 상대측과의 의견 차이를 절충해 나가는 말하기이다. ○☐ ×☐

**02** 이와 같은 글은 문제에 대해 찬성 측과 반대 측이 서로 말을 주고받으며 정보를 전달하는 말하기이다. ○☐ ×☐

**03** 이와 같은 글은 논의 주제에 대해 대립하는 양측이 자신의 주장이 옳음을 논리적으로 내세우는 말하기이다. ○☐ ×☐

**04** 이 토론에서 사회자는 토론의 논제를 소개하고, 토론의 규칙과 과정을 설명하였다. ○☐ ×☐

**05** 이 토론에서 사회자는 토론 순서를 언급하며 토론을 진행하고 있고, 올바른 태도로 토론에 임할 것을 당부하고 있다. ○☐ ×☐

**06** 이 토론에서 '찬성 측'은 응급 상황이나 부모에게 긴급히 연락해야 할 때 휴대 전화가 필요하다고 근거를 내세웠다. ○☐ ×☐

**07** 이 토론에서 '찬성 측'은 강제적인 규제는 휴대 전화 사용을 자율적으로 절제하려는 의지를 꺾는다는 근거를 내세웠다. ○☐ ×☐

**08** 이 토론에서 '반대 측'은 청소년의 휴대 전화 중독률에서 청소년의 판단력과 절제력이 부족함을 이끌어 내어 근거로 삼고 있다. ○☐ ×☐

**09** 이 토론에서 '반대 측'은 청소년의 휴대 전화 중독률에 관한 조사 내용을 근거로 교내 휴대 전화 사용 규제가 학생들의 자율적 절제 의지를 꺾고 있다는 찬성 측의 주장을 반박하고 있다. ○☐ ×☐

# 객관식 기본문제

**01** 다음은 '토론'과 다른 말하기를 비교하여 설명한 것이다. 잘못된 것은?

① 토론과 달리 논쟁과 협상은 일대일의 말하기가 가능하다.
② 토의를 하다가 찬반 대립이 분명한 문제가 나오면 토론으로 넘어갈 수 있다.
③ 토론과 토의는 집단적 말하기로서, 공동체의 문제를 해결하기 위한 것이다.
④ 토론과 논쟁은 둘 다 형식과 절차를 중시하는 말하기이지만, 결론 도출의 여부 면에서 차이가 있다.
⑤ 토론과 협상은 둘 다 경쟁적인 입장에서 시작하지만, 토론과 달리 협상은 양측의 갈등을 조정하여 합의하는 데에 목적이 있다.

**02** 토론에 관한 설명으로 적절하지 않은 것은?

① 정책 논제에서 찬성 측은 정책의 변화가 필요하다고 주장한다.
② 토론의 논제는 '~이다' 등의 긍정적 진술의 형태를 갖추어야 한다.
③ 반대 신문식 토론은 논제의 다양한 쟁점을 충분히 살필 수 있다는 장점이 있다.
④ 정책 논제를 다루는 토론에서는 문제, 해결방안, 효과와 이익 등이 주요한 필수 쟁점이 된다.
⑤ 교차신문은 상대측이 반론에서 내세운 주장과 이유, 근거를 반박하기 위하여 따져 묻는 말하기이다.

**03** 정책 논제를 결정할 때 유의할 사항으로 적절하지 않은 것은?

① 구체적인 쟁점이 형성되는 내용이어야 한다.
② '~해야 한다.'와 같은 진술로 표현해야 한다.
③ 찬성과 반대의 입장이 명확하게 대립되어야 한다.
④ 찬성, 반대 중 어느 한쪽으로 치우치지 않아야 한다.
⑤ 공동체 문제의 최적의 대안을 찾을 수 있어야 한다.

**04** 논제의 종류와 그 예를 짝지은 것으로 가장 알맞은 것은?

① 사실 논제– 사형제도는 범죄율을 감소시킨다.
② 정책 논제– 경제 성장보다 사회 복지가 중요하다.
③ 사실 논제– 원자력 발전소 건설을 중단해야 한다.
④ 가치 논제– 음식물 쓰레기 종량제를 개선해야 한다.
⑤ 가치 논제– 운전면허 취득 제한 연령을 올려야 한다.

### 토론에서 하는 말하기에는 어떤 것이 있을까?

토론의 발언에는 입론과 반론이 있다. 입론은 자신의 주장을 펼치는 말하기이며, 반론은 상대방의 주장을 반박하는 말하기이다. 토론의 유형에 따라 입론 단계에서 교차 신문을 하기도 한다. 교차 신문은 상대방의 입론 내용을 따져 묻는 말하기이다.

#### 토론에서 하는 발언의 종류와 성격

**입론**
찬성 또는 반대 측에서 자기의 주장이 타당함을 논리적으로 입증하는 말하기.

**반론**
상대측 주장이 타당하지 않음을 증명하기 위해 근거의 불충분함, 부정확함, 부적절함, 이유와 근거의 비연관성 등을 지적하는 말하기.

**교차 신문**
상대측이 입론에서 내세운 주장과 이유, 근거를 반박하기 위해 따져 묻는 말하기.

### 논제와 쟁점이란 무엇인가?

토론의 주제를 논제라고 하는데, 논제는 크게 사실 논제, 가치 논제, 정책 논제로 나뉜다. 사실 논제는 사실의 진위를 다투는 논제이고, 가치 논제는 가치관의 차이를 따지는 논제이며, 정책 논제는 어떤 정책의 도입, 폐지, 개선 등 정책의 실행 여부와 실행 방안에 관한 논제이다. 이 가운데 정책 논제를 다루는 토론에서 찬성 측은 정책의 변화를 주장하므로 그 변화가 필요하고 정당하다는 것을 증명해야 한다. 그리고 반대 측은 찬성 측의 주장이 정당하지 않음을 비판하는 역할을 맡는다.

쟁점은 찬성 측과 반대 측이 다투는 내용으로, 쟁점과 관련한 논의가 논쟁의 핵심이 된다. 쟁점 가운데 반드시 다루어야 하는 쟁점을 필수 쟁점이라고 한다. 정책 논제를 다루는 토론에서는 문제 해결 방안, 효과와 이익 등이 주요한 필수 쟁점이 된다.

#### 정책 논제를 다루는 토론의 필수 쟁점 구성

| 찬성 | 필수 쟁점 | 반대 |
|---|---|---|
| 문제가 심각하여 조치가 시급함. | 문제 | 문제가 심각하지 않음 |
| 제시된 방안으로 문제를 해결할 수 있고, 방안이 실행 가능함. | 해결 방안 | 제시된 방안으로 문제를 해결할 수 없거나 방안이 실행 불가능함. |
| 효과와 이익이 비용보다 큼. | 효과와 이익 | 비용이 효과와 이익보다 큼. |

## 논증은 어떻게 구성할까?

토론에서는 쟁점별로 논증을 구성하여 말해야 한다. 논증을 구성할 때에는 쟁점에 관한 주장이 명확해야 하고, 주장의 이유와 근거가 타당해야 한다. 이유는 주장을 정당화할 수 있어야 하고, 근거가 어떻게 주장과 연결되는지를 설명할 수 있어야 한다. 근거는 객관적인 사실 정보를 가리키는데, 근거와 이유 사이에는 밀접한 연관성이 있어야 한다.

**논증 구성의 예시**

| 이유 |
| --- |
| 자동차 요일제를 시행하면 대기 오염을 줄일 수 있기 때문이다. |

| 주장 |
| --- |
| 자동차 요일제를 시행해야 한다. |

| 근거 |
| --- |
| ○○○ 보고서에 따르면, 자동차 매연이 대기 오염의 주된 원인 가운데 하나라고 한다. |

## 반대 신문식 토론이란?

반대 신문식 토론은 어떤 논제를 두고 찬성 측과 반대 측이 교차 신문을 통해 상대방의 논지를 반박함으로써 승부를 가르는 토론이다. 이 토론은 입론, 반론, 평결의 순으로 진행된다. 교차 신문은 입론 단계에서 행해지는데, 바로 앞 차례의 상대측 토론자가 입론한 내용에 대해 질문하는 것이다. 평결은 배심원들이 한다.

### 2명 대 2명으로 반대 신문식 토론을 할 때의 진행 순서

| | 찬성 측 | | 반대 측 | |
| --- | --- | --- | --- | --- |
| | 제1 찬성자 | 제2 찬성자 | 제1 반대자 | 제2 반대자 |
| 입론 단계 | ①입론 | | | ②교차 신문 |
| | ④교차 신문 | | ③입론 | |
| | | ⑤입론 | ⑥교차 신문 | |
| | | ⑧교차 신문 | | ⑦ 입론 |
| 반론 단계 | ⑩반론 | | ⑨반론 | |
| | | ⑫반론 | | ⑪반론 |
| 평론 단계 | 배심원의 평결 | | | |

▲ 번호 ①~⑫ 토론 순서를 가리킴.

**05** 토론 방법에 대한 설명으로 적절하지 <u>않은</u> 것은?

① 토론은 대결이라는 점에서 진행 규칙을 준수해야 한다.
② 토론은 배구처럼 상대방을 공격하고 자기 팀을 방어한다.
③ 토론은 상대를 논리적으로 설득해야 우위를 점할 수 있다.
④ 토론 순서나 구체적인 방법은 사전에 정해 놓고 해야 한다.
⑤ 토론은 사회자, 토론자, 청중(배심원)으로 구성되며, 청중과 달리 사회자는 진행 과정에서 반드시 중립을 지켜야 한다.

**06** 위 글로 미루어 볼 때 적절하지 <u>않은</u> 것은?

① 찬성 측에게는 입증 책임, 반대 측에게는 반증 책임이 있다.

② 정책 논제에서 '문제'와 관련된 필수 쟁점은 주로 문제의 심각성, 중요성, 시급성, 상황의 지속성 등에 관한 것이다.

③ 정책 논제와 달리 사실 논제와 가치 논제에서는 '문제, 해결방안, 효과와 이익'이 필수 쟁점이 아닌 하위 쟁점이 된다.

④ 논증은 '주장, 이유, 근거'를 구성 요소로 하여 어떤 주장의 옳고 그름을 이유와 근거를 들어 밝히는 것이다.

⑤ 고전식 토론과 달리 반대 신문식 토론에서는 교차 신문이 추가되는데 반론 단계에서는 교차 신문이 허용되지 않는다.

**[07~09] 다음 글을 읽고 물음에 답하시오.**

청소년에게도 없어서는 안 될 소통 수단인 휴대 전화. 교실에서의 휴대 전화 사용을 어떻게 생각하십니까?

2014년 뉴욕 교육 당국은 교내 휴대 전화 소지에 관한 새로운 입장을 밝혔습니다. 뉴욕 교육 당국은 2007년부터 교내에서의 휴대 전화 사용을 엄격하게 금지했는데요. 그런데 이 조치가 시대에 맞지 않는다는 것입니다. 교내에서 휴대 전화를 사용하면 금지하는 것보다 훨씬 더 많은 것을 얻을 수 있다는 것이죠.

부모는 언제나 자녀와 연락을 할 수 있어서 자녀의 안전을 덜 걱정할 수 있고, 수업 중에도 휴대 전화를 적극 활용하면 학생들의 학업 흥미도 높일 수 있다는 것입니다. 이런 이유로 교내에서의 휴대 전화 사용을 허용하겠다고 밝힌 뉴욕 교육 당국.

그러나 영국에서는 교내 휴대 전화 사용을 금지해야 한다는 여론이 더 우세합니다. 영국 청소년의 휴대 전화 소지율은 약 90퍼센트. 청소년의 휴대 전화 소지율이 높아질수록 교내에서의 휴대 전화 사용을 금지하는 학교들 또한 점점 늘어났습니다. 그리고 2015년에 영국 연구진은 교내에서 휴대 전화 사용을 금지하는 것의 효과에 관한 연구 결과를 발표했는데요. 교내에서 휴대 전화 사용을 금지했더니 학생들의 성적이 향상되었다는 것입니다.

교내에서 휴대 전화 사용을 금지한 후, 원래 성적이 우수한 학생은 성적에 별다른 변화가 없었습니다. 그러나 성적이 낮았던 학생은 성적이 크게 향상되었죠. 성적이 무려 14퍼센트나 높아진 것입니다. 학생들 간의 성적 차이가 줄어든 것인데요. 영국 연구진은 교내에서 휴대 전화 사용을 금지하면 성적 차이로 생기는 학생들의 불평등을 해소할 수 있을 것이라고 봅니다.

학생을 위해 교내에서 휴대 전화 사용을 허용해야 한다는 입장과, 마찬가지로 학생을 위해 금지해야 한다는 입장. 여러분은 어떤 입장에 더 공감하시는지요?

**07** 윗글을 뉴스 영상으로 만들고자 할 때 유의해야할 점으로 적절하지 <u>않은</u> 것은?

① 관련 내용과 어울리는 사진이나 영상자료를 배경으로 제시하여 이해를 돕는다.

② 조사 결과를 소개할 때는 하나의 견해로서 제시하여 시청자들의 오해를 막는다.

③ 문제에 대한 양측의 의견을 골고루 다르고 배정 시간도 비슷하게 하여 공정성을 유지한다.

④ 시청자들이 뉴스 영상에서 중점적으로 다루고 있는 문제를 파악할 수 있도록 핵심을 중심으로 제시한다.

⑤ 뉴스를 전달할 때는 시청자들이 내용을 충분히 인지되도록 시종일관 차분한 말투와 무표정으로 진행한다.

**08** 윗글에 대한 이해로 적절하지 <u>않은</u> 것은?

① 청소년에게 휴대 전화는 소통의 수단으로서 필수적이다.

② 영국 연구진이 교내 휴대 전화 사용을 금지하자고 하는 이유는 학생들의 불평등 해소와 관련이 있다.

③ 2014년 이전에는 뉴욕 교육 당국은 교내 휴대 전화 소지에 관한 엄격한 입장을 유지한 적이 있었다.

④ 영국에서는 휴대 전화 사용률의 증가가 교내에서의 휴대 전화 사용을 금지하는 학교 수의 증가에 영향을 미쳤다.

⑤ 뉴욕 교육 전문가들은 교내에서 휴대 전화를 사용하면 금지하는 것보다 훨씬 더 많은 것을 얻을 수 있다고 생각할 것이다.

**09** 〈보기〉는 윗글을 쓰기 위해 떠올린 생각이다. 윗글에 반영된 생각을 〈보기〉에서 모두 골라 바르게 묶은 것은?

┤ 보기 ├

ㄱ. 방과 후 휴대 전화를 사용하는 것은 무엇을 의미하는 것일까?

ㄴ. 교내 휴대 전화 사용과 관련된 논란이 일어나는 이유는 무엇일까?

ㄷ. 교내 휴대 전화를 허용했을 때의 학생들의 이익과 학부모의 만족 내용을 밝히는 것은 어떨까?

ㄹ. 교내 휴대 전화로 문제가 발생한 경우, 책임은 누구에게 돌아가는지를 의문문의 형태로 제시하면 어떨까?

① ㄱ, ㄴ      ② ㄱ, ㄹ      ③ ㄴ, ㄷ      ④ ㄴ, ㄹ      ⑤ ㄷ, ㄹ

**[10~12]** 다음은 교내 휴대 전화 사용에 대한 반대 신문식 토론의 일부이다. 물음에 답하시오.

**사회자** : 휴대 전화를 사용하는 학생 수가 단기간에 빠른 속도로 늘면서 학교 안에서 휴대 전화를 사용하는 일과 관련한 다양한 갈등이 발생하고 있습니다. 우리 학교를 포함한 상당수 학교에서는 등교 시에 휴대 전화를 거두어 갔다가 하교 시에 돌려주는데, 선생님께 휴대 전화를 내지 않는 학생은 벌점을 받기도 합니다. 최근 한 학생이 학교 누리집에 교내 에서 휴대 전화를 사용하지 못하도록 하는 것은 부당하다는 글을 올린 이후 학생들 사이에서 의견이 분분합니다. 그래 서 이번 시간에는 '교내 휴대 전화 사용을 허용해야 한다.'라는 논제로 토론해 보겠습니다. 양측 토론자는 토론 규칙을 잘 지키며 적극적으로 토론해 주시기 바랍니다. 그럼 먼저 찬성 측 제1 토론자의 입론을 듣겠습니다.

**찬성 1** : 휴대 전화 사용이 일상화된 요즘, 상당수 학교에서는 수업에 방해가 된다는 이유로 학교 안에서 학생들의 휴대 전화 소지 및 사용을 금지하고 있습니다. 하지만 학생들은 독립된 존재이므로 어디에서든지 휴대 전화를 가지고 있을 수 있고, 이를 사용할 자유가 있습니다. 유독 학교에서만 개인의 소지품인 휴대 전화를 사용하지 못하는 것은 부당합니 다. 그리고 이러한 강제적인 규제는 학생들의 반발을 불러일으킬 뿐만 아니라 휴대 전화 사용을 자율적으로 절재하려 는 학생들의 의지마저 꺾고 있습니다. 교내에서 휴대 전화를 사용하도록 하되 학생 스스로 휴대 전화 사용을 조절하는 태도를 기르고, 휴대 전화 사용 시 다른 사람을 배려하는 지혜로운 선택을 하게끔 이끌어 주어야 한다고 생각합니다.

**사회자** : 반대 측 제2 토론자, 반대 신문해 주십시오.

**반대 2** : 학교는 친구, 선생님과 소통하며 여러 지식을 배우고 다양한 경험을 하는 곳입니다. 친구, 선생님과 얼굴을 맞대 고 직접 대화할 수 있는 학교에서 굳이 휴대 전화를 사용해야 하나요?

**찬성 1** : 지식이나 경험뿐만 아니라 올바른 휴대 전화 사용 태도를 익힐 수 있는 곳이 학교라고 생각합니다. 그리고 교내 에서는 대화로 의사소통할 수 있지만, 응급 상황이 발생하거나 부모님과 긴급하게 연락해야 할 때에는 휴대 전화가 필 요합니다.

**사회자** : 반대 측 제1 토론자, 입론해 주십시오.

**반대 1** : 요즘 등·하굣길을 보면 많은 학생들이 휴대 전화를 사용하며 길을 걷고 있습니다. 이뿐만 아니라 친구와 함께 있으면서도 대화는 하지 않고 각자 휴대 전화만 들여다보는 모습도 자주 볼 수 있습니다. 학교는 여러 사람과 함께 생 활하여 공동의 규범과 예의범절을 익히는 곳입니다. 따라서 학교에서만큼은 학생들이 휴대 전화를 사용할 자유를 내세 우기보다는 바른 생활 태도를 익히는 것이 다른 것에 우선해야 합니다. 찬성 측 토론자는 교내에서 휴대 전화 사용을 규제하는 조치가 학생들의 자율적인 조절 의지를 꺾고 있다고 하였습니다. 하지만 한국 정보화 진흥원에서 2015년에 발표한 조사 내용을 보면, 청소년의 휴대 전화 중독률은 29.2퍼센트로 전체 성인의 휴대 전화 중독률 11.3퍼센트보다 훨씬 높습니다. 이는 전년에 비해 3.7퍼센트포인트 증가한 수치로, 휴대 전화를 과도하게 사용하는 학생들이 늘었다는 사실을 보여 줍니다. 이러한 상황인데도 학교에서 휴대 전화 사용을 통제하지 않는다면, 청소년의 과도한 휴대 전화 사 용을 막는 일은 더 힘들어질 것입니다.

**사회자** : 찬성 측 제1 토론자, 반대 신문해 주십시오.

**찬성 1** : 이미 학생들은 휴대 전화를 일상적으로 사용하고 있습니다. 학교에서 휴대 전화 사용을 제한한다고 해서 청소년 의 휴대 전화 중독을 막을 수 있을까요?

**반대 1** : 최근에는 각 가정에서도 휴대 전화 사용 규칙을 정하는 등 휴대 전화 사용을 줄이기 위해 노력하고 있습니다. 그 러나 학생들이 많은 시간을 보내는 학교에서 휴대 전화 사용을 줄이기 위해 노력하지 않는다면 휴대 전화 중독을 예방 하기 어렵습니다. 휴대 전화는 중독성이 강한 매체입니다. 청소년의 휴대 전화 중독률이 성인에 비해 상대적으로 높다 는 점을 볼 때, 청소년의 판단력과 절제력이 성인에 비해 부족하다는 것을 알 수 있습니다. 교내에서 휴대 전화 사용을 제한한다면 청소년의 휴대 전화 중독을 예방하는 데 도움이 될 것입니다.

**사회자** : 찬성 측의 주장과 반대 측의 주장이 첨예하게 맞서고 있습니다. 이제 찬성 측 제2 토론자가 입론해 주십시오.

**찬성 2** : 오늘날에 휴대 전화와 같은 매체를 사용하는 것은 정보화 시대의 흐름에 따른 자연스러운 현상입니다. 다양한 디지털 기기를 활용한 수업이 가능해졌고 학생들이 주체가 되어 참여하는 형태의 수업도 늘고 있습니다. 이러한 수업 에서 휴대 전화를 유용하게 활용할 수 있습니다. 휴대 전화의 정보 검색 기능, 쌍방향 소통 기능, 동영상 및 사진 촬영 기능 등은 다양한 방식의 수업을 하는 데 도움이 됩니다. 예를 들어……

**반대 1** : ㉠그렇지 않습니다. 휴대 전화를 수업에서 유용하게 사용하기보다는 그 반대인 경우가 더 많습니다.

**찬성 2** : 제 발언이 아직 끝나지 않았습니다.

**사회자** : 반대 신문은 찬성 측의 입론 후에 듣겠습니다. 찬성 측 토론자께서는 입론을 계속해 주십시오.

**찬성 2** : 예를 들어 휴대 전화로 수학 시간에 칠판의 글씨를 사진으로 찍거나, 과학 시간에 실험 과정을 영상으로 촬영하여 복습할 때 활용하면 학습 효과를 높일 수 있습니다. 국어 시간에는 인터넷 검색을 통해 모르는 단어의 뜻을 확인할 수도 있습니다. 이처럼 휴대 전화의 교육적 활용도는 그 범위가 날로 확장되고 있습니다.

**사회자** : 이제 반대 측 제1 토론자, 반대 신문해 주십시오.

**반대 1** : 찬성 측 토론자는 현실을 너무 모르는 것 아닙니까? 휴대 전화 사용이 학생들의 학습 태도와 성적에 좋지 않은 영향을 끼친다는 것은 누구나 다 아는 사실이지 않습니까?

**찬성 2** : 저는 그렇게 생각하지 않습니다. 실제로 휴대 전화를 활용한 수업이 이루어지고 있고, 교육 현장에서 휴대 전화를 활용하는 방법을 자신의 블로그에 소개한 선생님도 계십니다. 이제는 학교에서 휴대 전화 사용을 규제만 할 것이 아니라, 수업에 활용하는 방안을 적극적으로 모색할 필요가 있다고 생각합니다.

**사회자** : 이제 반대 측 제2 토론자가 입론을 하겠습니다.

**반대 2** : 저는 휴대 전화를 교육적 용도로 활용하는 것에 과장된 측면이 많다고 생각합니다. 실제로 우리가 휴대 전화를 사용할 때를 떠올려 보면, 화면을 진득하게 보지 않고 다음 화면으로 금방 넘겨 버리는 것을 알 수 있습니다. 이처럼 휴대 전화를 사용할 때에는 한 가지 자극에 오랫동안 집중하지 못하고 계속 새로운 자극을 찾기 때문에 오히려 집중력이 저하됩니다. 또 주어진 문제를 스스로 해결하려 하기보다 정보를 검색하여 쉽게 해결하려는 경향이 나타나기도 합니다. 이러한 사용 양상 때문에 휴대 전화는 학습보다는 주로 유희적 용도로 사용됩니다. 따라서 학생들이 수업과 학습에 집중하고 친구와 직접적으로 소통할 수 있도록 교내에서 휴대 전화 사용을 규제해야 합니다.

**사회자** : 그러면 찬성 측 제2 토론자 반대 신문을 해 주십시오.

**찬성 2** : 청소년이 휴대 전화를 주로 유희적인 용도로 사용하고 있다는 근거가 있습니까?

**반대 2** : 한국 정보화 진흥원이 2015년에 발표한 조사 내용에 따르면, 청소년이 휴대 전화를 이용하는 용도는 누리소통망(SNS)을 이용한 의사소통, 인터넷 검색, 게임, 음악 감상 순입니다. 이렇게 주로 유희적 용도로 사용하는 휴대 전화를 교내에서 사용할 수 있게 한다면 학생들이 제대로 수업에 집중할 수 있을까요?

**사회자** : 지금까지 양측의 입론을 들어 보았습니다. 이제부터 반론을 진행하겠습니다. 반대 측 제1 토론자부터 반론을 시작해 주십시오.

**반대 1** : 찬성 측에서는 학생들이 휴대 전화를 사용할 자유가 있기 때문에 학교에서 이를 규제하는 것은 부당하다고 하였습니다. 하지만 학교는 친구, 선생님과 관계를 형성하며 더불어 생활하는 곳입니다. 학생들이 학교에서의 생활에 집중할 수 있도록 휴대 전화 사용을 규제할 필요가 있습니다. 또한 청소년은 이미 일상생활에서 휴대 전화와 밀접한 관계를 맺고 있으며, 청소년의 휴대 전화 중독률은 해마다 증가하고 있습니다. 청소년의 휴대 전화 중독을 예방하기 위해서라도 교내에서의 휴대 전화 사용을 규제해야 합니다.

**찬성 1** : 학생이기 이전에 하나의 인격체로서 존중받아야 하는 학생들이 학교에서 개인 물품 사용을 규제당하는 것은 부당한 일입니다. 반대 측에서 청소년의 휴대 전화 중독이 심각하며 이를 예방해야 한다고 하신 점에는 저희도 동의합니다. 그러나 교내에서 휴대 전화 사용을 규제한다고 해서 청소년의 휴대 전화 중독을 막을 수는 없습니다.

**사회자** : 지금까지 양측의 의견을 들어 보았습니다. 찬성 측과 반대 측 토론자 모두 수고하셨습니다. 이제부터 평가 기준을 참고하여 어느 편의 주장이 더 타당했는지 토론을 평가해 보겠습니다.

---

**10** 〈보기〉는 ㉠에 대한 반응이다. 빈칸에 들어갈 용어를 순서대로 고르면?

> ┤ 보기 ├
>
> 상대의 (          ) 도중 자신의 의견을 말하며 상대의 발언을 (          )하고 있다.

① 입론, 옹호  ② 입론, 방해  ③ 반대신문, 옹호

④ 반대신문, 방해  ⑤ 반론, 방해

**11** 〈보기〉는 이 토론을 준비하는 과정에서 수집한 자료이다. 이를 토론에 활용할 수 있는 방안으로 가장 적절한 것은?

┤ 보기 ├

　　○○광역시 교육청은 학생들의 휴대 전화를 조회 시간에 거두어 갔다가 하교 시에 돌려주는 것에 대해 부모는 자녀와 언제나 연락할 수 있어서 자녀의 안전을 덜 수 있고, 수업 중에도 휴대 전화를 적극 활용하면 학생들의 학업 흥미를 높일 수 있으므로 시대에 맞지 않는다는 입장을 밝혔다. 교내 휴대 전화 소지를 금지하기보다는 학급회나, 학생자치회를 통해 규칙을 정한 후, 이를 지켜나가는 학교생활협약을 만들어 학생들 스스로 역량을 키워 나가도록 권고하고 있다.

① 찬성 측에서 교내에서 휴대 전화를 이용한 직접적인 소통보다 간접적인 소통에 익숙하다는 상대방 주장을 반박하는 자료로 활용한다.

② 찬성 측에서 교내에서 휴대 전화를 사용하도록 하되 학생 스스로 휴대 전화 사용을 조절하는 태도를 기르게 해야 한다는 주장의 근거로 활용한다.

③ 반대 측에서 휴대 전화를 교육적 용도로 활용하는 것에 과장된 측면이 많다는 주장의 근거로 활용한다.

④ 반대 측에서 교내에서 휴대 전화 사용을 규제하는 조치가 학생들의 자율적인 조절 의지를 꺾고 있다는 상대방 주장을 반박하는 자료로 활용한다.

⑤ 반대 측에서 학교에서만큼은 학생들이 휴대전화를 사용할 자유를 내세우기보다는 바른 생활 태도를 익히는 것이 중요하다는 주장의 근거로 활용한다.

**12** 토론의 단계에 따른 설명으로 적절하지 <u>않은</u> 것은?

① 입론을 할 때 '반대 2'는 현재 상태의 문제점을 제기하면서 주장을 펼치고 있다.

② 반대 신문을 할 때 '찬성 2'는 상대측 주장의 허점을 찾아내어 질문하고 있다.

③ '찬성 2'의 반대 신문에 대해 '반대 2'는 전문가의 의견을 인용하여 신뢰성을 높이고 있다.

④ 사회자는 토론 순서와 발언 차례를 안내하면서 토론을 진행하고 있다.

⑤ 반론을 할 때 '반대 1'은 자기 측 논증의 논리성을 강조하여 주장을 강화하고 있다.

**[13~16]** 다음 글을 읽고 물음에 답하시오.

**(가) 사회자** : 우리 학교를 포함한 상당수 학교에서는 등교 시에 휴대 전화를 거두어 갔다가 하교 시에 돌려주는데, 선생님께 휴대 전화를 내지 않는 학생은 벌점을 받기도 합니다. 최근 한 학생이 학교 누리집에 교내에서 휴대 전화를 사용하지 못하도록 하는 것은 부당하다는 글을 올린 이후 학생들 사이에서 의견이 분분합니다. 그래서 이번 시간에는 '교내 휴대 전화 사용을 허용해야 한다.'라는 논제로 토론해 보겠습니다. 양측 토론자는 토론 규칙을 잘 지키며 적극적으로 토론해 주시기 바랍니다. 그럼 먼저 찬성 측 제1 토론자의 입론을 듣겠습니다. 〈중략〉

**(나) 사회자** : 반대 측 제2 토론자, 반대 신문해 주십시오.

**반대 2** : 학교는 친구, 선생님과 소통하며 여러 지식을 배우고 다양한 경험을 하는 곳입니다. 친구, 선생님과 얼굴을 맞대고 직접 대화할 수 있는 학교에서 굳이 휴대 전화를 사용해야 하나요?

**찬성 1** : 지식이나 경험뿐만 아니라 올바른 휴대 전화 사용 태도를 익힐 수 있는 곳이 학교라고 생각합니다. 그리고 교내에서는 대화로 의사소통할 수 있지만, 응급 상황이 발생하거나 부모님과 긴급하게 연락해야 할 때에는 휴대 전화가 필요합니다.

**(다) 사회자** : 찬성 측의 주장과 반대 측의 주장이 첨예하게 맞서고 있습니다. 이제 찬성 측 제2 토론자가 입론해 주십시오.

**찬성 2** : 오늘날에 휴대 전화와 같은 매체를 사용하는 것은 정보화 시대의 흐름에 따른 자연스러운 현상입니다. 다양한 디지털 기기를 활용한 수업이 가능해졌고 학생들이 주체가 되어 참여하는 형태의 수업도 늘고 있습니다. 이러한 수업에서 휴대 전화를 유용하게 활용할 수 있습니다. 휴대 전화의 정보 검색 기능, 쌍방향 소통 기능, 동영상 및 사진 촬영 기능 등은 다양한 방식의 수업을 하는 데 도움이 됩니다. 예를 들어······.

**반대 1** : ㉠그렇지 않습니다. 휴대 전화를 수업에서 유용하게 사용하기보다는 그 반대인 경우가 더 많습니다.

**찬성 2** : 제 발언이 아직 끝나지 않았습니다.

**사회자** : 반대 신문은 찬성 측의 입론 후에 듣겠습니다. 찬성 측 토론자께서는 입론을 계속해 주십시오.

**찬성 2** : 예를 들어 휴대 전화로 수학 시간에 칠판의 글씨를 사진으로 찍거나, 과학 시간에 실험 과정을 영상으로 촬영하여 복습할 때 활용하면 학습 효과를 높일 수 있습니다. 국어 시간에는 인터넷 검색을 통해 모르는 단어의 뜻을 확인할 수도 있습니다. 이처럼 휴대 전화의 교육적 활용도는 그 범위가 날로 확장되고 있습니다.

**사회자** : 이제 반대 측 제1 토론자, 반대 신문해 주십시오.

**반대 1** : 찬성 측 토론자는 현실을 너무 모르는 것 아닙니까? 휴대 전화 사용이 학생들의 학습 태도와 성적에 좋지 않은 영향을 끼친다는 것은 누구나 다 아는 사실이지 않습니까?

**찬성 2** : 저는 그렇게 생각하지 않습니다. 실제로 휴대 전화를 활용한 수업이 이루어지고 있고, 교육 현장에서 휴대 전화를 활용하는 방법을 자신의 블로그에 소개한 선생님도 계십니다. 이제는 학교에서 휴대 전화 사용을 규제만 할 것이 아니라, 수업에 활용하는 방안을 적극적으로 모색할 필요가 있다고 생각합니다.

**사회자** : 이제 반대 측 제2 토론자가 입론을 하겠습니다.

**반대 2** : 저는 휴대 전화를 교육적 용도로 활용하는 것에 과장된 측면이 많다고 생각합니다. 실제로 우리가 휴대 전화를 사용할 때를 떠올려 보면, 화면을 진득하게 보지 않고 다음 화면으로 금방 넘겨 버리는 것을 알 수 있습니다. 이처럼 휴대 전화를 사용할 때에는 한 가지 자극에 오랫동안 집중하지 못하고 계속 새로운 자극을 찾기 때문에 오히려 집중력이 저하됩니다. 또 주어진 문제를 스스로 해결하려 하기보다 정보를 검색하여 쉽게 해결하려는 경향이 나타나기도 합니다. 이러한 사용 양상 때문에 휴대 전화는 학습보다는 주로 유희적 용도로 사용됩니다. 따라서 학생들이 수업과 학습에 집중하고 친구와 직접적으로 소통할 수 있도록 교내에서 휴대 전화 사용을 규제해야 합니다.

**사회자** : 그러면 찬성 측 제2 토론자 반대 신문을 해 주십시오.

**찬성 2** : 청소년이 휴대 전화를 주로 유희적인 용도로 사용하고 있다는 근거가 있습니까?

**반대 2** : 한국 정보화 진흥원이 2015년에 발표한 조사 내용에 따르면, 청소년이 휴대 전화를 이용하는 용도는 누리소통망(SNS)을 이용한 의사소통, 인터넷 검색, 게임, 음악 감상 순입니다. 이렇게 주로 유희적 용도로 사용하는 휴대 전화를 교내에서 사용할 수 있게 한다면 학생들이 제대로 수업에 집중할 수 있을까요?

**(라) 반대 2** : 휴대 전화를 활용한 교육 기반이 구축되지 않은 상황에서, 교육적인 활용 가능성이 높다는 이유만으로 교내에서 휴대 전화 사용을 허용한다면 얻는 것보다 잃는 것이 더 많습니다. 또한 요즘 청소년은 직접적인 소통보다 휴대 전화를 이용한 간접적인 소통에 익숙해지고 있습니다. 학교에서만이라도 휴대 전화 사용을 규제하여 실제로 얼굴을 맞대고 소통하는 것의 중요성을 깨닫도록 해야 합니다.

**13** 위 토론에 대한 설명으로 적절하지 <u>않은</u> 것은?

① 반대 신문식 토론 형식으로 진행하고 있다.

② 이 토론의 서두에는 논제 선정의 배경과 함께 논제를 제시하였다.

③ 사회자는 논제를 제시하고 발언 기회와 시간을 균등하게 제공해야 한다.

④ 논제의 종류로는 사실 논제, 가치 논제, 정책 논제 등이 있으며 이 토론의 논제는 가치 논제이다.

⑤ 입론을 할 때, 찬성 측은 현재 상태의 문제점을 제기하고, 필수 쟁점별로 주장과 근거를 들어 논증한다.

**14** 이 토론 참여자의 말하기 방식으로 적절하지 <u>않은</u> 것은?

① 찬성 측은 수업에서 휴대 전화를 유용하게 활용할 수 있으며 이를 구체적 예를 들어 제시하고 있다.

② 반대 측은 전문 기관의 조사 자료를 인용하여 청소년이 주로 유희적 용도로 사용하는 휴대 전화의 긍정적 효과에 대해 논증하고 있다.

③ 반대 측은 객관적인 근거 즉, 공신 기관의 조사 내용을 제시함으로써 자신의 주장을 논리적으로 전개하고 있다.

④ 찬성 측은 현실을 너무 모른다는 반대 측의 지적에 실제 교육 현장의 사례를 근거로 들어 이에 반박하고 있다.

⑤ 반대 측에서는 휴대 전화를 교육적 용도로 활용한다는 것에 과장된 측면이 많다고 보고 오히려 집중력을 저하시키고 쉽게 문제를 해결하려 하는 단점이 있다고 보았다.

**15** (다)와 (라)에서 찬성 측과 반대 측이 다루고 있는 필수 쟁점으로 적절한 것을 고르면?

① 상대방의 주장을 논리적으로 반박하기 위한 명확한 근거를 제시하였다.

② 학생들은 휴대 전화를 자율적으로 절제하여 사용할 수 있다.

③ 교내에서 휴대 전화 사용을 규제하는 현재 상황은 부당하다.

④ 논제에 따라 쟁점을 적절하게 도출하고 쟁점별로 주장을 명확히 전달하였다.

⑤ 휴대 전화를 유용한 수업 도구로 활용할 수 있다.

**16** ㉠과 같은 발언을 한 '반대 1'은 토론 시 갖추어야 할 예의를 어겼다. '반대 1'에게 요구되는 토론 예의는?

① 상대방의 발언 중 끼어 들어 말을 하는 것을 고치고 인신공격성 발언을 자제해야 한다.

② 상대방의 입론에 객관적 근거가 명확한 지를 찾으며 들을 수 있는 태도를 길러야 한다.

③ 상대방의 발언 중간에 끼어들지 말고 모두 들은 후 사회자의 순서 지정 후 의견을 말해야 한다.

④ 논제에 따른 필수 쟁점을 명확하게 정리해야 찬성 혹은 반대의 입장을 논리적으로 설명할 수 있다.

⑤ 토론 중에는 자신의 개인적인 감정이나 심리 상태를 드러내는 것은 자제해 가며 예의를 지키는 태도가 중요하다.

# 객관식 심화문제

**[01~04] 다음 글을 읽고 물음에 답하시오.**

**사회자** : 지금부터 ㉠"의약품 개발을 위한 동물 실험을 금지해야 한다."라는 논제로 토론을 시작하겠습니다. 이 논제와 관련하여 양측의 의견을 들어 보겠습니다. 토론 규칙을 잘 지키면서 토론해 주시기 바랍니다. 먼저 찬성 측 제1 토론자의 입론으로 시작하겠습니다.

찬성 측 첫 번째 토론자의 입론

**찬성 1** : 현재 전 세계에서 연간 1억 마리 이상의 동물이 인간을 위한 동물 실험으로 죽어 가고 있습니다. 여기에서 동물 실험이란 새로운 약품이나 치료법의 효능과 안전성을 확인하기 위해 동물을 대상으로 실시하는 의학적인 실험을 말합니다. 이 동물 실험은 인간에 의해 많은 동물이 희생된다는 점에서 문제가 있습니다. 인간과 동물은 모두 생명을 가진 존재이며, 고통을 느낀다는 점에서 크게 다르지 않습니다. 저희 찬성 측은 다음과 같은 측면에서 의약품 개발을 위한 동물 실험을 반드시 금지해야 한다고 생각합니다.

　무엇보다도 동물 실험은 비윤리적이라는 심각한 문제가 있습니다. 실험 과정에서 동물에게 큰 고통을 주고, 생명을 빼앗기도 하기 때문입니다. 동물 실험에서는 실험동물의 먹이와 물의 공급을 제한하여 특정 사료만을 먹게 하거나, 실험동물을 묶어 놓고 피부에 상처를 입힌 뒤 그 치유 과정을 관찰하기도 합니다. 미국 농무부의 보고에 따르면, 2010년에 9만 7천여 마리의 동물이 실험 과정에서 마취제나 진통제 투여 없이 실험을 받았습니다. 이 같은 사실은 동물 실험이 동물에게 큰 고통을 주는 현실을 잘 보여 줍니다.

　또한 동물 실험의 결과를 인간에게 그대로 적용할 수는 없습니다. 동물 실험에서 검증받은 약이지만 이를 사용한 다수의 사람이 약물 부작용으로 목숨을 잃기도 하기 때문입니다. 1950년대에 신경 안정제로 개발된 '탈리도마이드'는 동물 실험을 통과했지만, 그 약을 복용한 많은 임신부가 기형아를 낳았습니다. 미국의 ▢사에서 개발했던 유명한 관절염 치료제 역시 동물 실험에서는 안전하다고 판명되었으나, 그 약을 복용하고 무려 2만 7천여 명이 급성 심장병으로 고통을 받았습니다. 지금도 약의 부작용 때문에 피해를 보는 일이 끊임없이 발생하는 까닭은, 동물의 생물학적 구조가 인간과 다르기 때문입니다. 이는 동물 실험의 결과를 인간에게 그대로 적용해서는 안 된다는 것을 뜻합니다. 이러한 문제들을 해결할 수 있는 대체 방안이 있습니다. 동물 실험을 하지 않고도 의약품의 효능과 안전성을 확인하는 방법에 대한 연구가 진행되고 있습니다. 인간의 세포를 배양해서 실험하는 생체 밖 실험이 있고, 인체를 대상으로 최소 용량만을 투여하여 인체 내의 약물 활동을 측정하는 실험도 있습니다. 또 인체 피부 세포를 배양하여 만든 인공 피부를 사용하는 피부 질환 실험, 컴퓨터 모의실험을 이용한 독성 연구 등도 있습니다. 이와 같은 대체 실험을 상용화하는 데에는 새로운 비용이 발생하겠지만, 장기적으로는 실험동물의 막대한 구입비와 유지비를 줄일 수 있고, 동물 실험이 안고 있는 윤리 문제도 피할 수 있어 그 이익이 훨씬 큽니다.

　이상과 같은 측면에서 보았을 때 동물 실험은 금지되어야 합니다. —교차신문 생략—

반대 측 첫 번째 토론자의 입문

**사회자:** 반대 측 제1토론자께서 입론해 주시기 바랍니다.

**반대 1**: 앞서 찬성 측은 동물 실험 때문에 발생하는 문제가 심각하고 동물 실험을 대체할 방법이 있으므로 이를 금지해야 한다고 주장했습니다. 저희 반대 측은 찬성 측의 이러한 주장에 동의하기가 어려우며, 다음과 같은 점에서 동물 실험을 금지해서는 안 된다고 생각합니다.

　우선 동물 실험은 윤리적으로 문제가 없습니다. 동물 실험은 동물의 고통을 최소화해야 한다는 원칙에 따라 행해지고 있기 때문입니다. 현재 동물 실험은 엄격한 법적 규제 아래에서 실행됩니다. 미국에서는 1966년부터 동물복지법이 시행되었고, 이 법에 따라 수의사들이 정기적으로 실험동물 사육 시설의 온도, 음식과 식수 등의 환경을 감시합니다. 우리나라에서도 1991년부터 동물보호법을 시행하고 있습니다. 또 각 동물 실험 기관 내에 동물실험감독위원회가 있어서, 동물 실험의 계획서를 심사하고 적정한 방법으로 동물 실험을 하는지에 감독하고 있습니다. 그러므로 동물 실험이 비윤리적이라고 볼 수 없습니다.

　또한 동물 실험이 인간에게 가져다주는 이익이 매우 큽니다. 동물 실험은 수많은 사람의 생명을 구하는 치료법을 개발하는 데에 이바지합니다. 캘리포니아의 생명연구협회에서는 지난 백 년간 위대한 의학적 발견에 모두 동물 실험이 결정적인 역할을 했다고 보고한 바 있습니다. 수많은 당뇨병 환자의 생명을 구하는 데 중요한 역할을 한 인슐린은 개를 대상으로 한 실험에서 발견되었습니다. 침팬지를 대상으로 한 동물 실험이 없었다면 비형 간염 백신은 개발하지 못했을 것입니다. 이 모두는 동물 실험이 우리 인간에게 가져다주는 이익이 매우 크다는 것을 잘 보여 줍니다.

그리고 동물 실험은 다른 방법으로 대체할 수 없습니다. 의약품의 효능과 안전성을 확인하는 데에 동물 실험만큼 정확하고 신속한 것은 없기 때문입니다. 찬성 측에서 언급한 여러 대체 방법으로 인간 생명체에서 발생하는 문제를 정확히 짚어 내기란 불가능합니다. 인공 세포는 인간의 실제 세포를 완벽히 재현하지 못하고, 시력이나 혈압 등은 조직 배양 조건에서는 실험할 수가 없습니다. 컴퓨터 모의실험도 일차적으로 동물 실험을 하여 충분한 사전 정보와 지식을 얻은 뒤에야 가능합니다. 특히 뇌와 같이 복잡한 기관은 가장 성능이 뛰어난 슈퍼컴퓨터라 할지라도 정확하게 재현할 수 없습니다. 또 동물은 사람보다 세대 시간이 짧아 연구에 드는 시간을 줄일 수 있습니다. 초파리를 대상으로 했던 1926년 모건의 유전자 실험은 사람을 대상으로 했다면 210여 년이 걸렸을 것입니다. 현대 사회에서는 새로운 바이러스가 언제라도 출현할 수 있으므로 이를 물리칠 수 있는 의약품을 신속하게 개발해야 합니다. 그런데 동물 실험이 아닌 대체 방법으로는 신속하게 개발하기가 어렵습니다. 이와 같이 동물 실험은 정확성과 신속성의 측면에서 최선의 방안이므로 의약품 개발을 위한 동물 실험은 계속되어야 합니다.

## 01 ㉠과 같은 유형의 논제는?

① 분배가 성장보다 소중하다.
② 교과서 대여제를 실시해야 한다.
③ 카피 레프트 운동은 바람직하다.
④ 연예인의 특기자 전형은 정당하다.
⑤ 동계올림픽 실시는 인류화합에 기여한다.

## 02 위 글의 개요서를 작성할 때 들어갈 내용으로 적절하지 않은 것은?

| 논제 | 의약품 개발을 위한 동물실험을 금지해야 한다. | | |
|---|---|---|---|
| **찬성** | | **반대** | |
| 주장 | 동물실험은 비윤리적 | 주장 | 동물실험은 윤리적으로 문제가 없다. |
| 근거 | ⓐ미국 농임부 보고에 따르면 동물들에게 마취제, 진통제 없이 실험하여 큰 도통을 줌. | 근거 | ⓑ미국에서는 1966년부터 동물복지법이 시행되어 수의사가 정기적으로 사육시설의 온도와 음식, 식수 등의 환경을 감시함. |
| 주장 | 동물실험 결과를 인간에게 그대로 적용할 수 없다. | 주장 | 동물실험이 인간에게 주는 이익이 크다. |
| 근거 | ⓒ탈리도마이드 개발은 수많은 임산부에게 기형아를 출산하게 함. | 근거 | ⓓ침팬지를 대상으로 한 실험으로 B형 간염 백신을 개발함. |
| 주장 | 동물실험을 대체할 방안이 있다. | 주장 | 동물실험을 다른 실험으로 대체 불가하다. |
| 근거 | 생체 밖 실험, 피부질환 실험, 컴퓨터 모의실험 등 다양한 연구가 진행중이다. | 근거 | ⓔ관절염 치료제를 복용한 사람은 급성심장병으로 고통받음. |

① ⓐ      ② ⓑ      ③ ⓒ      ④ ⓓ      ⑤ ⓔ

**03** 다음의 자료를 토론해서 활용하고자 할 때, 그 방안으로 가장 적절한 것은?

> ┤ 자료 ├
>
> 눈에 들어가기 쉬운 마스카라와 라이너, 클렌징 워터, 샴푸 등을 개발할 때는 눈에 대한 독성을 평가해야 한다. 이를 통해 흰색 토끼의 눈에 화학물질을 넣고 눈 혈관에서 나타나는 반응을 관찰하는 방식으로 실험을 한다. 이러한 방법은 동물에게 극심한 스트레스와 통증을 야기한다.

① 반대 측에서 동물실험을 통해 화장품을 개발할 수 있다는 주장의 근거로 활용할 수 있겠군.
② 찬성 측에서 동물실험이 비윤리적으로 진행되고 있음을 입증하는 자료로 활용할 수 있겠군.
③ 찬성 측에서 화장품을 위한 동물 실험은 비용이 발생한다는 주장의 근거 자료로 활용할 수 있겠군.
④ 찬성 측에서 동물실험을 거친 의약품이라도 안전성을 담보할 수 없다는 주장의 근거로 활용할 수 있겠군.
⑤ 반대 측에서 동물실험의 대상이 된 동물들이 안락사를 당할 수밖에 없는 이유를 설명하는 자료로 활용할 수 있겠군.

**04** 위 글 이후 토론이 계속 진행될 때 다음 조건에 맞게 진행된 것은?

> 1. 동물 실험의 정당성을 강조한다.
> 2. 실제 연구조사를 근거로 제시한다.
> 3. 상대방의 의견을 일부 인정하며 자신의 주장을 강조한다.

① 동물 실험의 가장 큰 장점은 신속성입니다. 지난 5월 메르스 사태가 전국적으로 퍼진바 있는데, 물론 많이 지체되긴 했지만 빠른 원숭이 실험으로 백신이 개발되어 메르스 사태는 처리되었다고 알고 있습니다. 만약 동물 실험이 없었다면 메르스 백신을 그렇게 빠른 시간 안에 개발할 수 없었을 것입니다.

② 동물 실험은 인간에게 많은 도움을 주었다는 것을 인정하지만 근본적으로 그 자체가 금지되어야 한다고 저희는 생각합니다. 만약 동물 실험을 금지하여, 동물 실험에 쓰이고 있는 자원과 재화가 대체 방안의 연구비용으로 쓰일 수 있다면, 이는 곧 의사들에게 무엇이 옳은가를 분명히 알려 주고 현대 의학이 나아가야 할 방향성을 제시하는 일이라고 생각합니다.

③ 21세기 의학의 숙제는 암의 전이와 같이 질병이 온몸에 미치는 복합적인 영향을 알아내어 그 치료법을 개발하는 데에 있는데, 인공 세포가 어떻게 유기적으로 신체를 연결해 낼 수 있을까요? 또한 인간의 신경 조직, 근육 조직 등은 인공 세포로 재생이 되지 않는 조직이라고 알고 있는데, 그러한 조직에 발생하는 병에 대해서는 동물 실험 이외에 어떠한 방법으로 접근이 가능한 것인지도 의문입니다.

④ 동물 실험 결과를 인간에게 그대로 적용하기에 문제점이 있기는 하지만 실제 인간의 의약품 개발을 위해 많은 도움을 주었습니다. 그 뿐 아니라 동물을 위한 의약품 개발을 목적으로 하는 실험도 많습니다. 실제로 2014년 WHO에서 발표한 연구조사에 따르면 전체 동물 실험 결과 중 약 27%는 동물의 의약품을 개발하는 데에 쓰였다고 합니다. 이러한 결과를 종합해 봤을 때, 저희 측은 동물 실험이 계속해서 필요하다고 생각합니다.

⑤ 대체 실험들이 계속해서 발전해 나가야 하는 이유는, 동물 실험보다 대체 실험 방법들이 장기적으로 훨씬 더 나은 효과를 가져올 수 있기 때문입니다. 예를 들어 아까 신속성의 측면에서 동물 실험이 가장 효율적이라고 하셨는데, 현재 알츠하이머를 치료하는 데 필요한 의약품이 뇌세포 배양을 통해서 이루어진다면 시간을 열 배 정도 단축할 수 있다는 연구 결과도 나왔습니다. 앞으로의 무궁무진한 발전을 생각한다면, 현재 동물 실험의 완벽한 대안이 없으므로 동물 실험을 계속해야 한다는 주장에는 오류가 있습니다.

사회자 : '외모 지상주의로 인한 사회적 폐해가 크다'라는 논제로 토론을 시작합니다. 먼저 긍정 팀에서 입론 발표해 주십시오.

김생글(긍정팀 1) : 외모 지상주의로 인해 외모는 다소 부족하지만 실력을 갖춘 사람들이 소외되고 있습니다. 2014년 기업 인사 담당자 234명을 대상으로 조사한 바에 따르면 외모가 취업 당락에 66.6%에 달하는 영향을 미친다고 합니다. 매스컴과 산업자본에 의해서 외모의 기준이 상업화되고 획일화되고 있는 경향도 보이고 있습니다. 이는 청소년들에게 왜곡된 가치관을 심어주고 외모로 인한 차별을 낳을 수 있으므로 큰 문제입니다. 이상입니다.

사회자 : 긍정 팀 입론에 대한 부정 팀의 교차신문이 있겠습니다.

한예슬(부정팀 2) : 김생글 토론자께서 말하신 능력의 의미는 무엇입니까?

김생글(긍정팀 1) : 지성과 업무 처리 능력을 의미합니다.

한예슬(부정팀 2) : 지성과 외모를 같은 선상에서 볼 수 있다고 생각합니다. 첫째로 지성도 미모처럼 선천적인 요인이 있다고 합니다. 아이큐가 높은 사람은 많은 학습량을 빠르게 습득합니다. 두 가지 모두 후천적 노력으로 발전이 가능합니다. 또 판단기준이 주관적입니다. 그리고 지성과 외모 모두 시간이 흐름에 따라 마모되기 마련입니다. 그래서 미모와 지성은 같은 점이 많기 때문에 동일선상에서 볼 수 있다고 생각합니다. 그게 아직도 다르다고 생각하십니까?

김생글(긍정팀 1) : 외모는 모든 사람에게 주관적일 수 있습니다. 주관적인 요소인 외모의 기준을 강요하고 외모를 실력보다 우선하는 사회 풍조는 우리 사회의 질적인 발전을 저해합니다.

사회자 : 긍정팀 1차 입론에서는 외모지상주의로 인한 차별 가능성과 '지성과 미모를 같은 차원에서 볼 수 있는가'라는 쟁점이 도출되었군요. 이번에는 부정 팀의 입론 순서입니다.

나왕자(부정팀 1) : 사람들의 의식주 문제가 해결되면서 자연스럽게 미용에 대한 관심이 많아졌습니다. 외모를 가꾸는 것은 자신에 대한 투자로 경쟁력을 높이는 것입니다. 또한 외모를 가꾸는 것은 자신을 표현하는 것이라고 말할 수 있습니다. 과거에 정신을 중시하였을 때는 그 사람이 어떤지 그 사람을 오래 만나보기 전엔 알 수 없었습니다. 외모를 가꿈으로써 자신의 내면을 보여줄 수 있습니다. 마지막으로 외모지상주의가 경제 활성화에 기여하는 바가 큽니다. 외모를 개선하고 싶은 여성들이나 외모로 인하여 열등감을 갖는 사람들이 의술로 희망을 가질 수 있게 되었구요. 이상입니다.

사회자 : 나왕자 토론자는 크게 네 가지로 말씀하셨는데요, 육체에 관심을 갖는 시대의 흐름, 자신에게 투자해서 생기는 자신의 경쟁력, 자신의 내면을 보여주는 개성, 외모지상주의가 경제 활성화에 기여한다는 의견을 제출했습니다. 긍정 팀의 교차 신문을 시작하겠습니다.

유힘찬(긍정팀 2) : 외모를 가꾸는 것과 외모지상주의는 다른 차원의 문제라고 봅니다. 외모를 가꾸는 것은 당연히 자아의 표현이지만, 외모 가꾸기 열풍을 조장하고 획일화된 기준을 강요하는 대중매체나 성형외과의 상술은 많은 부작용을 낳고 있습니다. 이런 부작용에 대해서는 어떻게 생각하십니까?

나왕자(부정팀 1) : (　　㉠　　)

〈중략〉

김생글(긍정팀 1) : 우리나라 13세~43세 여성 64%가 외모가 인생의 성패에 영향을 끼친다고 생각한다는 통계 결과가 있습니다. 외모지상주의로 인해 성형과 다이어트에 시간, 경제적 손실, 노력 등이 광적인 수준에 달해 있습니다. 외모지상주의가 상업주의에 편승하여 많은 여성들을 억압하고 있습니다. 기업과 대중매체는 외모지상주의를 낳는 상업전략을 중단하고 내면의 가치로 눈길을 돌리는 사회 분위기를 만들어야 한다고 생각합니다.

나왕자(부정팀 1) : 외모를 가꾸는 것은 인간의 본능입니다. 외모를 꾸밈으로써 자신감을 높이고 자신의 부가가치를 높일 수 있으며, 청소년들을 포함한 모든 소비자들이 외모를 가꾸는 과정에서 경제 활성화에 기여하게 됩니다. 외모지상주의로 인한 억압은 성숙한 개인이 외모뿐만 아니라 내면의 힘을 기름으로써 방어해야 하는 문제라고 생각합니다. 이상입니다.

**05** ( ㉠ )에 들어갈 내용으로 적절하지 <u>않은</u> 것은?

① 외모에만 치중해서 내면의 아름다움을 소홀히 하는 것이야말로 더 큰 문제가 아닐까요?

② 대중 매체나 성형 열풍은 사회 분위기를 반영합니다. 대중매체나 성형외과의 부작용은 그만큼 외모가 중요함을 의미하는 게 아닐까요?

③ 상술이 난무하는 것은 맞지만, 현대인의 욕구가 큰 데서 비롯된 부작용이므로 그것으로 외모지상주의를 부정하긴 어렵습니다.

④ 외모가 중요하므로 부작용을 감수하는 사례가 많아지는 것입니다. 부작용을 막을 사회적 장치가 필요할 뿐입니다.

⑤ 실제로 부작용이 있는 것은 사실입니다. 하지만 폐해보다는 효과와 이익이 더 크지 않을까요?

**06** 위의 토론의 사회자와 토론자들에 대한 평가로 적절하지 <u>않은</u> 것은?

① 사회자는 토론 참가자들의 발언 순서를 지정해 주며 토론의 진행을 이끌고 있다.

② 사회자는 토론 참가자들의 발언 내용을 요약하거나 정리하며 진행하고 있다.

③ 긍정 측 토론자는 주장을 뒷받침하는 통계 결과와 출처를 근거로 제시하고 있다.

④ 부정 측 토론자는 구조적인 문제보다 개인의 책임을 더욱 중시하는 주장을 하고 있다.

⑤ 부정 측 토론자는 긍정 측의 전제를 반박함으로써 긍정 측의 문제점을 드러내고 있다.

[07~08] 다음은 공개 토론 장면의 일부이다. 잘 읽고 물음에 답하시오.

**사회자** : 지금부터 '착한 사마리아인 법을 도입해야 하는가?'라는 논제로 토론을 시작하겠습니다. 착한 사마리아인 법은 자신에게 특별한 위험이 발생할 가능성이 없는데도 불구하고, 위험한 상황에 처한 사람을 구해주지 않은 사람을 처벌하는 법입니다. 이 법을 도입하자는 논제에 대해 찬성과 반대 양측의 의견을 들어 보겠습니다. 먼저 찬성 측 제 1토론자의 입론을 들어 보겠습니다.

**찬성 1** : 최근 길거리에서 강도를 만나 다친 한 시민이 피를 많이 흘려 사망한 일이 있었습니다. 만약 그때 그곳을 지나가던 사람 중 한 명이라도 119 구조대에 신고를 했더라면 그 시민은 목숨을 구할 수 있었을 것입니다. 저는 이처럼 안타까운 일을 막기 위해 착한 사마리아인 법을 도입해야 한다고 생각합니다. 어떤 사람이 위험한 상황에 놓였을 때, 그를 구하는 것은 인간의 양심을 지키는 일입니다. 착한 사마리아인 법은 인간성을 저버리는 행위를 한 사람을 법으로 처벌하자는 것입니다. 비난하거나 일깨우는 것만으로는 그런 행위를 한 사람을 바로잡을 수 없기 때문입니다. 서로 돕고 사는 공동체를 만들어 가려면 법을 정해 개인의 도덕의식을 제고해야 합니다. 또 세계 여러 나라에서 이미 시행하고 있는 법인만큼, 그 필요성은 충분하다 할 것입니다.

**사회자** : 반대 측 제2 토론자, 교차 신문해 주십시오.

**반대 2** : 많은 나라가 착한 사마리아인 법을 도입했다고 하셨는데, 어떤 나라들이 있습니까?

**찬성 1** : 미국의 몇몇 주 그리고 프랑스, 영국, 독일 등 유럽의 많은 나라가 이 법을 채택한 것으로 알고 있습니다. 예를 들어 프랑스에서는 "자신에게 위험이 따르지 않음에도 위험에 처한 사람을 자의로 구조해 주지 않는 자는, 3개월 이상 5년 이하의 징역, 또는 360프랑 이상 1만 5,000프랑 이하의 벌금에 처한다."고 하여 이 법을 채택하고 있습니다.

**반대 2** : 법, 문화, 관습 등 여러 면에서 우리나라와는 다른 외국에서 시행한다고 하여 우리나라에서도 시행해야 한다는 것은 이치에 맞지 않습니다. 그리고 우리 헌법에서는 양심의 자유를 보장하고 있는데, 이와도 맞지 않습니다. 양심의 선택에 맡겨야 하지 않을까요?

**찬성 1 :** 양심의 자유 등 헌법에서 보장하는 자유는 책임을 전제하고 있습니다. 이 책임은 개인적 행동에 대한 책임뿐만 아니라 사회 구성원으로서의 책임도 의미합니다. 많은 사람이 사회 구성원으로서 져야 할 책임을 회피하기 때문에 이 법을 제정하자는 것입니다.

**사회자 :** 다음은 반대 측 제 1토론자, 입론해 주십시오.

**반대 1 :** 저희는 착한 사마리아인 법에 여러 가지 문제가 있다고 생각하므로 이 법의 도입을 반대합니다. 도덕의 문제를 법으로 해결하면, 지나치게 법에 의존하는 법률 만능주의가 생겨날 것입니다. 또한 법 적용의 기준이 모호하기 때문에 큰 혼란이 예상됩니다. 개개인의 자유가 크게 제약될 것이고, 많은 사람이 범법자가 될 가능성이 큽니다.

**사회자 :** 찬성 측 제1 토론자, 교차 신문해 주십시오.

**찬성 1 :** 법 적용의 기준이 모호해서 혼란이 생길 수 있다고 하셨는데 좀 더 설명해 주시겠습니까?

**반대 1 :** 열 명의 사람이 위험에 처한 사람을 돕지 않고 그냥 지나쳤다고 가정해 봅시다. 그중에 한 명만 적발되었다면, 이는 형평성 측면에서 타당하다고 할 수 있을까요? 또 어떤 사람이 위험에 처한 사람을 방관하고 있는데, 다른 누군가가 나타나서 위험에 처한 사람을 구조한 경우, 그때의 방관자는 처벌받아야 할까요, 그렇지 않아야 할까요? 또 한 명이 방관했을 때와 열 명이 방관했을 때 죄의 경중은 어떻게 따져야 할까요?

**찬성 1 :** 기준의 모호성 문제는 법의 적용 범위와 적용 방법 등을 구체적으로 정하면 해결할 수 있습니다. 그것을 정하기가 어렵다고 해서, 이 법의 제정 자체를 반대하는 것은 타당하지 않습니다. 그리고 앞에서 도덕의 문제를 법으로 해결하는 것은 바람직하지 않다고 하셨는데, 법과 도덕은 모두 바른 것을 지향한다는 점에서 그 본질은 같은 게 아닐까요?

**반대 1 :** 예. 법과 도덕 모두 바른 것을 지향한다는 점에는 동의합니다. 하지만 도덕은 자율적인 규범이고, 법은 타율적인 규범이기 때문에 서로의 영역을 간섭하지 않아야 합니다. 특히 강제성을 갖고 있는 법은 꼭 필요할 때에만 최소한으로 적용해야 할 것입니다.

---

**07** 내용에 대한 설명으로 적절한 것은?

① 사회자는 토론 중간에 질문을 삽입하여 효과적으로 진행하고 있다.

② 제시된 논제는 찬반측이 분명하게 나뉘기 때문에 토론 논제로 적절하다.

③ 사회자는 왜 논제에 대해 논의하는 것이 중요한지를 서론에서 밝히고 있다.

④ 제시된 논제는 가치논제로 사람마다 다른 의견을 가질 수 있는 논제이다.

⑤ CEDA토론으로 상대측 입론에 대해 논리적 반박 단계가 있는 것이 특징이다.

**08** 토론자의 말하기와 관련한 설명으로 적절하지 <u>않은</u> 것은?

① 찬성1은 입론에서 논제와 관련한 사례를 활용하여 사안의 시급함을 강조하고 있다.

② 찬성1은 입론에서 교육만으로는 문제를 해결할 수 없다는 점을 들어 주장을 강화하고 있다.

③ 반대2는 교차신문에서 의도적인 질문을 통해 예상 답변을 들은 뒤 그 답변에 대한 타당성을 공격하고 있다.

④ 찬성1은 반대 측 교차신문의 의도를 제대로 파악하지 못하고 논지에서 벗어난 답변을 통해 스스로 논리를 무너뜨리고 있다.

⑤ 반대1은 입론에서 찬성 측이 주장하는 법의 기준이 모호함을 문제 삼았지만, 찬성1의 교차 신문에 의해 논리의 타당성을 지적받고 있다.

**[09~11] 다음은 반대 신문식 토론의 일부이다. 물음에 답하시오.**

**사회자:** 찬성 측 입론해 주시기 바랍니다.

**찬성 1:** 천문학적인 자금이 소요되는 도로의 건설에 민간 자본을 적극적으로 유치해야 한다고 생각합니다. 정부나 지방 자치 단체가 도로 건설에 소요되는 자본을 모두 감당하기에는 재정적인 부담이 너무 큽니다. 민간 자본을 유치하여 도로 건설 사업을 추진하고, 민간 자본은 이 사업을 운영할 수 있는 권리를 통해 수익을 거둬들일 수 있다면 서로에게 도움이 되는 전략이 될 수 있습니다.

**반대 2:** 반대 측 확인 질문 하겠습니다. 민간에서 도로 건설에 막대한 자본을 투자하는 것은 공익적인 목적 때문일까요, 이익을 추구하기 때문일까요?

**찬성 1:** 이익의 추구가 더 중요한 목적이겠죠.

**반대 2:** 그렇다면 민간 자본에 의해 건설된 도로를 민간 자본에서 운영할 때 수익성을 높이려고 통행료를 올리는 경우가 있을 수 있겠지요? 그럴 경우 인상된 통행료는 고스란히 시민들의 부담이 되지 않을까요?

**찬성 1:** 통행료가 약간 높아질 수는 있지만 이로 인해 얻는 이익이 더 많다고 생각합니다.

**반대 1:** 이상 확인 질문 마치고 반대 측 입론하겠습니다. 현재 추진되는 방식의 민간 자본 유치는 득보다 실이 많다고 생각합니다. 우선 현재 민간 자본으로 건설된 도로 중에는 운영권이 민간 자본에 있는 경우가 많기 때문에 투자금의 회수와 수익의 창출을 위해 과도한 통행료를 책정한 경우가 많습니다. 따라서 시민들에게 경제적 부담을 안기는 민간 자본 유치 사업을 무분별하게 추진하는 것은 바람직하지 않습니다. 이상 입론 마치겠습니다.

**찬성 2:** 찬성 측 확인 질문 하겠습니다. 오늘 아침 제가 민간 자본에 의해 건설된 도로를 이용하여 이곳까지 왔는데, 기존 도로를 이용할 때보다 30분 이상 단축됐습니다. 통행료는 조금 높았지만 시간 단축으로 인한 유류비 절감을 생각하면 높은 통행료가 아깝지 않더군요. 저와 같은 생각을 가진 사람들은 민간 자본에 의해 건설된 도로를 환영하지 않을까요?

**반대 1:** 그럴 수 있다고 생각합니다.

**찬성 2:** 민간 자본에 의해 건설된 도로를 이용하면 기존 도로의 수요도 분산이 되어 교통 정체가 줄어들지 않을까요? 또한 민간 자본에 의해 건설된 도로로 인해 도시와 도시 간의 접근성이 좋아진다면 공장의 대도시 집중 현상을 완화하여 중소 도시의 경제 발전에도 도움이 되지 않을까요?

**반대 1:** 두 가지 다 경우에 따라서는 그럴 수도 있다고 생각합니다.

**찬성 2:** 이상 확인 질문 마치겠습니다.

**반대 2:** 반대 측 마무리 발언 하겠습니다. 민간 자본으로 건설된 도로로 인해 도시 간 이동 시간이 줄어들게 되면 그 이전에 중소 도시에서 이루어졌던 소비 활동이 서비스 기반이 잘 갖추어진 대도시로 옮아갈 가능성도 높아집니다. 따라서 중소 도시의 쇼핑이나 의료 등의 서비스 산업이 치명타를 입을 가능성도 역시 높아질 것입니다. 민간 자본 유치 사업이 전적으로 긍정적인 측면만 있는 것이 아니라는 점을 분명하게 말씀드립니다.

**찬성 1:** 찬성 측 마무리 발언 하겠습니다. 반대 측에서 우려하는 점은 충분히 이해합니다만 이동 시간이 짧아진 만큼 도시 간의 접근성이 좋아져서 지역 경제의 활성화에 이바지하는 측면이 더 클 것이라고 생각합니다. 정부나 지방 자치 단체의 경제적 부담도 줄이고, 도로 사업에 참여한 민간 자본에도 득이 되며, 무엇보다도 도로를 이용하는 시민들에게 이익이 될 수 있는 이 제도는 실보다 득이 많다고 생각합니다.

**09** 이 토론의 논제로 가장 적절한 것은?

① 많은 자금이 소요되는 도로 건설에 민간 자본을 적극 유치해야 한다.
② 도로 건설에 많은 자금이 소요되므로 국가가 예산을 보존해 주어야 한다.
③ 많은 자본이 들어가는 도로 건설 사업은 국가가 주도하여 집행해야 한다.
④ 수익을 내기 위해서는 도로 건설에 민간 자본을 유치해서는 안 된다.
⑤ 유류비를 절감하기 위해서라도 인간 자본으로 도로 건설을 해서는 안 된다.

**10** '민간 자본 유치 도로 사업'의 이점으로 찬성 측이 토론에서 언급한 내용만을 〈보기〉에서 있는 대로 고른 것은?

┤ 보기 ├

㉠ 통행 시간을 단축하여 유류비를 절감할 수 있다.

㉡ 기존 도로에서의 교통 정체 현상이 줄어들 수 있다.

㉢ 민간 자본에 의해 운영되기 때문에 경영의 효율성이 높아진다.

㉣ 기존 도로보다 통행료 부담이 줄어들 수 있다.

㉤ 공장의 대도시 집중 문제를 완화하여 지역 경제 활성화에 도움이 된다.

① ㉠, ㉡, ㉣　　　　　　② ㉠, ㉡, ㉤　　　　　　③ ㉠, ㉢, ㉤

④ ㉠, ㉢, ㉣, ㉤　　　　⑤ ㉡, ㉢, ㉣, ㉤

**11** 〈보기〉의 자료를 위 토론에 활용한다고 할 때, 활용 방안으로 적절한 것은?

┤ 보기 ├

　최근 운영되고 있는 민간 자본 유치 도로의 경우 민간 업자의 수요 예측에 따라 정부나 지방 자치 단체가 운영 수입을 보장해 주는 방식, 즉 이용자의 수가 예상에 미치지 못할 경우 그 손실을 보전해 주는 방식으로 계약을 맺은 것이 많이 있습니다. 그런데 계약 과정에서 수요 예측이 부풀려져 있는 경우가 많습니다.

① 민간 자본 유치 도로를 통해 경기를 활성화시킬 수 있다는 점을 들어 찬성 주장의 근거로 활용한다.

② 민간 자본 유치 도로를 이용하는 사람들의 수가 증가함에 따라 기존 도로에 비해 통행료가 낮아질 수 있다는 점을 들어 찬성 주장의 근거로 활용한다.

③ 수요 예측이 주는 기대감으로 시민들에게 행복지수를 높여 줄 수 있다는 점을 들어 찬성 주장의 근거로 활용한다.

④ 민간 자본 유치 도로의 수요 예측이 잘못되었을 경우 장기적으로는 정부나 지방 자치 단체에 경제적 부담이 가중될 수 있다는 점을 들어 반대 주장의 근거로 활용한다.

⑤ 잘못된 수요 예측에 따른 손실을 보전해 주는 주체를 두고 정부와 지방 자치 단체 사이에 갈등이 심화될 수 있다는 점을 들어 반대 주장의 근거로 활용한다.

**[12~15] 다음 글을 읽고 물음에 답하시오.**

**(가)**

**사회자** : 지금부터 소설 「농부 정도룡」의 인물들과 가상의 토론을 진행해 보겠습니다. 10년 동안 춘이네에게 소작권을 주던 김 주사가 올해부터 새로 일본인 고리대금업자에게 소작권을 넘기기로 한 상황에서 춘이네는 자신의 생존권을 보장해 줄 것을 요구하고 있고, 김 주사는 정당한 재산권 행사라고 주장하고 있습니다. 그러면 "( ㉠ )"라는 논제로 토론을 진행해 보겠습니다. 먼저 정도룡의 입론으로 시작하겠습니다.

**정도룡** : 상문고등학교 1학년 학생들 안녕하십니까. 저는 춘이네가 계속해서 소작을 해야 한다고 생각합니다. 먼저, 소작을 하지 못하면 춘이네는 인간다운 삶을 영위하지 못하고 목숨을 잃게 될 것입니다. 인간은 누구나 인간다운 삶을 영위할 권리를 가지고 태어납니다. 대한민국 헌법 제10조에도 국민의 행복추구권을 보장해야 할 의무가 명시되어 있습니다. 춘이네가 그동안 소작하던 논의 권리를 하루아침에 빼앗기게 되면 이 마을에서 춘이네는 제대로 된 삶을 영위하는 데 필요한 재화를 얻을 방법이 없습니다. 지금 춘이네에게 남은 선택지는 온 가족이 굶어 죽거나 인생을 걸고 다른 곳으로 떠나는 도박을 하는 것뿐입니다. 실제로 지난 번에 소작하던 논을 빼앗긴 우리동네 김씨는 먹을 것이없어 풀나물로 연명하다 굶어 죽지 않았습니까. 다음으로, 춘이네는 그동안 자신이 맡은 땅을 성실하게 가꾸며 소작농으로서 의무를 다했기에 정당한 이유없이 소작토를 뺏는 것은 부당합니다. 많은 마을 사람들이 춘이네가 그 동안 성실하게 소작을 지어왔다고 증언하고 있습니다. 소작인으로서의 의무를 성실하게 수행한 경우 땅주인은 계속해서 소작을 짓게 해 준다는 마을의 규칙이 존재하기 때문에 춘이네에게 주는 땅을 거두어 들일 합리적인 명분이 없습니다.(후략)

**(나)**

**사회자** : 입론 잘 들었습니다. 이어서 김 주사의 교차 신문 진행하겠습니다.

**김 주사** : 중요한 질문부터 드리겠습니다. 아까 정도룡께서 이 동네에는 논농사 말고는 먹고 살 거리가 막막하다고 하셨는데 의지만 있으면 논이 없어도 산에 가서 나물을 캐먹거나 다른 집의 머슴살이라도 하면서 먹고살 수 있지 않습니까?

**정도룡** : 나물을 주식으로 먹고 사람이 살 수 있나요. 그리고 우리 동네에서 머슴살이하며 먹고 사는 사람이 몇이나 됩니까. 작년에 군(郡)에서 발표한 이 통계 자료를 보면 머슴살이 시킬 만큼 부유한 집은 김 주사네 집과 일본인 고리대금업자네 집 두 집밖에 없고 그 두 집에서 일하고 있는 사람들의 임금은 다른 동네에서의 임금의 절반밖에 되지 않는다는 것을 알 수 있습니다. 이 상황에서 농사짓지 말라는 것은 우리동네에서 떠나라는 말밖에 되지 않습니다. 그리고

**김 주사** : 네, 거기까지만 답변해 주시고 다음 질문 받아 주세요. 대한민국 헌법 제 10조를 인용하셨는데 헌법상의 개인의 행복추구권은 국가의 의무를 규정한 것이지 개인에게도 다른 사람의 인간다운 삶을 보장할 의무를 강요하는 것은 아니라고 생각합니다. 그렇지 않습니까?

**정도룡** : 타인의 인권을 존중하는 것은 자신의 권리를 인정받기 위해 품위 있는 인간으로서 존재하기 위한 당연한 것입니다. 김 주사는 인간의 품위에 큰 관심이 없을지 몰라도 이 토론을 보고 있는 우리 상문고등학교 1학년 학생들에게는 사사로운 이익만큼이나 중요한 문제라고 생각합니다. 이런 반응을 하는 것 보니 김 주사의 인격을 알 만하군요.

**12** ㉠에 들어갈 논제로 가장 적절한 것은?

① 춘이네는 소작을 계속해야 한다.

② 춘이네는 소작을 계속해야 하는가.

③ 춘이네는 소작을 계속하면 안 된다.

④ 춘이네는 소작을 계속하면 안 되나.

⑤ 춘이네는 소작을 계속하면 안 되는가.

**13** 윗글에 나타난 정도룡의 토론 태도로 적절하지 <u>않은</u> 것은?

① 논제에 따른 쟁점을 명확하게 제시하고 있다.

② 상대방에 대한 존중을 바탕으로 예의를 갖춰 말하고 있다.

③ 정보의 출처를 밝혀 근거의 정확성과 신뢰성을 높이고 있다.

④ 주장에 대한 타당한 근거와 이유를 제대로 제시하고자 하고 있다.

⑤ 충분히 예상 가능한 상황을 제시하여 주장의 설득력을 높이고 있다.

**14** (가)의 입론에 반영된 내용으로 적절하지 <u>않은</u> 것은?

① 춘이네가 소작을 하지 않으면 생계를 심각하게 위협받는다는 것을 바탕으로 헌법조항에 위배됨을 밝혀야겠어.

② 춘이네가 계속 소작을 하는 것이 마을 규칙에 부합하는 합리적인 일임을 들어 문제의 부당함을 강조해야지.

③ 마을 사람들의 소득 수준을 보여주는 통계자료를 활용하여 농사일 말고 다른 일을 쉽게 구할 수 없을 것이라는 주장을 강화해야겠어.

④ 춘이네가 매우 성실하게 자신의 본분을 다했다는 증언을 근거로 들어 계약을 해지할 뚜렷한 명분이 없다는 것을 알려줘야지.

⑤ 소작논을 빼앗겼다 굶어 죽은 마을 사람의 사례를 들어 지금의 결정이 누군가에는 매우 치명적인 일일 수 있음을 드러내야겠어.

**15** (나)의 과정에서 김 주사가 고려한 것으로 적절하지 <u>않은</u> 것은?

① 질문의 수와 순서는 우선순위를 고려하여 안배해야 한다.

② 지나치게 감정적으로 흥분하거나 인신공격성 발언을 하는 것을 삼간다.

③ 상대측의 주장과 근거에서 빈약한 부분이나 논리적 허점을 지적해야 한다.

④ 상대측이 답변 시간을 오래 끌 경우에는 예의를 지키되 단호하게 중단한다.

⑤ 질문이 논리적 흐름을 갖도록 구성하여 상대측의 판단에 도덕성이 부족하다는 것을 드러낸다.

**16** 다음은 토론의 일부이고, 〈보기〉는 토론 전에 실시한 반대 측 협의 내용의 일부이다. '찬성1'의 발언과 〈보기〉를 고려할 때, [A]에 들어갈 말로 가장 적절한 것은?

> **사회자:** 오늘은 '고당류 음료의 가격을 올려야 한다.'라는 논제로 토론하겠습니다. 먼저 찬성측의 입론부터 들어 보겠습니다.
>
> **찬성 1:** 우리나라의 고도 비만율 추이를 나타낸 그래프를 보면 2002년 이후 우리나라의 고도 비만율이 꾸준히 증가하고 있고, 앞으로도 이런 추세가 계속될 것임을 알 수 있습니다. 비만이 우리의 건강을 위협한다는 것은 누구나 알고 있는 상식인데, 왜 비만율이 줄지 않는 걸까요? 그것은 우리가 필요 이상으로 많은 당을 섭취하고 있기 때문입니다. 청소년이 당을 섭취하게 되는 주요 식품이 바로 가공 음료라고 합니다. 가공 음료를 통한 과도한 당 섭취는 비만으로 이어질 확률이 높습니다. 따라서 당 섭취량을 줄이기 위해 고당류 음료의 가격을 올려 소비를 감소해야 한다고 생각합니다.
>
> **반대 2:** 비만율이 증가하고 있다는 것은 저희도 알고 있습니다. 그런데 비만의 원인이 당 섭취에 있다고 단정하는 근거가 있나요?
>
> **찬성 1:** 2017년 A 다이어트 회사에서 B 학술지에 발표한 보고서에 따르면, 달게 먹는 습관이 비만의 위험을 높인다고 발표했습니다. 첨가 당 섭취량이 많아질수록 비만 위험도가 높아지고, 이것이 만성 질환을 유발하므로 덜 달게 먹는 습관을 지니는 것이 중요하다고 밝혔습니다.
>
> **반대 2:** [A]
>
> **찬성 1:** 저희는 자료에 문제가 없다고 생각합니다.
>
> **사회자:** 이번에는 반대 측에서 입론을 하신 후 찬성 측에서 교차 신문을 해 주십시오.

> **┤ 보기 ├**
>
> **반대 1:** 교차 신문은 어떤 점에 중점을 두는 게 좋을까?
>
> **반대 2:** 찬성 측이 자료를 제시하면, 그것부터 점검해 보려고 해. 자료의 출처가 불확실하다면 자료의 신뢰성을 문제 삼아야겠지. 또 자료가 편파적일 수 있다면 그 점을 부각하려고 해. 근거가 주장을 뒷받침할 수 있는지의 여부를 고려해서 질문할 수도 있겠지.

① 출처도 명확하지 않은 자료를 신뢰할 수 있겠습니까?
② 그 자료는 저희 측에서 유리하게 해석될 수 있지 않을까요?
③ 다이어트 회사의 조사라면 공정하다고 보기 어렵지 않을까요?
④ 어떤 성분이든 '과다 섭취'가 문제라는 생각은 해보지 않으셨습니까?
⑤ 자료의 발표 시기를 고려해 볼 때, 현재 상황에는 맞지 않는 자료 아닐까요?

**논제:** 의약품 개발을 위한 동물 실험을 금지해야 한다.
**토론 방식:** 반대 신문식 토론

[가] **사회자 :** 반대 측 제 1토론자, 입론해 주십시오.

**반대 1 :** 앞서 찬성 측은 동물 실험 때문에 발생하는 문제가 심각하고 동물 실험을 대체할 방법이 있으므로 이를 금지해야 한다고 주장했습니다. 저희 반대 측은 찬성 측의 이러한 주장에 동의하기가 어려우며, 다음과 같은 점에서 동물 실험을 금지해서는 안 된다고 생각합니다.

우선 동물 실험은 윤리적으로 문제가 없습니다. 동물 실험은 동물의 고통을 최소화해야 한다는 원칙에 따라 행해지고 있기 때문입니다. 현재 동물 실험은 엄격한 법적 규제 아래에서 실행됩니다. 미국에서는 1966년부터 동물복지법이 시행되었고, 이 법에 따라 수의사들이 정기적으로 실험동물 사육 시설의 온도, 음식과 식수 등의 환경을 감시합니다. 우리나라에서도 1991년부터 동물보호법을 시행하고 있습니다. 〈중략〉 그러므로 동물 실험이 비윤리적이라고 볼 수 없습니다.

또한 동물 실험이 인간에게 가져다주는 이익이 매우 큽니다. 동물 실험은 수많은 사람의 생명을 구하는 치료법을 개발하는 데에 이바지합니다.

[A]

그리고 동물 실험은 다른 방법으로 대체할 수 없습니다. 의약품의 효능과 안전성을 확인하는 데에 동물 실험만큼 정확하고 신속한 것은 없기 때문입니다. ( ㉠ ) 찬성 측에서 언급한 여러 대체 방법으로 인간 생명체에서 발생하는 문제를 정확히 짚어 내기란 불가능합니다. ( ㉡ )인공 세포는 인간의 실제 세포를 완벽히 재현하지 못하고, 시력이나 혈압 등은 조직 배양 조건에서는 실험할 수가 없습니다. 컴퓨터 모의실험도 일차적으로 동물 실험을 하여 충분한 사전 정보와 지식을 얻은 뒤에야 가능합니다. 특히 뇌와 같이 복잡한 기관은 가장 성능이 뛰어난 슈퍼컴퓨터라 할지라도 정확하게 재현할 수 없습니다. ( ㉢ )초파리를 대상으로 했던 1926년 모건의 유전자 실험은 사람을 대상으로 했다면 210여 년이 걸렸을 것입니다. ( ㉣ )현대 사회에서는 새로운 바이러스가 언제라도 출현할 수 있으므로 이를 물리칠 수 있는 의약품을 신속하게 개발해야 합니다. ( ㉤ )그런데 동물 실험이 아닌 대체 방법으로는 신속하게 개발하기가 어렵습니다. 이와 같이 동물 실험은 정확성과 신속성의 측면에서 최선의 방안이므로 의약품 개발을 위한 동물 실험은 계속되어야 합니다.

[나] **사회자 :** 찬성 측 토론자, 교차 신문 해 주십시오.

**찬성 1 :** 반대 측에서는 동물에게는 존엄성이 없다고 생각하시는 겁니까?

**반대 1 :** 그렇지 않습니다. 현재 동물 실험은 동물의 존엄성을 고려하여 실시하고 있다고 앞서 말씀드렸습니다. 우리나라에서도 동물 실험을 할 때, 되도록 적은 수의 실험동물을 이용하거나 실험동물의 고통을 최소화하고, 동물 실험을 대체할 수 있는 방법을 모색하는 등의 규정을 따르고 있습니다.

**찬성 1 :** 그렇다면 그러한 규정이 동물 실험의 과정에서 일어날 수 있는 동물 학대를 완전히 예방한다고 생각하십니까?

**반대 1 :** 단언할 수는 없지만, 실험동물의 존엄성을 지키기 위해 노력하고 있다고 봅니다.

**찬성 1 :** 앞서 저희 측 입론에서 제시하였듯이, 신경 안정제로 판매되었던 탈리도마이드는 동물 실험을 거쳤음에도 1만 명 이상의 기형아가 태어나는 결과를 낳았습니다. 이러한 경우에도 동물 실험이 의약품의 안전성을 정확하게 검증한다고 말할 수 있습니까?

**반대 1 :** 탈리도마이드는 당시 동물 실험을 거치긴 하였지만 임신한 동물을 대상으로 하지는 못했습니다. 만일 그 당시 임신한 동물을 대상으로 하여 실험했더라면 임신부와 태아에게 치명적인 독성을 미리 발견할 수 있었을 것입니다.

**17** [A]에 들어갈 근거로 적절한 것을 <u>모두</u> 고른 것은?

┤ 보기 ├

ㄱ. 침팬지를 대상으로 한 동물 실험을 통해 비형 간염 백신을 개발한 사례

ㄴ. 동물 실험을 통해 소아마비 백신을 개발한 사례

ㄷ. 동물 실험 기관 내에 동물 실험 감독 위원회가 존재하여 동물 실험을 심사 감독하는 사례

ㄹ. 지난 백 년간 위대한 의학적 발견에 모두 동물 실험이 결정적인 역할을 했다는 캘리포니아 생명연구협회의 보고

① ㄱ, ㄴ      ② ㄱ, ㄷ      ③ ㄱ, ㄴ, ㄷ      ④ ㄱ, ㄴ, ㄹ      ⑤ ㄱ, ㄴ, ㄷ, ㄹ

**18** [가]에서 〈보기〉의 문장이 들어갈 위치로 적절한 것은?

┤ 보기 ├

또 동물은 사람보다 세대 시간이 짧아 연구에 드는 시간을 줄일 수 있습니다.

① ㉠      ② ㉡      ③ ㉢      ④ ㉣      ⑤ ㉤

**19** [가]를 듣고 찬성 측 제1 토론자가 [나]의 교차 신문을 준비하면서 떠올렸을 만한 생각으로 적절하지 <u>않은</u> 것은?

① 동물의 존엄성을 고려하고 있는지 확인해야겠어.

② 반대 측이 사용한 용어의 개념의 정확한 의미를 질문해야겠어.

③ 우리 측이 입론에서 제시한 근거를 언급하며 반대 측의 논증을 반박해야겠어.

④ 반대 측이 동물 실험의 정확성에 대해 맹신하고 있는 것은 아닌지 질문해야겠어.

⑤ 동물 실험에 대한 규정이 동물 학대 문제를 완전히 예방하고 있는지 확인해야겠어.

# 서술형 심화문제

**01** 아래에 제시된 토론 논제를 보고, 다음 질문에 답하시오.

> "사형제도는 꼭 존재해야 하는가?"

(1) 위의 문장이 논제의 조건에 맞지 않는 이유는 무엇인가? (관련되는 '논제의 조건'을 언급할 것)

(2) 위의 문장을 토론 논제로 사용할 수 있도록 논제의 조건에 맞게 수정하시오.

**02** 〈보기〉를 읽고 물음에 답하시오.

> **│ 보기 │**
>
> 토론은 어떤 논제를 찬성하는 입장과 반대하는 입장의 사람들이 논증을 구성하여 자신의 주장이 옳음을 입증하는 말하기이다. '논제'는 토론의 주제이며, '필수 쟁점'은 논제와 관련해서 반드시 짚어야 하는 세부 주장을 말한다. 논제의 종류에는 진위 여부를 논하는 (　　A　　), 선악, 시비 등에 대한 판단이 개입되는 (　　B　　), 어떤 정책을 도입, 실행 유지하는 것이 바람직한지 판단하는 정책 논제가 있다. 특히 정책 논제의 경우, (　　C　　) 등이 필수 쟁점이 된다.

(1) A, B에 들어갈 논제의 명칭을 쓰시오.

(2) C는 필수 쟁점에 해당하는 내용을 2개 쓰시오.

**[03~04] 다음 글을 읽고 물음에 답하시오.**

**(가) 사회자** : 이번 시간에는 '교내 휴대 전화 사용을 허용해야 한다.'라는 논제로 토론해 보겠습니다. 양측 토론자는 토론 규칙을 잘 지키며 적극적으로 토론해 주시기 바랍니다. 그럼 먼저 찬성 측 제1 토론자의 입론을 듣겠습니다.

**(나) 찬성 1** : 휴대 전화 사용이 일상화된 요즘, 상당수 학교에서는 수업에 방해가 된다는 이유로 학교 안에서 학생들의 휴대 전화 소지 및 사용을 금지하고 있습니다. 하지만 학생들은 독립된 존재이므로 어디에서든지 휴대 전화를 가지고 있을 수 있고, 이를 사용할 자유가 있습니다. 유독 학교에서만 개인의 소지품인 휴대 전화를 사용하지 못하는 것은 부당합니다. 그리고 이러한 강제적인 규제는 학생들의 반발을 불러일으킬 뿐만 아니라 휴대 전화 사용을 자율적으로 절제하려는 학생들의 의지마저 꺾고 있습니다.

**(다) 사회자** : 반대 측 제1 토론자, 입론해 주십시오.

**반대 1** : 요즘 등·하굣길을 보면 많은 학생들이 휴대 전화를 사용하며 길을 걷고 있습니다. 이뿐만 아니라 친구와 함께 있으면서도 대화는 하지 않고 각자 휴대 전화만 들여다보는 모습도 자주 볼 수 있습니다. 학교는 여러 사람과 함께 생활하여 공동의 규범과 예의범절을 익히는 곳입니다. 따라서 학교에서만큼은 학생들이 휴대 전화를 사용할 자유를 내세우기보다는 바른 생활 태도를 익히는 것이 다른 것에 우선해야 합니다. 찬성 측 토론자는 교내에서 휴대 전화 사용을 규제하는 조치가 학생들의 자율적인 조절 의지를 꺾고 있다고 하였습니다. 하지만 한국 정보화 진흥원에서 2015년에 발표한 조사 내용을 보면, 청소년의 휴대 전화 중독률은 29.2퍼센트로 전체 성인의 휴대 전화 중독률 11.3퍼센트보다 훨씬 높습니다. 이는 전년에 비해 3.7퍼센트 증가한 수치로, 휴대 전화를 과도하게 사용하는 학생들이 늘었다는 사실을 보여 줍니다. 이러한 상황인데도 학교에서 휴대 전화 사용을 통제하지 않는다면, 청소년의 과도한 휴대 전화 사용을 막는 일은 더 힘들어질 것입니다.

**(라) 찬성 2** : 오늘날에 휴대 전화와 같은 매체를 사용하는 것은 정보화 시대의 흐름에 따른 자연스러운 현상입니다. 다양한 디지털 기기를 활용한 수업이 가능해졌고 학생들이 주체가 되어 참여하는 형태의 수업도 늘고 있습니다. 이러한 수업에서 휴대 전화를 유용하게 활용할 수 있습니다. 휴대 전화의 정보 검색 기능, 쌍방향 소통 기능, 동영상 및 사진 촬영 기능 등은 다양한 방식의 수업을 하는 데 도움이 됩니다. 예를 들어…….

**반대 1** : 그렇지 않습니다. 휴대 전화를 수업에서 유용하게 사용하기보다는 그 반대인 경우가 더 많습니다.

**찬성 2** : 제 발언이 아직 끝나지 않았습니다.

**사회자** : 반대 신문은 찬성 측의 입론 후에 듣겠습니다. 찬성 측 토론자께서는 입론을 계속해 주십시오.

〈중략〉

**사회자** : 이제 반대 측 제1 토론자, 반대 신문해 주십시오.

**반대 1** : 찬성 측 토론자는 현실을 너무 모르는 것 아닙니까? 휴대 전화 사용이 학생들의 학습 태도와 성적에 좋지 않은 영향을 끼친다는 것은 누구나 다 아는 사실이지 않습니까?

**(마) 사회자** : 그러면 찬성 측 제2 토론자 반대 신문을 해 주십시오.

**찬성 2** : 청소년이 휴대 전화를 주로 유희적인 용도로 사용하고 있다는 근거가 있습니까?

**반대 2** : 한국 정보화 진흥원이 2015년에 발표한 조사 내용에 따르면, 청소년이 휴대 전화를 이용하는 용도는 누리소통망(SNS)을 이용한 의사소통, 인터넷 검색, 게임, 음악 감상 순입니다. 이렇게 주로 유희적 용도로 사용하는 휴대 전화를 교내에서 사용할 수 있게 한다면 학생들이 제대로 수업에 집중할 수 있을까요?

**(바) 사회자** : 지금까지 양측의 입론을 들어 보았습니다. 이제부터 반론을 진행하겠습니다. 반대 측 제1 토론자부터 반론을 시작해 주십시오.

**반대 1** : 찬성 측에서는 학생들이 휴대 전화를 사용할 자유가 있기 때문에 학교에서 이를 규제하는 것은 부당하다고 하였습니다. 하지만 학교는 친구, 선생님과 관계를 형성하며 더불어 생활하는 곳입니다. 학생들이 학교에서의 생활에 집중할 수 있도록 휴대 전화 사용을 규제할 필요가 있습니다. 또한 청소년은 이미 일상생활에서 휴대 전화와 밀접한 관계를 맺고 있으며, 청소년의 휴대 전화 중독률은 해마다 증가하고 있습니다. 청소년의 휴대 전화 중독을 예방하기 위해서라도 교내에서의 휴대 전화 사용을 규제해야 합니다.

**찬성 1** : 학생이기 이전에 하나의 인격체로서 존중받아야 하는 학생들이 학교에서 개인 물품 사용을 규제당하는 것은 부당한 일입니다. 반대 측에서 청소년의 휴대 전화 중독이 심각하며 이를 예방해야 한다고 하신 점에는 저희도 동의합니다. 그러나 교내에서 휴대 전화 사용을 규제한다고 해서 청소년의 휴대 전화 중독을 막을 수는 없습니다.

**(사) 사회자** : 지금까지 양측의 의견을 들어 보았습니다. 찬성 측과 반대 측 토론자 모두 수고하셨습니다. 이제부터 평가 기준을 참고하여 어느 편의 주장이 더 타당했는지 토론을 평가해 보겠습니다.

**03** (1) 찬·반 양측이 필수쟁점별로 주장과 근거를 들어 논증하는 단계가 무엇인지 2음절로 답을 쓰시오.

(2) 위 토론에 나타난 학생에 대한 찬성 측의 관점에 대하여 서술하시오.

┤ 조건 ├
- 학생에 대한 기본적인 인식을 쓸 것.
- 본문에 있는 말을 활용할 것.
- 주어를 포함 3어절로 쓸 것.
- 문장의 흐름이 자연스럽게 쓰기

**04** (1) 토론에서 상대측 주장의 타당성과 근거 등에 문제가 있음을 지적함으로써 자기 측 논증의 논리성을 강조하여 주장을 강화하는 단계가 무엇인지 2음절로 답을 쓰시오.

(2) (나)와 (다)에서 찬·반측이 다루고 있는 필수쟁점 한 가지를 쓰시오.

┤ 조건 ├
- 부사어+목적어+주어+서술어
- 주어+목적어+부사어+서술어 중 하나의 문장 형태로 쓸 것.

[05] 다음 글을 읽고 물음에 답하시오.

### 토론에서 하는 말하기에는 어떤 것이 있을까?

토론의 발언에는 입론과 반론이 있다. 입론은 자신의 주장을 펼치는 말하기이며, 반론은 상대방의 주장을 반박하는 말하기이다. 토론의 유형에 따라 입론 단계에서 교차 신문을 하기도 한다. 교차 신문은 상대방의 입론 내용을 따져 묻는 말하기이다.

### 토론에서 하는 발언의 종류와 성격

**입론**
찬성 또는 반대 측에서 자기의 주장이 타당함을 논리적으로 입증하는 말하기.

**반론**
상대측 주장이 타당하지 않음을 증명하기 위해 근거의 불충분함, 부정확함, 부적절함, 이유와 근거의 비연관성 등을 지적하는 말하기.

**교차 신문**
상대측이 입론에서 내세운 주장과 이유, 근거를 반박하기 위해 따져 묻는 말하기.

### 논제와 쟁점이란 무엇인가?

토론의 주제를 논제라고 하는데, 논제는 크게 사실 논제, 가치 논제, 정책 논제로 나뉜다. 사실 논제는 사실의 진위를 다투는 논제이고, ㉠가치 논제는 (              )논제이며, 정책 논제는 어떤 정책의 도입, 폐지, 개선 등 정책의 실행 여부와 실행 방안에 관한 논제이다. 이 가운데 정책 논제를 다루는 토론에서 찬성 측은 정책의 변화를 주장하므로 그 변화가 필요하고 정당하다는 것을 증명해야 한다. 그리고 반대 측은 찬성 측의 주장이 정당하지 않음을 비판하는 역할을 맡는다.

쟁점은 찬성 측과 반대 측이 다투는 내용으로, 쟁점과 관련한 논의가 논쟁의 핵심이 된다. 쟁점 가운데 반드시 다루어야 하는 쟁점을 필수 쟁점이라고 한다. 정책 논제를 다루는 토론에서는 문제 해결 방안, 효과와 이익 등이 주요한 필수 쟁점이 된다.

---

**05** ㉠ ( ) 안에 들어갈 내용과 관련하여 가치 논제의 개념을 글자 수 15~30자의 한 문장으로 서술하고, 가치 논제에 해당하는 논제 두 개를 만들어 적으시오.

(1) 가치 논제 개념

(2) 가치 논제의 예

**06** 다음은 논증의 한 예이다. 논증의 구성요소 중 어떤 것에 해당하는지 각각 쓰시오.

| | |
|---|---|
| 학생들은 아침식사를 꼭 해야 합니다. | ⓐ |
| 왜냐하면 아침식사를 해야 에너지가 생기고, 두뇌가 깨어나 학업에 집중할 수 있기 때문입니다. | ⓑ |
| 식품 영양에 관해 25년을 연구한 ○○○박사는 아침을 먹으면 실제로 성장기 청소년의 뇌 활성화, 학습 및 인지 기능 향상에 도움이 된다고 말합니다. 특히 섬유질과 탄수화물이 풍부한 아침 식사는 하루 종일 피로를 덜 느끼게 하여 지구력 향상에도 좋다고 합니다. | ⓒ |

(가) 어제 입었던 옷이 오늘 입은 옷에 밀려나고. 오늘 입은 옷은 다시 내일 입을 옷에 밀려난다. 우리가 유행이라고 부르는 이와 같은 연속된 과정은 지금도 끊임없이 이어지고 있다.

옷 소비가 증가하는 현상의 원인은 여러 가지가 있지만, 가장 주요한 원인은 의류 업체 간의 치열한 경쟁으로 점점 내려가는 옷 가격이다. 그런데 여기에서 주목해야 할 점은 의류 산업이 대표적인 노동 집약 산업이라는 것이다. 의류 산업은 제품을 만드는 데 노동력이 많이 필요하므로 전체 생산 비용에서 노동 비용이 차지하는 비중이 높다. 따라서 제품 가격을 낮추려면 노동 비용을 줄이는 것이 가장 효과적이다. 많은 의류 업체가 캄보디아, 방글라데시 등 임금이 낮은 나라에서 제품을 생산하는 이유가 여기에 있다. 우리가 입은 옷의 원산지 표시를 살펴보면 많은 옷이 이들 나라에서 생산되었다는 것을 쉽게 확인할 수 있다.

또 다른 이유는 의류 업체 간의 속도 경쟁 때문이다. 얼마 전까지만 해도 새로운 유행을 반영한 옷을 만들어 가게에 전시하기까지는 6개월가량 걸리는 것이 일반적이었다. 그런데 최신 유행을 반영한 제품을 시장에 빨리 내놓을수록 경쟁에서 유리하다는 것을 알게 된 몇몇 의류 업체는 그 기간을 줄일 방안을 모색하였다. 그런데 좀 더 깊이 살펴보면 이러한 변화가 과연 반가워만 할 일인가라는 의문이 든다.

우선 디자인이 도용되는 사태가 발생하고 있다. 일부 의류 업체는 옷을 빠르게 생산하는 것에만 초점을 맞추고, 옷을 디자인하는 데에는 충분한 시간을 투자하지 않는다. 하지만 새로운 옷은 계속 제작해야 하니 결국 이런 업체는 남의 디자인을 도용하여 불법 복제품을 만든다. 실제로 세계적인 규모의 한 의류 업체는 디자인 도용 혐의로 50번 넘게 고발당했고, 이 때문에 언론으로부터 수차례 비판을 받았지만 이를 개선하려는 의지를 보이지 않고 있다. 디자인 도용으로 얻을 수 있는 이익이 처벌로 입게 될 손해보다 더 크기 때문이다.

디자인 도용에 대응하기 위해 원작 디자이너는 지적 재산권 소송을 하기도 한다. 하지만 디자인과 관련된 지적 재산권 소송의 경우, 창조와 모방의 경계가 모호한 경우가 많아서 소송 과정이 길고 복잡하다. 게다가 소송에 드는 비용 또한 만만치가 않아서 어쩔 수 없이 소송 자체를 포기하는 디자이너도 많다.

다음으로 환경이 오염되고 있다. 버려지는 옷과 직물 중 65퍼센트는 합성 섬유로 만들어진 것이기에 매립해도 좀처럼 썩지 않고, 태우면 유해 물질을 내뿜어 환경오염을 가속화한다.

자원의 생산 과정에서도 환경이 오염된다. 대표적인 천연 섬유 재료인 면화는 전 세계 경작지의 약 2.5퍼센트에 해당하는 토지에서 생산되고 있는데, 여기에 사용되는 살충제의 양이 전 세계 살충제 사용량의 약 16퍼센트에 달한다. 작물로서는 단위 면적당 살충제 사용량이 최고인 셈이다. 맹독성 살충제는 토양에 스며들어 지하수를 타고 강으로 흘러들어 가 동식물을 병들게 한다.

자연 못지않게 사람도 고통 받고 있다. 소비자가 부담 없이 살 수 있는 싼 옷을 만들기 위해 개발 도상국의 노동자는 악조건 속에서 일하고 있다. 더욱 안타까운 것은 이런 현실을 개선하기가 쉽지 않을 것이라는 점이다. 싼 가격으로 경쟁하는 옷, 더 빠르게 유행을 따라가는 옷을 만들어야만 살아남을 수 있는 시장에서, 기업이 노동자의 임금을 인상하거나 근로 환경을 개선하는 데 적극적으로 투자하지는 않을 것이기 때문이다.

의류 업체는 이윤을 내는 데 열중하고, 소비자는 유행을 좇아 옷을 구매하다 보니 기업 윤리나 소비 윤리는 지켜지지 않고 있다. 이러한 상황을 변화시키기 위해 우리는 어떻게 해야 할까? 다른 무엇보다도 옷을 불필요하게 소비하지 않아야 한다. 필요 이상으로 옷을 여러 벌 산적은 없는지, 일회용품처럼 옷을 쉽게 사고 쉽게 버린 적은 없는지 우리의 소비 생활을 돌아볼 필요가 있다. 옷을 일회용품이 아니라 필수품이라고 인식해야 과도하게 옷을 소비하지 않을 수 있다.

또한 내가 입는 옷을 누가, 어떤 과정을 거쳐 만들었는지에 관심을 기울여야 한다. 옷을 만드는 과정에서 지적 재산권 침해, 환경 오염, 기업의 노동력 착취와 같은 일이 발생했는지 안다면 우리가 어떤 옷을 입을지 선택할 때에 도움이 될 것이다. 옷의 정보를 알기 어렵다면 소비자는 해당 기업에 관련 정보를 공개하라고 요구할 수 있다. 소비자는 자신이 사용하는 제품의 상세한 정보를 알 권리가 있기 때문이다.

옷의 정보를 확인한 후에는 이를 고려하여 옷을 소비해야 한다. 바로 여기에 어려운 점이 있다. 공정한 과정을 거쳐 옷을 생산한 경우에는 그렇게 하지 않은 경우에 비해 더 많은 비용이 들고, 당연히 그 비용은 옷 가격에 반영된다. 옷이 더 비싸지는 것이다. 하지만 옷에 싼 가격을 매기기 위해 불공정한 방법을 사용하였다면 그 가격 역시 불공정하다는 것을 알아야 한다.

　일일이 옷의 정보를 확인하고, 생산 과정이 공정했는지를 따져 보는 것은 번거로운 일일지도 모른다. 하지만 어떤 과정으로 만들어진 옷을 입을 것인지 결정하는 우리의 작은 선택은 전 세계 의류 산업과 이에 종사하는 사람들, 나아가 지구 환경에도 영향을 미칠 수 있다. 따라서 이제는 이를 깨닫고, 공존과 상생의 가치를 바탕으로 한 옷 입기를 실천해야 할 때이다.

　**(나)** 아시아와 남아메리카 등지에서 주로 찾아볼 수 있는 저임금 노동  착취 공장은 섬유, 장난감, 전자기기 등 선진국 소비자를 위한 제품을 생산하는 열악한 작업장이다.  노동자들이 하루 16시간씩 일주일에 6~7일 일하는 곳도 흔하다. 에어컨이 가동되지 않아 찜통이나 다름없는 공장이 대다수다. 안전보건 수칙은 아무렇지도 않게 무시될 뿐만 아니라 고용주의 학대 행위도 종종 발생한다.

　이처럼 열악한 노동환경을 그냥 두고 볼 수 없어 이곳에서 생산된  제품의 불매운동을  전개하는 단체들이 제법 있다. 반대운동은 고매한 의도에서 출발했다. 열악한 노동조건에 경악을 금치 못해 반대 운동에 나서는 건 충분히 이해할만 하다. 하지만 노동착취 공장 제품을 사지 않는 건 잘못이다. 노동착취 공장이 경제적 압력에 굴복해 문을 닫으면 기존 노동자들이 더 나은 일자리를 얻을 것이라 짐작하기 쉽다. 과연 그럴까?

　현실은 반대다. 가난한 나라에서는 노동착취 공장이 좋은 일자리다. 대안이라고 해 봐야 저임금 중노동에 시달리는 농장 일꾼, 넝마주이 등 더 형편없는 일자리뿐이고 심지어 실직자가 되는 경우도 부지기수다. 재활용 플라스틱을 찾아 쓰레기 더미를 뒤지던 캄보디아 여성 핌 스레이 라스는 『뉴욕 타임즈』와의 인터뷰 중 "공장에서 일하면 정말 좋겠어요. 거기선 그래도 그늘에서 일할 수 있잖아요. 여긴 너무 더워요"라고 말했다. 부유한 나라 사람들은 절대빈곤을 상상조차 하지 못한다. 한편, 임금 문제를 살펴보자. 방글라데시 노동착취 공장 노동자들의 하루 임금은 2달러, 캄보디아는 5.5달러, 아이티는 7달러, 인도는 8달러다. 터무니없는 저임이지만 현지 하청공장 일당이 1.25달러임을 감안하면 노동착취 공장으로 노동자들이 몰리는 것도 당연하다.

　진보와 보수를 막론하고 경제학자들은 노동착취 공장이 가난한 나라에 득이 된다는 데 의문을 달지 않는다. 노벨경제학상을 수상한 좌파 경제학자 폴 크루그먼은 "경제학자들 사이에서는 이같은 고용 증대 방식이 전 세계 극빈층에게는 반가운 희소식이라는 게 압도적인 주류 견해"라고 말했다. 절대빈곤에 허덕이는 사람들을 더 적극적으로 도와야 한다고 강력히 주장하는 제프리 삭스 컬럼비아대 교수는 "내가 걱정하는 건 노동착취 공장이 너무 많다는 게 아니라 너무 적다는 것"이라고 말했다. 경제학자들이 이처럼 입을 모아 노동착취 공장을 옹호하는 건 노동집약적 제조업이 저임금 농업 위주 경제사회가 더 부유한 산업사회로 나아가는 데 징검다리 역할을 하기 때문이다. 한국, 대만, 싱가포르, 홍콩 등이 바로 이런 과정을 거쳐 고속성장을 이룬 사례다.

---

**01** (가)를 통해 알 수 있는 내용으로 적절한 것만 있는 대로 고른 것은?

┤ 보기 ├

ㄱ. 싼 가격은 소비자들이 자주 옷을 구입하는 주요 원인이다.

ㄴ. 의류 산업은 노동 집약 산업이기 때문에 제품에 만드는데 노동력이 많이 필요하므로 인건비가 점점 비싸진다.

ㄷ. 옷이 과도하게 소비될 수 있는 것은 경쟁에서 이기기 위해 의류 업체들이 경쟁적으로 제품을 내놓기 때문이다.

ㄹ. 디자인 도용을 했는지, 유행에 맞는지, 누가 어떻게 옷을 만들었는지 등 옷에 대한 정보를 확인하고 옷을 사야한다.

ㅁ. 불법 복제품이 쉽게 사라지지 않는 이유는 처벌받게 될 손해가 디자인 도용으로 얻을 수 있는 비용절감보다 더 작기 때문이다.

① ㄱ, ㄴ　　　② ㄱ, ㄷ, ㅁ　　　③ ㄴ, ㄷ, ㄹ　　　④ ㄷ, ㄹ, ㅁ　　　⑤ ㄴ, ㄷ, ㄹ, ㅁ

**02** 옷을 소비하는 습관이 (가)의 글쓴이 관점과 일치하는 것만을 〈보기〉에서 있는 대로 고른 것은?

┤ 보기 ├
ㄱ. 나에게 불필요한 옷은 버리고 가격이 비싸도 나에게 꼭 필요한 옷은 구입한다.
ㄴ. 기업이 옷에 대한 정보를 공개하지 않는 경우는 가격이 아무리 싸더라도 구입하지 않는다.
ㄷ. 다른 브랜드와 디자인이 유사한 옷은 지적 재산권을 침해한 가능성이 높으므로 되도록 구입하지 않는다.
ㄹ. 옷을 만드는데 공정한 과정을 거치면 옷의 가격이 비싸지기 때문에 반드시 고가(高價) 브랜드의 옷만 구입한다.
ㅁ. 원산지(原産地)가 개발도상국인 제품은 불공정한 과정을 거친 옷일 가능성이 높으므로 필히 선진국에서 제조한 옷을 구입한다.

① ㄷ          ② ㄱ, ㄴ          ③ ㄴ, ㄷ          ④ ㄷ, ㄹ, ㅁ          ⑤ ㄱ, ㄴ, ㄷ, ㄹ

**03** (가)와 (나)를 읽고 학생들이 대화를 나눈다고 할 때, 그 내용으로 적절하지 <u>않은</u> 것은?

① (가)의 글쓴이는 공정하고 윤리적인 옷 입기를 통해 기업과 소비자, 노동자 그리고 지구환경까지 모두가 공존하고 상생할 수 있다고 강조하고 있군.
② (가)의 글쓴이는 의류업체 간의 치열한 경쟁이 지식이나 기술을 촉진시키기 보다는 많은 부분에서 희생을 수반하고 있으므로 안 좋은 영향이 크다고 생각하고 있군.
③ (나)의 글쓴이는 개발도상국의 노동 착취 공장에서 만들어진 옷을 구입하더라도 올바른 소비가 될 수 있다고 말하고 있군.
④ (나)의 글쓴이는 (가)의 글쓴이와 달리 개발도상국의 열악한 근로 환경 문제점에 대해서는 관심을 기울이지 않고 있군.
⑤ (나)의 글쓴이는 (가)의 글쓴이가 생각하는 윤리적인 옷 입기 실천이 가난한 나라 사람들에게 오히려 좋은 일자리를 빼앗는 결과를 낳을 수 있다고 말하고 있군.

**04** 글 (나)의 글쓰기 전략으로 적절하지 <u>않은</u> 것은?

① 전문가의 의견을 근거로 주장을 뒷받침하고 있다.
② 질문을 통해 문제에 대한 관심을 유발하고 있다.
③ 노동 착취 공장의 실태와 그 원인을 분석하고 있다.
④ 상황을 가정하여 주장에 대한 근거를 제시하고 있다.
⑤ 구체적인 자료를 바탕으로 문제의 심각성을 강조하고 있다.

**05** 〈보기〉를 바탕으로 (가)를 비판한 내용으로 가장 적절한 것은?

┤ 보기 ├

　　최근에 실시한 실험을 보자. 연구팀은 피험자들에게 에너지절약 전구 등 '친환경' 상품과 일반 상품 중에서 하나를 택하게 한 뒤 그와 무관해 보이는 시지각 과제를 제시하였다. 대각선으로 분할된 네모 도형 위에 20개의 점이 찍힌 컴퓨터 화면을 보면서 대각선의 왼쪽이나 오른쪽 중 어느 한쪽에 더 많은 점이 반짝일 때 엔터키를 누르라고 지시했다. 단번에 답을 알 수 있는 과제였지만 연구자들은 실험 결과가 앞으로 다른 실험을 설계하는 데 활용될 예정이므로 최대한 정확하게 답해 달라고 강조했다. 그러면서 한 가지 조건을 더 내걸었다. 정답과는 상관없이 대각선 양쪽에 나타난 점의 수가 동일하지 않고 어느 한편에 더 많다고 답할 때마다 5센트를 준다는 것이었다. 피험자들에게 거짓말에 대한 금전적 인센티브가 주어진 셈이다. 실험은 연구자들이 참관 없이 진행됐기에 거짓말을 해도 들킬 염려는 없었다. 더욱이 피험자들이 알아서 봉투에 든 돈을 꺼내가면 그만이라고 돈을 훔칠 기회까지 있었다.

　　어떤 결과가 나왔을까? 친환경 상품을 고른 피험자들의 거짓 대답 횟수와 돈을 훔친 건수가 일반 상품을 고른 사람들에 비해 훨씬 많았다. 기회가 생기자 이전에 착한 일을 했다는 이유로 스스로의 비윤리적인 행동을 무의식적으로 용납한 것이다. 이와 같은 현상을 심리학자들은 '도덕적 허가' 효과 때문이라고 말한다. 이는 착한 일을 한 번 하고 나면 이후에 선행을 덜 실천하는 것으로 보상받으려 하는 경향을 말한다.

① 개인이 옷에 대한 정보를 기업을 통해 힘들게 얻고자 하는 것은 그동안 불필요한 옷을 과소비한 자신의 비윤리적 행동에 대한 보상 행동일 뿐이다.

② 환경오염이나 기업의 노동력 착취 등을 고려한 소비습관 개선은 이타적 행위에 대한 보상심리로 인해 오히려 다른 효율적인 이타적 행위를 줄어들게 할 수 있다.

③ 디자인 도용으로 원작 디자이너의 지적 재산권이 보장받지 못하는 문제는 값싼 옷을 소비자에게 좀 더 빠르게 제공하려는 기업 차원의 이타적 행위에서 비롯된 것이다.

④ 합성 섬유와 면화가 환경을 오염시킨다면 어떤 소재의 옷을 입어야 한다는 것인지 구체적인 대안이 제시되어 있지 않다. 따라서 옷의 생산과정을 고려한 소비는 진정한 의미의 착한 소비가 될 수 없다.

⑤ 옷에 대한 정보를 소비자가 해당 기업에 요구하라고 했는데, 옷에 대한 정보를 애초에 상품에 공개하도록 의무화하는 것이 기업의 '도덕적 허가' 효과를 방지할 수 있는 더 효과적인 방법이 될 수 있다.

[06~10] 다음 글을 읽고, 물음에 답하시오.

- **논제** : 교내 휴대 전화 사용을 허용해야 한다.
- **참가자** : 찬성 측 토론자 2명, 반대 측 토론자 2명, 사회자.
- **토론 형식** : 반대 신문식 토론.
- **토론 순서**

| 찬성 측 | | 반대 측 | |
|---|---|---|---|
| 제1토론자 (찬성1) | 제2토론자 (찬성2) | 제1토론자 (반대1) | 제2토론자 (반대2) |
| 1. 입론 | | | 2. 반대 신문 |
| 4. 반대 신문 | | 3. 입론 | |
| | 5. 입론 | 6. 반대 신문 | |
| | 8. 반대 신문 | | 7. 입론 |
| 10. 반론 | | 9. 반론 | |
| | 12. 반론 | | 11. 반론 |

**사회자** : (중략) 이번 시간에는 '교내 휴대 전화 사용을 허용해야 한다.'라는 논제로 토론해 보겠습니다. 양측 토론자는 토론 규칙을 잘 지키며 적극적으로 토론해 주시기 바랍니다. 그럼 먼저 찬성 측 제1 토론자의 입론을 듣겠습니다.

**찬성 1** : 휴대 전화 사용이 일상화된 요즘, 상당수 학교에서는 수업에 방해가 된다는 이유로 학교 안에서 학생들의 휴대 전화 소지 및 사용을 금지하고 있습니다. 하지만 학생들은 독립된 존재이므로 어디에서든지 휴대 전화를 가지고 있을 수 있고, 이를 사용할 자유가 있습니다. 유독 학교에서만 개인의 소지품인 휴대 전화를 사용하지 못하는 것은 부당합니다. 그리고 이러한 강제적인 규제는 학생들의 반발을 불러일으킬 뿐만 아니라 휴대 전화 사용을 자율적으로 절제하려는 학생들의 의지마저 꺾고 있습니다. 교내에서 휴대 전화를 사용하도록 하되 학생 스스로 휴대 전화 사용을 조절하는 태도를 기르고, 휴대 전화 사용 시 다른 사람을 배려하는 지혜로운 선택을 하게끔 이끌어 주어야 한다고 생각합니다.

**사회자** : 반대 측 제2 토론자, 반대 신문해 주십시오.

**반대 2** : 학교는 친구, 선생님과 소통하며 여러 지식을 배우고 다양한 경험을 하는 곳입니다. 친구, 선생님과 얼굴을 맞대고 직접 대화할 수 있는 학교에서 군이 휴대 전화를 사용해야 하나요?

**찬성 1** : 지식이나 경험뿐만 아니라 올바른 휴대 전화 사용 태도를 익힐 수 있는 곳이 학교라고 생각합니다. 그리고 교내에서는 대화로 의사소통할 수 있지만, 응급 상황이 발생하거나 부모님과 긴급하게 연락해야 할 때에는 휴대 전화가 필요합니다.

**사회자** : 반대 측 제1 토론자, 입론해 주십시오.

**반대 1** : 요즘 등·하굣길을 보면 많은 학생들이 휴대 전화를 사용하며 길을 걷고 있습니다. 이뿐만 아니라 친구와 함께 있으면서도 대화는 하지 않고 각자 휴대 전화만 들여다보는 모습도 자주 볼 수 있습니다. 학교는 여러 사람과 함께 생활하여 공동의 규범과 예의범절을 익히는 곳입니다. 따라서 학교에서만큼은 학생들이 휴대 전화를 사용할 자유를 내세우기보다는 바른 생활 태도를 익히는 것이 다른 것에 우선해야 합니다. 찬성 측 토론자는 교내에서 휴대 전화 사용을 규제하는 조치가 학생들의 자율적인 조절 의지를 꺾고 있다고 하였습니다. 하지만 한국 정보화 진흥원에서 2015년에 발표한 조사 내용을 보면, 청소년의 휴대 전화 중독률은 29.2퍼센트로 전체 성인의 휴대 전화 중독률 11.3퍼센트보다 훨씬 높습니다. 이는 전년에 비해 3.7퍼센트포인트 증가한 수치로, 휴대 전화를 과도하게 사용하는 학생들이 늘었다는 사실을 보여 줍니다. 이러한 상황인데도 학교에서 휴대 전화 사용을 통제하지 않는다면, 청소년의 과도한 휴대 전화 사용을 막는 일은 더 힘들어질 것입니다.

**사회자** : (                    Ⓐ                    )

(중략)

**반대 1** : 최근에는 각 가정에서도 휴대 전화 사용 규칙을 정하는 등 휴대 전화 사용을 줄이기 위해 노력하고 있습니다. 그러나 학생들이 많은 시간을 보내는 학교에서 휴대 전화 사용을 줄이기 위해 노력하지 않는다면 휴대 전화 중독을 예방하기 어렵습니다. 휴대 전화는 중독성이 강한 매체입니다. 청소년의 휴대 전화 중독률이 성인에 비해 상대적으로 높다는 점을 볼 때, 청소년의 판단력과 절제력이 성인에 비해 부족하다는 것을 알 수 있습니다. 교내에서 휴대 전화 사용을 제한한다면 청소년의 휴대 전화 중독을 예방하는 데 도움이 될 것입니다.

**사회자** : 찬성 측의 주장과 반대 측의 주장이 첨예하게 맞서고 있습니다. 이제 찬성 측 제2 토론자가 입론해 주십시오.

**찬성 2** : 오늘날에 휴대 전화와 같은 매체를 사용하는 것은 정보화 시대의 흐름에 따른 자연스러운 현상입니다. 다양한 디지털 기기를 활용한 수업이 가능해졌고 학생들이 주체가 되어 참여하는 형태의 수업도 늘고 있습니다. 이러한 수업에서 휴대 전화를 유용하게 활용할 수 있습니다. 휴대 전화의 정보 검색 기능, 쌍방향 소통 기능, 동영상 및 사진 촬영 기능 등은 다양한 방식의 수업을 하는 데 도움이 됩니다. 예를 들어…….

**반대 1** : 그렇지 않습니다. 휴대 전화를 수업에서 유용하게 사용하기보다는 그 반대인 경우가 더 많습니다.

**찬성 2** : 제 발언이 아직 끝나지 않았습니다.

**사회자** : 반대 신문은 찬성 측의 입론 후에 듣겠습니다. 찬성 측 토론자께서는 입론을 계속해 주십시오.

**찬성 2** : 예를 들어 휴대 전화로 수학 시간에 칠판의 글씨를 사진으로 찍거나, 과학 시간에 실험 과정을 영상으로 촬영하여 복습할 때 활용하면 학습 효과를 높일 수 있습니다. 국어 시간에는 인터넷 검색을 통해 모르는 단어의 뜻을 확인할 수도 있습니다. 이처럼 휴대 전화의 교육적 활용도는 그 범위가 날로 확장되고 있습니다.

**사회자** : 이제 반대 측 제1 토론자, 반대 신문해 주십시오.

**반대 1** : 찬성 측 토론자는 현실을 너무 모르는 것 아닙니까? 휴대 전화 사용이 학생들의 학습 태도와 성적에 좋지 않은 영향을 끼친다는 것은 누구나 다 아는 사실이지 않습니까?

**찬성 2** : 저는 그렇게 생각하지 않습니다. 실제로 휴대 전화를 활용한 수업이 이루어지고 있고, 교육 현장에서 휴대 전화를 활용하는 방법을 자신의 블로그에 소개한 선생님도 계십니다. 이제는 학교에서 휴대 전화 사용을 규제만 할 것이 아니라, 수업에 활용하는 방안을 적극적으로 모색할 필요가 있다고 생각합니다.

**사회자** : 이제 반대 측 제2 토론자가 입론을 하겠습니다.

**반대 2** : 저는 휴대 전화를 교육적 용도로 활용하는 것에 과장된 측면이 많다고 생각합니다. 실제로 우리가 휴대 전화를 사용할 때를 떠올려 보면, 화면을 진득하게 보지 않고 다음 화면으로 금방 넘겨 버리는 것을 알 수 있습니다. 이처럼 휴대 전화를 사용할 때에는 한 가지 자극에 오랫동안 집중하지 못하고 계속 새로운 자극을 찾기 때문에 오히려 집중력이 저하됩니다. 또 주어진 문제를 스스로 해결하려 하기보다 정보를 검색하여 쉽게 해결하려는 경향이 나타나기도 합니다. 이러한 사용 양상 때문에 휴대 전화는 학습보다는 주로 유희적 용도로 사용됩니다. 따라서 학생들이 수업과 학습에 집중하고 친구와 직접적으로 소통할 수 있도록 교내에서 휴대 전화 사용을 규제해야 합니다.

**사회자** : 그러면 찬성 측 제2 토론자 반대 신문을 해 주십시오.

| ⓑ **찬성 2** : 청소년이 휴대 전화를 주로 유희적인 용도로 사용하고 있다는 근거가 있습니까? |
|---|

**반대 2** : 한국 정보화 진흥원이 2015년에 발표한 조사 내용에 따르면, 청소년이 휴대 전화를 이용하는 용도는 누리소통망(SNS)을 이용한 의사소통, 인터넷 검색, 게임, 음악 감상 순입니다. 이렇게 주로 유희적 용도로 사용하는 휴대 전화를 교내에서 사용할 수 있게 한다면 학생들이 제대로 수업에 집중할 수 있을까요?

**06** 이 토론의 순서를 고려할 때, Ⓐ에 들어갈 사회자의 말로 가장 적절한 것은?

① 찬성 측 제 1토론자, 반대 신문해 주십시오.
② 찬성 측 제 2토론자, 반대 신문해 주십시오.
③ 찬성 측 제 1토론자, 입론해 주십시오.
④ 찬성 측 제 1토론자, 반론해 주십시오.
⑤ 찬성 측 제 2토론자, 반론해 주십시오.

**07** '반대1'의 말하기 태도를 평가한 것으로 적절하지 <u>않은</u> 것은?

① '찬성2' 토론자의 의견을 무시하는 듯한 발언을 하였다.
② 상대측의 의견에 구체적인 근거를 제시하지 않고 반박하고 있다.
③ 토론의 순서를 지키지 않아 토론 진행에 좋지 않은 영향을 끼쳤다.
④ '찬성2' 토론자가 발언을 끝내기 전에 말을 끊고 자신의 의견을 말하고 있다.
⑤ 자신의 질문에 단답형으로만 답하기를 강요하여 상대방을 불쾌하게 하였다.

**08** Ⓑ의 의도로 가장 적절한 것은?

① 논제의 쟁점을 파악하기 위해서
② 상대측의 주장을 확인하기 위해서
③ 자신의 주장을 정당화하기 위해서
④ 지나치게 침체된 토론의 분위기를 반전시키기 위해서
⑤ 상대측이 근거를 제시하지 않은 부분을 지적하기 위해서

**09** 윗글에서 찬성 측의 입장으로 적절하지 <u>않은</u> 것은?

① 교내에서는 직접 대화의 의사소통할 수 있지만 부모님과 긴급하게 연락해야 할 때나 응급 상황 때에는 휴대 전화가 필요하다.

② 청소년의 휴대 전화 중독률이 성인에 비해 높다는 점을 볼 때, 청소년의 판단력과 절제력이 성인에 비해 부족하다.

③ 지식이나 경험뿐만 아니라 올바른 휴대 전화 사용 태도를 익힐 수 있는 곳이 학교이다.

④ 휴대 전화를 사용하지 못하게 하는 것은 학생들의 자율적인 조절 의자를 꺾고 있다.

⑤ 학생들은 독립된 존재이므로 어디에서든지 휴대 전화를 사용할 수 있다.

**10** 〈보기〉의 쟁점을 기준으로 할 때, ㉠, ㉡, ㉢에 들어갈 알맞은 내용을 쓰시오.

> ┤ 보기 ├
> 휴대 전화를 유용한 수업 도구로 활용할 수 있다.

| 찬성측 | • 주장 : 휴대 전화를 수업에서 유용하게 활용할 수 있다.<br>• 근거 : 휴대 전화의 여러 기능은 다양한 방식의 수업을 하는 데 도움이 된다.<br>• 반대 신문에 대한 논증 구성 방법 : 휴대 전화의 교육적 용도에 대한 구체적 사례를 제시하고 있다. |
|---|---|
| 반대측 | • 주장 : ( ㉠ )<br>• 근거 : ( ㉡ )<br>• 반대 신문에 대한 논증 구성 방법 : ( ㉢ ) |

MEMO

고등국어 HIGH SCHOOL

실전기출 문제은행

정답 및 해설

2B
2학기기말

비상 | 박안수

## (2) 국어의 변화와 발전

**확인학습** P.08

01 ○  02 ○  03 ×  04 ○  05 ○  06 ○  07 ○  08 ○
09 ○  10 ○  11 ○  12 ×

01 동국정운식 표기에 음가 없는 'ㅇ'이 사용되었다.
05 방점을 통해 분별할 수 있다.

**객관식 기본문제** P.09~14

| 01 ⑤ | 02 ② | 03 ③ | 04 ⑤ |
| 05 ④ | 06 ① | 07 ① | 08 ③ |
| 09 ⑤ | 10 ⑤ | 11 ③ | 12 ④ |
| 13 ④ | 14 ④ | 15 ④ | 16 ① |
| 17 ④ | | | |

01 ㅂ과 ㄷ을 써서 ㅳ로 사용했다.
02 ㉠'니'에서 두음법칙이 없었다는 것을 확인.
ㄴ 어리다(어리석다 → 나이가 적다) 의미의 이동,
ㄷ'바+주격조사 ㅣ'
03 원형을 밝혀 적지 않고 소리 나는 대로 적었다.
04 현대 국어에서 쓰일 수 없고 중세 국어에선 어두자음군이라는 명칭으로 쓰인다.
05 양성모음 '·, ㅗ, ㅏ, ㅛ, ㅑ'가 있는데 '·, ㅑ'로 모음 조화가 제대로 지켜졌다.
06 '배'에 쓰인 조사는 주격조사이다. '에서'는 단체와 결합할 때 주격조사로 사용되므로 같은 역할을 하고 있다.
07 '말씀'은 의미의 축소의 예이다.
08 '노·미'에서 이어적기가 사용되었는데 '어엿비'에만 쓰이지 않았다.
09 ㉠은 ㅸ, ㄴ은 초성자 밑에 모음을 쓰라는 설명으로 'ㅗ, ·'가 해당이 되며, ㄷ은 초성자 오른쪽에 모음을 붙여써야 하는 점으로 'ㅏ, ㅣ, ㅑ'가 해당된다.
10 사룸은 의미가 변화된 단어가 아니다.
11 '스믯·디'처럼 어휘가 사라진 것은 음운 측면이 아니라 어휘 면에서 변화를 보이는 것이다.
12 평성은 방점이 0개이며 낮은 소리를 나타낸다.
13 '나+ㅣ'로 주격조사 'ㅣ'가 사용되었지만, '제'에는 쓰이지 않았다.
14 (가)에는 한자어를 이상적인 소리로 표기한 동국정운식 표기를 하고 있고, (나)에서는 현실음에 맞춰 동국정운식 표기를 하지 않았다.
15 현대국어에는 중세국어와 달리 선어말 어미를 통한 객체높임이 없다.

16 배는 '바 + ㅣ'로 분석할 수 있다. '바'는 체언의 끝소리가 모음이므로 주격조사로 'ㅣ'가 온 것이다.
17 '뜯'은 음성모음인 'ㅡ'가 사용되었고, 받침이 있으므로 '을'이 적당하고, '몸'은 양성모음인 'ㅗ'가 사용되었고, 받침이 있으므로 '올'이 적당하고, '공자'는 양성모음인 'ㅏ'가 사용되었고, 받침이 없으므로 '룰'이 적당하다.

**객관식 심화문제** P.15~33

| 01 ⑤ | 02 ② | 03 ④ | 04 ③ |
| 05 ⑤ | 06 ④ | 07 ⑤ | 08 ⑤ |
| 09 ② | 10 ⑤ | 11 ① | 12 ③ |
| 13 ② | 14 ⑤ | 15 ⑤ | 16 ③ |
| 17 ③ | 18 ③ | 19 ③, ⑤ | 20 ⑤ |
| 21 ④ | 22 ④ | 23 ⑤ | 24 ① |
| 25 ⑤ | 26 ③ | 27 ④ | 28 ③ |
| 29 ⑤ | 30 ② | 31 ③ | 32 ⑤ |
| 33 ④ | 34 ⑤ | 35 ① | 36 ④ |
| 37 ② | 38 ③ | 39 ④ | 40 ① |
| 41 ④ | 42 ④ | 43 ⑤ | 44 ③ |

01 '곳'을 보면 종성에 'ㅈ'이 사용되었는데, 8종성법이 지켜졌다고 볼 수 없다.
02 '中듕國·귁·에'의 '에'는 비교의 의미를 지니는 부사격 조사이다.
03 ⓓ는 '쉽게'로 해석해야 한다.
04 ㉠'어린'은 '어리석은'에서 '나이가 적다'로, ㄷ'어엿비'는 '가엾다'에서 '아름답다'로 의미의 이동이 일어났고, ㄴ'노미'는 '사람'에서 '남자를 낮잡아 이르는 말'로, ㄹ'얼굴'은 '몸 전체'에서 '안면'으로 의미의 축소가 일어났다. ㅁ'일홈'은 현대어와 같은 의미이다.
05 (다)시기는 근대국어시기로, '옴/움'이 아닌 '기'의 사용이 나타나고 있다.
06 '거슨'은 '것+은'으로 분석할 수 있는데 음성모음인 'ㅓ'와 양성모음인 '·'가 어울렸으므로 모음조화가 지켜지지 않았다.
07 (다)는 근대국어시기로, 7종성법을 사용하였다.
08 초성에 둘 이상의 자음이 오는 것은 '쁘·믄·미니·라'와 같은 부분에서 확인 할 수 있다. '·홇·배 이·셔·도'에는 초성에 둘 이상의 자음이 나타나지 않았다.
09 중세국어에서는 두음법칙이 적용되지 않았고, 현대국어에서 두음법칙이 적용되었다.
10 (나)는 중세국어의 자료로 '世·솅'과 같은 부분에서 이상적인 한 자음을 표기한 동국정운식 표기를 하였고, (다)는 근대국어의 자료로 '子·직'와 같은 부분에 형식 종성이 나타나지 않는 것으로 보아 동국정운식 표기가 나타나지 않은 것을 알 수 있다.
11 ⓐ는 비교부사격조사이다. 비교의 기능을 하는 것은 ①이 적절하다.
12 ⓐ에는 'ㅂ, ㅍ', ⓑ에는 'ㆆ', ⓓ에는 'ㅏ, ㅓ, ㅗ, ㅜ', ⓔ에는 'ㅑ, ㅕ, ㅛ, ㅠ'가 들어가는 것이 적절하다.

**13** (가)에는 종성부용초성이, (나)와 (다)에는 8종성법이 사용되었다.

**14** 'ㆍ'는 첫음절에서는 'ㅏ'로, 둘째음절 이하에서는 'ㅡ'로 바뀐 것을 확인할 수 있다.

**15** A에서는 'ㄹㅇ'형 활용을 확인할 수 있고, B에서는 의미의 이동을 확인할 수 있고, C에서는 이어적기와 어두자음군, 모음조화를 확인할 수 있고, D에서는 'ㅸ'의 사용을 확인할 수 있는데 이는 훈민정음 초성 17자에 해당하는 글자가 아니다.

**16** 적절하게 고치면 이어적기와 모음조화를 적용하여 'ㆍ모ㆍ몰'로 고쳐야 한다.

**17** 'ㅂㆍㄹㆍ래'는 '바롤+애'로 분석하고, 'ㆍ뿌ㆍ메'는 '뿌+움+에'로 분석하고,' :효ㆍ도ㆍ이'는 '효도+이'로 분석하므로 모음조화를 잘 지켰다. 반면 '일:홈ㆍ을'은 '일홈+을'로 분석하는데 양성모음인 'ㅗ'뒤에 음성모음인 'ㅡ'가 왔으므로 모음조화를 지키지 않았다.

**18** ㄱ. 평등사상은 나타나지 않는다.
ㄹ. 훈민정음 창제 동기만 밝히고 있을 뿐 창제 원리를 밝힌 것은 아니다.
ㅅ. 우리나라의 말이 중국의 말과 달라 백성들이 문자생활하는 데 어려움이 있었기 때문에 글자를 만든 것이다. 중국과 소통하려고 만든 것은 아니다.

**19** (가)의 '니르고져'를 보면 두음법칙이 지켜지지 않은 것을 확인할 수 있고, (다)에서는 음가가 없는 'ㅇ'을 표기하지 않았다.

**20** ⓜ'하다'는 '많다'의 의미만 지니고 있다. ⓑ의 '배'는 '바+ㅣ(주격조사)'로 이루어져 있다.

**21** 고려 건국부터 16세기 말까지의 국어를 중세 국어라 한다.

**22** '밍ㄱㄹ+ㄴ+오+니'로 ㆍ가 탈락된 것만 확인 가능하고 이어적기가 쓰인 것을 확인할 수는 없다.

**23** 방점은 의미의 높낮이를 표시하기 위한 것이다. 동국정운식 표기와는 상관이 없다.

**24** '에'를 현대어로 옮기면 '과'가 된다.

**25** '이셔도'는 이어적기가 쓰인 것이다.

**26** 후음의 기본자 'ㅇ'에 가획하여 'ㆆ'으로 만들었다. 반설음은 설음의 기본자 'ㄴ'에 가획하여 'ㄹ'로 만들고, 반치음은 치음의 기본자 'ㅅ'에 가획하여 'ㅿ'으로 만들었다.

**27** 'ㆍ+ㅡ =ㅗ', 'ㅣ+ㆍ= ㅏ'로 합용의 원리가 적용되었다.

**28** 입성은 방점의 개수와 상관이 없다.

**29** 'ㅅ뭇다'는 원래 통하다를 뜻하는 말이었으나 지금은 사라진 단어이다. '말씀'은 의미의 축소로 '원래 일반적인 말 전체 → 남의 말을 높여 이르거나 자기의 말을 낮추어 이름.'이며, '어엿브다'는 '불쌍하다 → 예쁘다'로 의미의 이동이 나타났다.

**30** '바+주격조사 ㅣ'의 결합이다. 생략되지 않았다.

**31** ③은 이어적기가 쓰인 것이고 다른 어형의 변화가 일어난 것은 아니다.

**32** ㉮ '뜯+을' : 음성 모음('ㅡ')끼리 결합하고, '플+은' : 음성 모음('ㅡ')끼리 쓰였다.

**33** 방점은 글자 왼쪽에 찍는 것이다.

**34** ⓐ는 '바+ㅣ'로 분석할 수 있고, 여기에 쓰인 주격조사는 'ㅣ'이다.

**35** 구개음화가 일어나지 않은 표기를 찾아야한다. '됴코'의 '됴'에서 구개음화가 일어나지 않았다.

**36** '뿜에', 'ㅂ름애', '플은' , '곳올' 다 이어적기가 쓰였고 ④는 이어적기 표기가 아니다.

**37** 이어적기와 'ㄹㅇ'활용을 적용해야 한다.

**38** ⓐ: ㅳ – 합용병서에 대한 설명이다, ⓑ: ㅸ – 연서에 대한 설명이다.

**39** '내 우름'처럼 이어적기가 완전히 사라진 건 아니다.

**40** 시간의 흐름, 역사에 따라 의미가 변화를 겪는다.

**41** 'ㅅ뭇디, 펴디'에서 구개음화가 지켜지지 않았고, '니르고져' 등 두음법칙도 지켜지지 않았다.

**42** 주격조사 '이'는 자음으로 끝난, 즉 받침이 있을 때 사용된다.

**43** 'ㆍ, ㅗ'는 양성 'ㅓ'는 음성으로 모음조화가 지켜지지 않았다.

**44** (나)에 '수ㅸㅣ'에서 ㅸ이 사용되었고, (다)에서 사용되지 않았다.

P.34~39

## 서술형 심화문제

**01** ㉠ ㄱ, ㄴ, ㅁ, ㅅ, ㅇ ㉡ ㆍ, ㅡ, ㅣ

**02** 이어적기(연철)

**03** '爲윙ㅎㆍ야'에서 보듯이 중세 국어에서 잘 지켜지던 모음조화가 현대 국어에서는 '위하여'에서처럼 잘 지켜지지 않는다. '中듕國귁에'의 '에'는 비교 부사격조사로 현대 국어에서 '과'로 쓰인다. '스믈'이 현대 국어에서는 원순 모음화가 일어나 '스물'로 쓰인다. '훔배'에서 보듯이 현대 국어에서 쓰이는 주격조사 '가'가 중세 국어에서는 쓰이지 않았다.

**04** 중세 국어에서는 소리 나는 대로 적었으나 현대 국어에서는 어법에 맞게 표기한다.

**05** 어휘 면에서 기존 어휘가 없어지기도 하고, 형태나 의미가 바뀌기도 하며 새로운 어휘가 만들어지거나 외부에서 들어오기도 한다. 어휘 소멸은 '젼ᄎ, ㅅ뭇디', 의미 이동은 '어린, 어엿비', 의미 축소는 '말씀, 놈'이 그 예이다.

**06** 공통적으로 설명한 문법 원리는 모음조화이다. 모음조화는 'ㅏ, ㅗ, ㆍ' 따위의 양성 모음은 양성 모음끼리, 'ㅓ, ㅜ, ㅡ' 따위의 음성 모음은 음성 모음끼리 어울리는 현상이다.

**07** 훈민정음에는 나라의 말이 중국과 다르니 우리 것이 필요하다는 '자주정신', 한자가 어려워 백성들이 자기 생각을 표현할 수 없음을 안타깝게 여긴 '애민정신', 새로 28자를 만든 '창조정신', 백성들이 쉽게 익혀 쓰기에 편하게 만들고자 했던 '실용정신'이 나타난다.

**08** 8종성법으로 'ㄱ, ㄴ, ㄷ, ㄹ, ㅁ, ㅂ, ㅅ, ㆁ'의 여덟 자만 받침으로 사용하는 것이다.

**09** 초성은 상형의 원리에 의해 'ㄱ, ㄴ, ㅁ, ㅅ, ㅇ'을 만들었고, 가획의 원리에 따라 'ㅋ, ㄷ, ㅌ, ㅂ, ㅍ, ㅈ, ㅊ, ㆆ, ㅎ', 이체자로 'ㆁ, ㄹ, ㅿ'을 만들었다. 중성은 상형의 원리에 의해 'ㆍ, ㅡ, ㅣ'를 만들었고, 합성의 원리에 의해 'ㅗ, ㅏ, ㅜ, ㅓ, ㅛ, ㅑ, ㅠ, ㅕ'를 만들었다. 종성은 종성부용초성에 의해 종성의 글자를 별도로 만들지 않고 초성으로 쓰는 글자를 다시 사용했다.

**10** 밍ㄱ노니 : 밍글- + ㆍㄴ- + ㆍ-오- + ㆍ니

**11** (1) ㉠ 소리 나는 대로, ㉡ 어법에 맞게 (2) ⓐ 말씀, 놈 ⓑ 축소

**12** ㉢, ㉣, ㉠, ㉤, ㉡, ㉯

**13** '말씀'은 일반적인 말의 뜻에서 말의 높임이나 낮춤으로 의미가 축소되었다. '노미'는 일반적인 사람의 뜻에서 남자의 비속어로 의미가 축소되었다. '어린'은 어리석다에서 나이가 적다로 의미가 이동하였고, '어엿비'는 가엾다의 뜻에서 아름답다의 뜻으로 의미가 이동하였다.

**14** 친구가 선생님께 선물을 드렸다.

# (3) 한국어의 위상과 미래

확인학습 P.42

**확인학습**

01 ×   02 ×   03 ○   04 ×   05 ○

---

객관식 기본문제 P.43~50

**객관식 기본문제**

| | | | |
|---|---|---|---|
| 01 ⑤ | 02 ④ | 03 ⑤ | 04 ⑤ |
| 05 ③, ⑤ | 06 ③ | 07 ④ | 08 ⑤ |
| 09 ④ | 10 ② | 11 ① | 12 ③ |

01 〈보기〉의 담화는 청소년들이 사용하는 새말에 해당한다. 이것은 일시적으로 사용될 뿐 언어규범으로 인정받기 어렵다.

02 답화 관습에 따라 지켜야 할 규칙과 예절이 있고, 어떤 경우라도 상대방을 비방하는 것은 필요하지 않다.

03 (마)는 '우리말을 올바르게 쓰기 위한 노력이 필요하다'가 중심 내용이다.

04 ㄱ. 국제적 위상은 지금 높은 것이 아니라 앞으로 높아질 수 있다.
ㄴ. 발음기관을 본떠 만들었기 때문에 정보화 사회에 유용한 것은 아니다.

05 알파벳은 자음과 모음을 모아쓰지 않는다. 또한 오염된 언어를 그대로 놔둘 것이 아니라 고쳐쓰려는 노력이 필요하다.

06 〈보기〉의 대화에는 청소년들이 사용하는 정체불명의 새말이 나타나있다. 이러한 방식은 의사소통을 할 때 오해를 유발할 수 있고, 언어 규범을 파괴할 수 있다

07 ㉠과 ㉡은 말을 삼가야 한다는 의미를 담고 있는 속담이고, ㉢은 남이 하는 말을 신중하게 잘 들어야 한다는 의미를 담고 있는 속담이다.

08 〈보기〉는 돌려 말하기에 해당한다. ⑤는 겸양적 말하기에 해당한다.

09 언어 사용이 저절로 개선된다는 설명은 옳지 않다. 언어 사용자들이 스스로 자정작용을 일으켜야 언어생활도 정화될 수 있다.

10 〈보기〉는 청소년들이 사용하는 정체불명의 새말이다. 이것은 지역 간의 차이와는 관련이 없다.

11 한글이 정보화 사회에 유용한 이유가 제자원리가 과학적이기 때문은 아니다. 또한 한글은 '표음문자'에 해당한다.

12 아직 한글의 우수성이 세계적으로 인정받은 것은 아니다.

---

객관식 심화문제 P.51~63

**객관식 심화문제**

| | | | |
|---|---|---|---|
| 01 ⑤ | 02 ③ | 03 ③ | 04 ④ |
| 05 ① | 06 ④ | 07 ③ | 08 ④ |
| 09 ② | 10 ④ | 11 ⑤ | 12 ④ |
| 13 ④ | 14 ⑤ | 15 ③ | 16 ④ |
| 17 ③ | 18 ② | 19 ⑤ | 20 ③ |
| 21 ④ | | | |

01 ① 개가 개를 낳지 : 개가 개 새끼를 낳는다는 뜻으로, 못난 어버이에게서 못난 자식이 나지 별 수 없음을 비유적으로 이르는 말.
② 놓친 고기가 더 크다 : 사람은 흔히 얻지 못하거나 잃은 것을 더 아쉬워한다는 말.
③ 남편 복 없는 여자 자식 복도 없다 : 시집을 잘못 가서 평생 고생만 하는 신세를 한탄하여 이르는 말.
④ 고생 끝에 낙이 온다 : 어려운 일이나 고된 일을 겪은 뒤에는 반드시 즐겁고 좋은 일이 생긴다는 말.

02 (가)는 협력하여 새 나라를 건설하자는 회유를 만수산 드렁칡이 얽히는 것에 비유하여 돌려 말하고 있고, (나)는 속담을 통한 비유적이고 완곡한 표현으로 듣는 이가 재미를 느끼면서도 화자의 의도를 스스로 깨달을 수 있다.

03 관용적 표현이란 두 개 이상의 단어가 모여 새로운 뜻을 의미하는 것으로 속담이나 사자성어 등이 대표적인 예이다. 이 글에는 관용적인 표현이 사용되지 않았다. 또한 글쓴이의 경험이 제시되어 있지 않다.

04 마지막 문단을 보면 '한국어에 자긍심을 가지고 우리의 말과 글을 소중하게 가꾸어 나가야 한다.'라고 말하는 부분에서 확인할 수 있다.

05 〈보기〉는 외래어, 외국어를 우리말로 순화한 예시가 나타나있다. 이것은 언어 사용자들이 스스로 일으킨 자정작용이라고 할 수 있다.

06 (라)에는 유추의 방식이 사용되지 않았다.

07 [A]는 어문규범에 맞지 않는 말에 대한 설명이 나타나 있는데 ③의 경우는 돌려말하기에 해당하므로 어문규범에 어긋난다고 할 수 없다.

08 ④는 접속어인 '그러나'로 시작하고 있으며, '오염된 물이 시간이 지나면 깨끗해지는 것처럼'에서 직유법이 사용되고 있고, '스스로 순화하려는 자정작용'을 보면 앞뒤 문맥에 어울리게 작성했다고 할 수 있다.

09 〈ㄴ〉은 세계인들을 대상으로 한 설문조사가 아니다.

10 ㉠은 돌려 말하기에 해당하는데 ④는 직설적 말하기이다.

11 ⑤의 시조는 죽어서도 '님'에 대한 일편단심을 변치 않겠다는 다짐이 담겨 있는데, 이는 고려에 대한 마음을 변치 않겠다는 정몽주의 심정을 담을 수 있다.

12 윗글의 전체적 맥락을 고려한다면 돌려 말하는 방식의 비판이 들어가야 한다. ④는 광해군이 나랏일을 열심히 하지 않고 있음을 돌려서 비판하고 있다.

13 유추란 같은 종류의 것 또는 비슷한 것에 기초하여 다른 사물을 미루어 추측하는 일을 말하는데 이 글에서는 오염된 물이나 공기가 시간이 지나면서 스스로 정화되는 것을 보고 우리말도 스스로 노력한다면 자정작용을 일으킬 수 있다고 추측하고 있다.

14 이 글에는 한글의 세계화가 한국의 국력과 어떠한 관계가 있는지 나타나지 않았다.

15 '자정'은 '오염된 물이나 땅 따위가 물리학적·화학적·생물학적

작용으로 저절로 깨끗해짐'을 가리키는 말이다.

**16** (라)는 '우리말을 올바르게 쓰기 위한 노력'에 대해 말하고 있다.

**17** 새롭게 형성된 말이나 비속어를 '무비판적'으로 수용하는 것이 문제점이고, '비판적'으로 수용하는 것은 바람직하다.

**18** 〈보기〉의 철수는 '렬루', '우승각'등 정체불명의 새말을 사용하여 선생님과의 대화가 단절되고 있다.

**19** 윗글의 '우리나라 사람 대 부분은 자신이 한글과 한국어를 아끼고 사랑하며, 맞춤법과 어법을 잘 알고 있다고 생각한다. 그러나 실제 언어생활에서는 한국어를 잘못 사용할 때가 많다.'는 부분을 보면 한국인들이 스스로 맞춤법과 어법을 잘 알고 있다고 생각하지만 실상은 다르다는 것을 알 수 있다. 이것은 한국어의 국제적 위상이 높아지는 것과는 큰 관련이 없다.

**20** '㉯의 사례'는 한국어를 잘못 사용하는 경우인데, ③의 경우는 적절하게 사용한 예시이다.

**21** ㉯에 사용된 내용 전개 방식은 '유추'이다. ④에서도 집을 방치해 두다가 수리하지 않았던 경험을 통해 나라의 정치도 잘못된 점을 바로 고치지 않으면 더 많은 노력이 필요함을 말하고 있다.

---

### 서술형 심화문제
P.64~66

**01** 오염된 물이나 공기가 시간이 지나면서 스스로 정화되는 것

**02** 스스로 언어생활을 바로잡아야 한다.

**03** 수치화된 자료의 제시를 통해 내용을 객관적으로 뒷받침한다.

**04** 세계인이 한국어와 한국 문화를 잘 이해할 수 있는 여건을 만드는 것과 세계인의 사고와 문화를 효과적으로 표현할 수 있도록 한국어를 다듬어 나가는 것이다.

**05** 공동체에서 특정한 의사소통 방식을 반복한 것이다.

**06** ⓐ는 돌려 말하는 방법이고, 사례가 전달하려는 의미는 자판을 치는 소리를 줄여 달라는 의미이다.

**07** 광해군이 나랏일을 열심히 하지 않고 있음을 일깨우고 있다.

---

### 단원 종합평가
P.67~72

| | | | |
|---|---|---|---|
| 01 ② | 02 ③ | 03 ③ | 04 ③ |
| 05 ② | 06 ⑤ | 07 ③ | 08 ④ |
| 09 ④ | 10 ④ | 11 ② | 12 ③ |
| 13 ② | 14 ① | | |

**01** '·뜯+·을'이다.

**02** 자주정신은 중국과 다른 언어를 쓰고 있다는 점에서, 실용정신은 백성들이 편하게 쓰는 점에서, 애민정신은 백성들이 말하고 싶은 바가 있어도 말하지 못함을 고려하는 부분에서 확인할 수 있다.

**03** 중세에는 띄어쓰기를 하지 않았다. 'ᄯᆞᄅᆞ미니라'는 '따름이니라'를 연철한 것이다.

**04** 성조는 총 세 가지가 있다. '평성, 거성, 상성'의 세 가지이다.

**05** '어리다'는 의미가 이동된 경우이고, '놈'은 사람 → 남자를 낮잡

**06** '바+주격조사 ㅣ'를 사용했기 때문에 '가'가 없음을 알 수 있고, '야'를 '여'로 쓴 이유는 모음조화를 지키기 위해 같은 양성모음끼리 사용하였다.

**07** 새로 만든 28자는 자음 17자, 모음 11자이다.

**08** 한국어의 변화 모습은 본문에 나타나있지 않다.

**09** 음성 인식 기술을 활용한 기기에 유용한 것은 한글의 우수성에 대한 설명이고, 외국인의 관심이 증가하는 사례에는 해당하지 않는다.

**10** 〈보기〉는 국민의 언어생활에 관한 설문으로 국내의 언어생활 현실에 대한 내용을 담고 있는 (라)문단에 자료가 들어가는 것이 적절하다.

**11** ⓑ 지구촌 시대의 도래와 관련한 한국어의 현재 상황을 밝혔다. ⓓ 국내 언어 교육 현실을 비판한 것은 나타나지 않았다.

**12** 이 글에서 말하는 담화관습은 돌려 말하기이다. '조금만 비켜주세요'는 직설적 말하기이다.

**13** 〈보기〉는 책값이 많이 올라 용돈이 부족함을 돌려 말하고 있다.

**14** ㉠에는 이러면 어떻고, 저러면 어떠냐고 하며 서로 힘을 합쳐 새로운 나라를 세우자고 하고 있다.

# (1) 시조 두 수

확인학습    P.74
01 ×   02 ○   03 ○   04 ×   05 한 허리를 버혀 내어

01 해학적으로 드러내고 있지 않다.
02 추상적 대상인 시간을 주관적으로 변용하고 있다.

확인학습    P.75
01 ○   02 ○   03 ×   04 ○   05 ×

확인학습    P.76
01 ○   02 ○   03 ○   04 ×   05 ×   06 ×

확인학습    P.77
01 ○   02 ×   03 ×   04 ○   05 ○   06 ×   07 ×   08 ○
09 ○   10 ○

02 인간과 자연을 대비하고 있지 않다.
03 누이의 죽음에서 오는 슬픔과 재회를 소망하므로 안빈낙도의 삶을 살고자 하는 것은 적절하지 않다.
05 종교적인 색채가 두드러지는 작품이다.
07 '한 가지'는 화자와 누이가 같은 부모에서 태어났음을 알 수 있다. 홀어머니 슬하에서 자랐는지는 알 수 없다.
09 누이가 요절했음을 나타낸다.

객관식 기본문제    P.79~85

| | | | |
|---|---|---|---|
| 01 ⑤ | 02 ② | 03 ⑤ | 04 ② |
| 05 ② | 06 ② | 07 ⑤ | 08 ④ |
| 09 ② | 10 ⑤ | 11 ③ | 12 ④ |
| 13 ④ | 14 ③ | | |

01 (나)의 '모쳐라'와 (라)의 '아아'는 3단 구성의 마지막 부분의 첫머리에 나타나는 감탄사이다.
02 '거머횟들'과 '주추리 삼대'는 화자가 임으로 착각한 대상이지, 임을 빗대어 표현한 것은 아니다.
03 '들, 청풍, 강산'은 자연을 의미하고, '말, 태, 갑, 님즛'는 인위적인 것으로 자연과 대조된다고 할 수 있다. '병'은 세속적 가치를 추구하다가 얻게 되는 괴로움을 뜻하므로 대조된다고 할 수 없다.
04 ⓒ은 죽은 누이를 의미하는데, ⓔ에 빗대어 표현함으로써 죽은 누이의 이미지를 생생하게 나타낼 수 있다.
05 (가)와 (나)는 평시조로, 사설시조인 (다)에 비해 훨씬 형식이 정

형화되어있다. 사설시조는 대체로 평시조의 중장이 길어진 형태를 보이는데, 이러한 부분에서 정형화된 느낌이 줄어든다.
06 (가)는 '겨울'을 배경으로 하고 있다. 계절의 변화는 나타나지 않았다.
07 (다)는 '저승'의 누이를 '이승'의 화자가 종교적으로 도를 닦아 만나겠다는 의지를 나타내고 있으므로 이승과 저승의 거리를 극복하고자 한다고 할 수 있다.
08 ㄴ. (가)에는 추상적인 시간을 주관적으로 변용하여 나타내었다.
ㄷ. (가)에는 역설적 표현이 나타나지 않는다.
09 (나)에는 '주추리 삼대'를 임으로 착각하고 허둥지둥 달려 나가는 시적 화자의 모습을 과장하여 해학성을 나타내고 있다.
10 '원죄'는 인간이 근본적으로 타고난 죄를 의미하는데, 누이의 죽음이 원죄와 관련이 있다고 말할 근거는 없다.
11 (가)는 추상적인 시간을 베어서 이불 아래 넣었다가 임이 왔을 때 쓰겠다는 실현 불가능한 상상을 통해 임이 없는 현재를 견디고 있으며, (나)는 임이 온다고 하여 반가운 마음에 주추리 삼대를 임으로 착각한 모습이 나타난다.
12 (다)는 평시조이므로 규칙적인 4음보를 지켰다.
13 임이 화자를 속였다는 설명은 옳지 않다. 화자 혼자 주추리 삼대를 임으로 착각한 것이다.
14 마지막 독백 장면은 시적 화자가 실망감보다는 멋쩍음을 드러내는 부분으로 사설시조 특유의 낙천성과 해학성이 드러나는 부분이다. 따라서 애상적 분위기의 배경 음악은 적절하지 않다.

객관식 심화문제    P.86~102

| | | | |
|---|---|---|---|
| 01 ⑤ | 02 ⑤ | 03 ④ | 04 ③ |
| 05 ② | 06 ④ | 07 ⑤ | 08 ①, ③ |
| 09 ④ | 10 ③ | 11 ④ | 12 ② |
| 13 ① | 14 ② | 15 ③ | 16 ⑤ |
| 17 ⑤ | 18 ⑤ | 19 ③ | 20 ② |
| 21 ④ | 22 ④ | 23 ④ | 24 ⑤ |
| 25 ⑤ | 26 ④ | 27 ④ | 28 ⑤ |
| 29 ① | | | |

01 (가)에는 '곰븨님븨 님븨곰븨 천방지방 지방천방' 등의 음성상징어가 나타나있는데, 이를 통해 임을 그리워하는 화자의 마음을 생생하게 표현할 수 있다.
02 다가오는 발자국에 가슴이 '쿵쿵'거리는 것은 임이 올 것이라는 기대감 때문이다. 초조감과 절망감이라는 표현은 적절하지 않다.
03 '미타찰'은 극락세계를 의미하는 것은 맞지만, 누이와 재회하는 공간이다.
04 (나)는 죽음으로 인한 대상(누이)의 부재를 종교적으로 극복하고 견뎌내고 있으며, (다)는 사랑하는 임(어론 님)의 부재, 시간을 잘라서 보관했다가 임이 오는 날에 쓰고 싶다고 하며 견뎌내고 있다.
05 '들'은 남편이 돌아오는 길을 환하게 비춰주는 대상으로 광명의

존재이다. '즌 딕'는 진흙탕을 의미하는데 남편이 돌아오는 밤길에 닥칠 수 있는 위험을 의미한다.

**06** '즌 딕 므른딕 골회지 말고'는 '진 곳 마른 곳 가리지 말고'로 해석한다. 의태어라는 표현은 적절하지 않다.

**07** (가)와 (나)는 평시조로 3장 6구 4음보를 기본형으로 하는 정형시이다. (다)는 사설시조로 대체로 평시조의 중장이 길어진 형태로 나타난다. 시조는 고려말기에 나타나 조선시대에 전성기를 이뤘다. (라)는 신라시대의 '10구체 향가'로 향찰로 기록되었는데 향찰이란 한자를 빌려 우리말을 표기하는 방식이다. 10구체 향가는 '기-서-결'의 3단구성으로 이루어져 있고, 마지막 '낙구' 첫머리가 감탄사로 시작한다. 마찬가지로 (다)도 '초장-중장-종장'의 3단구성으로 이루어져 있고, 마지막 '종장'의 첫머리가 감탄사로 시작한다.

**08** (가)에는 추상적 개념의 구체화가 나타나 있는데 '수의 비밀'에는 '나의 마음'이라는 추상적 대상을 수놓는 금실을 따라 바늘구멍으로 들어간다고 표현하며 구체화하고 있다. 또한 '찔레'에는 추상적인 '추억'을 털 수 있는 구체적 사물로 표현하고, 추상적인 '아픔'을 출렁거린다는 구체적 사물로 나타내었다.

**09** (나)에는 자연을 즐기는 안분지족의 태도가 나타나있는데 ④에 무릉이 어디냐고 물으며 자신은 여기라고 생각한다며, 아름다운 자연을 즐기는 감회를 나타내었다.

**10** '초려삼간'은 세 칸짜리 초가집이고, '띠집'은 움막, 초가집을 뜻하는 말로 (나)와 〈보기〉의 화자는 현재 상황에 만족하며 사는 소박한 삶의 태도를 보여주고 있다.

**11** ㄹ.(다)에는 유교적인 가치관이 나타나있다고 할 수 없다. (다)에는 임을 그리워하며 주추리 삼대를 임으로 착각한 시적화자의 해학적인 상황이 나타나있다.

**12** '나는 간다'에서는 누이가 유언도 남기지 못하고 요절했다는 것을 알 수 있지만, 화자가 느끼는 슬픔의 깊이를 나타낸다고 할 수는 없다.

**13** (가)는 10구체 향가로 '기-서-결'의 3단구성이 나타나있고, (나)와 (다)는 시조로 '초장-중장-종장'의 3단구성이 나타난다.

**14** 나는 간다는 말도 못하고 간 것은 누이이다. 따라서 화자가 누이에게 해주고 싶은 말이 많았었는데 하지 못했다는 표현은 적절하지 않다.

**15** (라)의 마지막 행 '지금은 어쩔 수가 없다고.'를 보면 시적화자는 대상의 죽음을 인정하고, 체념하고 있음을 알 수 있다.

**16** ⓐ의 '밤'은 임이 없는 부정적 상황이다. ㉠의 '밤'은 밤새도록 가래가 고이는 부정적 상황을 의미한다. ㉣의 '밤'은 '두 팔로 막아도 바람'이 부는 '캄캄한' 부정적 상황이다. ㉤의 '밤'은 '헐어진 성터'에서 '가슴을 쥐어뜯는' 부정적 상황을 의미한다.

**17** '바다'에는 추상적인 '정열'을 감각적이고 구체적인 '푸르른'으로 표현하고 있다.

**18** (다)의 '밤'은 화자가 주추리 삼대를 임으로 착각하고 달려간 시간으로, 화자는 밤에 화자의 행동이 남들에게 잘 보이지 않아서 남들을 웃기지 않았다고 멋쩍어하고 있다.

**19** 화자는 홀로 앉아 '공후'를 연주하는데 공후가 '하소연하는 듯 흐느끼는 듯'하다고 표현했는데, 이것은 화자의 감정을 공후에 이입한 표현이다.

**20** (가)에는 '서리서리', '구뷔구뷔' 등의 음성상징어를 통해 임과 함께하고 싶은 화자의 심정을 표현하였고, (나)에는 '곰븨님븨 님븨곰븨 천방지방 지방천방' 등의 음성상징어를 통해 임을 간절히 보고 싶은 화자의 심정을 생생하게 표현하였다.

**21** (가)에는 '동지'를 통해 겨울이라는 계절감을 나타내고 있지만 시간의 경과가 나타나는 것은 아니다.

**22** ㉠에는 추상적 개념의 구체화가 나타나있다. ① 추상적인 '밤', '꿈'을 구체적인 의미의 '길다'로 표현하고 있다. ② '마음 속'의 이미지를 '맑게 씻어서'라는 구체적인 의미로 형상화하였다. ③ 추상적인 '한숨'을 '틈'으로 들어올 수 있는 구체적 대상으로 형상화하였다. ⑤ 추상적인 '바람'을 구체적인 '빨래'로 형상화하였다.

**23** 〈보기〉에는 열거와 과장이 나타나지 않았다.

**24** ①은 '뉜 구름'을 임으로 착각한 상황을 통해 ②는 서방님 살 사탕을 잊은 상황을 통해 ③은 고운 임에게는 짖고, 미운 임만 반기는 개의 행동을 통해 ④는 시집 식구들을 빗댄 표현들을 통해 해학을 드러내고 있다.

**25** (다)의 화자는 속세를 벗어난 자연에서의 삶을 즐기고 있다. 따라서 '대부'로서 세태를 풍자한다는 표현은 적절하지 않다.

**26** (나)는 영탄적 표현을 통해 현실에 대한 인식을 드러낸 것은 아니다.

**27** 〈보기〉의 화자는 자연과 함께 살아가는 물아일체의 태도를 보이고 있다. 따라서 자연과 살아가는데 노심초사하다는 표현은 적절하지 않다.

**28** ⑤에는 너를 기다리며 문이 열릴 때마다 들어오는 대상이 '너였다가'로 확신 했다가 '너일 것이었다가'로 확신이 약화되고 '다시 문이 닫힌다'에서 '너'가 들어온다는 것이 착각이었고, '너'가 아직 오지 않은 실상을 알게 된다.

**29** (다)에는 자연을 즐기는 화자의 모습이 나타나 있는데 ①의 화자도 작은 배를 타고 달과 자연을 즐기며, 갈매기(백구)에게 말을 건네며 탈속적인 태도를 보이고 있다.

---

**서술형 심화문제**                                   P.103~105

**01** 기녀가 지은 (다)는 남녀의 정을 섬세하게 노래하나, 양반 사대부가 지은 (가)는 자연친화적 태도를 드러내고 있다.

**02** ㉠ 향가 ㉡ 사설시조 ㉢ 종장의 첫음보 3음절 ㉣ 4음보

**03** (1) 대상을 기다리며 만남에 대한 의지를 드러내고 있다. (2) (나)는 종교적 믿음을 바탕으로, 〈보기〉는 화자의 적극적, 능동적 태도를 만남을 바라고 있다.

**04** 내 므음 버혀 내어 뎌 달을 만들고져, 추상적인 관념을 구체적인 대상으로 표현하였다.

**05** 임에게 허겁지겁 달려가는 장면을 순차적으로 나열하여 임을 만난다는 기대감을 극대화하고 있다.

**06** 향가인 (나)는 가-서-결의 3단 구성을 보이며, 시상의 종결 방식에 있어서 낙구에 '아아'와 같은 감탄사를 활용하여 화자의 고조된 정서를 표현하고 시상을 전환한다. 사설시조인 (라)는 초장-중장-종장의 3단 구성을 보이며 종장의 첫 음보에 '모쳐라'와 같은 감탄형을 활용하여 화자의 고조된 정서를 표현한다. 이러한 점으로 볼 때 시조는 향가의 형식적 전통을 계승한 것으로 볼 수 있다.

# (2) 속미인곡, 진달래 꽃

확인학습 P.108

01 ○  02 ○  03 ○  04 ○  05 ○  06 ×  07 ○  08 ○
09 ○  10 ○

확인학습 P.110

01 ×  02 ×  03 ○  04 ○  05 ○  06 ○  07 ○  08 ×
09 ×  10 ○  11 ○  12 ○  13 ×  14 ○  15 ○

확인학습 P.112

01 ○  02 ○  03 ○  04 ○  05 ×  06 ○  07 ○  08 ○
09 ×  10 ○

객관식 기본문제 P.113~126

| | | | |
|---|---|---|---|
| 01 ③ | 02 ③ | 03 ③ | 04 ⑤ |
| 05 ① | 06 ④ | 07 ④ | 08 ② |
| 09 ⑤ | 10 ① | 11 ④ | 12 ③ |
| 13 ① | 14 ② | 15 ② | 16 ② |
| 17 ④ | 18 ⑤ | 19 ③ | 20 ⑤ |
| 21 ② | 22 ④ | 23 ② | 24 ④ |
| 25 ④ | 26 ③ | 27 ② | 28 ② |
| 29 ⑤ | 30 ③ | | |

01 '일월'은 임금을 상징하는 자연물이다.

02 ㄴ. 화자는 임과의 이별에 슬퍼하기는 하지만 임에 대한 원망은 드러나지 않는다. ㄹ. 이 글은 서정갈래에 해당한다.

03 윗글에는 임금에 대한 불만이 나타나지 않는다.

04 화자가 임의 소식을 알기 위해 하루 종일 돌아다닌 것은 맞지만 밤중에 초가로 돌아왔다.

05 1연에서는 '버리고 가시렵니까'라며 안타까움을 표현하고, 2연에서는 '나는 어찌 살라고'라며 슬픔과 원망을 나타내고, 3연에서는 '잡아두고 싶지만 서운하면 안 올까 두렵다'라며 체념하고 순응하고, 4연에서는 '가는 듯 다시 오소서'라며 임이 다시 오기를 소망하며 기원하고 있다.

06 (가)시에는 현실 극복 의지나 미래에 대한 지향은 나타나지 않고 이별에 대한 슬픔과 체념이 나타나있다.

07 '서운하면 아니 올까 두렵다'는 이별에 대한 체념이 나타나있다.

08 '사뿐히 즈려밟고'에 역설법을, '죽어도 아니 눈물 흘리오리다'에는 반어법을 통해 이별하고 싶지 않은 화자의 심리를 드러내고 있다.

09 〈보기〉에서는 글자 수에 따른 운율이 느껴지지 않지만, (나)에는 '가시는 / 걸음 걸음 / 놓인 그 꽃을 // 사뿐히 / 즈려밟고 /

가시옵소서'로 3음보의 운율이 느껴진다.

10 (나)시는 기승전결의 시상전개가 보이지 않는다.

11 '진달래꽃'은 시적화자의 분신은 맞지만 열정적이고 화려한 사랑보다는 희생적인 사랑을 상징하고 있다.

12 (가)시와 (나)시 모두 임에 대한 미련은 보이지만 집념이 보인다고는 할 수 없다.

13 (가)시에는 상징적 소재를 찾을 수 없다.

14 ㉠, ㉢, ㉣, ㉤은 중심적 화자인 '여인 2'가 주체이고, ㉡은 보조적 화자인 '여인 1'이 주체이다.

15 ⓐ는 소극적 애정관으로 멀리서 임을 바라보는 것이고, ⓑ는 적극적인 애정관으로 오랫동안 내리며 임의 곁에 있을 수 있는 것이다. 따라서 ⓐ보다 ⓑ가 임과의 거리가 더 가깝다.

16 (가)와 (나)는 모두 감정을 드러내고 있고, 설의법과 4음보는 (가)에만 나타나있고, 역설적 표현은 (나)에만 나타나있다.

17 '빈 빅', '반벽청등'은 객관적 상관물로 시적화자의 정서를 심화시키는 매개체이다.

18 '여인 1'도 '여인 2'와 마찬가지로 작가를 대변하는 인물이다. 작가와 대립되는 인물로 볼 수 없다.

19 윗글에는 계절의 변화에 따라 자연물에 상징적 의미를 부여하여 주제를 형상화 한 부분은 나타나지 않았다. 봄, 여름, 가을, 겨울에 임이 잘 지내고 있는지 임의 안부를 궁금해 하는 부분만 나타난다.

20 ㉤은 '새벽닭 소리에 잠은 어찌 깨었던가'로 해석해야 한다.

21 ㉰에는 을녀가 임과 헤어진 이유가 나타나 있다. 산과 물가에 가야 하는 이유는 ㉱에 나타나있다.

22 '반벽청등(半壁靑燈)'과 '빈 빅'는 객관적 상관물로 시적화자의 정서를 심화시키는 역할을 한다.

23 '낙월'이 소극적인 애정관을 의미하기는 하지만 그 이유로 임에게 버림받은 것은 아니다.

24 '아니 올셰라'는 '아니 올까 두렵다'라는 뜻으로 이별을 거부하는 이유를 확인하기는 어렵다. 또한 각 연이 나눠져있는 분연체는 맞지만 각 연의 내용은 연결되어 있다.

25 (가)시의 화자는 임에 대한 불만을 드러내고 있지 않은 소극적 화자이다.

26 '잡수와 두어리마ᄂᆞᆫ'은 '잡아두고 싶지만'이라는 뜻으로, 잡아두려는 주체는 '화자'로 볼 수 있다.

27 (나)시에는 색채이미지의 대조는 나타나지 않는다.

28 (가)에는 '가시리잇고', (나)에는 1연과 4연의 반복을 통해 시적화자의 상황을 부각하고 있다.

29 (가)에서는 후렴구를 통해 시각적으로 연을 구분하고, (나)에는 후렴구가 없다.

30 (가)시에도 임이 돌아오기를 바라는 시적 화자의 바람이 나타나 있다.

P.127~151

| | | | |
|---|---|---|---|
| 01 ④ | 02 ⑤ | 03 ② | 04 ⑤ |
| 05 ② | 06 ⑤ | 07 ⑤ | 08 ③ |
| 09 ② | 10 ③ | 11 ① | 12 ③ |
| 13 ① | 14 ④ | 15 ② | 16 ① |
| 17 ④ | 18 ⑤ | 19 ② | 20 ③ |
| 21 ④ | 22 ⑤ | 23 ④ | 24 ⑤ |
| 25 ① | 26 ③ | 27 ③ | 28 ③ |
| 29 ③ | 30 ⑤ | 31 ⑤ | 32 ① |
| 33 ⑤ | 34 ① | | |

**01** (가)는 처음과 끝 연을 유사하게 반복하는 수미상관을 사용하고 있지만, 이것이 슬픔을 극복해내려는 화자의 의지를 강조한 것은 아니다.

**02** (나)는 3음보의 율격이 나타나있고, 박목월의 '나그네'도 3음보로 이루어져 있다.

**03** (나)시의 화자가 갑자기 이별했다는 것은 시에서 찾아볼 수 없다.

**04** (가)는 형식에 제약이 없는 현대시이고, (나)는 고려가요로 3음보의 율격이 있기는 하지만 형식이 정해져있다고 할 수 없다. (다)는 시조로 형식에 제약이 있다.

**05** ㉡에는 역설법을 통해 시적화자의 정서를 드러내는데, 직설적으로 표현했다고 할 수 없다.

**06** '가시는 듯 다시 오소서'는 역설법이 쓰였다고 할 수 없다.

**07** (다)의 4연의 '죽어도 아니 눈물 흘리우리다'에는 임과의 재화를 기대하는 화자의 모습은 찾을 수 없다.

**08** '영변의 약산'은 화자가 진달래꽃을 따는 곳으로 임과의 거리감이 느껴진다고 할 수 없다. 또한 아리랑 고개를 넘어가는 화자의 모습에서 이별의 극복 의지를 찾을 수 없다.

**09** (나)시의 화자는 임의 불행을 빌고 있지 않으며, (다)시에는 대구법이 사용되지 않았다.

**10** (가)의 후렴구는 작품의 내용과는 상관없는 부분이다.

**11** (나)의 ㉡은 시적화자의 분신이다. (A)의 혜성도 화자의 마음을 전하는 화자의 분신이고, (B)의 묏버들도 임에게 보내 화자처럼 여겨 달라고 하는 화자의 분신이다.

**12** 〈보기〉에서 '산에서 우는 새'만 보고 시적 화자가 이별했다는 상황을 알 수 없다.

**13** (다)의 ㉢에 사용된 표현기법은 반어법이다. '새들도 세상을 뜨는구나'에도 '애국가를 경청한다'는 부분에 반어법이 사용되었다. 마지막 부분의 '주저 앉는다'를 보면 애국가를 듣는 상황이 긍정적인 상황이 아니라는 것을 알 수 있다.

**14** 연결어미가 아닌 종결어미의 반복으로 운율을 만들고 있다.

**15** 〈보기〉의 화자는 임에 대한 그리움을 드러내고 있지만, 기다리면 임이 올 것이라는 희망을 드러낸 것은 아니다.

**16** (가)의 화자와 '황조가'의 화자 모두 이별의 상황에서 느끼는 자신의 슬픔에 대해 노래하고 있다.

**17** (나)는 이별의 상황을 가정한 것이다. 임이 이미 떠난 것은 아니다.

**18** 〈보기〉는 다른 나라의 말을 빌려다가 쓰는 글은 가치가 낮고, 우리의 언어로 쓰며 진실한 정서를 담고 있는 글이 가치 있는 글이라고 한다. 마지막 부분의 「관동별곡」과 「사미인곡」은 여전히 한자어를 빌려서 수식한 것이므로 자연스럽지 못하다.'를 보면 속미인곡은 다른 두 편과 달리 우리말로 진실한 감정을 표현하였다고 한 것을 알 수 있다.

**19** (가)에서 화자의 내적 갈등이 해소되지 않았다.

**20** ⓐ는 '여인 2'와 임 사이를 가로막는 장애물로, 당시 조정을 어지럽히던 간신을 상징한다. 이존오의 시조를 보면 구름이 굳이 밝은 햇빛을 따라가며 덮는다고 하는데, 임금을 상징하는 '햇빛'을 가리는 구름은 간신배로 해석할 수 있다.

**21** 시적화자는 '반벽청등'을 보며 외로움이 심화되고 있다.

**22** (나)에 역설적 표현이 나타나있지만 슬픔을 종교적으로 승화한 것은 아니다.

**23** (나)의 화자는 이별의 상황에서 수동적이고 소극적인 태도를 보인다. '낙화, 첫사랑'의 화자도 임을 부르지 않고, 수선스럽지 않고 마지막까지 가만히 지켜보겠다는 것을 보면 소극적이고 수동적인 태도를 지녔다는 것을 알 수 있다.

**24** (나)의 화자는 이별의 상황을 가정한 것이지, 이별을 경험한 것은 아니다.

**25** ⓑ에는 역설법이 사용되었는데, '고와서 서러워라'에도 역설법이 사용되었다.

**26** '잡사와 두어리마ᄂᆞᆫ'의 주체는 시적화자로, 잡아 두고 싶지만 붙잡지 못하는 소극적인 모습이 나타난다.

**27** '전'에서 임과의 이별을 부정하고 있지 않으며, 시상의 전환도 나타나지 않는다. '전'에서는 잡아 두고 싶지만 잡지 못하는 화자의 태도가 나타나있다.

**28** 박인로의 시조의 '옥루고쳐'는 임금 계신 곳을 의미하는데, 부정적인 시련, 고난 등을 의미하는 '바람'이 임금 계신 곳을 춥게 하지는 않는지 걱정하며 임금을 대하듯이 북두성을 바라보고 있다. 따라서 '충신연주지사'의 작품이라 할 수 있다.

**29** '원앙금'은 '원앙을 수놓은 이불'을 뜻하는 단어로 계절적 배경을 알 수 없다.

**30** ㉤은 '가엾은 그림자가 날 쫓을 뿐이로다'로 해석하는데, 시적화자 자신의 가엾은 그림자만 자신의 곁에 있고 임이 곁에 없어서 외롭고 허전함을 말하고 있다.

**31** 1연에서는 '가시렵니까'를 반복하여 이별에 대한 안타까움을 드러내고, 2연에서는 '나는 어찌 살라 하고 버리고 가'냐며 임에 대한 원망을 드러내고, 3연에서는 '잡아 두고 싶지만 서운하면 아니 올까' 잡지 않는, 절제하는 화자의 모습이 나타나고, 4연에서는 '가는 듯 다시 오라'며 임과의 재회를 소망하고 있다.

**32** '귀또리'는 시적 화자의 심정을 대변하는 자연물이지만, '계성'은 꿈에서라도 임을 만나고 있는 화자를 방해하는 장애물이다.

**33** ⓔ은 꿈에서라도 임을 만났지만, ⓕ에서는 꿈속에서도 임을 만나지 못하는 안타까움을 나타내고 있다.

**34** (가)와 (나)는 모두 시적화자가 이별의 상황을 겪고 있다. 김상용의 시조에서도 님이 나를 사랑한 것이 거짓이었다며 임을 꿈에서 만났는데 자신처럼 임을 그리워해서 잠 못 이룬다면 꿈에서 만날 수 없다고 말하고 있다.

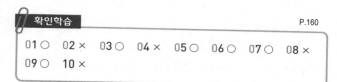

**서술형 심화문제**        P.152~157

**01** 도치법. 임을 붙잡고 싶으며 제발 나를 떠나지 말아달라.
**02** 내용적 측면: 이별의 정한을 노래하고 있다. 형식적 측면: 3음보의 전통적 율격이 쓰였다.
**03** '낙월'은 지는 달, '구즌비'는 날이 흐리어 어두침침하게 오랫동안 내리는 비를 뜻하며, 이 글에서는 '낙월'은 임에게 가까이 다다갈 수 없다는 점에서 임에 대한 소극적 사랑을 뜻하고, '궂은비'는 임의 옷을 적시며 오랫동안 가까이 갈 수 있다는 점에서 임에 대한 적극적 사랑을 뜻한다.
**04** (A) 조정 (B) 동인 (C) 벼슬에서 물러나 전라남도 창평에 머물러 살게 됨.
**05** (1) ⓐ대화, ⓑ동생, ⓒ형님, ⓓ[A]
　　(2) (나): 낙월, 구즌비, 〈보기2〉: 새, 달빛
**06** 내용상 이별의 분위기와 어울리지 않고, 구전되어 전해지다가 궁중악으로 편입되어 전승됐기 때문에 그 과정에서 첨가된 것으로 추정된다.
**07** 형태적인 안정감을 주고 주제를 강조한다. 운율을 형성한다.
**08** 죽어도 아니 눈물 흘리우리다.
**09** 떠나는 임을 보내준다.

# (3) 허생전

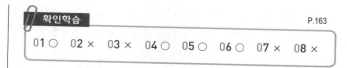

**확인학습**        P.160

01 ○   02 ×   03 ○   04 ×   05 ○   06 ○   07 ○   08 ×
09 ○   10 ×

**01** 도둑질이라도 못하냐며 화를 내고 있다.
**02** 아내를 무시하는 태도는 보이지 않는다.
**04** 감사한 마음을 보이지 않는다.
**05** 매점매석을 통해 큰돈을 벌어들인다.
**06** 과일은 연회나 제사를 지내기 위해, 말총은 망건을 만들기 위해 필요한 물건이다.
**07** 만 냥을 빌리는 것을 보면 알 수 있다.
**08** 안성은 경기도와 충청도의 경계이고, 삼남지방의 길목이었기 때문에 선택했다.
**10** 허생이 한숨을 내쉰 것은 조선의 경제규모가 적었기 때문이다.

**확인학습**        P.163

01 ○   02 ×   03 ×   04 ○   05 ○   06 ○   07 ×   08 ×

**01** 땅이 좁아 포기한다.
**02** 글을 아는 자들을 화근이라 칭하며 글을 가르치지 않고, 글을 아는 자들을 섬에서 모두 데리고 나온다.
**03** 장기도와의 무역을 통해 경제적 풍요를 이루었다.
**04** 도적떼를 통해 당시 지배층을 비판하고 있다.
**05** 빈 섬에 소를 마련해 들어간 것은 농사를 짓기 위함이다.
**06** 빈섬에서 장기도와 교역하는 것을 보면 알 수 있다.
**07** 허생은 새로운 영토를 정복하고자 하지는 않았다.
**08** 허생이 섬을 나오면서 배를 모두 불태운 것은 섬에 사람들이 오가면서 섬이 혼란스러워지는 것을 원하지 않았기 때문이다.

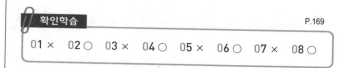

**확인학습**        P.166

01 ×   02 ○   03 ○   04 ○   05 ×   06 ○   07 ×

**01** 해외 무역을 하지 못하고 수레가 나라 안을 다니지 못해 물건을 충분히 공급하지 못한다.
**03** 변 씨가 돈을 돌려주자 허생은 자신을 장사치로 취급한다고 생각하고 화를 낸다. 이와 같은 허생의 태도는 허생이 지닌 사대부로서의 자기의식이라고 할 수 있다.
**04** 허생이 오십만 냥을 바다에 던진 행위를 미루어 보았을 때 재물을 먹고살 만큼만 필요하게 여기는 허생의 생각을 알 수 있다.
**05** 허생은 장사치와 사대부는 재물을 대하는 태도가 다르다고 하여 상인을 천대한다.
**06** 허생은 자신이 번 돈을 모두 변 씨에게 돌려며, 재물보다 도(道)가 우위에 있다는 자신의 생각을 드러낸다.
**07** 서술자의 논평은 나타나지 않는다.

**확인학습**        P.169

01 ×   02 ○   03 ×   04 ○   05 ×   06 ○   07 ×   08 ○

**01** 부국강병을 주장만 할 뿐 실질적으로 앞장서지 않는다.
**02** 북벌을 주장하면서도 막상 허생이 제안한 북벌의 세 가지 계책에 대해 모두 실천이 어렵다고 말하는 것으로 보아, 인습에 얽매여 새로운 변화를 거부하는 인물이다.
**03** 부국강병의 실리보다 사대부의 명분을 추구하는 인물이다.
**04** 허생의 세 번째 계책을 듣고, 이완 대장은 사대부의 예법 때문에 청나라의 문화와 옷차림을 받아들이기 어렵다고 답한다.
**05** 지배층은 북벌을 주장하면서도 그를 위한 실질적 준비는 하지 않고 있었다. 허생이 북벌의 세 가지 계책을 제안하지만 모두 실행이 어렵다고 말하는 이완 대장의 모습에서 당시 지배층이

주장하던 북벌론이 허구에 불과하다는 사실을 확인할 수 있다.

06 재야에 있는 인재가 많고, 이들을 설득하기 위한 지배층의 진정성 있는 노력이 필요하다는 허생의 말에서 불합리한 인재 등용의 현실을 확인할 수 있다.

07 허생이 종적을 감추는 결말은 허생의 제안이 현실에서 수용되기 어렵다는 사실을 암시하기 때문에, 모든 문제가 해결되고 주인공이 행복해지는 고전 소설의 행복한 결말 구조와는 다르다.

08 미완의 결말은 여운을 남긴다.

P.170~190

## 객관식 기본문제

| | | | |
|---|---|---|---|
| 01 ④ | 02 ⑤ | 03 ② | 04 ⑤ |
| 05 ② | 06 ④ | 07 ④ | 08 ③ |
| 09 ④ | 10 ① | 11 ② | 12 ④ |
| 13 ② | 14 ⑤ | 15 ① | 16 ③ |
| 17 ③ | 18 ④ | 19 ④ | 20 ② |
| 21 ④ | 22 ⑤ | 23 ④ | 24 ① |
| 25 ① | 26 ③ | 27 ② | 28 ⑤ |
| 29 ⑤ | 30 ③ | 31 ④ | 32 ② |
| 33 ② | | | |

01 허생은 빈 섬에서 자신이 원하던 바를 완벽하게 이루지는 못하였다.

02 경국지색은 '나라를 기울어지게 할 만큼의 미인'이라는 뜻이다.

03 이용후생이란 기구를 편리하게 쓰고 먹을 것 입을 것을 넉넉하게 하여 백성의 생활을 나아지게 하는 것인데, 허생은 도적들을 이끌어주며 먹고 쓰는 것이 부족하지 않게 해주는 것으로 보아 책임감 있는 지식인이다.

04 허생은 빈 섬에서 유교적 관념을 강조하여 질서를 세운 것이 아니라, 기본적인 규칙만 세웠다.

05 '겨우' 만큼으로 나라의 경제를 휘청이게 하였다는 것을 보면 경제 규모 자체가 너무 적다고 생각하며 비판하고 있다는 것을 알 수 있다.

06 허생은 백성들의 필수품이 아닌 양반들의 예법에 필요한 물건을 사재기하였다.

07 허생의 이용후생, 실학정신은 그 당시에는 받아들여지기 힘든 급진적인 가치관이었다.

08 허생은 사농공상의 계급의식을 벗어나지 못했다. 상인을 '장사치'라고 부르는 것을 보면 알 수 있다.

09 청나라의 귀족들이 우리나라 과거에 응시하는 것이 아닌 우리나라의 자제들이 빈공과에 응시하여야 한다고 했다.

10 이 글은 전지적 작가 시점으로 시간의 흐름에 따라 작품 외부의 서술자가 대화와 행동을 통해 각 등장인물의 성격을 드러내고 있다.

11 윗글은 전지적 작가 시점으로, 시간의 흐름에 따라 작품 외부의 서술자가 이야기를 들려주고 있다. 또한 인물간의 대화를 통해

인물들의 가치관, 성격 등을 드러내고 있다.

12 당시의 치안이 어떠했는지는 직접적으로 언급하고 있지 않다.

13 도적들이 코웃음을 친 것은 자신들의 상황을 허생이 제대로 판단하지 못하고 있다고 생각했기 때문이다.

14 허생이 제시한 대책을 현실적으로 실행하려면 지배층들이 자신들의 기득권이나 양반들의 예법을 버리고 실용적인 태도를 보여야 한다.

15 [A]에서는 종실, 훈척, 권귀들의 기득권을 비판하며 그들이 이미 지니고 있는 것들을 명나라 장군과 병사들에게 나누어 줄 수 있냐고 묻고 있다.

16 허생은 자기 자신이 조성기나 유형원과 같은 능력을 지닌 인물이라고 한 것이 아니고, 재야에 파묻혀 있는 인물이 등용되지 못한 현실을 말하고 있다.

17 허생은 자신의 재능이 나라에 별로 쓸모가 없다고 언급한적이 없고, 허생의 아내는 과거 응시와 도적질만 말한 것이 아니라 장사나 장인바치 일이라도 하라고 말하고 있다.

18 형편이 어려워서 도둑이 된 사람이 많았다고 추측하는 것은 작품에 반영된 그 현실을 염두해 두고 읽은 것이라 할 수 있다.

19 과거 시험을 불신하는 것은 찾아볼 수 없고, 허생이 상업을 통해 돈을 모은 것을 보면 상인층에 대한 인식이 완전히 부정적이라고만은 할 수 없다.

20 허생은 사재기로 더 많은 돈을 벌어들일 수 있었지만 더 벌지 않았고, 사재기 품목도 양반들의 예법과 관련된 물품들이어서 수단과 방법을 가리지 않고 이익만 추구했다는 표현은 적절하지 않다.

21 [A]의 허생은 경제적 능력이 없는 무능한 양반을 대표하여 비판의 대상이 되고 있고, [B]의 허생은 그 당시 조선의 사대부들을 비판하는 대상이다.

22 그 당시 허생의 가치관은 너무 급진적인 것이어서 받아들이기 힘든 것이었기 때문에 미완의 결말을 낸 것이다.

23 이완대장과 같은 실존 인물을 등장시켜 작품의 사실성을 높이고 있다.

24 허생은 실리를 중시하여 과감하면서도 실직적이고 적극적인 대책을 제시하고 있고, 이완은 명분을 중시하여 임금과 사대부들의 체면, 예법, 기득권을 지키려 한다.

25 조선 사대부들의 복장과 예법이 명분 없는 허식임을 지적하고 있다.

26 천하의 호걸들이 조선의 호걸들에게 관심을 갖고 있다는 사실은 확인할 수 없다.

27 윗글은 전지적 작가 시점으로 시간의 흐름에 따라 내용을 전개해나가고 있다. 또한 대화와 행동을 통해 인물의 성격을 드러내고 있다.

28 허생은 자신의 제안이 거절당하자 칼을 뽑아 이완을 찌르려 하며 불만을 표출하고 있다.

29 이 글은 물질만능주의를 비판하고 있지는 않다.

30 허생은 '도적 떼'에게 빈 섬의 존재와 목적을 말하지 않았다.

31 그 집은 변씨의 집으로 허생이 돈을 빌려서 자신이 할 일의 기초가 되는 돈을 얻는 공간이고, 빈 섬은 허생이 자신의 능력을 시험해보는 공간이다.

32 ㉠의 문맥적 의미는 '다른 사람이나 대상이 가하는 행동, 심리적인 작용 따위를 당하거나 입다.'에 해당한다.

33 번오기와 무령왕은 상대방과 대조되는 태도를 보이는 대상이고, 허생은 자신의 감정을 드러내며 말하고 있다.

01 이 글은 시간의 흐름에 따라, 인물간의 대화를 통해 사건을 전개해나가고 있다.

02 천하를 완전히 장악한 상황이 아니기 때문에 지금 솔선하여 복종한다면 신임을 얻을 수 있을 것이라고 하였다.

03 이 대장이 허생보다 높은 지위의 인물인데, 허생이 일어나지도 않는 것을 보면 당시 신분 질서에 따르지 않은 부분이라고 할 수 있다.

04 고립무원은 '아무런 도움도 받지 못한 채 홀로 외로이 서 있음.'을 뜻한다. 명나라 장군과 병졸의 자손은 오갈 데 없는 처지이므로 가장 적절하다.

05 사대부들은 대의를 지키기 위한 행동이 아닌, 자신들의 기득권을 유지하기 위한 행동을 했다.

06 평민은 허생이 부정적으로 여긴다고 할 수 없고, 술병은 허생이 반기는 대상에 해당한다.

07 허생이 사라진 결말은 그 당시에는 허생의 주장이 받아들여지기 힘들었기 때문이다.

08 허생이 빈 섬에 세운 이상국은 허생이 주도적으로 세운 것이다.

09 새롭게 성장한 '신흥 상인'인 '변씨'를 보면 확인할 수 있다.

10 묵적동은 가난한 양반들이 모여 사는 공간이고, 그를 통해 허생의 신분은 양반이고 가난한 처지에 놓여있음을 알 수 있다.

11 미완의 결말로 마무리 되어 일반적인 고전 소설과 다른 구조를 이루고 있다고 할 수 있지만 인물들의 대립이 해소되는 것은 아

니다.

12 생계유지를 위한 일을 하지 않고 7년 동안 글공부만 한 허생에게 화가 난 것이다.

13 눈빛을 오만하고 뜨고 부끄러움이 없어 속물이 아니라고 한 것은 변씨가 허생을 본 관점이다.

14 변씨는 자신의 판단을 시험해 보기 위해 허생의 이름도 묻지 않고 만 냥을 바로 빌려준 것이다.

15 ㉠에서 허생은 재물에 대한 욕심이 없음을 드러내고 있다. 직접적으로 벼슬자리에 욕심이 없음은 나타나지 않는다. 그런데 ①의 시조에서는 입신양명에 대한 욕심이 없다는 것만 말하고 있으므로 허생의 태도와 가장 거리가 멀다.

16 임기응변이란 '그 때에 따라 알맞게 일을 처리하는 것을 비유하는 말'이다. 이와 관련된 자세의 필요성을 말한 것은 아니다.

17 빈 섬은 땅이 좁아서 허생이 실현하고 싶은 것들을 모두 실행하지는 못했다.

18 그 당시 조선은 허생의 주장을 수용하기 힘들었다. 그런 상황에서 허생의 이상을 펼치기란 쉬운 것이 아니어서 미완의 결말을 낸 것이다.

19 허생이 건설하고자 했던 사회는 농업을 바탕으로 한 사회이다.

20 명나라 장졸들이 조선의 여성들과 결혼을 한다고 해서 조정에 등용하는 것은 아니다.

21 허생이 사대부로서의 지위를 내려놓고자 하는 태도는 확인할 수 없다.

22 변 씨가 허생에게 많은 돈을 어떻게 벌었냐고 물어본 것은 자신의 재산을 더 늘리기 위함이 아니다.

23 번오기와 무령왕의 사례를 들어 당시 지배층을 비판하고 있다.

24 ㉠에서 보이는 허생의 삶의 태도는 재물에 욕심 부리지 않고 사는 태도이다. ⑤에서도 자연 속 바위 아래 초가집의 생활에도 만족하며 자신의 분수라 말하는 것에서 욕심부리지 않는 태도를 확인할 수 있다.

25 소규모가 아닌 한 물품을 대규모로 사 들여야 한다.

26 정치적으로 몰락한 양반층에 대한 비판은 확인할 수 없다.

27 당대 사대부들은 치욕을 씻는 것을 실행해서 옮기지는 않았지만, 치욕을 씻는 것을 과제로 내세웠다.

28 당시는 오히려 청나라의 문물을 수용하지 않은 것이 문제이다.

29 말도 안되는 상황을 가정하였다.

30 청나라 사람 자체로 위장해야 한다는 것이 아니라, 청나라와 적극적으로 교류해야 함을 뜻한다.

31 윗글은 허생의 행적을 시간의 흐름에 따라 서술하고 있다.

32 생계에 관심이 없으며 글공부가 더 중요하다고 여기는 인물은 허생이다.

33 허생이 글 아는 사람을 '화근'이라 칭한 것은 공리공론만을 일삼고 백성들을 착취하는 양반 사대부들에 대판 비판이 담겨있다.

34 허생이 선비들은 빈공과에 응시하고, 일반 사람들은 멀리 강남까지 장사를 하게 만들어서 그들의 허실을 엿보고 한족의 호걸

들과 결탁해야 한다고 말한 것을 보면 청나라와 교류를 확대하고 그들의 허실을 엿봐야 한다는 생각을 확인할 수 있다.

**35** 허생이 글공부에 매진했던 점을 보면 지식 그 자체의 가치를 비판하고 있는 것은 아니라는 것을 알 수 있다.

**36** 허생의 아내는 열심히 일을 해야 먹고 살 수 있다는 인식을 보이고 있는데, ③번의 시도 무릎을 꿇고, 허리를 숙여야 먹고 살 수 있음을 설의법을 통해 강조하는 것을 보면 허생의 아내와 유사한 태도를 지니고 있다고 할 수 있다.

**37** 최초의 계약은 모든 사람이 모인 가운데, 만장일치에 의해 이루어져야 한다고 하는 부분을 보면 확인할 수 있다.

**38** 허생전과 보기는 모두 허생과 허생의 부인의 대화를 통해 인물 간의 갈등을 드러내고 있다.

**39** 허생전과 허생의 처 모두 조선후기를 배경으로 하고 있으므로 시대적 배경을 바꾸었다고 할 수 없다.

**40** ㉣은 가난 속에서 힘든 삶을 살고 있는 아녀자들을 안타까며 하는 말에 해당한다.

**41** 윗글의 허생의 처는 허생이 글읽기만 하며 경제활동을 하지 못하는 것을 비난하고 있고, 〈보기〉의 부인도 역정을 내며 글읽기만 좋아하는 양반을 비판하고 있다.

**42** 허생이 변씨의 비범함을 알아본 것은 아니다. 변씨만 허생의 비범함을 알아보았다.

**43** 글을 아는 사람을 데리고 나온 것은 글을 아는 자들이 훗날 섬사람들을 해치는 사람이 될지도 모른다고 생각했기 때문이다. 여기에는 공리공론을 일삼고 백성을 착취하는 양반 사대부들에 대한 비판이 담겨 있다.

**44** 〈보기〉에서 조선의 국력은 청나라와 맞설 수 있는 수준이 아니었다고 하며 청에 대한 사대부들의 반감에서 비롯된 현실성 없는 정책이라는 평가를 하는 부분과, 허생이 이완대장을 꾸짖는 부분을 보면 실리보다는 예법에 얽매여있는 그당시 사대부들을 비판했다는 것을 알 수 있다.

**45** '허생전'의 허생의 아내도 허생에게 현실의 가난을 해결하라고 하면서, 도둑질이라도 하지 못하겠냐고 묻고 있는데, 이러한 부분은 전형적인 현모양처라 하지 않는다.

**46** 〈보기〉에서 삶이 넉넉하게 된 뒤라야 덕이 바르게 될 수 있단 관점을 보여주고 있고, 빈 섬에서 제도를 제정하기 전에 농사를 짓고 무역을 하여 삶을 넉넉하게 만들고 나서야 제도를 정비하려 했다. 다만, 섬이 좁아서 제대로 제도를 정비한 것은 아니다.

**47** Ⓐ는 허생의 아내로, 실용과는 무관한 글 읽기보다는 장인바치나, 장사 일을 하라고 하는 것을 보면 생산적인 활동을 긍정적으로 인식하고 있고, 〈보기〉의 화자는 보리타작하는 농민들의 모습을 긍정적으로 바라보는 것을 보아 생산적인 활동을 긍정적으로 인식하고 있음을 알 수 있다.

**48** 허생은 이완 대장이 왔다는 것을 알고도 들여보내지 않고, 들어와도 자리에서 일어나지 않고 있는 것을 보면 이완 대장을 포함한 지배층에 대한 반감을 확인할 수 있다.

**49** '허생전'의 이완은 새로운 변화를 수용하려 하지 않는다. 〈보기〉의 왕과 조정은 복장과 풍속, 의식등을 모두 개혁한 것으로 보아 새로운 변화를 수용하는 인물들이다.

**50** 〈보기〉의 '이완은 그것을 겨냥한 표적에 불과하다'는 부분을 보면 이완 자체를 비판하고 싶은 것이 아니라 당시 집권 사대부를 비판하려고 했던 것을 알 수 있다.

---

**서술형 심화문제**                                                                                              P.227~233

**01** ㉠허생처럼 경제적으로 몰락한 양반, 변씨처럼 경제적으로 성장한 평민이나 중인이 등장한다. ㉡취약한 경제구조로 백성들이 피폐한 삶을 살았다.

**02** 돈을 빌리면서도 당당한 허생이나 처음보는 사람에게 큰돈을 빌려주는 변씨 모두 안목이 있는 비범한 사람들이다.

**03** 청나라를 이기기 위해 청나라와 교류해야 한다는 계책을 제시했다. 이를 통해 사대부의 허례허식과 북벌론의 허구성을 비판했다.

**04** 조선이란 나라는 배가 외국으로 통하지 못하고 수레가 나라 안을 다니질 못하기 때문에 모든 물품이 이 안에서 생산되고 이 안에서 소비됩니다.

**05** (1)글을 아는 사람 (2) 공리공론을 일삼고 백성을 착취하는 양반 사대부들에 대한 비판이 담겨있다.

**06** 지배 계층이 북벌론을 주장했지만 그저 말뿐이며 주장을 실천하기 위한 구체적 계획이나 의지가 없었다.

**07** 〈보기〉와 같이 결말을 작성했을 때보다. 허생의 이인다운 풍모를 강조된다.

**08** Ⓐ예법을 지켜야 했기 때문에 그 물건이 없다면 생활에 어려움이 있다. Ⓑ사대부와 같은 예법을 지키지 않았기 때문에 생활에 어려움이 없다.

**09** 재물은 백성들의 삶을 풍족하게 하는 수단이 되지만, 정신을 괴롭히는 재앙이라고 생각하기도 하였다.

**10** ⓐ유통

**11** 허생은 돈이 백성을 위한 안정적인 삶에 수단이 될 수는 있어도 목적은 될 수 없다고 보았다.

---

**01** ㉠의 내용은 실분 질서의 동요가 보인다는 것인데, 가난한 양반인 허생이 부유한 평민인 변씨를 찾아가는 부분에서 확인할 수 있고, ㉡의 근거는 수천의 도적떼들이 등장한다는 것인데 그러한 도적떼들을 보면 그당시 백성들은 가난하고 피폐하게 살았음을 알 수 있다.

**02** 돈을 빌리면서 다른 부연 설명없이 당당하게 돈을 빌리는 허생의 모습을 보면 허생은 비범한 사람이라는 것을 알 수 있고, 말한마디에 돈을 빌려주는 변씨를 보면 변씨도 비범한 사람이라는 것을 알 수 있다.

**03** 말로만 부국강병을 주장하고 실제로는 그 주장을 실천하기 위한 실질적인 노력을 전혀 하지 않는 지배계층을 비판하며, 이러한 사대부의 허례허식과 북벌론의 허구성을 비판했다.

**04** 외국과의 교역이 자유롭지 못하고 유통구조가 취약한 조선의 현실을 말하고 있다.

**05** 허생은 글을 아는 사람을 '화근'이라 말하며 섬을 빠져나올 때 모두 데리고 나오는데, 이것은 글을 아는 자들이 훗날 섬사람들을 해치는 사람이 될지도 모른다고 생각했기 때문이며, 그것은 공리공론을 □ㅣ 삼고 백상을 착취하는 양반사대부들에 대한 비판의식에서 나온 것이다.

**06** 당시 지배 계층은 북벌론을 주장하면서도 인재를 적극적으로 등용하지 않고, 사대부들의 허례허식에 얽매여 실질적으로 북벌론은 그저 청에대한 사대부들의 반감에서 비롯된 현실성 없는 정책이었다.

**07** 〈보기〉와 같은 결말을 내면 허생은 그저 평범한 인물에 지나지 않지만, ⓒ처럼 미완의 결말을 내면 허생이 이인다운 면모를 강조할 수 있다.

**08** 사재기 한 물품인 과일은 제사에 쓰는 물건이고, 말총은 망건의 재료인데 이것들은 양반들의 예법을 위해 필요한 물건이었다. 이를 통해 양반들의 허례허식을 비판한 것이고, 서민들의 경우에는 양반들만큼 예법을 지키지 않았기 때문에 허생은 서민들을 나름대로 배려한 것이라고 할 수 있다.

**09** 허생은 재물은 사회적 측면에서 빈민 구제, 이용후생을 위해 필요하다고 생각하면서도 개인적 측면에서는 정신의 풍요로움에 도움이 되지 못한다고 생각했다.

**10** 〈보기1〉에서 예시로 들었던 중국의 시골마을을 보면 조선의 시장들보다 더 많았는데 그 이유를 재물이 유통되느냐 유통되지 못하느냐에 따른 결과라고 설명하고 있다.

**11** 허생은 재물을 나라 안을 두루 돌아다니며 가난하고 의할 곳이 없는 사람들을 구제하는데 필요하다고 생각하면서도 개인적 측면에서는 정신의 풍요로움에 도움이 되지 못한다고 생각했다. 따라서 백성들을 위한 안정적인 수단이지만, 그것 자체가 목적이 될 수 없다고 생각하였다.

---

### 단원 종합평가　　　　　　　　P.234~244

| 01 ④ | 02 ④ | 03 ⑤ | 04 ① |
|------|------|------|------|
| 05 ② | 06 ③ | 07 ① | 08 ⑤ |
| 09 ⑤ | 10 ③ | 11 ④ | 12 ③ |
| 13 ④ | 14 ④ | 15 ① | 16 ④ |
| 17 ② | | | |

**01** (가)는 이별의 상황에서의 슬픔이 나타나있는데 ④는 두꺼비가 파리를 물고 있다가 송골매를 보고 놀라 자빠진 내용으로, 탐관오리의 허장성세를 비판하는 내용이다.

**02** 〈보기〉의 ㉠은 '다정도∨병인 양하여∨잠 못 들어∨하노라.'로 끊어 읽어야 하므로 4음보에 해당하며 (A) 전체가 4음보로 읽힌다.

**03** (다)는 봄 밤의 애상감을 노래하고 있고, (라)는 떠도는 나그네의 심정을 노래한 작품이므로 자연속에서 살아가고자 하는 삶의 가치를 드러낸다고 할 수 없다.

**04** 진달래꽃과 묏버들 모두 시적화자의 분신으로 임과 이별하고 싶지 않은 시적 화자의 심정을 내포한다고 할 수 있다.

**05** ⓐ에는 반어법이 쓰였다. '승무'에는 '정작으로 고와서 서러워라'에 역설법이 사용되고 반어법은 사용되지 않았다.

**06** '나논'은 아무 의미없는 여음구이며, '선흥면 아니 올셰라'는 '서

---

운하면 아니 올까 두렵다'이고, '일지춘심'은 화자가 봄 밤에 느끼는 정서를 나타내며, '다정도 병인 양하여~'는 이별의 정한이 아닌 봄 밤의 애상감을 말하는 것이다.

**07** (가)와 (나)의 화자 모두 대상에게 자신의 솔직한 마음을 전하는 것은 아니다.

**08** 1연과 4연에 유사한 문장 구조를 반복한 것은 맞지만 화자의 체념적 태도를 강화한 것은 아니다.

**09** ⓒ는 꿈에서나마 임을 만나고 있었는데 닭 울음 소리에 꿈이 깨서 닭을 원망하는 부분이다. 자연물에 의탁하여 화자의 절망적인 상황을 나타내었다는 표현은 적절하지 않다.

**10** 윗글과 〈보기〉의 중심화자는 임과 함께 있던 시절을 그리워하며 죽어서라도 임의 곁에 가고 싶어한다. 하지만 과거의 임을 모시던 시절로 돌아가고 싶은 것은 아니다.

**11** 이 글은 묵적골부터 시작해서 허생의 이동과 행동을 중심으로 사건을 전개하고 있다.

**12** 허생이 자신을 장사치로 여기는 것을 불쾌하게 여기는 것을 보면, 경제, 상업, 현실문제의 해결을 강조하면서도 자신은 사대부로서의 정체성을 지키려는 모습에서, 작가가 사농공상의 계급 의식을 갖고 있음을 알 수 있다.

**13** 변씨는 짐작하고 있었던 것이 아니고, 자신이 궁금했던 점을 질문하고 있다.

**14** 재물을 '화근'이라고 칭하며 부정적으로 생각하지만, 백성들을 구휼하는 데에 사용한 것으로 보아 명분의 실현을 위한 가치는 지닌다고 여기는 것을 알 수 있다.

**15** '섬'에서는 농사를 짓고 해외무역을 했을 뿐, 봉건제 질서에 대한 것은 언급하지 않았다.

**16** 다른 사람의 말을 인용한 것은 나오지 않는다.

**17** 북벌론자들은 실질적으로는 겉으로만 명분을 세우며 자신들의 기득권만을 유지하려 했다. 이것은 이완대장이 허생의 계책을 거절하면서 하는 말을 보면 확인할 수 있다.

# (1) 옷 한 벌로 세상 보기

**확인학습**
P.249

01 ○　02 ×　03 ×　04 ○　05 ○　06 ○　07 ×　08 ○

**객관식 기본문제**
P.250~254

| | | | |
|---|---|---|---|
| 01 ① | 02 ③ | 03 ③ | 04 ① |
| 05 ⑤ | 06 ④ | 07 ③ | 08 ① |
| 09 ③ | 10 ③ | 11 ② | |

01 본문의 '디자인 도용으로 얻을 수 있는 이익이 처벌로 입게 될 손해보다 더 크기 때문이다'에서 확인할 수 있는 내용이다.

02 글쓴이는 옷을 쉽게 소비하는 것의 문제점을 나열하고 그에 대한 해결 방안들을 제시하고 있다.

03 도용되다: 물건이나 명의가 몰래 쓰이다. 도출(導出)되다: 판단이나 결론 따위가 이끌려 나오다.

04 ㄷ. 외국과 우리나라 사례를 대조한 부분은 나타나 있지 않다.
ㅁ. 이 글은 정보 전달을 목적으로 하는 것이 아니라 글쓴이의 주장을 나타내는 글이다.

05 디자이너가 지적 재산권 소송을 포기하는 것은 본문의 '창조와 모방의 경계가 모호한 경우가 많아서 소송 과정이 길고 복잡하다. 게다가 소송에 드는 비용 또한 만만치가 않아서 어쩔 수 없이 소송 자체를 포기하는 디자이너도 많다.'에서 확인할 수 있는데 최신 유행 제품을 빨리 출시하기 위해 지적 재산권 소송을 포기한다는 설명은 옳지 않다.

06 생산 과정이 올바르더라도 옷 공장에서 일하는 노동자들에 대한 처우도 확인해야 하므로 생산 과정만 확인하는 것은 적절하지 않다.

07 윗글에는 전문가의 연구 결과는 나타나있지 않다.

08 자원의 생산 과정에 대한 설명은 살충제가 토양에 스며들어 지하수를 통해 동식물을 병들게 한다고만 나타나 있을 뿐, 노동자들이 살충제에 노출된다는 설명은 확인할 수 없다.

09 윗글은 다른 견해를 비판하고 있지 않다.

10 ㄱ. 유행을 좇아 옷을 많이 구매하게 되면 노동자의 근로 환경 개선에 부정적 영향을 미친다. ㄷ. 무조건 비싼 옷을 구입하는 것이 현명한 소비는 아니다. 원산지를 확인하고 어떠한 과정에서 옷이 만들어졌는지 알아보고 소비하는 것이 중요하다.

11 윗글에는 의류 업체의 디자인 관련 소송에 대한 설명만 나타나 있을 뿐 그와 관련한 법안에 대한 설명은 나타나있지 않다.

**객관식 심화문제**
P.255~263

| | | | |
|---|---|---|---|
| 01 ② | 02 ③ | 03 ③ | 04 ④ |
| 05 ④ | 06 ③ | 07 ④ | 08 ④ |
| 09 ① | 10 ⑤ | 11 ④ | 12 ④ |

01 (나)에는 의류 업체 간의 속도 경쟁에 대해 설명하고 있는데 수익을 크게 얻기 위해 가격을 매기는 방법은 나타나있지 않다.

02 처우를 개선하게 되면 사고 발생 비율이 낮아질 것이라고 할 수 있다.

03 윗글의 '의류 산업은 제품을 만드는 데 ~ 가장 효과적이다'에서 확인할 수 있다.

04 의류 업체 간에 속도 경쟁을 하기 때문에 옷 소비가 증가한다고 할 수 있다. 옷 소비가 증가했기 때문에 의류업체 간에 속도 경쟁을 하는 것은 아니다.

05 A : [가]는 '그린피스(Green Peace)의 2016년도 보도 자료'라고 출처를 드러내지만, [나]에는 나타나있지 않다.
D : [가]에는 '그중 4분의 3, 즉 600억 점의 의류는'과 같은 부분에서 구체적인 수치를 확인할 수 있다.
E : [가]에는 '옷의 원재료인 직물은 한 해에 약 40만 제곱킬로미터가 생산되는 데, 이는 우리나라 국토를 약 네 번 덮을 수 있는 넓이이다.'에서 통계 수치를 인구 및 국토로 치환하여 이해하기 쉽게 설명하고 있다.

06 윗글의 '디자인 도용으로 얻을 수 있는 이익이 처벌로 입게 될 손해보다 더 크기 때문이다.'에서 이익이 손해보다 크다는 것을 알 수 있다.

07 윗글에는 천연 섬유재료인 면화를 경작하는데 사용되는 살충제가 환경을 오염시킨다고 하였다. 합성섬유에 대한 것은 언급되지 않았다.

08 윗글은 옷 소비가 증가하는 현상을 개선하기 위한 해결방안들을 제시하고 있지만 그것들의 타당성을 검증한 것은 아니다.

09 의류 산업은 노동집약적 산업이기 때문에 임금이 낮은 캄보디아, 방글라데시 등에서 주로 제품을 생산한다. 숙련된 기술자가 많은 곳에서 제품을 생산한다는 설명은 옳지 않다.

10 공정한 과정을 거쳐 옷을 생산한 경우에는 비용이 많이 들고, 그 비용은 옷 과정에 반영되기 때문에 옷을 저렴하게 구입한다는 설명은 적절하지 않다.

11 ㄴ. 외국과 우리나라의 사례를 대조한 부분은 나타나있지 않다.
ㅅ. 윗글에는 도표나 그래프가 나타나있지 않다.

12 〈보기〉에서는 유기농 면화를 입자고 주장한다고 볼 수 있으나, 윗글에는 의류 생산을 위한 면화 재배로 인한 환경오염만 언급하고 있을 뿐, 유기농 면화를 입자고 주장한 것은 아니다.

# (2) 교내 휴대 전화 사용을 허용해야 한다

**확인학습**　　　　　　　　　　　　　　　P.271

01 ×　02 ×　03 ○　04 ×　05 ○　06 ○　07 ○　08 ○
09 ○

**객관식 기본문제**　　　　　　　　　　P.272~281

| | | | |
|---|---|---|---|
| 01 ⑤ | 02 ⑤ | 03 ⑤ | 04 ① |
| 05 ③ | 06 ③ | 07 ⑤ | 08 ④ |
| 09 ③ | 10 ② | 11 ② | 12 ③ |
| 13 ④ | 14 ② | 15 ⑤ | 16 ③ |

01 협상은 경쟁적인 입장이 아니라 서로 양보하고 타협하는 관계이다.

02 교차신문은 상대측이 사용한 용어의 개념과 근거 등에 대해 질문을 던져 상대측 '입론'에 문제가 있음을 드러내는 것이다.

03 대안을 찾는 것과 논제를 결정하는 것은 관련이 없다.

04 사실논제는 어떤 사실이 참인지 거짓인지, 진실 여부를 따지는 논제이고 정책 논제는 어떤 정책의 실행 여부와 실행 방안을 주장하는 논제이고, 가치 논제는 어떤 가치가 옳고 그른지에 대한 가치 판단을 하는 논제이다.

05 토론은 주장에 대한 근거가 어떻게 주장과 연결되는지를 설명할 수 있어야 하며 근거는 객관적인 사실 정보를 가리키는데, 근거와 이유 사이에는 밀접한 연관성이 있어야 우위를 점할 수 있다.

06 사실 논제와 가치 논제에서도 '문제, 해결방안, 효과와 이익'이 필수 쟁점이 될 수 있다.

07 뉴스를 전달할 때 무조건 차분한 말투와 무표정을 유지할 필요는 없다. 필요에 따라 어조나 표정에 변화를 줄 수 있다.

08 휴대 전화 사용률의 증가가 휴대 전화 사용을 금지하는 학교 수의 증가에 영향을 미쳤다는 내용은 확인할 수 없다.

09 ㄱ. 방과 후 휴대 전화 사용에 대한 설명은 윗글에 나타나있지 않다.
ㄹ. 교내 휴대 전화 문제로 인한 책임이 누구에게 돌아가야 하는지에 대한 설명은 나타나있지 않다.

10 ㉠ 전의 사회자의 말을 보면 '찬성 측 제2 토론자가 입론해 주십시오.'라고 하므로, 상대의 입론 도중에 말을 끊고 상대방의 발언을 방해하고 있음을 알 수 있다.

11 〈보기〉는 학교에서 휴대 전화를 사용하도록 활용하는 것이 자녀의 안전 문제, 수업 활용에 흥미를 돋우는 등의 긍정적인 측면을 제시하며, 학생 스스로의 역량을 키워나가도록 권고하고 있다. 따라서 '찬성'측 주장의 근거로 활용하는 것이 적절하다.

12 '찬성 2'의 반대 신문에 대해 '반대 2'는 전문가가 아닌 신뢰할 만한 기관의 조사 결과를 인용하여 신뢰성을 높이고 있다.

13 이 토론의 논제는 정책논제이다. 정책논제는 사실과 가치 판단에 기초해 행동의 변화를 추구하는 문제를 대상으로 삼는 논제이다.

14 반대 측은 한국 정보화 진흥원의 조사 자료를 인용하여 청소년이 주로 유희적 용도로 휴대 전화를 사용하고 있다고 밝혔다. 유희적 용도로 휴대 전화를 교내에서 사용하게 되면 부정적 효과가 나타날 것이라고 주장하는 것이다.

15 (다)와 (라)에서 찬성측은 휴대 전화를 수업에 활용하면 유용하다고 하지만 반대 측은 오히려 학습 태도와 성적에 악영향을 끼친다고 하고 있으므로 '휴대 전화를 유용한 수업 도구로 활용할 수 있다.'가 필수 쟁점이다.

16 '반대 1'이 상대방의 발언 중에 말을 끊고 끼어드는 것은 토론 예의에 어긋나는 행동이다.

**객관식 심화문제**　　　　　　　　　　P.282~294

| | | | |
|---|---|---|---|
| 01 ② | 02 ⑤ | 03 ② | 04 ④ |
| 05 ① | 06 ④ | 07 ② | 08 ④ |
| 09 ① | 10 ② | 11 ④ | 12 ① |
| 13 ② | 14 ① | 15 ⑤ | 16 ① |
| 17 ④ | 18 ③ | 19 ② | |

01 ㉠은 정책논제로, 어떤 정책의 실행 여부와 실행 방안을 주장하는 논제이다. ①, ③, ④, ⑤는 가치논제이다.

02 ⓔ에 대한 주장은 '동물 실험은 다른 실험으로 대체 불가하다.'인데 관절염 치료제의 부작용과는 큰 관련이 없다.

03 〈자료〉는 인간을 위해서 동물에게 극심한 스트레스와 통증을 만드는 것에 대한 예시이다. 따라서 '동물 실험을 금지해야 한다.'를 주장하는 찬성 측에서 사용할 수 있는 자료이다.

04 조건 1은 '실제 인간의 의약품 개발을 위해 많은 도움을 주었습니다.', 조건 2는 '실제로 2014년 WHO에서 발표한 연구조사에 따르면 전체 동물 실험 결과 중 약 27%는 동물의 의약품을 개발하는 데에 쓰였다고 합니다.', 조건 3은 ' 저희 측은 동물 실험이 계속해서 필요하다고 생각합니다.'에서 확인할 수 있다.

05 내면의 아름다움을 소홀히 하는 것이 문제라고 말하는 것은 찬성측의 입장에 해당한다.

06 부정 측 토론자는 '사람들의 의식주 문제가 해결되면서 자연스
럽게 미용에 대한 관심이 많아졌습니다.'라고 하며 구조적인 문
제가 있음을 주장하고 있다.

07 제시된 내용은 법제의 찬성과 반대가 명확히 나뉘는 논제이므로
토론 논제로 적절하다. 또한 이 논제는 법제의 찬성과 반대를
다루는 논제이므로 '정책 논제'이며, 찬반 측의 입론과 교차신
문, 반론으로 이루어진 '반대신문식 토론'이다. 사회자는 중간에
질문을 하지 않고 있으며, 토론의 시작에서 착한 사마리아인 법
의 정의를 설명하고 있지만 그것에 대한 논의가 중요한지를 밝
히지는 않았다.

08 찬성 1은 반대 측 교차신문의 의도인 '착한 사마리아인 법을 도
입한 나라가 어떤 나라들인가'의 물음에 '미국의 몇몇 주 그리고
프랑스, 영국, 독일 등 유럽의 많은 나라가 이 법을 채택' 했다
고 하며 구체적으로 설명하고 있다.

09 찬성측의 입론을 보면 토론의 논제를 확인할 수 있는데, 찬성측
첫 번째 입론에서 '천문학적인 자금이 소요되는 도로의 건설에
민간 자본을 적극적으로 유치해야 한다고 생각합니다.'라고 말
한 것을 보면 이 글의 논제는 '많은 자금이 소요되는 도로 건설
에 민간 자본을 적극 유치해야 한다.'라는 것을 알 수 있다.

10 ㉠은 '오늘 아침 제가 민간 자본에 의해 건설된 도로를 이용하여
이곳까지 왔는데, 기존 도로를 이용할 때보다 30분 이상 단축됐
습니다.'에서 확인할 수 있고, ㉡은 '민간 자본에 의해 건설된
도로를 이용하면 기존 도로의 수요도 분산이 되어 교통 정체가
줄어들지 않을까요?' ㉢은 '도시와 도시 간의 접근성이 좋아진
다면 공장의 대도시 집중 현상을 완화하여 중소 도시의 경제 발
전에도 도움이 되지 않을까요?'에서 확인할 수 있다.

11 〈보기〉는 민간 자본 유치 도로의 경우 민간 업자의 수요 예측이
부풀려져 그 과정에서 문제가 생기는 경우를 들고 있다. 따라서
'반대'주장의 근거로 활용하는 것이 적절하다.

12 토론의 논제는 찬성 측의 첫 번째 입론은 보면 알수 있는데 정
도룡의 첫 번째 발언에서 '저는 춘이네가 계속해서 소작을 해야
한다고 생각합니다.'라는 부분을 보면 알 수 있다.

13 정도룡은 춘이네에 대해 '지금 춘이네에게 남은 선택지는 온 가
족이 굶어 죽거나 인생을 걸고 다른 곳으로 떠나는 도박을 하는
것뿐입니다.'라는 발언을 하고 있는 것으로 보아 상대방에 대한
예의를 갖춘 것이 아니라고 할 수 있다.

14 (가)의 입론에서 헌법 조항은 '대한민국 헌법 제10조에도 국민
의 행복추구권을 보장해야 할 의무가 명시되어 있습니다.'를 들
고 있는데 이것은 인간이 누구나 인간다운 삶을 살 권리는 말하
는 것이지 춘이네가 소작을 하지 않는다고 해서 헌법조항에 위
배되는 것은 아니다.

15 김 주사는 '중요한 질문부터 드리겠습니다.'라고 말하며 우선 순
위를 고려한 질문을 하고 있고 감정적으로 흥분하거나 인신 공
격성 발언을 하지 않고 있으며, '대한민국 헌법 제 10조를 인용
하셨는데 헌법상의 개인의 행복추구권은 국가의 의무를 규정한

것이지 개인에게도 다른 사람의 인간다운 삶을 보장할 의무를
강요하는 것은 아니라고 생각합니다.'라고 말하며 산대측의 주
장과 근거에서 빈약한 부분을 지적하고 있고, '네, 거기까지만
답변해 주시고 다음 질문 받아 주세요.'라고 말하는 부분에서 상
대측이 답변 시간을 오래 끌 경우에 예의를 지키되 단호하게 중
단하는 태도를 보인다. 하지만 상대방이 도덕성이 부족하다는
것을 지적하지는 않았다.

16 〈보기〉는 찬성 측이 제시한 자료에 초점을 맞춰 자료의 출처가
확실한지, 편파적인 것은 아닌지 확인하겠다고 했다. 따라서 가
장 적절한 것은 찬성측이 제시한 보고서라는 자료가 다이어트
회사에서 만들어 진 것이므로 조사 결과가 편파적일 수 있다는
의견을 제시한 ③이 정답이다.

17 ㄷ. [A]에는 동물 실험을 통해 수많은 생명을 구한 예시가 들어
가야 한다. 동물 실험 감동 위원회는 동물 실험이 엄격한 법적
규제 아래 실시되고 있다는 점의 근거로 들어가야 한다.

18 ㉢ 뒤의 문장은 '초파리를 대상으로 했던 1926년 모건의 유전자
실험은 사람을 대상으로 했다면 210여 년이 걸렸을 것입니다.'
인데 초파리의 세대 시간이 짧아 단시간에 유전자 실험을 할 수
있었던 사례로, 사람으로 실험하게 된다면 엄청나게 긴 시간을
소모해야 했다는 것을 밝히고 있다. 이것은 〈보기〉의 근거가 될
수 있으므로 〈보기〉문장은 ㉢에 들어가는 것이 적절하다.

19 반대 측의 주장에서 용어를 잘못 사용한 부분이 없기 때문에 다
시 질문할 필요는 없다.

### 서술형 심화문제
P.295~298

01 (1) 논제는 찬성 측의 입장이 반영된 긍정문으로 작성해야 한다.
   (2) 사형제도는 꼭 존재해야 한다.
02 (1) A:사실 논제 B:가치 논제
   (2) 문제의 심각성, 문제 해결 방안 및 실행 가능성
03 (1) 입론 (2) 학생은 독립된 존재이다.
04 (1) 반론 (2) 교내에서 휴대 전화 사용을 규제 하는 현재 상황은 부당하다.
05 (1) 가치관의 차이를 따지는 논제
   (2) 자유가 평등보다 가치 있다. 사랑이 우정보다 중요하다.
06 ⓐ 주장, ⓑ 이유, ⓒ 근거

### 단원 종합평가
P.299~306

| 01 ② | 02 ③ | 03 ④ | 04 ③ |
| 05 ② | 06 ① | 07 ⑤ | 08 ⑤ |
| 09 ② | | | |

10 ㉠ 휴대 전화를 교육적 용도로 활용한다는 주장은 과장된 면이 있다.
㉡ 휴대 전화를 사용하면 집중력이 저하되고, 주어진 문제를 검색을 통해 쉽
게 해결하려는 경향이 나타난다. ㉢ 휴대 전화가 주로 유희적인 용도로 사용
되고 있다는 한국 정보화 진흥원의 2015년 조사 자료를 제시한다.

01 ㄴ. 노동력이 많이 필요하다고 해서 인건비가 점점 비싸지는 것

은 아니다. ㄹ. 옷을 유행에 맞는지 확인하고 살 필요는 없다.

**02** (가)의 글쓴이는 불필요한 옷 소비를 줄여나가며, 공정한 과정을 통해 만들어진 옷인지 확인하며 구매해야 한다고 생각한다. ㄴ에서도 기업이 정보공개를 하지 않으면 공정한 과정을 통해 만들어진 옷인지 확인할 수 없기 때문에 구입하지 않는 것이므로 글쓴이와 유사한 관점을 지니고 있다고 할 수 있고, ㄷ에서도 지적 재산권을 침해한 옷을 사지 않는 것은 공정한 과정을 거치지 않은 옷을 구매하지 않는 것이므로 글쓴이의 관점과 유사하다고 할 수 있다.

**03** (나)의 글쓴이도 개발도상국의 열악한 근로 환경에 대해 관심을 기울이는 것을 '노동 착취'를 말하는 부분에서 확인할 수 있다.

**04** (나)는 노동 착취 공장의 원인을 분석하지 않았다.

**05** 〈보기〉는 착한 일을 한 번 하고 나면 이후에 선행을 덜 실천하는 것으로 보상받으려 하는 '도덕적 허가'현상에 대해 설명하고 있다. 윗글을 이와 관련하여 보면 공정한 과정을 통해서 만들어진 옷을 구입한다는 이타적 행위가 다른 이타적 행위를 줄어들게 할 수 있다고 추측할 수 있다.

**06** 반대 측 1 토론자의 입론 뒤에는 찬성 측 반대신문이 나와야 한다.

**07** '반대1'은 상대방의 말을 끊고 자신의 의견을 말하는 등의 태도를 보인다. 하지만 자신의 질문에 단답형으로 답하기를 강요한 것은 아니다.

**08** '찬성 2'는 '반대 2'의 입론에서 근거로 제시하지 않은 부분을 지적하고 있다.

**09** 청소년의 판단력과 절제력이 성인에 비해 부족하다는 것은 오히려 '반대' 측의 입장에 유리하다고 할 수 있다.

MEMO

MEMO

고등
국어

HIGH SCHOOL

실전기출
문제은행